KLAUS-PETER WOLF

Ostfriesen
HASS

Kriminalroman

Der neue Fall für
Ann Kathrin Klaasen

GW00537358

FISCHER Taschenbuch

Originalausgabe
Erschienen bei FISCHER Taschenbuch
Frankfurt am Main, Februar 2024

© 2024 S. Fischer Verlag GmbH,
Hedderichstraße 114, D-60586 Frankfurt am Main

Satz: Dörlemann Satz, Lemförde
Druck und Bindung: CPI books GmbH, Leck
Printed in Germany
ISBN 978-3-596-70863-5

»Warum wird Kaffee immer von alleine kalt, aber Bier nie?«
Hauptkommissar Rupert, Mordkommission Aurich

»Lern von den Möwen. Scheiß drauf!«
Hauptkommissar Rupert, Mordkommission Aurich

Ann Kathrin Klaasen war schon auf dem Heimweg, als der Hilferuf eintraf. Im Muschelweg, nahe beim *Krabbenkutter,* seien die Schreie einer Frau gehört worden. »Hilfe, er bringt mich um!«, habe sie mehrfach gerufen.

Ann Kathrin fuhr gerade über die Norddeicher Straße. Sie wollte eigentlich noch einen Spaziergang an der Wasserkante machen, um nach diesem stressigen Tag runterzukommen.

Sie brauchte keine zwei Minuten bis zum Muschelweg. Sie parkte vor dem geschlossenen Imbiss und stieg aus. Lauschte in die Nacht.

Ein gutes Dutzend Spatzen stritt auf der Straße um die Krümelreste eines Fischbrötchens, das eine Möwe gestohlen und im Flug verspeist hatte.

Ann Kathrin sah sich nach den Touristen um, die angerufen hatten und angeblich auf der Straße vor dem Haus warteten. Das Ehepaar Ehrlich.

Herr Ehrlich war Mitte sechzig, stand da in Badelatschen und knielangen Boxershorts. Er trug ein olivfarbenes T-Shirt mit der Aufschrift: *Freigänger.*

Seine Frau war, im Gegensatz zu ihm, warm angezogen. Dicke Windjacke, Wanderschuhe, Wollmütze mit Ohrenschutz.

»Haben Sie angerufen?«, fragte Ann Kathrin Klaasen.

Die Frau nickte und deutete auf ein Ferienhaus. »Da!«

Herr Ehrlich wunderte sich: »Fährt die Polizei hier in Ostfriesland Twingo?«

»Nein«, antwortete Ann Kathrin, »normalerweise kommen wir mit dem Rad oder zu Fuß.«

Sie stieg über das Gartentor und ging auf die Haustür zu. Die Rollläden waren runtergelassen, aber zwischen den Lamellen schien Licht.

Ann klingelte zweimal. Eine Männerstimme schimpfte: »Bist du bescheuert? Warum klingelst du? Ich hab gut eine Stunde gebraucht, um den Kleinen schlafen zu legen.«

Ann Kathrin klopfte und rief: »Aufmachen! Polizei!«

Sie war nicht bereit, sich abwimmeln zu lassen. Sie kannte die Tricks gewalttätiger Männer, die Polizei loszuwerden.

Sie klingelte noch einmal und klopfte gleichzeitig: »Aufmachen! Polizei!«, wiederholte sie laut und deutlich.

»Verarschen kann ich mich selber! Hau ab, du blöde Ziege!«

Es wurde also ernst. Ein Adrenalinschub vertrieb Ann Kathrins Müdigkeit. Sie war sofort wieder hellwach.

Die Ehrlichs traten näher ans Tor, um alles mitzubekommen.

Ann Kathrin forderte bei Marion Wolters in der ihr eigenen Art Verstärkung an: »Ich glaube, hier bittet jemand um ein Zimmer für die Nacht. Haben wir noch eines in den gekachelten Räumen frei?«

Das Übernachtungsangebot wurde durchaus als Drohung verstanden. Der Schlüssel drehte sich im Schloss.

Noch bevor die Tür sich öffnete, brüllte jemand: »Ich hab die Faxen dicke! Penn doch bei deinen versnobten Single-Freundinnen!«

Ann Kathrin blickte in das verblüffte Gesicht eines zornigen Mannes. Er hatte klare, blaue Augen, trug ein Muscle-Shirt und Flip-Flops. Sein Atem roch nach Rotwein, er hielt ein halbvolles Glas in der Hand.

»Wer sind Sie? Was wollen Sie? Wenn Sie zu Ingrid wollen, die ist nicht da.«

»Sehen Sie«, sagte Ann Kathrin selbstsicher, »genau das glaube ich nicht.«

Sie zeigte ihren Ausweis vor und schob ihren rechten Fuß so in den Türspalt, dass der Mann ihr die Tür nicht vor der Nase zuknallen konnte.

Er registrierte das, und es gefiel ihm nicht.

»Der Mädelsabend findet nicht hier, sondern bei Meta oder Wolbergs oder in der Schaluppe statt.«

Er wirkte, als hätte er Lust, ihr den Rotwein ins Gesicht zu kippen.

»Bitte machen Sie mir keine Schwierigkeiten. Lassen Sie mich rein. Ich möchte mich nur mal umsehen.«

Er zeigte auf das Touristenpaar. »Gehören die auch zu Ihnen?«

Ann schüttelte den Kopf. »Nein.«

Er rief zu den Ehrlichs rüber: »Was glotzt ihr so? Wir sind hier nicht im Zoo!«

»Lebt die Frau noch?«, fragte Herr Ehrlich besorgt.

Seine Frau wollte Ann Kathrin beistehen: »Brauchen Sie Hilfe?«

Ann Kathrin reagierte nicht darauf, deshalb ergänzte sie triumphierend: »Mein Mann kann Judo!«

»Bitte machen Sie mir keine Schwierigkeiten«, wiederholte Ann Kathrin. »Man hat Hilferufe gehört, und ich würde mich gerne davon überzeugen, dass alles in Ordnung ist.«

Der Mann im Muscle-Shirt fragte: »Sind Sie wirklich von der Polizei?«

Ein Kind weinte laut. Für Ann Kathrin war dies ein klares Signal. Sie drängte sich an dem Mann vorbei ins Haus.

»Keine Sorge, wir warten hier, Frau Kommissarin!«, rief der Judo-Kämpfer.

Schon stand Ann Kathrin im Wohnzimmer. Der Hausherr nippte an seinem Wein und witzelte: »Ach, kommen Sie doch rein.« Er schloss die Tür, was Ann Kathrin nicht gefiel, und kommentierte: »Bevor noch die ganze Nachbarschaft rebellisch wird ...«

Das Kinderweinen ging in ein Schreien über.

»Ich nehme mal an, Sie haben keinen Hausdurchsuchungsbeschluss. Ich bin aber bereit, das zu vergessen, wenn es Ihnen gelingt, Paul in den Schlaf zu singen.«

»Wo ist seine Mutter?«

Er lachte: »Das wüsste ich auch gerne. Mädelsabend. Sagte ich doch. Schon der dritte in diesem Urlaub. Sie ist nicht wirklich gerne verheiratet. Zumindest nicht mit mir.«

Er ging voraus ins Kinderschlafzimmer und gestikulierte: »Sie holt gerade ihre Pubertät nach oder was.«

Mit Ann Kathrin ging sofort die Mutter durch, als sie Paul sah. Ihr Sohn Eike war längst erwachsen, aber Paul in seinem durchgeschwitzten Schlafanzug erinnerte sie sofort an ihn. Gleich meldete sich wieder das schlechte Gewissen, weil sie als berufstätige Mutter viel zu wenig für Eike dagewesen war.

Sie stellte sofort fest, dass Paul ganz glasige Augen hatte.

»Haben Sie mal Fieber gemessen?«

»Ach, Fieber. Der ist bloß übermüdet.«

Er stellte sein Weinglas auf einer Anrichte neben einem Kampfroboter ab und hob seinen Sohn aus dem Bett.

»Das ist eine richtige Polizistin«, sagte er. »Die fragt sich dasselbe wie wir beide: Wo treibt sich die Mama mal wieder herum?«

Der Kleine schrie lauter und bäumte sich auf.

»Hör jetzt auf mit dem Scheiß, sonst nimmt dich die Tante von der Polizei mit.«

Ann Kathrin reagierte allergisch darauf, wenn Erwachsene Kindern mit der Polizei Angst machten.

»Wir holen keine Kinder ab, nur weil sie nicht brav sind«, erläuterte sie. »Wir helfen Kindern in der Not aber gerne.«

Sie öffnete jede Tür, ging in jedes Zimmer. Manchmal versteckten verprügelte Frauen sich aus Scham oder gar, um ihren Mann zu schützen. Sie hatte schon Frauen hinter Sofas, unterm Ehebett oder im Kleiderschrank gefunden. Sie war einiges gewohnt.

Ingrid entdeckte sie aber nicht. Dafür half sie, Pauls Windeln zu wechseln und dem Jungen einen frischen Schlafanzug anzuziehen. Der Vater stellte sich dabei als Edgar Leymann vor.

Paul beruhigte sich und trank noch einen kalten Tee. Er war gerade drei Jahre alt geworden und spürte genau, dass seine Eltern dabei waren, sich zu trennen.

Der Kleine mochte Ann auf Anhieb, und als er sie bat, ihm noch eine Geschichte vorzulesen, nahm sie kurzentschlossen eines seiner Bilderbücher und begann.

Sie saß vor dem Bett und las. Edgar hockte bei ihr, als plötzlich Pauls Mutter im Türrahmen stand und sofort loslästerte: »Ich dachte, du stehst mehr auf junge Dinger. Bist du so notgeil, oder haben die anorgastischen Gymnasiastinnen die Nase voll von dir?«

Er verzog den Mund und brummte: »Das ist meine Noch-Ehefrau Ingrid. Sie trinkt gern mehr Wein, als sie vertragen kann.«

Paul weinte sofort wieder.

Ann Kathrin klappte das Bilderbuch zu, reichte es dem Vater

und stand auf. »Das hier ist wohl eher ein Fall für die Eheberatung als für die Kripo«, sagte sie mehr zu sich selbst als zu den Anwesenden. Paul tat ihr leid, doch ihre Müdigkeit meldete sich zurück. Sie unterdrückte ein Gähnen.

Als sie das Haus verließ, hörte sie Ingrids laute Stimme hinter sich: »Na, wie ist sie so im Bett? Mehr das devote Mäuschen, oder lässt sie die Domina raushängen?«

Herr Ehrlich und seine Frau hatten alles mitbekommen. »Hab ich dir doch gleich gesagt, dass die nicht von der Polizei ist. Guck dir mal das Auto an, das fällt doch schon auseinander.«

Ein silberblauer Polizeiwagen rollte in den Muschelweg.

»Da, jetzt kommen die Echten«, freute er sich.

Ann Kathrin ging auf den Wagen zu. »Falscher Alarm, Kollegen«, sagte sie.

Sie lauschte in die Nacht und blickte zu den anderen Häusern. Alles schien ruhig zu sein. Nur ein paar Wildgänse schnatterten aufgeregt.

Er war einer der Auserwählten. Er trug diese Last. Er hatte die Gabe. Er konnte sie erkennen und durchschaute ihren Plan. Er musste diese Teufelsbrut vernichten. Die einfachen Menschen würden es nicht verstehen. Sie waren bedroht. Sie alle. Besonders die Küstenbewohner.

Er musste es heimlich tun. Er war ein Held. Wie ein edler Ritter, der den Drachen tötet, um die Dorfbewohner zu retten. Nur sah diesmal der Drache nicht furchterregend aus wie im Märchen. Die richtigen Monster stanken nicht und spuckten auch kein Feuer. Im Gegenteil. Sie waren schön, rochen gut, sahen aus wie Menschen und flirteten gern. Sie tarnten sich als harmlose Urlauberinnen, doch ihn konnten sie nicht täuschen. Ihn nicht.

Ja, er hatte die Gabe. Es machte ihn stolz. Er war sich der Verantwortung bewusst. Er musste töten und dabei unerkannt bleiben. Die Menschheit ahnte ja nicht, in welcher Gefahr sie sich befand.

Heute hatte er eins dieser Monster vernichtet.

Er stand unter dem Sternenhimmel am Deich und atmete tief durch. Es war, als würden die Sterne heute nur für ihn leuchten. Sie luden ihn mit neuer Energie auf. Er brauchte viel Energie. Er hatte eine große Aufgabe vor sich ...

Er hatte beide töten wollen, aber nur eine erwischt. Er kam sich als Versager vor, und er durfte nicht versagen!!!

Er saß jetzt in der künstlich angelegten Dünenlandschaft und ritzte sich mit der Klinge in den linken Unterarm. Der Schmerz sollte ihn daran erinnern, dass er besser werden musste. Viel besser! Er durfte sie nicht entkommen lassen.

Als Ann Kathrin Klaasen nach Hause kam, hatte ihr Mann Frank Weller auf der überdachten Terrasse gedeckt. Es roch fruchtig und ein bisschen säuerlich.

Sie freute sich und registrierte mit einem kurzen Blick, dass er für vier Personen eingedeckt hatte.

»Bekommen wir Besuch?«

»Sag bloß, du hast es vergessen?«

»Nein, natürlich nicht«, behauptete sie.

Er durchschaute ihre Lüge: »Wer kommt?«

»Rita und Peter?«

»Falsch.«

»Moni und Jörg?«

»Falsch.«

»Ach, klar, wie konnte ich das nur vergessen – Angela und Holger natürlich.«

Er schüttelte den Kopf.

Ein bisschen kleinlaut riet sie weiter: »Bettina und ... Komm, mach's mir nicht so schwer.«

Er half ihr: »Meine Tochter Sabrina und ihr Neuer.«

»Sie stellt ihn uns vor?«

»Hm.«

»Na, du klingst ja begeistert. Ist sie schwanger?«

Weller lief in die Küche und rührte im Topf.

»Was gibt's denn?«

»Alte Seefahrerkost. Gut gegen Skorbut.«

»Sauerkraut?«, fragte sie langgedehnt.

Er ließ Ann probieren. »Das ist nicht einfach Sauerkraut«, schwärmte er, »sondern Sauerkraut mit geriebenen Äpfeln, Ananas und Mangostückchen.«

Sie sah das Messer auf dem Tisch und die Obstschalen.

»Natürlich nicht aus der Dose«, sagte sie und tat so, als hätte sie es geschmeckt. Sie schmatzte bewusst, um ihm eine Freude zu machen.

Im siedenden Wasser lagen Bockwürstchen. Vier Sorten Senf standen auf dem Terrassentisch.

»Das ist«, sagte Ann, »wirklich gut ... «

Er hatte das Gefühl, dass es ihr überhaupt nicht schmeckte und sie nur nett sein wollte. Er probierte selbst noch einmal. Er fand es köstlich. Außerdem vitaminreich und gesund.

Weller ordnete die Senfgläser neu, als wisse er schon genau, wer süßen Senf, wer mittelscharfen und wer extrascharfen essen würde. Dann hatte er noch selbstgemachten Senf von Rita Grendel, den er heute zum ersten Mal probieren wollte.

Es klingelte an der Tür.

»Da sind sie schon! Nur knapp eine Stunde zu spät«, lachte er. »Darin ist Sabrina dir ähnlich.«

Silke Humann kam viel später als versprochen in die Ferienwohnung zurück. Manchmal klammerte ihre Schwester einfach zu sehr, fand sie, deshalb hatte sie auch fast zwei Jahre lang den Kontakt zu ihr abgebrochen. Valentina wollte immer alles im Voraus festlegen und bestimmen. Wann, wo, wie. Meist machte sie sogar Listen.

Silke dagegen war mehr die Spontane. Je enger das Planungskorsett ihrer Schwester wurde, umso heftiger wurden ihre Befreiungsausbrüche. Sie empfand Planung, gerade im Urlaub, als beklemmendes Gefängnis. Darum war es im Streit zwischen ihnen oft gegangen. Mit diesem Urlaub in Norddeich wollten sie einen neuen Anfang miteinander versuchen. Spaziergänge, Gespräche im Strandkorb, und natürlich sollte Valentina genug Zeit zum Lesen bekommen.

Eigentlich las Valentina lieber, als zu verreisen. Sie hatte sich auch noch nicht an E-Books gewöhnt, sondern schleppte im Urlaub einen Koffer voller Bücher mit. Zusätzlich konnte sie an keiner Buchhandlung vorbeigehen.

Silke stand mehr auf sportliche Aktivitäten. Hier in Norddeich natürlich Kitesurfen, und einige der Kitesurfer gefielen ihr besonders gut. Einer, der sich Joe nannte, aber Johannes hieß, hatte sie heftig beflirtet. Sie war einem Abenteuer im Urlaub nicht abgeneigt, hatte aber Angst, dass sich eine kurze Liebesaffäre auf die Beziehung zu ihrer Schwester negativ auswirken könnte. Sie hatten doch geplant, sich in diesen paar Tagen aufeinander zu konzentrieren. Es sollte nicht wieder so werden wie damals in Südtirol, als sie sich mit dem Skilehrer amüsierte, während Valentina Kerstin Gier las oder Carlos Ruiz Zafón oder die komplette *World*-Reihe von Anabelle Stehl.

Nein, diesmal sollte sich kein Mann zwischen sie schieben. Diesmal wollte sie genug Zeit und Aufmerksamkeit für Valentina haben. Vielleicht hatten sie als Schwestern ja doch noch eine Chance miteinander.

»Valentina?«, rief sie. »Valentina? Ich bin wieder da! Schläfst du schon?«

Ihre Schwester las gern im Bett und nickte dort dann ein, neben sich die Nachttischlampe, eine Tasse Tee und eine Tafel Schokolade.

Silke sah das Blut erst, als sie darauf ausrutschte. Sie klatschte vors Bett. Sie wusste gleich, dass ihre Schwester tot war. Sie wollte schreien, doch sie bekam keinen Ton heraus. Es war, als würde ihr jemand den Hals zudrücken.

Sie rang nach Luft und kroch rückwärts, eine Blutspur hinter sich herziehend, ins Wohnzimmer zurück. Sie sah sich von außen. Sie kam sich vor wie ein Insekt, auf das Jagd gemacht wurde.

Ann Kathrin gab sich Mühe, den jungen Mann zu mögen. Er war vier, fünf Jahre älter als Sabrina, hatte krauses blondes Haar und einen dunklen Dreitagebart. Er war sportlich durchtrainiert und gab sich auch Mühe, das zu zeigen. Er wirkte recht körperverliebt.

Alle lobten Wellers Essen, besonders Sabrina. Sie wollte damit wohl einen guten Draht zu ihrem Vater aufbauen. Es war ihr wichtig, was er über Finn-Henrik dachte.

Sabrina hatte Weißwein mitgebracht, der, das sah Ann Kathrin Weller an, ihm viel zu süß war. Aber er tat, als würde ihm der Wein gut schmecken, um seiner Tochter eine Freude zu machen.

Hoffentlich bringt sie jetzt nicht jedes Mal eine Flasche davon mit, dachte Ann Kathrin und traute sich zu erwähnen, dass sie eigentlich lieber trockene Weißweine mochte. Wenn überhaupt. Sie mied Alkohol in letzter Zeit und fand das ostfriesische Leitungswasser besser als so manch edlen Wein.

Beim Essen entstand, nachdem sie ein paar Freundlichkeiten ausgetauscht hatten, eine kleine Gesprächspause, die Ann Kathrin als unangenehm empfand, als hätten sie sich nichts mehr zu sagen, obwohl sie sich doch so selten sahen.

»Und was machen Sie beruflich?«, fragte sie Finn-Henrik Bohlens und ärgerte sich sofort darüber. Dämlicher geht es wirklich nicht, dachte sie. Das sieht doch gleich so aus, als wollte ich ihn einschätzen und einordnen. Wieso frage ich ihn nicht sofort nach seinem Gehalt?

Er antwortete nicht, sondern beschäftigte sich damit, Ritas selbstgemachten Senf auf seine Brühwurst zu streichen.

Sabrina antwortete für ihn. Sie lachte dabei demonstrativ: »Er ist UFO-Forscher.«

Weller verschluckte sich am Sauerkraut.

»UFO-Forscher?«, hakte Ann Kathrin nach. »Kann man davon leben?«

Sabrina legte Messer und Gabel neben sich, fixierte Ann Kathrin und belehrte sie: »Er hat ein Buch geschrieben – also, an einem mitgewirkt«, relativierte sie. »Er hält Vorträge im ganzen deutschsprachigen Raum.«

»Und in Holland«, fügte er mit vollem Mund hinzu.

Fast wäre es Weller herausgerutscht, ihn zu korrigieren. Wenn Menschen *Holland* sagten, meinten sie meist die Niederlande. Weller, der sehr auf Sprache achtete, wendete dann gern ein: »Man sagt ja auch nicht Franken oder Bayern, wenn man Deutschland meint.«

Ann Kathrin wusste, dass er es auf den Lippen hatte und schwieg, um die Stimmung nicht zu verderben. Stattdessen sagte Weller in Ann Kathrins Richtung: »Erich von Däniken ist damit reich geworden. Ich habe seine Bücher früher auch gelesen – *Erinnerungen an die Zukunft* und *Die Götter waren Astronauten* zum Beispiel – und mal einen Vortrag von ihm besucht.«

»Wirklich?«, freute Finn-Henrik sich. »Das ist ja großartig! Däniken hat mir die Augen geöffnet.«

»Betreibst du eigene Forschungen«, fragte Weller, »oder erfindest du Geschichten? Erzähl mal.«

Sabrina und Ann Kathrin sahen sich an und nickten sich zu. Weller und Finn-Henrik hatten ein Gesprächsthema gefunden.

Weller machte sich keineswegs Gedanken darüber, dass sein Schwiegersohn in spe nicht vorhatte, eine Beamtenlaufbahn einzuschlagen. Im Gegenteil. Er fand es spannend, was Finn-Henrik zu erzählen hatte.

Sabrina wirkte erleichtert.

»Ich will nicht Science-Fiction-Autor werden«, sagte Finn-Henrik.

»Och«, wandte Weller ein, »warum nicht? Ich lese zwar lieber Romane, die im Hier und Jetzt spielen, aber … «

Sabrina mischte sich ein: »Ich habe ihm auch schon oft gesagt, schreib doch einen Roman, das ist nicht so anstrengend wie diese wissenschaftlichen Sachen. Und der kann ja auch ganz im Hier und Jetzt spielen. Finn geht nämlich davon aus, dass die Aliens unter uns sind.«

Finn-Henrik nickte: »Seit Jahrhunderten.«

Ann Kathrin wusste nicht ganz genau, ob das Ernst oder Spaß war. Sie versuchte, den Abend zu retten und alles zum Scherz zu machen: »Ja, wenn ich mir so manche Leute angucke, dann denke ich auch … die sind nicht wirklich von dieser Welt.«

Die Seehunde in Ann Kathrins Handy jaulten. Gleichzeitig sang Bettina Göschl aus Wellers Handy *Piraten Ahoi!*

Sabrinas Stimmung fiel sofort gegen null. Das kam ihr doch alles sehr bekannt vor. »Bitte nicht«, sagte sie noch leise, doch da hatten ihr Vater und Ann Kathrin ihre Handys bereits am Ohr. Sie standen beide auf und verließen den Tisch.

Weller ging ins Haus, Ann Kathrin in den Garten zur Fass-Sauna, um ungestört telefonieren zu können. Sie trafen sich bei Sabrina und Finn-Henrik wieder, als der gerade mit links Weißwein nachgoss und mit rechts Sabrinas Hand hielt.

Sie flüsterte: »Ich halt das nicht aus. Das ist immer so! Du glaubst nicht, wie oft ich das schon erlebt habe. Irgendein Verbrecher ist immer wichtiger als ich.«

»Ist doch nicht so schlimm. Deine Alten sind im Grunde ganz nett«, raunte er.

Weller und Ann Kathrin setzten sich erst gar nicht wieder. »Eine tote Frau im Muschelweg«, sagte Weller und Ann Kathrin fügte zerknirscht hinzu: »Ich war gerade da. Vermutlich in der falschen Wohnung. Zwei Touristen haben sie mir gezeigt.« Sie klammerte die Faust ums Handy und schlug dann mit der rechten Faust in ihre linke Hand. »Ich hätte, verdammt nochmal, nebenan nachgucken müssen, statt mich auf die beiden zu verlassen. Aber ich wollte endlich nach Hause.«

»Ach, jetzt sind wir schuld?«, keifte Sabrina.

»Das habe ich nicht gesagt!«, verteidigte Ann Kathrin sich. Sie stürmte quer durchs Haus und holte sich den Autoschlüssel.

Sie konnte das nicht wiedergutmachen. Jetzt gab es nur noch eins: Sie musste den Täter erwischen. So schnell wie möglich.

Sabrina hatte Tränen in den Augen. Enttäuscht kaute sie auf der Unterlippe herum. Es gab viele böse Dinge, die sie sagen wollte, aber für sich behielt, was es für sie nicht unbedingt besser machte.

»Ihr seid an gar nichts schuld«, sagte Weller. »Sie hatte sogar vergessen, dass ihr uns besuchen wolltet.« Er bat um Verständnis: »Es tut mir echt leid, aber wir müssen da jetzt hin!«

»Gibt's denn keine anderen Polizisten in Norden?«, fragte Sabrina bissig.

»Schon. Aber wir sind die Mordkommission. Da kann ich schlecht sagen, ich habe mit meiner Tochter auf der Terrasse gesessen.«

Finn-Henrik versuchte, Weller zu helfen: »Ist echt nicht so schlimm. Wir räumen das hier ab und …« Ihm fiel nicht ein, was sie sonst noch hätten tun sollen.

Weller schlug vor: »Ich weiß nicht, wie lange es dauert, aber macht es euch doch gemütlich. Ihr könnt euch die Sauna anmachen und später, wenn wir zurückkommen, machen wir noch ein Feuerchen im Garten. Ich hole einen guten Rotwein raus, und wir …«

»Hau endlich ab, bevor ich einen Schreikrampf kriege!«, schimpfte Sabrina.

Hauptkommissar Rupert nutzte die Chance, dem Verhör durch seine Schwiegermutter zu entkommen. Noch bevor sie von Herrn von Oertzen schwärmen konnte, der natürlich eine viel bessere Partie für ihre Tochter Beate gewesen wäre als Rupert, rettete ihn der Mord in Norddeich.

Um das Geschwätz seiner Schwiegermutter überhaupt ertragen zu können, hatte er sich schon heimlich zwei Scotch genehmigt. Eigentlich fuhr Rupert nicht, wenn er Alkohol im Blut hatte, aber das hier war eine besondere Situation. Er wollte nicht warten, bis Jessi ihn mit dem Dienstwagen abholte. So lange ertrug er seine Schwiegermutter nicht mehr.

Er wohnte im Neubauviertel im Norden von Norden, praktisch keine zwei Kilometer vom Tatort entfernt.

Er nahm das Rad.

Der Nordwestwind pustete ihn nicht zum ersten Mal nüchtern. Eine frische Brise Nordseeluft war effektiver als Kaffee oder Aspirin, fand Rupert.

Er kam noch vor Ann Kathrin und Weller an.

Silke Humann floh aus dem Haus auf die Straße. Sie lief Rupert direkt vors Rad. Er bremste scharf.

Sie fasste ihn mit ihren blutigen Händen an. Er konnte sich kaum dagegen wehren.

Das Rad war zwischen ihnen.

Ihre irren Augen machten Rupert Angst. Er kannte diesen entrückten Blick von Mördern direkt nach der Tat. Sie wirkten dann wie Wesen aus einer anderen Welt. Einige lachten oder grunzten. Die hier machte erstickte Laute, als hätte sie vergessen, wie man richtig atmet und spricht.

Eine ihrer Gesichtshälften wurde von diffusem Mondlicht erhellt, die andere von einer Laterne. Blutspuren klebten in ihrem Gesicht und auf ihrer Kleidung.

Rupert hielt sie für die Täterin. Zumindest konnte er das nicht ausschließen.

Sie wollte sich an ihm festhalten und riss ihn dabei fast um.

Er ließ sein Fahrrad los, um ihr auszuweichen. Sie stürzte mit dem Rad auf die Fahrbahn, vor Ann Kathrins froschgrünen Twingo.

Weller sprang aus dem Auto und lief kommentarlos ins Haus. Ann Kathrin kümmerte sich um die Frau, Rupert um sein Fahrrad. Er stellte es an der Laterne ab.

Ann Kathrin saß am Straßenrand, Silke Humanns Kopf in ihrem Schoß. Sie kämmte mit ihren Fingern die verklebten Haare aus dem Gesicht der verängstigten Frau.

Ann Kathrin fragte: »Haben Sie uns angerufen?«

Silke Humann nickte mit weitaufgerissenen Augen.

»Haben Sie den Täter gesehen?«

Sie schüttelte den Kopf.

Rupert sah sich die Szene misstrauisch an. Wäre sie ein Mann gewesen, hätte Ann Kathrin ihm die Beine weggehauen und er würde jetzt bäuchlings auf dem Boden liegen, die Hände in Handschellen. Aber für eine Frau hatte Ann Kathrin natürlich erst mal Verständnis, dachte Rupert.

Er zeigte auf Silke Humann und fragte Ann Kathrin: »Wer sagt dir, dass sie es nicht war? Guck sie dir an! Sie ist voller Blut. Sie kam aus dem Haus gerannt und ...«

»Nur sehr selten rufen uns die Täter an und fliehen dann«, kommentierte Ann Kathrin, und Rupert hörte einen nörgeligen Ton heraus. Er fühlte sich kritisiert.

Mit einem Blick gab sie ihm zu verstehen, er solle Weller ins Haus folgen, doch Rupert zögerte noch. Deshalb forderte sie ihn auf: »Sichere Frank! Möglicherweise ist der Täter noch im Haus oder im Garten.«

Rupert veränderte ruckartig seine Körperhaltung, zog die Heckler & Koch und lief zur offenen Haustür.

»Ich bin's, Rupert!«, rief er laut, um von Weller nicht für den Täter gehalten zu werden. In einer ähnlich nervösen Situation hatte ein Kollege gar nicht weit von hier, in Hilgenriedersiel, nahe der einzigen Naturbadestelle an der ostfriesischen Nordseeküste, auf einen anderen Kollegen gefeuert. Die ganze Sache war glimpflich ausgegangen, aber seitdem war Rupert vorsichtig.

Überall war es hell erleuchtet. Irgendjemand hatte in allen Räumen das Licht angeknipst. Rupert sah die verschmierten Blutspuren auf dem Boden im Flur. Sie führten ins Wohnzimmer.

Weller rief aus dem Schlafzimmer: »Mein Gott, was für eine Sauerei!«

Rupert hörte oben im Haus ein Geräusch. Entweder klappte ein Fenster zu, oder es war etwas umgefallen.

Er hatte das Gefühl, augenblicklich nüchtern zu sein. Sein ganzer Körper kribbelte. Energie schoss durch seine Adern. »Oben«, flüsterte er, und Weller antwortete, ohne sich zu Rupert umzudrehen: »Ich hab's gehört.«

Es war eine Wendeltreppe. Rupert hasste diese Dinger. Je höher er stieg, desto dunkler wurde es. Diese Treppen konnten zu einer schrecklichen Falle werden. Auf einer Wendeltreppe war man schutzlos.

Im Mondlicht, das durch die Scheiben hereinfiel, sah Rupert Flecken auf der Treppe, die verdächtig nach frischem Blut aussahen.

Je höher Rupert kam, umso intensiver wurde ein Uringeruch, als würde er sich auf eine offene Kloake zubewegen.

Er blieb in der Mitte stehen. Weller war jetzt unter ihm und flüsterte in sein Handy: »Es hat eine schreckliche Übertötung stattgefunden.«

Dann fragte er Rupert: »Was ist? Willst du nicht weiter?«

Rupert schüttelte den Kopf: »Wenn da oben einer mit einem Baseballschläger steht, kann der mir die Birne weghauen, bevor ich auch nur ...«

»Was hast du jetzt vor?«, fragte Weller. »Sollen wir hier warten, bis richtige Polizisten kommen?«

Damit verletzte er Rupert. Der arbeitete sich jetzt todesmutig nach oben durch. Ausgerechnet dort war es dunkel.

Rupert hielt die Heckler & Koch mit beiden Händen und fand keinen Lichtschalter. Weller leuchtete mit einer Taschenlampe über den Boden.

Sie befanden sich in einem Jugendzimmer, mit Postern an den Wänden und vielen Buchregalen. Auf dem Nachttisch ein populärwissenschaftliches Buch mit dem Titel: *Sie sind längst gelandet.* Ein ausklappbares Bett erinnerte an die achtziger Jahre. Auf dem Teppich waren rot die Abdrücke von Tierpfoten abgebildet.

Etwas huschte hinter einen Sessel. Rupert richtete die Waffe auf die Lehne und trat den Sessel weg. Ein wolliger weißer Zwergpudel mit gekräuselter Behaarung sah Rupert mit großen Augen an.

Weller befand sich noch auf der Treppe. Rupert rief ihm zu: »Na, das nenne ich mal einen tapferen Wachhund! Er hat sich vor Angst hier hoch verkrochen und alles vollgeschissen«, schimpfte Rupert, »deshalb stinkt es hier so.«

»Guck mal ins Schlafzimmer rein, dann hast du Verständnis für den Hund«, entgegnete Weller.

Es gab in der Polizeiinspektion einen Raum, der wie ein Wohnzimmer eingerichtet war, mit Sesseln, Sofa und einem Spieleteppich in der Ecke. Hier wurden Gespräche mit Kindern geführt, mit misshandelten Frauen oder Zeuginnen, die durch die Kühle des Büros eher eingeschüchtert werden würden.

Marion Wolters hatte sich viel Mühe gegeben, das Zimmer behaglich zu gestalten. Back- und Kochbücher lagen auf dem Tisch. Die Plastikblumen gefielen Ann Kathrin nicht. Überhaupt zog sie sich bei solchen Gesprächen mit den Betroffenen lieber hinten ins *Café ten Cate* zurück oder in den Frühstücksraum des *Smutje*. So schuf sie eine zwanglose Gesprächsatmosphäre.

Doch Silke Humann brauchte die Sicherheit der Polizeiinspektion. Die Frau trauerte nicht nur um ihre Schwester, sondern hatte eindeutig auch Angst um ihr Leben.

Den Tatort hatten sie der Spurensicherung überlassen. Ann Kathrin befragte nun Silke Humann so behutsam wie möglich nach den Geschehnissen. Hinter einer Glasscheibe standen Weller und Rupert. Sie beobachteten Ann Kathrin. Die gesprochenen Worte wurden nach draußen übertragen, das Gespräch wurde aber nicht mit einer Kamera aufgezeichnet. Ann Kathrin befürchtete, Silke Humann könnte dadurch zu sehr eingeschüchtert werden.

Die Frau hatte sich inzwischen notdürftig gewaschen. In ihren Haaren klebte aber immer noch Blut, da sie sich mehrfach mit den Fingern durch die Frisur gefahren war.

»Sie haben den Täter nicht gesehen?«

Silke Humann schüttelte den Kopf. »Nein, habe ich nicht.«

»Hatte Ihre Schwester einen Freund oder Ehemann? Gibt es irgendjemanden, den Sie verdächtigen?«

»Nein, die hatte es nicht so mit Männern. Die hat ihre Bücher geliebt und ihren Pudel Pupsi.«

Ann Kathrin zögerte einen Moment und suchte nach der richtigen Formulierung. Dann versuchte sie es: »Die Art und Weise, wie Ihre Schwester getötet wurde, deutet nicht darauf hin, dass hier ein Einbrecher überrascht wurde, sondern da war sehr viel Wut im Spiel. Eine hohe Emotion. Daraus folgere ich, dass Ihre Schwester den Täter kannte. Möglicherweise kennen Sie ihn auch.«

Silke Humann verschränkte die Finger und streckte die Arme aus. Sie ließ ihre Knöchel knacken. Sie reckte sich, als sei sie gerade erst aufgestanden.

Ann Kathrin kannte diese Reaktion von erschütterten Menschen. Verschwieg Silke Humann ihr etwas?

Die junge Frau zog ihr Handy aus der Tasche und wischte ein paarmal übers Display. Sie hielt es Ann Kathrin hin. Auf dem Foto war ein erigierter Penis zu sehen.

»Vielleicht war es einer dieser kranken Typen, die uns die Dickpics schicken.«

Ann Kathrin staunte: »Bekommen Sie viele davon?«

Silke Humann lachte bitter: »O ja. Sie nicht?«

Ann Kathrin beantwortete die Frage nicht, sondern hakte nach: »Hat Ihre Schwester so etwas auch bekommen?«

»Na klar. Kriegen das nicht alle Frauen? Haben die sich ausgerechnet uns ausgeguckt, um uns damit zuzumüllen?«

Ann Kathrin gab ein Zeichen in Richtung Weller und Rupert. Silke Humann bekam das gar nicht mit. Die zwei verstanden sofort. Sie sollten das Handy der toten Valentina Humann überprüfen und die Nummern gegebenenfalls zurückverfolgen.

»Reagieren Sie auf solche Fotos?«, fragte Ann Kathrin.

»Ich bin doch nicht verrückt!«

»Kennen Sie die Männer oder … «

»Teils, teils. Arbeitskollegen, Nachbarn, flüchtige Bekannte,

Internet-Chats … Bei einigen habe ich aber auch keine Ahnung, wie die an meine Whatsapp-Nummer gekommen sind.«

Weller stieß Rupert an. »Damit hätten wir eine Spur, Alter.«

Rupert wirkte merkwürdig nachdenklich auf Frank Weller.

»Was ist? Hast du Kummer? War doch nicht die erste schlimm zugerichtete Leiche, die du gesehen hast.«

Rupert beschwerte sich: »Nee. Ich finde nur, das ist ungerecht.«

»Ungerecht? Was meinst du damit?«

»Na ja, offensichtlich kriegen Frauen ständig solche Dickpics zugeschickt. Beate hat mir auch schon davon erzählt. Sie sagte, das greift um sich wie eine Seuche. Sie löscht das natürlich immer sofort.«

»Klar«, stöhnte Weller, »verglichen mit dem, was ihr Mann zu bieten hat, sehen diese Pimmel bestimmt lächerlich aus.« Er hoffte, damit das Thema wechseln zu können, doch Rupert war noch nicht fertig. Er kratzte sich und überlegte: »Weißt du, heute geht es so viel um Gleichberechtigung, und einige hier in der Inspektion gendern ja sogar schon. Mitarbeiter*innen, Kolleg*innen … «

»Ja, und was willst du mir jetzt damit sagen?«, fragte Weller.

»Na ja, wieso kriegen wir Männer nicht auch so was?«

»Häh?«

Rupert bemerkte die junge Kommissarin Jessi Jaminski nicht, die hinter ihm fast lautlos den Raum betreten hatte. Vor der Scheibe war sie immer ganz ruhig, als hätte sie Angst, eine Bewegung könne sie verraten oder ihre Stimme könne im Raum gehört werden. Sie nannte diese Position hier den *Lauschposten* und hielt sich gern hier auf, weil sie glaubte, an diesem Ort viel lernen zu können.

Rupert war voll in seinem Element: »Ja, ich frage mich,

warum machen Frauen das nicht? Oder bekommst du Tittenbilder von Kolleginnen geschickt? Ziehen die morgens zu Dienstbeginn mal kurz ihr T-Shirt hoch, machen ein Selfie und drücken auf *An alle*? Oder schicken es zumindest an ausgewählte Personen? *So, hier lieber Frank, hab ich auch mal meine Muschi für dich fotografiert, morgens direkt nach der Dusche.*«

Weller sah Jessi. Er räusperte sich und guckte auf seine Schuhe.

Rupert verstand das Signal nicht. Stattdessen holte er weit aus: »Also, wenn ich solche Fotos bekommen würde, ich würde die sammeln.« Er geriet ins Schwärmen. »Man könnte sich ein Album anlegen und ... «

»Halt die Fresse!«, zischte Weller.

»Moin, Kollegen«, flüsterte Jessi. »Störe ich?«

Rupert zuckte zusammen und fragte sich, wie viel vom Gespräch sie mitbekommen hatte. »Nein«, sagte er, »du störst doch nie. Wir haben uns gerade über Fragen der Emanzipation unterhalten.«

Weller machte eine schneidende Bewegung. Er wollte dieses Gespräch auf keinen Fall fortsetzen. »Wir brauchen«, sagte er, »das Handy der Toten. Es muss sofort ausgelesen werden.«

Jessi fragte: »Brauchen wir dafür nicht eine richterliche ... «

Rupert unterbrach sie sofort: »Für irgendwelchen Bürokratenscheiß haben wir jetzt keine Zeit. Es ist Gefahr im Verzug.«

So, wie sie nebeneinander die Treppe hinunterliefen, sah es aus, als hätte Jessi zwei Bodyguards bei sich. Rupert räusperte sich mehrfach. Er musste die Frage einfach loswerden: »Sag mal Jessi, bekommst du so was auch?«

»Was?«

»Na ja, solche intimen Fotos von Männern.«

Sie lachte. »Dickpics? Na klar. Gerade gestern habe ich noch eins ...« Sie holte ihr Handy heraus und wollte es Rupert zeigen. Der winkte dankend ab.

Weller wusste gar nicht, wo er hingucken sollte. Er hätte das Thema jetzt lieber nicht angeschnitten, sondern sich einfach das Handy der Toten geholt.

»Warum«, fragte Rupert, »machen Männer so etwas?«

Jessi zuckte mit den Schultern und verzog den Mund: »Keine Ahnung. Es glaubt doch nicht ernsthaft einer, dass ich zurückrufe und sage: *Mensch, du hast so einen tollen Schwanz, so etwas Schönes habe ich ja noch nie gesehen. Können wir uns treffen? Ich will unbedingt mit dir ins Bett!* Im Grunde ist das die dämlichste Anmache, die ich mir vorstellen kann.«

»Nein«, sagte Weller, »das ist keine Anmache. Das ist sexuelle Belästigung. Möglicherweise kommt der Täter aus dieser Szene.«

Jessi blieb stehen, drehte sich um und sah den beiden nacheinander in die Augen. »Jungs«, sagte die deutlich jüngere Frau zu den Männern, »das glaube ich nicht. So was verschicken doch nicht wirklich die Draufgänger, sondern eher die kleinen Klemmies, die Schiss haben, eine Frau richtig anzusprechen.«

»Na«, grinste Rupert, »jetzt wissen wir wenigstens, wonach wir suchen: Unser Täter ist ein kleiner Klemmie!«

Das gefiel ihm.

Eine Handynummer tauchte sowohl bei Valentina als auch bei Silke Humann auf. Sie ließ sich leicht zurückverfolgen. Der Besitzer wohnte in Norden, nicht weit entfernt vom EDEKA-Markt Götz.

»Da können wir ja«, freute Rupert sich, »zu Fuß hingehen.«

»Genau das machen wir jetzt auch«, bestimmte Weller.

Rupert rieb sich die Hände. Büroarbeit war nichts für ihn, aber Leute aufzuspüren, solche Saftsäcke in die Zange zu nehmen und auszupressen, das war genau sein Ding. Er fühlte sich ein bisschen als Held dabei. Als Frauenbeschützer!

Ohne sich mit den anderen Kollegen abzusprechen, stiefelten die beiden los. Auf dem Marktplatz standen ein paar Fressbuden, die heute Food-Trucks heißen wollten, aber weiterhin Fressbuden genannt wurden. Rupert wollte eigentlich eine extrascharfe Currywurst ausprobieren, doch Weller zog ihn weiter. »Erst die Arbeit, dann das Vergnügen.«

»Na ja, so 'ne kleine Stärkung vorher kann ja nicht schaden ... «

Rupert mochte es, wenn viele Touristen in der Stadt waren. Diese gutgelaunten Menschen, die wild entschlossen waren, sich zu amüsieren. Sie hatten das ganze Jahr gearbeitet und wollten jetzt Spaß haben. Und so benahmen sie sich auch.

Da das Wetter mitspielte und der Nordwestwind eine sanfte Kühlung brachte, war die Stadt erfüllt von dieser Leichtigkeit, die Rupert so liebte. Überall roch es nach frisch zubereiteten Speisen, dazu die flatternden Röcke der Touristinnen und die rutschenden Spaghettiträger – um diese Zeit war Ostfriesland ein Paradies für Rupert.

Weller hatte Mühe, ihn mit sich vorwärtszuziehen.

»Weißt du«, sagte Rupert, »Männer und Frauen sind echt verschieden.«

»Nee, wie bist du denn zu der Erkenntnis gekommen?«

Rupert flüsterte: »Meine Beate, die ist doch Vegetarierin, und meistens kocht sie sogar vegan. Und neulich hat sie eine Currywurst für mich in die Pfanne gehauen.«

»Nee?!«

»Doch, echt! Und ich dachte – das muss Liebe sein!«

»Und?«

»War es aber nicht.«

»Sondern?«

»Vegan.«

»Wie – vegan?!«

»Na ja, sie hat mich richtig reingelegt!«

»Und? Hast du es nicht gemerkt?«

»Nein, verdammt! Die war ganz toll gewürzt, extrascharf, gleichzeitig fruchtig … Beate weiß halt, wie ich es gerne habe. Unter der Soße noch knusprig, nicht im Pappschälchen, sondern auf einem richtigen Teller angerichtet. Dazu selbstgebackenes Knoblauchbrot.«

»Ja, und wo ist jetzt das Problem, wenn's geschmeckt hat?«, fragte Weller.

Rupert druckste herum. »Ja, weiß ich auch nicht … Ich mein ja nur … Frauen sind echt anders als Männer.«

Sie klingelten bei Meyerhoff. Die Tür wurde sofort aufgedrückt. Da der Fahrstuhl nicht funktionierte, nahmen sie die Treppe in den dritten Stock.

Weller hatte vor langer Zeit aufgehört zu rauchen, aber es kam ihm so vor, als hätte er sein volles Lungenvolumen noch nicht wieder zurück. Schon im zweiten Stock wurde er kurzatmig.

Dieter Meyerhoff erwartete sie oben im Flur vor seiner Wohnungstür. Er trug Badelatschen, eine ausgebeulte Jogginghose und ein T-Shirt, auf dem die Speisereste vom Vortag ihre Spuren hinterlassen hatten.

So, wie er sich vor der Tür aufbaute, hatte er keineswegs vor, die zwei hereinzulassen. Er gab hier ein bisschen den Wächter vor dem Tor.

Weller und Rupert erkannten das sofort und warfen sich entsprechende Blicke zu. Leute, die etwas zu verheimlichen hatten, machten der Polizei entweder gar nicht auf oder versuchten, sie vor ihrer Wohnungstür abzuwimmeln.

Weller zückte noch auf der Treppe seinen Ausweis und hielt ihn hoch: »Hauptkommissar Frank Weller, K1, Aurich.«

»Das ist die Mordkommission«, ergänzte Rupert, um dem Typen ein bisschen Angst einzujagen.

Der stand mit abwehrender Geste, aber mit Unschuldsmiene da. »Und was kann ich für Sie tun, meine Herren?«, fragte Dieter Meyerhoff herausgestellt höflich.

Da Weller immer noch mit der Atmung kämpfte, beantwortete Rupert die Frage, indem er selbst eine stellte: »Sie haben so schöne Penisfotos herumgeschickt. Ist das eigentlich Ihr eigener?«

Damit hatten weder Weller noch Dieter Meyerhoff gerechnet.

Weller sog Luft ein und konkretisierte: »Wollen Sie uns nicht hereinbitten, Herr Meyerhoff? Wir haben ein paar Fragen.«

Meyerhoff ging einen Meter zurück, verschränkte die Arme vor der Brust und wurde gleich unangenehm: »Haben Sie einen Hausdurchsuchungsbefehl?«

»Das heißt inzwischen nicht mehr so«, erklärte Rupert, »aber wir ... «

»... brauchen auch keinen«, ergänzte Weller. »Hier ist Gefahr im Verzug. Wir können Sie auch mitnehmen und im Präsidium befragen.«

Weller war im Ton nur geringfügig schärfer geworden, aber er erzielte damit bei Meyerhoff gleich eine Wirkung.

»Ja, ich habe nicht aufgeräumt. Ich habe nicht mit Besuch gerechnet.«

»Schon klar«, nickte Weller, »und Ihre Haushaltshilfe hat bestimmt gerade Urlaub.«

Rupert tippte auf seinem Handy herum.

Aus der Wohnung war lautes erotisches Stöhnen zu hören.

»Oh«, grinste Rupert, »entweder Ihre Freundin ist gerade ohne Ihre Mithilfe gekommen, oder Sie haben einen wirklich merkwürdigen Klingelton auf Ihrem Handy.«

»Wollen Sie nicht rangehen?«, fragte Weller und machte eine einladende Geste in die Wohnung.

Rupert steckte sein Handy wieder ein.

Die Energie wich aus Dieter Meyerhoff. Seine angespannte Körperhaltung sackte zusammen, er schien geradezu zu schrumpfen und gab den Weg frei. Sein aufgeblähter Brustkorb verflachte, stattdessen trat der Bauch hervor. Seine hochgezogenen Schultern hingen plötzlich.

Weller registrierte das mit Genugtuung. Es gab immer solche Punkte, wenn bei den Beschuldigten der Widerstand zusammenbrach. An ihrer Körperhaltung sah Weller es zuerst. Daran erkannte er auch, wann Deeskalationsversuche sinnlos geworden waren und die Auseinandersetzung gewalttätig wurde. Es kündigte sich immer einen Augenblick vorher an, wenn man verstand, das Gesicht und den Körper des anderen zu lesen.

Er hatte da viel von Ann Kathrin Klaasen gelernt. Nur selten wurde sie von einem Angriff überrascht. Meist erwartete sie ihn, und deswegen konnte sie so gut und hart kontern. Wer sie attackierte, zog meist den Kürzeren.

Der hier würde keine großen Schwierigkeiten machen, vermutete Weller. Er war ein Scheinriese, ein Gernegroß. Weller schätzte ihn als feigen Versager ein. Den würden sie schnell weichkochen. Im Verhör hielt der keine dreißig Minuten aus, dann würde er bereits heulen und von seiner schlimmen Kindheit erzählen, vermutete Weller.

Nachdem Rupert den Anruf beendet hatte, erstickte auch das Gestöhne in der Wohnung.

Rupert schob den Mann zur Seite und ging einfach rein. Meyerhoff glotzte blöd hinter Rupert her. Weller sagte: »Nach Ihnen, Herr Meyerhoff.«

Das Handy lag auf einer Sessellehne. Rupert nahm es an sich, ließ es in einer Plastiktüte verschwinden und grinste: »Das ist hiermit beschlagnahmt.«

Meyerhoff protestierte: »Ja, Sie können doch nicht so einfach mein Handy ...«

»Ich glaube doch«, widersprach Weller. »Wir können nicht nur, wir müssen sogar.«

Die Räume sahen nicht so sehr nach Junggesellenwohnung aus, sondern mehr wie eine Ausstellung für Damenunterwäsche.

»Na«, kommentierte Weller, »dieser Hausbesuch ist ja mal wirklich erhellend! Ich nehme nicht an, dass Sie hier gerade die Dessous Ihrer diversen Freundinnen waschen.«

Dieter Meyerhoff ließ sich in den großen Sessel fallen, der den Raum dominierte. Auf der Lehne lag ein schwarzer Seidenslip. Er hob ihn hoch, führte ihn zu seiner Nase und verteidigte sich: »Herrje, ich rieche gern an Damenunterwäsche. Das ist doch, verdammt nochmal, nicht verboten. Wir leben in einem freien Land.«

»Früher«, sagte Weller, »haben Leute wie Sie einfach Unterwäsche von der Leine geklaut. Aber wer hängt heute noch seine Wäsche zum Trocknen im Garten auf? Ich frage mich, wie Sie da rankommen.«

Rupert triumphierte mit Kennerblick: »Außerdem ist das

alles keine frischgewaschene Wäsche, sondern das Zeug ist getragen. Und einiges, wie sein T-Shirt, mehr als einen Tag lang.«

»Ja, wollen Sie mich jetzt deswegen verhaften?«, fragte Meyerhoff und bemühte sich zu lachen. Es hörte sich aber recht verkrampft an. »Einige Frauen verkaufen gebrauchte Unterwäsche. Man kann das sogar abonnieren.«

Er erhob sich schwerfällig aus dem Sessel, ging zu einem Sideboard, zog eine Schublade auf und nahm ein Album heraus. »Hier – Leslie Stahl. Ich habe bei ihr ein Abo. Einen Slip pro Woche. Fünfzig Euro, das geht ganz schön ins Geld. Dafür schickt sie aber auch noch Fotos und ...«

Rupert lachte: »Die kauft sich so einen Schlüpfer für zwei Euro im Supermarkt und vertickt den dann, statt ihn zu waschen, getragen für fünfzig an Schwachköpfe wie den da?« Er zeigte auf Meyerhoff und schüttelte den Kopf: »Weller, wir machen irgendwas falsch. Diese Leslie hat ein unschlagbares Geschäftsmodell. Und ich wette, dafür musste die vorher nicht BWL studieren. Da ist die einfach selbst drauf gekommen.« Er tippte Weller auf die Brust: »Frauen sind eben doch ganz anders als Männer. Ich sag's dir doch, Alter! Oder kennst du einen von uns, der schmutzige Unterwäsche an Frauen verkauft?«

»Da mangelt es wohl an Nachfrage«, antwortete Weller, ohne lange nachzudenken.

Er blätterte in dem Album. Er fand eine Carola Bornstedt aus Braunschweig, bei der Meyerhoff ebenfalls ein Abo hatte. Selbst die Überweisungsbelege hatte Meyerhoff eingeklebt, wie andere ihre Eintrittskarten von Konzerten ihrer Lieblingsbands.

»Hängen hier«, fragte Rupert und ließ es so nebensächlich wie möglich klingen, »auch Slips von Valentina und Silke Humann?«

Rupert taxierte den Verdächtigen genau, während er auf die Antwort wartete. Weller dagegen schielte nur nach unten. Er achtete vor allem auf Meyerhoffs Fußstellung. Manchmal, wenn ihnen eine kritische Frage gestellt wurde, die das Potenzial in sich hatte, einen Täter zu überführen, stellten sich die Beine des Verdächtigen bereits auf eine Flucht ein und verrieten so den Treffer.

»Ich kenne die Frauen nicht«, behauptete Dieter Meyerhoff.

»Es gibt so ein Märchen«, sagte Rupert, »Pinocchio. Da wächst der Figur die Nase. Die wird immer länger beim Lügen. Vorsicht, Weller, geh ihm lieber aus dem Weg. Seine Nase wird gleich deine Brust durchstoßen.«

»Ich kenne sie wirklich nicht«, beteuerte Meyerhoff.

Weller konfrontierte ihn hart und versuchte, ihn einzuschüchtern: »Und deswegen taucht Ihr Penis auch auf den Handys der Damen auf, ja?«

Um ein breites Lächeln bemüht, öffnete Meyerhoff seine Arme, als wolle er Weller an sich drücken und lachte: »Ach, das meinen Sie!!!«

»Ja, genau«, fuhr Rupert ihn an. »Das!«

Weller präzisierte: »Wieso kommen die Damen an diese Bilder, wenn Sie sie gar nicht kennen?«

»Falls es überhaupt Ihrer ist«, ergänzte Rupert kritisch, und in seiner Stimme lag die Vermutung, dass Meyerhoffs bestes Stück sich nicht ganz so groß und stolz aufreckte wie das auf dem verschickten Foto, sondern eher klein und runzlig war.

Meyerhoff machte eine Geste, als müsse er zu einer längeren Erklärung ausholen: »Sie haben gar keine Vorstellung, wie so was läuft, hm? Setzen Sie sich doch … Darf ich Ihnen etwas zu trinken anbieten?«

Weller und Rupert antworteten im Gleichklang: »Nein!!!«

Keiner von ihnen hatte Lust, sich in irgendeiner Form mit dem Typen zu verbrüdern oder auf etwas einzulassen, das die professionelle Gesprächsgrundlage in Frage stellen konnte.

»Also?«, fragte Weller und wippte mit dem Fuß einen nervösen Takt auf den Boden.

»Jetzt mal raus mit der Sprache«, forderte Rupert. »Wie lebt so ein Vorstadtcasanova wie du? Oder sollte ich geiles Miststück sagen?«

Weller warf Rupert einen Blick zu, der ihn daran hindern sollte, gleich auszuflippen.

Meyerhoff räusperte sich, trank kalten Kaffee aus einem angesabberten Becher und begann: »Ich setze mich gern dahin, wo viele Touristinnen sind. Haus des Gastes Norddeich. An die Wasserkante, heute das DECK genannt. Bei Riva, vor dem Ocean Wave – halt, irgendwo, wo es freies WLAN gibt. Da sitzen die Mädels, loggen sich ein und chatten mit ihren Freundinnen.«

Wellers Fuß wippte schneller. »Weiter, Märchenonkel. Zur Sache.«

»Ich schicke denen dann die Bilder und beobachte ihre Reaktion.« Er beugte sich vor, als wolle er die zwei Kommissare in ein Geheimnis einweihen. Fast komplizenhaft erzählte er: »Die eine wischt das ganz schnell weg und löscht das Foto sofort, die andere bittet den Kellner um die Rechnung, die meisten gucken sich aber um und suchen, weil ihnen schon klar ist, dass das Foto aus der Nähe gekommen ist.«

»Woher haben Sie denn die Namen und Telefonnummern der Frauen?«

Meyerhoff guckte Rupert an, als könne er kaum glauben, dass ein Kommissar so eine dumme Frage gestellt hatte. An Weller gewandt, sagte er: »Habt ihr den aus der Steinzeit?«

Dann antwortete er Rupert: »Da gibt es verschiedene Apps für, die zeigen dir an, welche Handys in deiner Umgebung ...«

»Geschenkt«, sagte Weller. »Weiter!«

Meyerhoff zuckte mit den Schultern: »Ja, nichts weiter! Ich habe Spaß an ihren Reaktionen.«

»Ruft auch mal eine zurück?«, fragte Rupert.

»Oder wendet sich eine an die Polizei?«, ergänzte Weller.

Meyerhoff winkte ab: »Dates kommen so nur selten zustande. Klar ruft manchmal eine zurück, tut ganz empört ...«

»Tut ganz empört ...«, äffte Weller ihn nach.

»Ich frage sie dann, was für Unterwäsche sie tragen und ob sie mir einen Slip verkaufen wollen.«

Rupert griff sich an den Kopf.

»Hat das schon mal geklappt?«, fragte Weller.

Er nickte. »Ja, ein-, zweimal.« Meyerhoff machte eine Geste, als würde er sich erinnern und jetzt seinen Freunden eine eigentlich geheime Geschichte erzählen: »Vor zwei, drei Wochen, am Haus des Gastes ... Da ist eine sogar an meinen Tisch gekommen. Sie konnte gar nicht glauben, dass ich bereit war, für ihre Unterwäsche zu zahlen. Sie fragte mich, wie viel mir das denn wert sei. Ich sagte: *Zwanzig. Das Doppelte, wenn Sie mir den Slip sofort geben.* Und was glaubt ihr?« Er sah die zwei an, als würde er mit einer Antwort von ihnen rechnen, rieb sich über den Bauch und warf sich in die Brust: »Die ging direkt zur Toilette, kam Sekunden später wieder, und der Deal war perfekt.« Er zeigte auf einen nachtblauen Stofffetzen, der direkt über Rupert baumelte. »Der da. Ein Stringtanga. Da kann sie im Grunde auch gleich ohne gehen.«

Rupert zog den Kopf ein, als hätte er Angst, einen Schlag in den Nacken zu bekommen.

»Früher«, lachte Meyerhoff, »hat ein Schlüpfer die Arschbacken bedeckt. Heute ist es umgekehrt. Bei den modernen Dingern verschwindet er in der Ritze.«

Weller registrierte, welchen Spaß es Meyerhoff machte, darüber zu reden. Gefällt es ihm, im Mittelpunkt zu stehen, oder hat er tatsächlich die Hoffnung, uns auf seine Seite ziehen zu können, fragte Weller sich.

»Also manchmal«, fuhr Meyerhoff großspurig fort, »steigen die Frauen schon darauf ein … Aber darum geht es ja eigentlich nicht. Ich liebe diesen Moment, wenn die Frauen das Foto zum ersten Mal sehen und sich umgucken, wer es wohl gewesen sein könnte. Das erzählt so viel über sie.«

»Ach ja?«, entfuhr es Rupert.

»Na klar. Man sieht gleich ihre Wünsche und Träume. Zuerst gucken sie zu den schönen jungen Männern, unter deren T-Shirts sie ein Sixpack vermuten.«

»Ja«, grinste Rupert, »und wenn sie dann bei Ihnen landen, sind sie gleich ganz enttäuscht, was?«

»Sie haben also Bilder an Valentina und Silke Humann mehr zufällig geschickt, weil die dort im Café saßen oder wo auch immer?«

Meyerhoff gab den Harmlosen: »Ja, wenn Sie so wollen.«

»Und dann? Was ist dann passiert?«

Mit dem unschuldigsten Gesichtsausdruck, den er draufhatte, sagte Meyerhoff: »Nichts.«

Rupert sagte es so vorwurfsvoll wie möglich: »Nichts nennen Sie das? Valentina Humann liegt tot in ihrer Ferienwohnung.«

»Ermordet«, setzte Weller hinzu.

Meyerhoff hob seine Hände: »Damit habe ich nichts zu tun! Wirklich nicht! Ihr müsst mir glauben, Jungs.«

»Wir sind nicht Ihre Jungs«, wies Weller ihn zurecht. »Und

als Vater von zwei Töchtern würde ich Ihnen am liebsten die Fresse polieren. Wenn ich mir vorstelle, dass Sie eins meiner Mädchen ... «

»Ich habe zwar keine Kinder, aber ich bin sofort dabei«, strahlte Rupert voller Kampfeslust.

Meyerhoff wich vor den beiden zurück: »Sie werden doch hier jetzt nicht polizeiliche Gewalt ... «

»Nee«, sagte Weller, »so sind wir nicht. Ich wollte nur mal meinen Gefühlen Ausdruck verleihen. Es ist ja nicht so, als hätten Kripobeamte keine.«

Einerseits wollte Silke Humann Ostfriesland so schnell wie möglich verlassen, andererseits hatte sie das Gefühl, so nah wie möglich bei ihrer toten Schwester sein zu müssen. Nie war sie ihr näher gewesen als jetzt. Wenn es so etwas wie eine Hassliebe gab, so existierte es zwischen ihnen beiden. Manchmal war Valentina ihr wie eine Feindin vorgekommen, dann wieder wie der wichtigste Mensch auf Erden.

Diesen blöden Pudel mit der kläffenden Stimme und dem ständigen Mundgeruch hatte sie immer gehasst. Jetzt begann sie mit dem Tier zu kuscheln, als sei die Seele ihrer Schwester auf Pupsi übergegangen. Schlimmer konnte es nicht kommen. Sein Mundgeruch hatte inzwischen etwas Tröstliches an sich.

Silke hatte sogar behauptet, allergisch gegen Hundehaare zu sein, um ihre Schwester von dem Trip abzubringen, aber die liebte eben Bücher, fiktive Geschichten, Schokolade und ihren Pudel Pupsi viel mehr als alles andere auf der Welt.

Valentina konnte so einfach glücklich sein. Ein bequemes

Sofa, ein spannender Roman, ein gutes Stück Kuchen oder ein paar Kekse – irgendwas zum Knabbern brauchte sie immer, was sich aber nicht auf ihren Hüften niederschlug, obwohl sie Sport langweilig fand und höchstens Spaziergänge am Deich liebte. Wahrscheinlich verdankte sie ihre schlanke Linie Pupsi, denn der wollte ständig Gassi gehen.

Valentina hatte eine App auf ihrem Handy, die ihre Schritte zählte. Sie brachte es täglich auf fünfzehn- bis sechzehntausend.

Was nutzte ihr all die Gesundheit und Ausgeglichenheit jetzt?

Es kam ihr vor, als sei ihre Schwester nicht ermordet, sondern geschlachtet worden. Die Worte von Kommissarin Klaasen gingen ihr nicht aus dem Kopf: »Die Art und Weise, wie Ihre Schwester getötet wurde, deutet nicht darauf hin, dass hier ein Einbrecher überrascht wurde oder so, sondern da war sehr viel Wut im Spiel. Eine hohe Emotion. Daraus folgere ich, dass Ihre Schwester den Täter kannte. Möglicherweise kennen Sie ihn auch.«

Sie hatte schon recht. Der Mörder musste Valentina gekannt haben und sehr wütend auf sie gewesen sein.

Silke kannte eine Menge Typen, die wirklich sauer auf sie waren, und einige hatten wahrlich auch Grund dazu. Sie war in einer Beziehung sehr anspruchsvoll und nicht bereit, Kompromisse zu machen. Wenn es nicht die große Liebe war oder der Mann ihres Lebens, dann musste er eben gehen.

Am Anfang waren sie alle tolle Hechte, doch eine längere Beziehung machte aus vielen Helden nur noch Pantoffelhelden und aus Riesen Zwerge. Da war sie ganz kompromisslos. Wenn sie sich neu verliebte, dann trennte sie sich eben.

Vielen galt sie als Bitch, als männerfressendes Monster. Sie

sah sich selbst überhaupt nicht so. Sie war halt nur anspruchsvoll und wollte das Beste für sich herausholen. Was spielte das
jetzt noch für eine Rolle?

Tief in sich drin bewegte sie einen Gedanken, den sie der
Kripo gegenüber noch nicht auszusprechen wagte: War Valen-
tina vielleicht gar nicht gemeint gewesen? Hatte die wütende
Attacke ihr gegolten?

Doch sie beide waren so unterschiedlich. Keiner ihrer Ex-
Lover würde sie mit ihrer Schwester verwechseln.

Trotzdem: Niemand hatte wirklich einen Grund, Valentina
zu hassen, dachte sie. Aber sehr wohl mich …

War jemand, der wusste, dass sie hier wohnten, im Dunkeln
eingedrungen? Hatte ihre Schwester an ihrer Stelle im Bett er-
stochen und war dann, als er seinen Irrtum bemerkte, völlig
ausgerastet? Hatte die Wut dann noch einmal zusätzlich an
ihr ausgelassen? Oder hatte sowieso alles im Dunkeln stattgefunden?

Da sie natürlich nicht mehr in der gemieteten Ferienwohnung bleiben konnte, hatte Marion Wolters von der ostfriesischen Kriminalpolizei ihr ein Zimmer im *Smutje* gemietet.
Es trug den Namen ihrer Lieblingsinsel Norderney. Das Hotel
mit Restaurant lag in der Norder Innenstadt, gar nicht weit
von der Polizeiinspektion entfernt. Sie fühlte sich hier sicher,
sofern man sich, nach dem, was geschehen war, überhaupt sicher fühlen konnte.

Sie lief eine Weile in der Innenstadt herum. Viele Menschen
gaben ihr Sicherheit. In der Osterstraße, im Neuen Weg und
in der Westerstraße und um den Marktplatz herum war so
viel Gewusel, da war viel los. Was sollte ihr hier passieren?
Gleichzeitig wuchs in ihr der Wunsch, allein zu sein, zu heulen,
zu schreien.

Sie hatte ein paar Freundinnen per Whatsapp-Sprachnachricht über den Tod ihrer Schwester informiert. Jetzt kamen lange und vermutlich ehrlich gemeinte Angebote, zu telefonieren, und jede Freundin behauptete, für sie da zu sein.

Doch sie wollte nicht sprechen. Es war, als würde mit jedem Wort, das sie darüber verlor, der Tod ihrer Schwester erst wirklich manifest werden.

In Norddeich am Strand war es ihr zu voll. Sie lief in Richtung Greetsiel. Im Watt schrie sie ihren Kummer heraus. Sie brüllte den Meeresboden an, und es war, als würde der Wind ihr das Maul stopfen.

Ja, genau so empfand sie es. Der Wind fuhr in sie hinein.

»Hol mich!«, schrie sie. »Was willst du von meiner Schwester, du Arsch? Ich hab dich verletzt, sie doch nicht!«

Im Watt fühlte Pupsi sich wesentlich wohler als auf der Osterstraße, wo er ständig von anderen Hunden angekläfft wurde. Silke hatte den Pudel noch nie so schmutzig gesehen. In seinen weißen Löckchen pappte der Wattboden zusammen. Seine Ohren hingen schwer und schlapp herunter, mit dicken Matschklumpen daran. Wäre nicht alles so traurig gewesen, hätte Silke jetzt laut gelacht und ein paar Fotos von Pupsi auf Instagram eingestellt. So nahm sie ihn mit und versuchte, ihn abzuduschen.

In ihrer Vorstellung wurde Valentina immer mehr zum Engel. Silke bereute jeden Streit, den sie mit ihrer Schwester gehabt hatte. Nach dem Tod ihrer Eltern hatten sie sich noch mehr entzweit. Wie sehr hatten sie sich um den Verkauf dieser dämlichen Eigentumswohnung gestritten! Und wofür das Ganze?

Plötzlich wurde ihr bewusst, dass sie jetzt ganz allein auf der Welt war, keine Verwandten mehr hatte. Vielleicht würde sie ihre Ansprüche Männern gegenüber bald herunterschrauben müssen, um überhaupt noch einen abzukriegen.

Sie ärgerte sich über diese Gedanken, doch sie waren da. Bohrend. Böse.

Und plötzlich war es wie eine Erleuchtung: Sie wusste, wer es getan hatte!

Wolf Eich, die Drecksau! War er nicht der Urgrund für all den Ärger zwischen ihr und Valentina gewesen? Damals, als sie noch Teenies waren und er hinterher zugab, sich nur an sie herangemacht zu haben, um in Valentinas Nähe zu kommen. Er war ihr Freund, und dann hatte sie ihn erwischt, wie er mit Valentina herumknutschte. Das hatte der Beziehung zu ihrer Schwester den entscheidenden Knacks gegeben. Im Grunde war es danach nie wieder richtig gut geworden.

War Wolf zurückgekommen, um sein zerstörerisches Treiben zu vollenden?

Sie ging zurück in ihr Hotelzimmer. Heute würde sie mehr Schritte schaffen als ihre Schwester täglich mit ihrem Pudel.

Sie beschloss, die Polizei anzurufen und dort alles zu erzählen. Sie tat es aus ihrem Zimmer im *Smutje* heraus. Kommissarin Ann Kathrin Klaasen hörte ihr geduldig zu und notierte alles.

Er traute seinen Augen kaum. Wurde sie wirklich nicht beschützt? Um die Lage problemlos checken zu können, hatte er sich draußen vor dem *Smutje* einen Tisch reservieren lassen. Er gab an, einen Tisch für vier zu brauchen, saß jetzt aber alleine da und teilte der Kellnerin mit, leider würden die drei anderen nicht kommen. Er durfte den Tisch trotzdem behalten.

Er bestellte sich einen vegetarischen Burger und eine große Flasche Mineralwasser.

Von hier aus konnte er die Tür des Hotels beobachten. Silke Humann war mit ihrem völlig verdreckten Hund hier angekommen und hatte seitdem das Hotel nicht mehr verlassen.

Das *Smutje* war vollständig belegt. Hier konnte er es nicht machen. Ein Hotel mit vielen Gästen war zu hellhörig.

Der Hund war sein Trumpf. Er würde sie wieder auf die Straße treiben. Und dann war sie dran.

Er beobachtete die Leute in seiner Umgebung ganz genau. Nein, hier draußen saß kein Polizist und erst recht niemand von ihren Leuten. Silke Humann hatte sich wie ein Fisch im Wasser in der Menschenmenge bewegt. Auf der Osterstraße und im Neuen Weg hatte er ihr zugesehen. Das war ganz typisch. Wo sich viele Menschen aufhielten, fühlte sie sich besonders wohl.

Er wusste viel über diese Wesen, aber er verstand sie immer noch nicht wirklich. Warum rückten jetzt nicht ihre Leute an? Warum machten sie nicht Jagd auf ihn? Warum schützten sie die zweite Schwester nicht? Waren ihre Reihen schon so ausgedünnt? Waren sie schon so geschwächt? Oder gab es Leute in der Führungsriege, denen es im Grunde ganz gut gefiel, wenn die unteren Ebenen ausgeknipst wurden? An die Leute ganz oben kam er ja noch nicht ran. Noch nicht!

Überhaupt hatten sie ein komisches Verhältnis zum Tod. Sie schützten sich nur selten, als wüssten sie genau, dass sie wiedergeboren wurden, in einer besseren Form. Stiegen sie vielleicht sogar auf, wenn er sie umbrachte? War das ihre Möglichkeit, befördert zu werden?

Er konnte keine Rücksicht darauf nehmen. Sie hatten bestimmt eine eigene Sichtweise der Geschehnisse. Eine nicht menschliche.

Nach Einbruch der Dunkelheit war auf der Osterstraße und im Neuen Weg nicht mehr viel los. Dann würde er problemlos seine Arbeit verrichten können.

Es war der beste vegetarische Burger, den er seit langem gegessen hatte. Eigentlich liebte er Fleisch, nur ganz kurz angebraten, fast roh. Doch wenn er einen Job zu erledigen hatte wie den hier, dann wollte er frei sein von allen Giften, ernährte sich von Obst, Gemüse, Wasser und Tee. Später dann aß er gern wieder ein T-Bone-Steak, trank Bier und Cocktails mit Gin.

Er war bereit, der Bedienung heute ein fürstliches Trinkgeld zu geben und einen freundlichen Gruß in die Küche.

Weiter so, Leute!

Er musste nur aufpassen, nicht zu großzügig zu sein. Sie sollten sich nicht zu sehr an ihn erinnern. Am Ende wäre er für die Bedienung nicht mehr gewesen als der nette Gast, dem niemand einen Mord zutraute.

Er winkte der Kellnerin und ließ sich die Dessertkarte kommen.

Rupert sah fasziniert zu, wie Ann Kathrin Klaasen Dieter Meyerhoff im Verhör ins Schwitzen brachte. Dem Mann war praktisch schon der Schweiß ausgebrochen, als Ann Kathrin ihren Verhörgang einlegte: Drei Schritte, eine Kehrtwendung, drei Schritte. Bei jedem zweiten Schritt ein Blick auf den Verdächtigen.

Es war nicht der Verhörgang. Es war auch nicht ihre Stimme.

Nicht einmal ihre Fragen. Nein, die Tatsache, dass eine Frau ihn mit seinen Taten konfrontierte, machte ihn fertig.

Ann Kathrin Klaasen galt als *die* Verhörspezialistin überhaupt. Sie gab Seminare und bildete junge Kripoleute aus.

Rupert wollte von ihr lernen. Deswegen stand er, lässig an die Wand gelehnt, im Raum. Er tat aber so, als sei er nur mitgekommen, weil er sich Sorgen machte, der bullige Mann könne auf Ann Kathrin losgehen. Er hatte vorgeschlagen, ihm Handschellen anzulegen oder Fußfesseln.

Ann Kathrin lehnte dies wie meistens ab, da es die Körpersprache der Personen beim Verhör zu sehr behinderte. Sie wollte den Menschen ganz wahrnehmen und ließ ihm dafür so viel Bewegungsspielraum wie möglich.

Es gab keine Kamera im Zimmer, lediglich ein Diktiergerät war eingeschaltet. Draußen vor der Scheibe stand, wenn Rupert es richtig einschätzte, die gesamte empörte Frauenfraktion: Polizeidirektorin Elisabeth Schwarz, Marion Wolters, Sylvia Hoppe, Jessi Jaminski, und sogar die Pressesprecherin Rieke Gersema hatte sich zu den Kolleginnen gesellt. Sie sah aus, als müsse sie sich jeden Moment übergeben. So einen wie diesen Meyerhoff zu Fall zu bringen, darauf waren sie alle scharf.

»Warum«, fragte Ann Kathrin, »verachten Sie Frauen so sehr?«

Meyerhoff zupfte sich sein T-Shirt von der Brust, wo die Stellen anklebten, und pustete in den Ausschnitt. Seine Schweißproduktion war enorm.

»Aber Frau Klaasen, ich verachte Frauen nicht. Ich liebe und verehre sie!«

»Auf diese Art von Verehrung können wir alle verzichten«, kommentierte Ann Kathrin, und Rupert konnte sich lebhaft vorstellen, wie draußen vor der Scheibe alle zustimmend nickten.

Ann Kathrin startete einen Versuchsballon: »Sie haben Valentina Humann das Foto am Haus des Gastes zugeschickt. Stimmt's?«

Er zuckte mit den Schultern: »Ja, kann sein. Da bin ich öfter.«

»Und Frau Humann wusste sofort, dass das Foto von Ihnen kam. Sie hat Sie erkannt.«

Er schüttelte den Kopf. »Wie kommen Sie denn darauf? Ich sitze doch nur da und beobachte.«

Ann Kathrin lachte ihn demonstrativ aus. »Also ich«, sagte sie und zeigte auf ihre Brust, »hätte es sofort gewusst.«

»Wieso?«

»Weil Sie genau so aussehen wie einer, der so was macht.«

Steile These, dachte Rupert. Sie denkt das gar nicht wirklich. Sie würde keinem von uns erlauben, so zu denken. Sie sagt es nur, weil sie glaubt, dass er von sich selbst so denkt.

Sie führte es weiter aus: »Wie Sie dasitzen, mit Ihrem Handy in der Hand, Ihrem schmierigen Grinsen und sie beobachten. Glauben Sie, das fällt einer Frau nicht auf?«

»Es hat nie eine bemerkt«, behauptete er.

»Sie irren sich«, erwiderte Ann Kathrin. »Die meisten Frauen sind nur zu klug, es zu zeigen. Sie sehen Sie und denken: Was für ein erbärmlicher Jammerlappen.«

Er wurde wütend und drückte seine Hände auf die Tischplatte: »Ja, verdammt! Ich bin nicht gerade der Typ, auf den Frauen fliegen. Oder sehe ich aus wie ein Millionär mit Sixpack und dicker Yacht?«

»Nein, so sehen Sie wirklich nicht aus«, lächelte Ann Kathrin. »Aber dass Sie glauben, dass Frauen Männer nach solchen Gesichtspunkten aussuchen, erzählt mir auch eine Menge über Sie. Nun zurück zu meiner These: Valentina Humann hat Sie angesprochen und zur Rede gestellt. Ich«, behauptete Ann Kathrin, »hätte es jedenfalls getan. Hat ihr Hund Sie angekläfft? Hat sie Ihnen das Handy abgenommen? Hat sie gedroht, Sie anzuzeigen? Oder wollte sie Ihnen eine Falle stellen? Hat sie Sie verarscht und zu sich eingeladen, so getan, als würde sie drauf abfahren und unbedingt Ihren schönen erigierten Penis in echt sehen wollen?«

Er rückte nervös auf seinem Stuhl hin und her. »So war es nicht!«

»Und warum«, fragte Ann Kathrin, »liegt Valentina Humann dann jetzt tot in ihrem Bett? Erzählen Sie mir, wie es passiert ist.«

Er biss auf seiner Lippe herum.

Ann Kathrin machte ihm ein Angebot: »Hat sie Sie provoziert? Fand Sie das Ding zwischen Ihren Beinen, auf das Sie so stolz sind, vielleicht lächerlich? Zu klein? Jämmerlich? Hat sie sich darüber lustig gemacht?«

Meyerhoff sprang auf. Sein Stuhl fiel um. Rupert war sofort da, stand zwischen Ann Kathrin und dem Verdächtigen, bereit, Meyerhoff augenblicklich die Nase zu brechen, sollte er versuchen, Ann Kathrin anzufassen. Doch der verlangte nur nach einem Anwalt, sonst würde er jetzt überhaupt nichts mehr sagen.

Ann Kathrin lächelte in sich hinein. Gerade noch hatte Meyerhoff behauptet, er brauche keinen Anwalt, jetzt war er also so weit in die Enge geraten, dass er seine Meinung änderte. Das war für Ann Kathrin der Hinweis, dass sie sich auf dem richtigen Pfad befand.

»Sie dürfen«, sagte sie, »selbstverständlich einen Rechtsbeistand hinzuziehen. Falls Sie sich keinen leisten können, haben Sie Anspruch auf Pflichtverteidigung. Wir haben hier zwei sehr gute junge Juristinnen. Ich gebe Ihnen gerne die Telefonnummern oder veranlasse ... «

Der Ausdruck *junge Juristinnen* hatte Meyerhoff erschrecken lassen. Abwehrend hob er die Hände: »Nein, nein, nein!«

Rupert stichelte: »Er hat bestimmt Schiss, dass die seinen Schwanz schon kennen.«

»Lass ihn telefonieren«, schlug Ann Kathrin vor, »bleib aber dabei.«

Sie selbst verließ den Verhörraum. Sie brauchte ein Glas Wasser.

Ihre Kolleginnen umringten sie. Die Chefin fragte frei heraus: »Halten Sie ihn für den Täter?«

»Ich will es nicht ausschließen«, sagte Ann Kathrin. »Minderwertigkeitskomplexe. Verquere Sexualität. Unterdrückte Leidenschaft. Frauenhass. Das ist schon eine recht explosive Mischung. Nicht unwahrscheinlich, dass sich so etwas in Gewalt entlädt. Er will Macht über Frauen haben.«

»Vielleicht«, orakelte Sylvia Hoppe, »ist er bei Valentina Humann eingebrochen, um sich Unterwäsche von ihr zu holen. Es ist seine Art, Frauen zu besitzen. Sie hat ihn erwischt und dann ... «

Ann Kathrin ging nicht darauf ein: »Ich habe ein mulmiges Gefühl«, sagte sie. »Müssten wir nicht Silke Humann unter Polizeischutz stellen?«

»Warum?«, fragte Marion Wolters.

»Sie hat mich angerufen und mir erzählt, dass sie Wolf Eich, einen Ex, der mal was mit ihr und ihrer Schwester hatte, für den Mörder hält. Sie glaubt sogar, dass der Täter es eigentlich auf sie abgesehen hatte.«

Elisabeth Schwarz kommentierte: »Das ist ein durchaus typisches Verhalten von Geschwistern oder Familienangehörigen, dass sie glauben, ein Anschlag hätte ihnen gegolten. Das hat etwas mit Schuldgefühlen zu tun und … «

Ann Kathrin ließ ihre Chefin nicht ausreden: »Ja, an diesen Wolf Eich glaube ich auch nicht. Aber ich würde mich wohler fühlen, wenn wir einen Schutz für Frau Humann hätten. «

Marion Wolters notierte sich den Namen und sagte: »Ich werde mal eine kurze Anfrage machen, ob der sich hier irgendwo einquartiert hat. «

Elisabeth Schwarz wiegelte Ann Kathrins Wunsch ab: »Frau Humann hat sogar ein Gespräch mit unserer Psychologin verweigert. Wenn wir sie jetzt unter Personenschutz stellen, machen wir doch nur die Pferde scheu und regen die Frau noch mehr auf. Sie ist im *Smutje* schon ganz gut untergebracht und wird in den nächsten Tagen bestimmt in ihr gewohntes Umfeld nach Hause zurückfahren. Ich glaube nicht, dass sie gefährdet ist. «

»Vielleicht«, sagte Ann Kathrin, »weiß sie ja etwas über den Täter, ohne dass es ihr bewusst ist. Sie muss ihn kennen. Ich würde gerne ein längeres Gespräch mit ihr führen, über die letzten Jahre mit ihrer Schwester. «

Die Frauen standen immer noch vor dem Verhörraum. Rupert öffnete jetzt die Tür und sagte mit einer einladenden Geste: »Ja, meine Damen, ich bitte Sie dann mal alle, einzutreten. Wir wollen jetzt den Test machen. «

Meyerhoff fragte: »Was für einen Test? «

»Na ja, ob das Dickpic auch der Realität entspricht. « Weil alle so ungläubig guckten, übersetzte Rupert es in ordinärere Sprache: »Ob er seinen eigenen Schwanz fotografiert hat oder mit einem fremden angibt. «

Im Verhörraum stand Dieter Meyerhoff und hielt mit einer Hand seine Hose fest, mit der anderen sein Geschlecht. Er schien Ruperts Finte zu glauben.

Marion Wolters kicherte. Jessi Jaminski konnte sich ein Grinsen auch nicht verkneifen, doch Elisabeth Schwarz zischte: »Ich finde das überhaupt nicht witzig!«

Rupert drehte sich um und wandte sich an Meyerhoff: »Kannst dich wieder abregen. Der Test fällt heute ins Wasser. Unsere Mädels haben was Besseres vor.«

Silke Humann lag vollständig angezogen auf dem Bett, neben sich den Pudel Pupsi. Sie kraulte den inzwischen sauber geduschten Hund mit der linken Hand hinter den Ohren. Er hatte seinen Kopf auf ihren Oberschenkel gelegt. In der anderen Hand hielt sie die Fernbedienung. Kein Programm konnte sie fesseln. Die gesuchte Ablenkung fand nicht statt. Sie switchte einfach von Sender zu Sender, nahm aber gar nicht wirklich wahr, was sie dort sah.

Ihre Gedanken kehrten immer wieder zurück zu Wolf Eich und zu dem Moment, als sie ihre tote Schwester in ihrem Blut gesehen hatte. Nie würde sie vergessen, wie sie in dem Blut ausgerutscht war und sich selbst beschmiert hatte. In dem Moment hatte sie geglaubt, dass auch ihr Ende gekommen war und der Täter noch irgendwo wartete.

Sie war zunächst die Wendeltreppe hinaufgerannt und hatte sich oben versteckt, von dort aus die Polizei angerufen und war dann in ihrer Panik nach draußen geflohen.

Gegen zweiundzwanzig Uhr ging Valentina immer noch einmal mit Pupsi eine kleine Runde spazieren, weil der Pudel sonst spätestens um dreiundzwanzig Uhr an der Tür scharrte oder einfach irgendwohin pinkelte.

Nach dem aufregenden Tag war der Hund jetzt ganz ruhig, schnarchte sogar ein wenig. Aber draußen war es inzwischen dunkel. Judith Rakers sprach die Spätnachrichten, und Silke Humann wollte verhindern, dass Pupsi im Hotel eine Sauerei anrichtete. Die Dusche hatte sie inzwischen selbst wieder gesäubert.

Sie weckte Pupsi und versuchte ihn zu motivieren, rauszugehen. Er sprang vom Bett, lief ins Bad und schnüffelte in allen Ecken, als würde er Valentina suchen.

Die letzten Gäste verließen gerade das Restaurant und gingen zum Parkplatz.

Pupsi weigerte sich zu laufen, also trug Silke ihn. Der Arme musste ja eine Menge mitgemacht haben, und langsam wurden sie und er ein Herz und eine Seele. Sie verstand jetzt, warum Valentina das Tier so mochte. Vielleicht, dachte sie, werde ich irgendwann sogar anfangen, die Bücher zu lesen, die sie so geliebt hat.

Der Gedanke löste gleich eine ganze Kette neuer Gedanken aus. Was sollte aus den Büchern werden? Was aus Valentinas Wohnung? Das alles musste ja aufgelöst werden, irgendwohin. Konnte sie das einfach so verkaufen? Musste sie die Miete weiterzahlen? Schließlich war sie ihre einzige Verwandte.

Valentinas Wohnung war mit Büchern vollgestopft. Sie hatte sie mal gefragt: »Wohnen eigentlich deine Bücher hier oder du?«

Vielleicht wäre Bibliothekarin für Valentina der richtige Beruf gewesen. Obwohl, eigentlich war sie einfach nur eine leidenschaftliche Leserin gewesen.

Sie trug Pupsi bis zur Osterstraße, dort setzte sie ihn ab.

Er fand besonderen Spaß daran, die kleinen, schmalen, abzweigenden Gassen zu erkunden, durch die kein Auto passte, die aber Fußgängern oder Radfahrern gerade genug Platz boten.

In einer dieser schmalen Gassen lauerte er. Er schnappte sich zuerst den Hund. Er lockte ihn mit einem Stückchen Fleischwurst, das er genau zu diesem Zweck vorher im Combi gekauft hatte. Er schnitt Pupsi den Hals auf, bevor er bellen konnte. Er warf das Tier achtlos hinter sich. Er wusste, dass sie gleich kommen würde, um Valentinas Hund zu suchen.

Sie rief schon auf der Osterstraße seinen Namen.

»Pupsi! Puupsi! Puupsi!!!«

Er drückte sich ganz dicht an die Wand, so dass er im fahlen Mondlicht nicht zu sehen war.

Sie reckte den Kopf in die Gasse und rief noch einmal: »Pupsi!«

Sie sah den Hund auf dem Boden liegen und erschrak. Ihr Verstand sagte ihr: *Lauf weg!* Ihr Mitgefühl jedoch trieb sie in die Gasse hinein, zu dem Hund, um ihm zu helfen.

Sie bückte sich über das Tier, da griff ihr jemand in die Haare und zog sie hoch.

»Bitte! Bitte nicht!«, sagte sie.

Er hielt ihr das Messer an die Kehle. »Ich weiß, wer du bist. Mich kannst du nicht täuschen. Spiel jetzt ruhig das hilflose Weibchen.«

Sie zitterte, und Tränen liefen über ihr Gesicht. Sie wusste, dass ihr jetzt das bevorstand, was ihre Schwester bereits hinter sich hatte. Der Gedanke, dass sie vielleicht kurz davor war, sie wiederzusehen, rührte sie, und sie sah den Täter an, als müsse sie ihm dankbar für die Familienzusammenführung sein. Gleichzeitig lähmte sie das blanke Entsetzen.

Doch da war auch eine Stimme in ihr, die rief: *Ergib dich nicht in dein Schicksal! Wehr dich! Der kennt keine Gnade!*

Warum, dachte sie, scheue ich mich, ihn zu verletzen? Weil ich Angst habe, ihn damit noch wütender zu machen? Er wird mich sowieso töten, so wie er Valentina getötet hat und Pupsi.

Ein Blick in seine Augen sagte ihr, dass der Mann keine Gnade kannte. Der war nicht zu erweichen. Hier halfen keine Worte und keine Gebete.

Plötzlich gehorchten ihr ihre Muskeln wieder, und sie schaffte es, ihm die rechte Faust ins Gesicht zu ballern. Wenigstens dieser Triumph blieb ihr, als die Klinge seines Messers in ihr Herz eindrang.

Eigentlich hatte Sabrina ihren Vater und Ann Kathrin zu Finn-Henriks Vortragsreise einladen wollen. Es gab aus ihrer Sicht eine günstige Situation. Insgesamt zehn Auftritte in Bibliotheken, Buchhandlungen, Volkshochschulen und auf Kleinkunstbühnen in Niedersachsen. Achim, Brake, Bremerhaven im *Theater im Fischereihafen*, Wremen, Wennigsen, Harpstedt, Bassum, Bremervörde, Soltau und Filsum.

Nach dem misslungenen Kennenlern-Treffen hatte sie allerdings darauf verzichtet. Jetzt tat es ihr leid.

Die Buchhandlung Hoffmann in Achim war für die Veranstaltung zu klein gewesen. Veit Hoffmann wunderte sich selbst darüber, wie viel Zuspruch der Vortrag fand. Selbst im Kulturhaus Alter Schützenhof, dem KASCH, waren nur noch wenige Plätze frei.

Finn-Henrik saß jetzt am Büchertisch und signierte, da sein Co-Autor nicht dabei war. Der hatte die gesamte Tournee aus

Krankheitsgründen knicken müssen. So genoss Finn-Henrik die volle Aufmerksamkeit.

Es gab am Signiertisch eine lange Schlange. Er schrieb seinen Namen nicht einfach geduldig in die Bücher, nein, es war jedes Mal ein Triumph für ihn, eine riesengroße Freude, das sah Sabrina in seinem Gesicht.

Viele UFO-Interessierte wollten Fotos mit ihm machen. Sie stellte überrascht fest, dass die Eifersucht nicht an ihr nagte, obwohl so viele schöne junge Frauen sich mit ihrem Finn-Henrik fotografieren lassen wollten. Manchmal übernahm sie die Aufgabe sogar und assistierte ihm in gewisser Weise.

Jetzt tat es ihr leid, dass ihr Vater und seine Frau Ann Kathrin nicht dabei waren. Vielleicht, dachte sie, wären sie stolz auf den Schwiegersohn in spe gewesen. Bestimmt sogar!

Am Anfang hatte sie Finn-Henriks Thesen nur sehr unterhaltsam gefunden, doch inzwischen war sie selbst zur Hobby-UFO-Forscherin geworden.

Finn-Henrik zeigte jeden Abend Fotos von unbekannten Flugobjekten, die teilweise von US-Piloten aufgenommen worden waren. Manche von Militärs, andere auch von einfachen Leuten. Flugobjekte, die sich am Himmel in einer Art und Weise bewegten, die eine Steuerung wahrscheinlich machte. Lichter. Kreise. Fliegende Untertassen.

Im militärischen Sperrgebiet im südlichen Nevada, der sogenannten Area 51, wurde angeblich nach außerirdischen Lebensformen geforscht.

Finn-Henrik behauptete, die CIA habe es zwar lange Zeit bestritten, aber schließlich die Existenz der geheimen Anlage zugegeben. Das Gelände lag in der Nähe eines Salzsees. Im Zweiten Weltkrieg war es ein Artillerie-Schießplatz und eine Start- und Landebahn für Testflugzeuge gewesen.

Finn-Henrik glaubte, Beweise dafür zu haben, dass dort während des Zweiten Weltkriegs ein großes unbekanntes Flugobjekt abgestürzt sei, und in den Bunkern hätte man lange Außerirdische gefangen gehalten. In den siebziger Jahren habe es einen Ausbruchsversuch gegeben, der offensichtlich geglückt sei, da er von außen unterstützt worden war.

Die einen lasen das Buch wie einen Science-Fiction-Roman mit leichtem Gruseln, für viele andere war es aber eine Realität, dass die Außerirdischen inzwischen unerkannt unter uns weilten.

Finn-Henrik stellte es als unumstößliche, wissenschaftlich belegte Tatsache dar.

Sabrina liebte ihn, wenn er so überzeugt von sich und seinem Tun auf der Bühne stand und leidenschaftlich versuchte, die Menschen von seinen Gedanken zu überzeugen. Er wurde dabei nie laut. Er hatte nichts Fanatisches an sich, sondern er sprach ruhig, argumentierte, nahm Zweifler ernst.

Als Gymnasiallehrer wäre er eine Traumbesetzung, dachte sie, und bestimmt in der Lage, das Interesse junger Menschen an der Wissenschaft zu wecken. Wahrscheinlich würden sich viele Gymnasiastinnen in ihn verlieben.

Veit Hoffmann und seine Frau Iris Hunscheid hatten bei ihrem Lieblingsitaliener *Da Vito* einen Tisch reserviert. Eigentlich war es schon viel zu spät, und die Küche hatte geschlossen, doch was sind Regeln ohne Ausnahme?

Veit lächelte beim Essen, und Sabrina wurde nicht ganz schlau aus ihm. Lag es an dem blutigen Steak? Freute er sich über den guten Buchverkauf? Oder amüsierten ihn Finn-Henrik Bohlens Thesen?

Veit und Iris standen der ganzen Sache kritisch gegenüber, und das zeigten sie auch.

»Und wohin geht's weiter?«, fragte Iris.

»Als Nächstes sind wir an der Unterweser, in Brake, in der Buchhandlung Gollenstede. Das heißt, nicht wirklich in der Buchhandlung, die haben es aber organisiert. Ich trete im Centraltheater auf.«

Veit Hoffmann kannte es: »Ja, das ist ein altes Kino. Ich glaube, früher sind da sogar mal Pornofilme gelaufen. Heute ist es aber ein charmanter Saal für Lesungen, Theaterstücke, Filmvorführungen ...«

Sabrina aß Spaghetti mit Meeresfrüchten. Es war ihr fast peinlich, weil sie plötzlich merkte, mit welcher Geschwindigkeit sie sich das Essen reingeschraubt hatte. Es war köstlich.

Als sie das Restaurant betreten hatte, glaubte sie noch, keinen Hunger zu haben, aber dann waren da diese Gerüche, die eine Fressleidenschaft in ihr weckten. Manchmal bekam sie so etwas anfallartig. Wochenlang fastete sie, achtete auf ihre Linie, zählte Kalorien, und dann plötzlich schraubte sie sich eine Riesenportion Spaghetti rein oder aß drei Stücke Torte hintereinander.

»Das hier«, sagte sie unvermittelt und machte eine Geste über den Tisch, »hätte meinem Vater auch gefallen.«

»Beim nächsten Mal«, lächelte Iris verbindlich, »können Sie ihn ja mitbringen.«

Finn-Henrik freute sich, denn damit war ja wohl eine erneute Einladung ausgesprochen. Von dem Buch allein konnte er nicht leben, aber die Vorträge brachten gut etwas ein ...

Er sah zu Sabrina rüber und zwinkerte ihr zu.

Sabine und Karl-Heinz Hartig hatten im *DOCK Nº 8* in Norden sehr gut gegessen und anschließend einen kleinen Bummel am Norder Tief gemacht, um schließlich bei *Wolbergs* einen Absacker zu nehmen.

Sie betrieb eine Naturheilpraxis in Hage, er war ein pensionierter Polizeibeamter und jetzt Präsident des Golfclubs Lütetsburg.

Sie schlenderten durch die menschenleere Innenstadt und sahen sich die Schaufenster an. Vielleicht war es bei Karl-Heinz das geschulte Auge eines Polizisten, vielleicht lag es am Mondlicht – aber dort, aus der kleinen Gasse, ragte ein Fuß heraus. Man hätte es für einen verlorengegangenen Schuh halten können, doch er rannte sofort los.

»Hey«, rief Sabine, »so schrecklich ist das Kleid doch nicht, das ich dir zeigen wollte!«

Er sah die Leiche, dann den Hund. Er wusste, was zu tun war, fand es aber unnötig, dass seine Frau das auch sah.

Zu spät.

Er rief die Kollegen. Sabine vertrieb zwei Möwen, die zu gern ein bisschen an Pupsi oder Silke Humann herumgepickt hätten.

Ann Kathrin Klaasen lag im Bett und las einen Bilderbuchtext, den ihre Freundin und Nachbarin Bettina Göschl ihr vor der Veröffentlichung zum Lesen gegeben hatte. Ann Kathrin war nicht zum ersten Mal Bettinas Testleserin. Sie, die Verhörspezialistin, die im ganzen Land als erfolgreiche Serienkiller-Jägerin bekannt war, hatte eine Leidenschaft, von der die Öffentlichkeit nichts wusste. Sie liebte und sammelte Kinderbücher, vor allen Dingen Bilderbücher.

Bettina nahm ihren Sachverstand gern in Anspruch. Manchmal diskutierten die beiden einen Abend lang über die richtige Wortwahl oder einen schönen Satz. Ja, gute Sätze konnten Ann Kathrin begeistern, begleiteten sie durch den Tag, gaben ihrer Seele, wie sie sagte, manchmal Flügel. Bei Bettina hatte sie einige solcher Sätze gefunden.

Weller war beim Lesen auf der Terrasse im Strandkorb eingenickt. Auf seinem Gesicht lag ein Roman von Ingo Bott und hob und senkte sich mit seiner Atmung. Ingo Bott war nicht nur Autor, sondern auch Strafverteidiger. Eigentlich mochte Weller – wie viele Polizisten – keine Strafverteidiger, denn er war schon von einigen im Gerichtssaal gegrillt worden. Zumindest hatte er es so empfunden.

Er respektierte, dass Beschuldigte das Recht haben mussten, sich zu verteidigen, aber er empfand sie als natürliche Gegner. Sein Ziel war es, Kriminelle einzulochen, und zwar so lange wie möglich.

Trotzdem mochte er die Schreibe von diesem Bott, ja fand den Typen hochinteressant. Zu gern hätte er mit ihm über den Roman geredet.

Als sein Handy neben ihm im Strandkorb *Piraten Ahoi!* spielte, zuckte Weller hoch. Das Buch fiel von seinem Gesicht auf seine Brust und dann auf seine Knie.

Im Schlafzimmer heulten bei Ann Kathrin die Seehunde in ihrem Handy los. Der gemütliche Feierabend war beendet.

Ann Kathrin hatte im T-Shirt und Slip im Bett gelegen. Sie schlüpfte schnell in ihre Hose, zog sich eine Sommerjacke über und brauchte in den Schuhen heute keine Strümpfe. Sie war schneller fertig als Weller, obwohl der vollständig angezogen im Strandkorb eingeschlafen war.

Er walkte sich das Gesicht durch und gähnte: »Warum«,

fragte er, »müssen schlimme Sachen immer nach Sonnenuntergang passieren?«

Sie nahmen nicht den Twingo, sondern den Citroën. Weller wollte fahren, doch Ann Kathrin ließ ihn nicht ans Steuer, weil sie vermutete, er habe ein Glas Wein getrunken. Das war doch im Grunde seine Lieblingsbeschäftigung: einen guten Roman zu lesen und dabei auf der Terrasse ein Glas Rotwein zu trinken.

Karl-Heinz und Sabine warteten bei der Toten. Sie winkten dem heranrollenden Wagen zu.

Weller bedankte sich bei Karl-Heinz. Die zwei kannten sich von früheren Einsätzen. Ann Kathrin leuchtete mit einer Taschenlampe den Boden um den Tatort ab, nachdem sie sich vergewissert hatte, dass Silke Humann wirklich tot war. Zwischen Pupsis Zähnen fand sie ein Stück Fleischwurst, und am Boden lag noch ein Rest, den die Möwen wohl übersehen hatten.

»Verfluchte Scheiße«, schimpfte Weller, »das ist doch Silke Humann!«

»Ja«, gab Ann Kathrin ihm recht, »die Schwester von Valentina Humann. Das bedeutet zwei Dinge«, sagte sie und sah Weller an.

Er überlegte kurz und versuchte, es aufzuzählen: »Erstens, dass Silke Humann vermutlich recht hatte. Sie war gemeint. Jetzt hat der Täter seinen Irrtum eingesehen und die Sache vollendet.«

»Das ist reine Spekulation, Frank. Dieser Tatort sagt uns aber etwas.«

Er wusste es nicht so recht und versuchte es noch einmal: »Der Täter ist richtig sauer. Er hat sogar den Hund getötet.«

Ann Kathrin war immer noch nicht zufrieden. Weller war erleichtert, weil sie aufhörte zu fragen und keine Antworten mehr von ihm erwartete, sondern es selbst sagte: »Erstens, der Täter war vorbereitet. Er hat Fleischwurst mitgebracht, um den Hund zu locken. Und zweitens, das ist viel schlimmer ... Der Täter wusste, wo wir sie untergebracht haben. Und er wusste, dass sie den Hund bei sich hatte. Er hat nur darauf gewartet, dass sie den Hund nachts noch mal Gassi führt.«

»Ja«, nickte Weller, »sieht ganz so aus.«

Er fühlte sich als Versager, wenn seine Frau Fragen stellte und Antworten von ihm erwartete. Er geriet dann unter den Druck, etwas Richtiges sagen zu müssen, und er wollte ihr doch so gern gefallen. Manchmal gelang das auch, heute war es schiefgelaufen.

»Es stand nichts darüber in den Zeitungen. Wir haben es natürlich geheim gehalten, und auch in den sozialen Medien gab es nichts.«

»Du vermutest, dass der Täter einer von uns ist?«, fragte Weller ungläubig.

Ann Kathrin schüttelte nicht den Kopf, was er erhofft hatte, sondern sie wirkte starr. »Nein«, sagte sie, »das glaube ich nicht. Aber er hat die Nähe zu uns. Eine Quelle, die er anzapfen kann. Ein Freund, ein Verwandter, ein Bruder ... «

»Oder jemand, der sich in unseren Computer gehackt hat«, stellte Weller klar.

Er hatte das Gefühl, die Kollegen entlasten zu müssen. Er kratzte sich die Kopfhaut: »Es ist doch auch denkbar, Ann, dass er sie einfach zufällig ins *Smutje* hat gehen sehen ... «

Ann holte zu einer kurzen Rede aus. Er unterbrach sie, bevor sie angefangen hatte: »Ich weiß, du glaubst nicht an Zufälle, Ann. Aber es gibt sie. Friedrich Dürrenmatt zum Beispiel hält den Zufall für einen unterschätzten, aber bestimmenden Faktor im Leben. Er sagte: *Je planmäßiger Menschen vorgehen, desto wirksamer trifft sie der Zufall.*«

»Dürrenmatt«, korrigierte Ann Kathrin ihren Mann, »war ein großer Schriftsteller und Dramatiker. Aber wir sind Kriminalisten.«

Sabine Hartig fragte: »Können wir jetzt gehen? Mir ist ein bisschen flau.«

»Entschuldigen Sie bitte«, erwiderte Ann Kathrin. »Selbstverständlich können Sie gehen. Und danke – Sie haben uns sehr geholfen.«

Sabine und Karl-Heinz hielten sich an der Hand, als sie durch die nächtliche Osterstraße in Richtung Marktplatz gingen. Zwei Polizeifahrzeuge mit Blaulicht kamen ihnen entgegen.

Ann Kathrin schimpfte: »Warum machen die das? Warum fahren die jetzt mit Blaulicht? Wollen sie Leute anlocken? Es ist ja wohl kaum nötig, dass hier eine Rettungsgasse gebildet wird. Weit und breit ist niemand!«

Weller spürte, wie sehr Silke Humanns Tod Ann Kathrin anfasste. Auch den Hund mit dem durchgeschnittenen Hals nahm sie sich sehr zu Herzen. Sie war sehr tierlieb. Kater Willi ging bei ihnen ein und aus. »Hunde«, behauptete Ann Kathrin, »haben ein Herrchen. Katzen haben Diener.«

Ann Kathrin zeigte auf den Hund: »Wer so etwas macht, Frank, ist völlig hemmungslos. Entgrenzt.«

Weller stimmte ihr zu: »So etwas kann Hass aus einem Menschen machen, Ann. Ich finde, wir sollten uns diesen Wolf Eich vorknöpfen, den Silke verdächtigt hat.«

Ann Kathrin nickte: »Wir haben ihr schon nicht geglaubt,

dass der Täter auch hinter ihr her ist. Wir sollten anfangen, ihre Aussage ernst zu nehmen.«

Polizeidirektorin Elisabeth Schwarz wirkte aufgeladen, voller Tatendrang, als könne sie vor lauter Energie fast platzen. Ann Kathrin fragte sich, ob sie irgendwelche Pillen einwarf, um leistungsfähiger zu sein. Alle anderen waren sichtlich übermüdet. Sie sah in blasse, unausgeschlafene Gesichter.

Marion Wolters versuchte, die Stimmung aufzuheitern. Sie brachte eine große Thermoskanne Filterkaffee mit und fragte in die Runde: »Kaffee?«

Weller meldete sich: »Am besten intravenös.«

»Früher«, meckerte Rupert in die gereizte Stimmung hinein, »gab es bei solchen Krisensitzungen eine Platte von *ten Cate*. Ein bisschen Gebäck, Marzipan, halt, was der Mensch so braucht zum Denken.«

Elisabeth Schwarz empfand das als Angriff auf sich. Im Grunde trauerten sie alle immer noch ihrem alten Chef Ubbo Heide hinterher. Keiner seiner Nachfolger war so gut gewesen wie er, und auch sie kämpfte gegen dieses erdrückende Denkmal an.

Sylvia Hoppe unterhielt sich am Fenster mit Rieke Gersema. Seitdem sich Sylvia als lesbisch geoutet hatte, fühlten sich die Tage in der Polizeiinspektion anders an. Alle waren freundlicher zu ihr geworden. Besonders die Männer schenkten ihr höfliche Aufmerksamkeit.

So vieles war jetzt leichter in ihrem Leben, seitdem sie sich zu sich selbst bekannt hatte. All die sinnlosen Katastrophen mit Männern bekamen jetzt so etwas wie einen roten Faden.

Alles verlor seine Dramatik. Im Nachhinein betrachtet war vieles lustig, was sich damals schrecklich angefühlt hatte.

Davon erzählte sie Rieke, die ihr aufmerksam zuhörte.

»Ich würde mich«, flüsterte Rieke, »am liebsten auch entscheiden, lesbisch zu werden. Aber irgendwie geht das nicht. Ich falle immer wieder auf Kerle rein. Meist sind sie nicht besser als mein Vater.« Sie verzog den Mund.

Elisabeth Schwarz hatte inzwischen verstanden, dass man in Ostfriesland nicht mit einem Löffel gegen eine Teetasse schlug, um für Ruhe zu sorgen. Man benutzte dafür ein Glas oder seine eigene laute Stimme. Keineswegs wertvolles Porzellan. Die Ostfriesen empfanden so etwas als Angriff auf ihre Kultur.

Sie rührte den schwarzen Tee nicht an. Er schlug ihr spätestens nach der zweiten Tasse auf den Magen. Außerdem waren Kluntje und Sahne nicht gerade gut für die Figur. Sie war dazu übergegangen, morgens heißes Wasser zu trinken.

Einige Hardliner wie Weller und Rupert schlürften den Tee mit Kluntje und Sahne aus ihrem Rosengeschirr und tranken gleichzeitig ihren Kaffee schwarz. Wenn sie sah, wie die abwechselnd am Tee nippten und dann große Züge aus ihren Kaffeepötten nahmen, wusste sie, dass ihr Blutdruck da niemals mitspielen würde und ihr Magen schon mal gar nicht.

Die zweite, dritte Tasse Tee hellte Wellers Gesicht auf, und er goss sich auch noch einmal Kaffee nach.

Ann Kathrin Klaasen saß ruhig am Tisch. Sie hatte etwas von einer Schaufensterpuppe an sich, fand Elisabeth Schwarz. Ann Kathrin hatte den aufgeklappten Computer vor sich und las etwas auf dem Bildschirm.

Rupert öffnete eine Plastikbox. Darin lagen Energiebällchen, die seine Frau Beate für ihn gemacht hatte. Sie sahen ein bisschen aus wie Frikadellen. Er roch daran. Es war irgendetwas mit Haferflocken, Datteln und Nüssen.

Jessi Jaminski sah seine Enttäuschung. Sie wusste, was Rupert liebte, und hatte vorgesorgt. Sie fischte ein Mettbrötchen aus ihrer Tasche, guckte so, als habe sie das zufällig gerade gefunden und bot es Rupert lächelnd an. Der griff zu und biss sofort rein. Ein Zwiebelring fiel auf den Besprechungstisch.

Rupert saß neben Ann Kathrin und kaute. Er atmete in ihre Richtung.

Sie wedelte sich mit der Hand Luft zu und sagte, ohne vom Bildschirm wegzugucken: »Nee! Muss das sein?«

»Ja, muss«, antwortete Rupert.

Elisabeth Schwarz eröffnete die Besprechung mit einem Eingeständnis: »Ja, ich gebe es zu: Kollegin Klaasen hatte recht. Silke Humann war gefährdet. Wir hätten sie besser schützen sollen. Es ist nicht nur unsere Aufgabe, Verbrechen aufzuklären, sondern sie nach Möglichkeit auch im Vorfeld zu verhindern.«

»Gleich kommt wieder die Leier von der Delinquenzprophylaxe«, raunte Jessi Rupert zu. Er konnte Fremdworte nicht leiden, die nur dazu dienten, das eigene Nichtstun oder Versagen zu verschleiern.

»Für den zweiten Mord kommt jedenfalls Dieter Meyerhoff nicht in Frage. Er saß ja bei uns ein. Wir haben es aber mit großer Wahrscheinlichkeit mit ein- und demselben Täter zu tun.«

»Mist«, schimpfte Rupert mit vollem Mund, warf sein Mettbrötchen auf den Tisch und schlug sich mit der rechten Faust in die Handfläche der linken. »Den hätte ich noch zu gern in die Mangel genommen!«

»Ja«, konterte Marion Wolters spitz, »leider dürfen wir uns die Täter nicht aussuchen, sondern wir müssen schon herausfinden, wer es wirklich war.«

Sylvia Hoppe guckte vor sich auf den Tisch und kaute auf der Unterlippe herum. Sie wollte etwas sagen, rang aber noch mit sich.

Elisabeth Schwarz nahm es ihr ab. Sie räusperte sich und entgegnete in Richtung Ann Kathrin Klaasen: »Leider kann Herr Meyerhoff nicht auf ein Alibi von uns hoffen. Wir mussten ihn gestern gegen neunzehn Uhr nach Hause gehen lassen.«

Das passte Rupert auch wieder nicht. Er donnerte die Faust auf den Tisch: »Was?«

Die Aussage der Polizeidirektorin löste allgemeine Empörung und Kopfschütteln aus.

Elisabeth Schwarz nutzte die Situation, um simple Fakten klarzustellen: »Wir können jemanden maximal vierundzwanzig Stunden in polizeilichem Gewahrsam halten, zur Gefahrenabwehr oder auch zur Strafverfolgung. Die Vorführung vor den Richter muss unverzüglich erfolgen.«

»Ja und?«, fragte Weller, der es nicht mochte, mit solchen Selbstverständlichkeiten belehrt zu werden.

Frau Schwarz sagte es so sachlich wie möglich: »Der Richter hat entschieden. Herr Meyerhoff hat einen festen Wohnsitz, er ist bereit, bei der Aufklärung des Falles mitzuwirken. Bezüglich der Fotos ist er geständig, und es gibt keinerlei Indizien, dass er den Mord begangen hat.«

Ruperts Gesicht hellte sich auf: »Das heißt, wir können uns den Saftsack jetzt noch mal vorknöpfen und ihn gleich für zwei Morde ...«

Er stand auf und nahm seine Jacke vom Stuhl.

Frau Schwarz tippte mit ihrem Zeigefinger auf den Tisch: »Setzen Sie sich, Rupert. Wir sammeln hier erst alle Fakten und dann ...«

»Na klar«, maulte Rupert, »in der Zeit kann er die Nächste umlegen oder ein paar schöne Fotos verschicken.«

Frau Schwarz lehnte sich weit über den Tisch. Sie versuchte, zu jeder anwesenden Person Blickkontakt aufzunehmen. Dann erst sprach sie mit wenig unterdrücktem Zorn: »Diesmal werden wir besser arbeiten und ihn erst wieder einkassieren, wenn das Ganze juristisch wasserdicht ist. Ich möchte nicht noch einmal so eine Pleite erleben.«

»Geht das jetzt gegen uns?«, fragte Ann Kathrin und zeigte auf Frank Weller und sich.

Frau Schwarz setzte sich gerade hin. Sie hatte jetzt etwas Gouvernantenhaftes. »Wir müssen halt besser arbeiten, viel konkreter sein. Da reicht kein …«, sie griff sich zum Magen, »Bauchgefühl! Wir brauchen juristisch verwertbare Fakten.«

Rupert biss wütend in sein Brötchen.

Ann Kathrin stieß ein ›Na endlich‹ aus. Sie hatte endlich die Information bekommen, auf die sie die ganze Zeit gewartet hatte. Sie klappte den Computer zu. Das Geräusch reichte aus. Alle sahen sie an.

Dafür, dachte Frau Schwarz, werde ich diese Klaasen immer bewundern. Sie macht eine Geste und hat die volle Aufmerksamkeit. Jeder erwartet, dass sie jetzt etwas sagt, das alle weiterbringt. Bei mir gehen sie stattdessen sofort in den Widerstand. Falls sie mir überhaupt zuhören.

»Wolf Eich hat ein Zimmer im *Reichshof*!«

Dieser Satz bedeutete den anderen mehr. Frau Schwarz kam so schnell nicht mit. Der Name sagte ihr überhaupt nichts.

»Und?«, fragte sie.

»Das ist schräg gegenüber vom *Smutje* und keine hundert Meter Luftlinie vom Tatort entfernt.«

»Ich weiß, wo der *Reichshof* ist«, zischte Elisabeth Schwarz sauer.

Weller setzte hart nach: »Und Wolf Eich ist der junge Mann, der mal was mit beiden Opfern hatte. Ann Kathrin wollte ihn befragen und gleichzeitig Polizeischutz für Silke Humann ... «

Frau Schwarz stöhnte getroffen. »Ja, Sie haben ja recht!«, brüllte sie.

Obwohl sie nicht schreien wollte, geschah es. Sie musste sich selbst bescheinigen, dass sie sich nicht mehr unter Kontrolle hatte. Eigentlich war sie dazu da, den anderen zu zeigen, was sie falsch machten, und darauf hinzuweisen, wie sie ihre Fehler korrigieren konnten. Stattdessen stand sie jetzt da, als hätte sie alles vergeigt.

Sie sah es in den Gesichtern der Kollegen. Ja, genau das dachten sie: Ohne die Schwarz würde Silke Humann noch leben. Wenn Ann Kathrin hier das Sagen hätte, wäre das alles so nicht passiert.

Ann Kathrin stand auf. Das war ihre Art, eine Dienstbesprechung zu beenden. Frau Schwarz wusste, dass sie machtlos dagegen war. Im Grunde fand sie es gut, dass dieser quälende Prozess nun unterbrochen wurde.

Weller erhob sich ebenfalls.

Ann Kathrin sagte in die Runde: »Dann besuchen wir jetzt einmal Herrn Eich.«

Rupert stieß Jessi an: »Und wir zwei fahren zu Meyerhoff.« Er rieb sich die Hände und schnalzte, als würde er sich auf ein leckeres Essen freuen, das er schon riechen konnte.

»Nehmt ihn richtig in die Mangel«, rief Marion Wolters hinter ihnen her.

Rupert und Jessi drehten sich noch kurz zu ihr um. Jessi

zwinkerte Marion zu. Rupert tönte: »Wir werden ihm nichts schenken!«

Er hatte die junge Frau beim Spielplatz mit den alienhaften Rutschen kennengelernt. Wie eine Invasion großer Insekten, die vom Meer aus die Küste angriffen, sahen die Klettergerüste für ihn aus. Er sah ihren Plan dahinter.

Genauso versuchten sie, harmlos zu erscheinen.

Die Kinder sollten sich nicht vor ihnen erschrecken, sondern fröhlich auf sie zulaufen, um mit ihnen zu spielen. Dann würden sie gefressen werden.

Der Tag nahte. Bald würde ihre gruselige Armee aus der Tiefe des Meeres aufsteigen. Er spürte es genau.

Sie hatten in den Regierungen der Welt wichtige Posten besetzt. Die Machtübernahme hatte längst stattgefunden, doch die eigentliche Invasion stand noch bevor. Bald würden sie ihr wahres, blutsaugendes Wesen zeigen.

Däniken hatte recht, wenn er sagte, dass die Götter Astronauten waren. Aber er irrte sich in der Einschätzung ihres Wesens. Sie waren keineswegs gekommen, um die Menschen vorwärtszubringen und ihnen Wissen und eine höhere Kultur zu schenken. Die freundlichsten unter ihnen – ja, es gab verschiedene Fraktionen – wollten die Menschheit nur versklaven.

Für die anderen sind wir nicht mehr als die Büffelherden für die weißen Siedler im amerikanischen Westen, dachte er. Sie werden uns jagen und schlachten, wenn wir sie nicht vorher stoppen.

Er war auf der Suche nach Komplizen. Er konnte die Menschheit nicht alleine retten. Ja, er hatte die Gabe, die fremden Wesen zu erkennen. Aber um sie zu besiegen, brauchte er eine Armee.

Ihre kleine Tochter hieß Amelie. Mehrfach hatte sie ihren Vornamen gerufen.

»Amelie, sei vorsichtig!«

»Amelie, pass auf!«

Eine besorgte, beschützende Mutter. Sie wollte verhindern, dass ihrem Kind ein Leid geschah. Vielleicht würde er sie darüber für sich gewinnen können.

Sie hatte kurzgeschnittene schwarze Haare. Sie war schlank und versuchte vermutlich, sich und ihre Tochter fit zu halten und gut zu ernähren.

In einer Dose hatte sie Apfelschiffchen und Möhrenstifte dabei. Immer wieder animierte sie ihre Tochter, davon zu essen. Süßigkeiten sah er nicht.

Ihre Finger- und Fußnägel waren nicht lackiert oder nur mit Klarlack, das konnte er im Sonnenlicht nicht erkennen. Sie trug keinen Lippenstift, fettete aber ihrer Tochter und sich selbst die Lippen mit einer weißen Creme ein. Die Ränder unter ihren Augen hatte sie mit einem selbstbräunenden Sonnenschutz verdeckt.

Sie wirkte auf ihn wie eine Frau, die gern unsichtbar gewesen wäre. Sie war nur hier, damit ihr Kind eine gute Zeit hatte. Sie selbst hätte sich am liebsten irgendwo eingeschlossen und nur geheult.

All das nahm er wahr und war stolz darauf. Er konnte Menschen lesen.

Sie war ganz auf ihr Kind konzentriert. Sie hatte ein Buch dabei, las aber nicht darin und benutzte ihr Handy nur, um Fotos von der Kleinen zu machen.

Ihr Gesicht erzählte ihm viel. Sie war vor kurzem schwer

verletzt worden. Sein Instinkt sagte ihm, dass es ein Mann gewesen war. Vermutlich war sie jetzt alleinerziehend und stand deshalb unter dem Druck, es besonders gut zu machen. Die Angst, zu versagen, war ihr ins Gesicht geschrieben.

Der Weg zu ihrem Herzen würde über ihr Kind führen.

Er war nicht gut im Flirten, und Frauen fuhren nicht gerade ständig auf ihn ab. Einige sagten, er habe einen düsteren Blick. Den hatte er sich vor dem Spiegel abtrainiert. Er konnte jetzt ganz charmant lächeln, fand er. Vielleicht wirkte er noch ein bisschen verkrampft, aber mit Kindern fiel es ihm leichter, lockerer zu sein, als mit Erwachsenen.

Er wartete auf eine Gelegenheit. Gleichzeitig war es nicht so einfach als Mann, ohne Kind alleine lange in der Nähe des Spielplatzes zu bleiben. Mütter und Väter wurden schnell misstrauisch. Ein einzelner Mann, der den Kindern zuguckte, geriet schnell unter Generalverdacht. Unbekannte, die Bonbons verteilten, machten sich nicht beliebt, sondern liefen Gefahr, etwas aufs Maul zu bekommen.

Doch er hatte etwas drauf, das Kinder unwiderstehlich fanden: Er konnte Luftballons falten. Als Gymnasiast und später als Student hatte er damit auf Kindergeburtstagen und auf Stadtfesten gutes Geld verdient. Es war viel besser als in der Fabrik zu arbeiten oder auf dem Bau, wie es viele seiner Kommilitonen taten.

Er saß im Strandkorb mit Blick aufs Meer und den Spielplatz. Neben sich hatte er eine Ledertasche. Hirschleder. Die Tasche war alt, das Leder rissig. Es wirkte wie ein Erinnerungsstück oder vom Flohmarkt gekauft. So, wie er die Tasche behandelte, gehörte sie zu ihm und war mehr als einfach nur ein nützlicher Gegenstand. Vielleicht eine letzte Erinnerung an die Mutter oder den Vater.

Das Geräusch der Wellen, wie sie mit leichtem Grollen gegen die Strandbefestigung rollten, wurde zu einem archaischen Hintergrundgeräusch. Die meisten Menschen hier genossen es, aber er hörte die Bedrohung heraus. Die Ankündigung einer gewaltigen Katastrophe.

Er konnte die Zeichen deuten. Er erkannte selbst in den Spielgeräten den heraufziehenden Horror, und dabei faltete er Luftballons. Gerade entstand ein Hund. Vier Beine, ein kleiner Stummelschwanz und ein umso längerer Hals.

Amelie guckte von der Schaukel immer wieder zu ihm rüber. Er nickte ihr freundlich zu. Sie sprang von der Schaukel und lief zu ihm. Zwei etwa gleichaltrige Jungs, die ihre Hintern inzwischen eigentlich wund gerutscht haben mussten, trauten sich erst, als sie sahen, dass das kleine Mädchen es vor ihnen wagte. Sie standen hinter ihr, als suchten sie bei ihr Schutz. Gleichzeitig gaben sie sich aber wie ihre Bodyguards.

Amelie wollte wissen: »Wie geht das?«

»Ich zeige es dir gerne. Es ist ganz einfach. Willst du es auch mal probieren?«

Sie nickte und schien plötzlich stumm geworden zu sein. Schämte sie sich vor den Jungs?

Ihre Mutter lief herbei.

»Wie heißt du denn?«, fragte er das Mädchen.

Sie druckste herum, als wisse sie plötzlich ihren Namen nicht mehr oder als sei ihr gerade alles zu viel geworden und als bereute sie ihren Mut bereits.

»Amelie«, flüsterte sie, als würde sie ein Geheimnis preisgeben.

»Belästigen die Kinder Sie?«, fragte die Mutter, und es klang aus ihrem Mund, als würde sie genau das Gegenteil befürchten.

»Nein, gar nicht«, lachte er. »Sie wollen nur wissen, wie

ich es mache. Gesunde Neugier. Kinder lernen so gern und so schnell...«

Er verteilte Luftballons an Amelie und die beiden Jungs. Auch der Mutter hielt er einen hin. Sie lehnte ab.

Er stellte sich vor. »Ich heiße Andreas, aber die meisten sagen Alex zu mir.«

»Indra.«

Sie reichte ihm die Hand und nahm den Luftballon dann doch.

Er stand aus dem Strandkorb auf und begann seine lange eingeübte Show. Manchmal unterbrach er sie mit kleinen Gags. Immer mehr Kinder kamen und sahen zu.

Es war wie früher. Er fühlte sich wohl.

Dieter Meyerhoff wirkte fröhlich, aufgeräumt, so als könne ihm nichts und niemand etwas anhaben und die ganze Welt sei nur zu seinem eigenen Vergnügen da. Er war auf eine so provokative Art selbstsicher, die Rupert kaum aushielt.

In diesem Museum für gebrauchte Damenunterwäsche geriet Jessi in einen Taumel zwischen Staunen und Wut.

»Tja, junge Frau«, sagte Meyerhoff und benahm sich, als sei Rupert überhaupt nicht da, »da staunen Sie, was? Sie könnten reich werden und schnell das Drei- und Vierfache verdienen, was das Land Niedersachsen Ihnen dafür zahlt, dass Sie sich von besoffenem Gesocks beschimpfen lassen.«

Er nahm einen Meter Abstand, taxierte sie, als könne er sie mit Blicken ausziehen und schnalzte mit der Zunge: »Bei Ihrem Aussehen, Ihrer Figur – blutjung, wie Sie sind –, herrjeh, das ist doch genau Ihr Ding! Ein paar Filmchen beim Duschen, ein paar Selfies, wie Sie sich schminken, und Sie verdienen mit Ihrer getragenen Wäsche mehr als ... «

»Warum«, fragte Rupert sich, »hau ich dem nicht einfach eine rein?«

Er glaubte, es nur gedacht zu haben, doch er hatte es laut gesagt, denn Jessi reagierte auf seinen Satz, indem sie es einfach tat.

Im Norder Boxclub hatte sie gelernt, harte Treffer zu landen. Sie schlug nicht in sein Gesicht. Sie wollte keine deutlich sichtbaren Spuren hinterlassen.

Ihr Leberhaken nahm Meyerhoff die Luft. Er taumelte zurück, versuchte sich festzuhalten und griff zu der Leine, an der die Slips aufgehängt waren.

Sie riss unter seinem Gewicht ab. Da fünf, sechs Leinen, die sich durchs Zimmer zogen, miteinander verbunden waren, befanden sie sich plötzlich alle drei wie in einem Spinnennetz gefangen. Ein Seidenslip landete auf Ruperts Kopf.

Jessi befreite sich am schnellsten.

Meyerhoff verhedderte sich in den Schnüren.

»Weil das meine Aufgabe ist«, sagte Jessi.

»Der ist bestimmt noch nie einer starken Frau begegnet«, lachte Rupert.

Jessi wandte sich an Meyerhoff: »Das war nur meine Führhand. Willst du auch mal meine Schlagfaust probieren?«

Meyerhoff, immer noch zwischen den Schlüpfern verheddert, versuchte, sich keine Blöße zu geben. »Weißt du eigentlich«, fragte er, »wie sexy deine Stimme klingt, wenn du so wütend wirst? Ich kenne ein paar Jungs, die kriegen sofort einen Ständer, wenn du so sprichst.«

Rupert nickte Jessi zu: »Ja, der bittet um deine Schlaghand. Ich hab's genau gehört.«

Jessi wollte zuschlagen, doch Rupert sprang dazwischen und hielt ihren Arm fest. Irritiert sah sie ihn an.

Rupert zischte: »Das ist eine Falle, Jessi. Ein Trick. Sein Anwalt ist da. Die wollen uns fertigmachen.«

Rupert öffnete die Badezimmertür, aber dort befand sich niemand.

Meyerhoff kniete schon. Einige der Slips warf er in Ruperts Richtung, der der Unterwäsche auswich, als flögen hier vergiftete Pfeile.

Meyerhoff hielt sich die rechte Seite. Er stand zwar krumm, aber er stand wieder. Er ließ sich aufs Sofa fallen, als hätte er vor, es sich vor dem Fernseher gemütlich zu machen.

»Ich dachte schon, Sie sind noch blöder als Sie aussehen«, spottete er und ließ seinen Zeigefinger durch die Luft kreisen. »Früher habe ich Frauen auf Toiletten aufgenommen oder kleine Filmchen in Umkleidekabinen gemacht.« Er winkte ab. »Jeder fängt mal so an. Das gibt mir jetzt nichts mehr. Aber die Kameras habe ich zum Glück noch. Unser kleines Treffen hier habe ich natürlich gefilmt.« Er gab sich unschuldig. »Ach, juristisch hätte ich Sie vermutlich vorher darauf hinweisen müssen, dass Sie aufgenommen werden, während wir reden, hm? Unser Gespräch ist nicht mit drauf. Wen interessiert schon das Gesabbel? Es sind nur Bilder.«

Rupert suchte die Wände ab.

Meyerhoff lachte: »Das Prinzip dieser Kameras ist, dass man sie nicht gleich entdecken soll, Herr Kommissar. Sie sind sehr präzise, aber auch sehr klein. Geben Sie sich keine Mühe. Selbst wenn Sie die Kamera finden, es ist alles längst auf den Server hochgeladen. Ich kann damit«, er zeigte auf Jessi, »Ihre berufliche Zukunft zerstören. Das ist Ihnen doch klar, hm? Aber ich habe Ihnen ja bereits eine neue aufgezeigt.«

Grimmig knurrte Rupert: »Ich hätte ihm eine reinhauen sollen, nicht du.«

»Ach, glauben Sie, dass Ihnen Polizeigewalt erlaubt ist? Es gibt ein paar Staatsanwälte, die sind richtig spitz auf so was. Bullen, die sich nicht im Griff haben und versuchen, Geständnisse aus harmlosen Bürgern rauszuprügeln, sind nicht gerade sehr beliebt.«

Rupert bekam das Flackern in der Pfote. Er hielt mit der Linken seine Rechte fest, um Meyerhoff nicht die Nase platt zu hauen.

Jessi hatte sich viel schneller wieder im Griff als Rupert. Sie stellte sich zwischen ihn und Meyerhoff. »Typen wie Sie wollen doch immer was. Was wollen Sie?«

Er legte beide Arme links und rechts auf das Kopfteil des Sofas und ließ seinen Kopf in den Nacken fallen. »Ich will Ihren Slip als Entschädigung«, flüsterte er mit Fistelstimme. »Sozusagen als Andenken an den wunderschönen Tag heute. Sie können ihn gleich hierlassen. Und dann tragen Sie den nächsten drei Tage. Mindestens. Und den bekomme ich auch. Dann sind wir quitt.«

Jessi war fassungslos. Sie japste vor Empörung.

Rupert stöhnte: »So. Jetzt reicht's.«

Er wollte Jessi zur Seite schieben und auf Meyerhoff losgehen, doch das ließ Jessi nicht zu. Sie schob Rupert zur Tür. »Willst du für den Schweinehund deine Karriere zerstören?«

»Karriere?«, fragte Rupert. »Das nennst du Karriere? Vielleicht sollte ich auch meine Unterhosen verkaufen … «

»Lass uns gehen, Rupi. Der hat uns in die Falle gelockt, und wir sind reingelaufen. Ich kann das unserer Chefin erklären. Frau Schwarz hat einen feministischen Ansatz.«

Darüber konnte Rupert nur den Kopf schütteln. »Feministischen Ansatz? Diese Schreckschraube?«

»Das verstehst du nicht«, kommentierte Jessi.

Meyerhoff verhöhnte die zwei vom Sofa aus: »Ich schicke das nicht an eure Chefin. Ich jage es durchs Internet!«

»Lass uns gehen«, bat Jessi und raunte in Ruperts Ohr: »Vielleicht blufft der ja nur.«

Widerwillig ließ Rupert sich von ihr aus der Tür schieben. Fast wären sie gemeinsam hingefallen, weil Rupert mit dem rechten Fuß an einer Schnur hängenblieb.

Sie waren schon auf der Treppe, da erschien Meyerhoff in der Tür und rief ihnen nach: »Überlegen Sie es sich, schöne Frau! Mit zwei Slips können Sie Ihre Karriere retten!«

Als sie unten waren und ins Auto stiegen, weinte Jessi. Sie war wütend auf sich selbst. Wie hatte sie sich zu dem Leberhaken hinreißen lassen können? Sie machte sich Vorwürfe, und das sagte sie auch.

»Und rausgekriegt haben wir gar nichts«, zürnte sie voller Selbstzweifel. »Wir sind nicht mal dazu gekommen, ihn zum zweiten Mord zu befragen.«

Sie sah aus ihren verheulten Augen Rupert an, der vor Wut in seinen Handrücken biss.

»Und was schreiben wir jetzt in unseren Bericht?«, fragte Jessi.

»Dass er die Aussage verweigert hat.«

Rupert strich seine Jacke glatt, als hätte er Angst, es würden immer noch Damenslips an ihm baumeln: »Wir brauchen dringend eine Hausdurchsuchung. Das wird auch gar kein Problem. Die Leitende Oberstaatsanwältin Meta Jessen ist scharf auf solche Typen.«

»Kannst du gut mit ihr?«, fragte Jessi.

»Nee«, sagte Rupert, »ich hatte nie was mit ihr.«

»Das habe ich nicht gefragt.«

»Die Hausdurchsuchung ist nur eine Formsache, glaub mir.«

Jessi zögerte. Rupert sah, dass sie etwas sagen wollte, aber es noch nicht schaffte, damit herauszurücken.

»Was ist, Jessi? Ich seh doch, du hast was.«

»Wir machen ihn damit vielleicht nur noch wütender.«

»Ja und?«

»Und wenn es dann kein Bluff war und er stellt es wirklich ins Netz?«

»Ja, was sollen wir denn sonst machen?«, fragte Rupert. »Du willst ihm doch nicht etwa ...«

Rupert machte große Augen, und Jessi wusste gar nicht, wo sie hingucken sollte.

Amelie konnte schon prima Luftballons falten. Inzwischen brachte sie es den beiden Jungs bei, was ihr mächtig Spaß machte, denn die Jungen stellten sich ungeschickt an.

Indra und er saßen gemeinsam im Strandkorb, sahen den Kindern zu und redeten miteinander. Jeder drückte sich in eine andere Strandkorbecke, um eine körperliche Berührung zu vermeiden. Er streichelte seine Ledertasche, als würde er die Haut eines geliebten Menschen berühren, sie grub mit ihren nackten Füßen im Sand herum, baute kleine Berge und zertrampelte sie dann wieder. Dabei schaute sie von Amelie immer wieder zu ihren Füßen, als würden sie gar nicht zu ihr gehören, sondern seien zwei selbständige Wesen, die irgendwas in der Nähe des Strandkorbs im Sand machten.

Die Sonne knallte ganz schön. Am liebsten hätte er sich die

Ärmel aufgekrempelt oder sein hellblaues Hemd ausgezogen, aber er fürchtete, die Schnitte, die er sich an den Armen selbst beigebracht hatte, könnten sie erschrecken. Deshalb blieb er zugeknöpft und schwitzte.

Manchmal redeten sie ein paar Minuten gar nichts, dann setzten sie wieder neu an.

Er tat so, als würde er davon ausgehen, dass Amelies Vater jeden Moment auftauchen müsste.

Indra sprach von *meinem Ex,* der ganz bestimmt nicht nach Norddeich kommen würde, weil seine neue Schnecke vermutlich lieber in die Karibik reisen wollte.

Alex tat erstaunt: »Aber welcher Trottel verlässt denn eine so phantastische Frau wie Sie?«

Seine Worte taten ihr gut. Sie setzte sich gleich anders hin.

»Phantastische Frau?!«, spottete sie. »Na, mit der Meinung stehen Sie aber ziemlich alleine da.«

»Ich habe doch Augen im Kopf«, sagte er. »Wie liebevoll Sie mit Ihrer Tochter umgehen. Ihre ganze, feine Art ... Sie sind etwas ganz Besonderes.«

Sie wischte sich mit den Fingern durch die Haare, und ihre Füße beendeten das Graben im Sand.

»Wenn Sie erlauben«, sagte er, »würde ich uns ein Eis besorgen. Hinterm Deich, im Dörper Weg, bei *Riva,* gibt es das beste.«

»Ja«, lachte sie, »das haben wir auch schon festgestellt. Aber bis Sie mit dem Eis hier sind, ist es doch längst geschmolzen.«

»Manchmal«, behauptete er, »kann ich zaubern. Es wäre doch schade, wenn wir die Kleine jetzt von ihren neugewonnenen Spielkameraden trennen.«

Genau diese Sichtweise gefiel ihr.

»Aber nicht zu viel vor dem Mittagessen!«

»Welche Sorten hat sie denn am liebsten?«

»Fragen Sie sie selbst.«

Er stand auf und ging zu den Kindern. Ein Luftballon flog gerade furzend durch die Luft. Die Kids lachten.

»Ich spendiere eine Rutsche Eis. Euch auch, wenn ihr Lust habt.«

Die Jungs waren einverstanden.

»Schlickeis!«

»Watteis!«

»Schoko mit Sahne!«

»Ohne Sahne!«

»In der Waffel – nein, lieber im Becher!«

Er lachte über die Kinderwünsche. »Ich glaube, das kann ich gar nicht alles behalten. Ich suche mir mal einen Zettel und schreibe es auf.«

Jetzt war Indra bei ihnen. »Das ist aber wirklich nicht nötig.«

»Als ich ein kleiner Junge war«, sagte er, »bin ich mal an einer Eisdiele vorbeigegangen. Dort saß ein Mann und aß einen großen Becher voller Eis mit Früchten und Schokoladenstreuseln, alles dekoriert mit bunten Schirmchen. Ich muss ihn wohl so gierig angestaunt haben, dass er mich fragte, ob ich auch ein Eis möchte. Ich nickte, und er kaufte mir zwei Kugeln im Hörnchen. Erdbeer und Nuss. Es war das beste Eis meines Lebens. Ich werde diesen Mann nie vergessen. Er wollte nichts von mir. Er war einfach nur nett. Er sagte, als er von anderen Leuten in der Eisdiele angesprochen wurde, warum er das gemacht hätte, er würde mich doch überhaupt nicht kennen: *Der Mund eines Gastes macht die Speisen erst wirklich lecker. Was man teilt, schmeckt doppelt gut.*«

Als er den Deich hochging in Richtung Dörper Weg, spürte

81

er genau, dass sie hinter ihm hersah. Er würde sie für sich gewinnen. Da war er sich schon ziemlich sicher.

Er sah sich noch einmal um und winkte. Amelie winkte zurück und dann auch ihre Mutter Indra.

Er bewegte sich zwischen vielen Touristen in Richtung Dörper Weg. Es war voll bei *Riva*, und es roch nach gutem Kaffee.

Die Menschen, dachte er, sind einfach dumm und unsensibel. Sie bemerken weder die drohende Gefahr, noch ahnen sie, dass Rettung naht. Sie stehen neben mir in der Schlange, lachen, scherzen, und keiner kommt darauf, dass ich gerade zwei Aliens liquidiert habe.

Im *Reichshof* genoss Wolf Eich die Annehmlichkeiten eines späten Frühstücks. Die meisten Gäste waren vom schönen Wetter längst nach draußen gelockt worden.

Er ließ sich Zeit. Er hatte drei verschiedene Zeitungen neben sich liegen, die vierte las er gerade. Ann Kathrin registrierte mit einem Blick die *Welt*, den *Freitag*, die *Süddeutsche,* und er blätterte in der *Nordwest-Zeitung.*

Frank Weller und Ann Kathrin Klaasen hatten schon viele Serientäter gejagt. Kaum einer von ihnen war in der Lage gewesen, sich der Faszination zu entziehen, die von der Berichterstattung über seine Taten ausging. Fast alle kauften sich am Tag nach der Tat stapelweise Zeitungen.

Weller nannte das ironisch: »Sie wollen ihre Kritiken lesen.«

Während Ann Kathrin auf Eichs Tisch zuschritt, schimpfte sie mit sich selbst: »Es kann ja nicht sein, dass jetzt schon Zeitungsleser verdächtigt werden, nur weil sie sich informieren wollen.«

Weller hatte ähnliche Gedanken, kam aber zu einem anderen Schluss. Seiner Meinung nach hätte sich der Täter zunächst Lokalzeitungen gekauft, die näher am Geschehen dran waren und schneller darüber berichten konnten. Da Eich weder die *Ostfriesen-Zeitung* noch den *Ostfriesischen Kurier* oder die *Ostfriesischen Nachrichten* auf dem Tisch hatte, war er für Weller schon entlastet. Vielleicht las er einfach gerne die Feuilletons oder den Wirtschaftsteil. Politisch schien er nicht recht festgelegt zu sein, von der konservativen *Welt* über den linken *Freitag* bis zur liberalen *Süddeutschen.*

Er trank Cappuccino, und auf seinem Teller lagen Rührei-Reste und ein angebissenes Brötchen.

Weller brachte seine Hand vorsichtig in die Nähe der Heckler & Koch. Er wollte keine böse Überraschung erleben. Wer zwei Menschen umgebracht hatte, schreckte sicherlich auch vor einem dritten Mord nicht zurück.

Ann Kathrin ging seiner Meinung nach viel zu nah an Eich ran. Er hätte aufspringen und sie mit einem Messer erreichen können. Der Beschützerinstinkt ging mit Weller durch. Er wusste, dass Ann Kathrin es überhaupt nicht leiden konnte, wenn er mitten in einer dienstlichen Aktion versuchte, für sie den Helden zu spielen.

Er schob sie sanft zur Seite.

Eich registrierte, dass er gemeint war. Er senkte die *NWZ,* faltete sie sorgfältig zusammen und legte sie auf den *Freitag.* Dann griff er zu Messer und Gabel und stocherte in seinem Rührei herum.

Bewaffnet er sich gerade, fragte Weller sich. Ein normales Frühstücksbesteck, ein Messer und eine Gabel, konnte in der Hand eines Verrückten zu einer gefährlichen Waffe werden. Weller fürchtete dabei die Gabel mehr als das stumpfe Messer.

Er erinnerte sich an einen Fall, bei dem eine Ehefrau ihrem Mann eine Gabel in den Hals gerammt hatte. In Wellers Augen hatte der Schweinehund das zwar durchaus verdient gehabt, allerdings sah der Gesetzgeber das anders.

Wortlos rang Ann Kathrin mit Weller um die Ermittlungshoheit, indem sie die sichere Stelle verließ, auf die er sie geschoben hatte.

Eich legte das Messer zur Seite, hustete einmal in die Serviette, wischte sich den Mund ab und sagte selbstbewusst: »Sie sehen aus, als hätten Sie vor, mich auszurauben. Kann ich Ihnen irgendwie behilflich sein?«

Weller schloss aus Eichs Worten, dass er seine Waffe gesehen hatte. Weller zog die Jacke weiter über die Heckler & Koch. Er schloss den untersten Knopf der Jacke: Jetzt würde er, wenn er sie ziehen wollte, wertvolle Zeit verlieren.

Ann Kathrin ließ sich auf gar keine Mätzchen ein: »Mein Name ist Ann Kathrin Klaasen. Ich bin Ermittlerin der Mordkommission. Das ist mein Kollege Frank Weller. Silke Humann hat uns gegenüber den Verdacht geäußert, dass Sie etwas mit der Ermordung ihrer Schwester Valentina zu tun haben könnten. Und gestern Nacht wurde Silke Humann umgebracht.«

Ann Kathrin rechnete damit, dass diese Fakten genügend Wirkung zeigen würden. Die Konfrontation mit dem, was geschehen war, brachte Täter manchmal zum Zusammenbruch oder zu unbedachten Aussagen.

Wolf Eich hob beide Hände, als wolle er sich ergeben. Er versuchte, einen Witz daraus zu machen: »Hui, hui, hui ... Dieses verrückte Luder hat mich verdächtigt? Und deswegen muss ich es ja auch gewesen sein, oder was?«

Weller stand jetzt so, dass er in der Lage wäre, mit einem

gezielten Fußkick oder Faustschlag Eich zu stoppen, falls der vorhätte, auf Ann Kathrin loszugehen.

Sie nahm das wahr, tat aber, als würde sie es nicht merken. Es gefiel ihr, wenn er so etwas unauffällig machte. Alles herausgestellt Beschützende war ihr fremd. Sie empfand es als kleinmachend. Sie wusste, dass es nicht so beabsichtigt war, aber sie hatte als Hauptkommissarin einen Ruf zu wahren. Sie musste darauf achten, dass ihr mit Respekt begegnet wurde. Von allen.

»Sie wurde hundert Meter Luftlinie von hier ermordet. Wo haben Sie sich zum Tatzeitpunkt befunden?«

Er lachte: »Ach, Frau Kommissarin, glauben Sie, es ist so leicht, mich hereinzulegen? Woher soll ich denn wissen, wann die Tat geschehen ist?« Plötzlich setzte er sich anders hin, verschränkte die Arme vor der Brust, nickte anerkennend, zeigte auf Ann Kathrin und zollte ihr Bewunderung: »Clever, Frau Kommissarin, ganz clever. Wenn ich jetzt gesagt hätte, ich habe ein Alibi, ich war zu der Zeit in der Sauna, dann würden Sie mich als Nächstes damit konfrontieren, woher ich denn weiß, wann der Mord geschehen ist, denn in den Tageszeitungen steht noch nichts, zumindest nicht in den gedruckten Ausgaben.« Er hob die Blätter an und ließ sie wieder auf den Tisch fallen.

Ann Kathrin sagte: »Es war ein großer Aufruhr draußen. Polizeiwagen, Krankenwagen – das wird Ihnen nicht entgangen sein.«

»Ist es in der Tat nicht. Ich habe mich sogar wieder angezogen und bin rausgegangen, um zu schauen, was draußen los ist. Ich hatte schon im Bett gelegen und gelesen.«

»Was denn?«, fragte der leidenschaftliche Leser Weller unwillkürlich. Ann Kathrin sah ihren Mann mit einer Mischung aus Missbilligung und Erstaunen an. Versprach er sich von der

Antwort irgendetwas Ermittlungsrelevantes? Sie selbst sah sich ja in jeder Wohnung zunächst das Buchregal an, weil sie es für eine Art Fingerabdruck der menschlichen Seele hielt.

Eich antwortete: »Ein Buch über Screen-Writing. Interessiert Sie bestimmt nicht. Ich bin nämlich Drehbuchautor.«

»Fürs Kino oder fürs Fernsehen?«, fragte Weller.

»Kino«, spottete Eich. »Das Kino ist spätestens seit Corona tot, falls es überhaupt jemals gelebt hat in Deutschland. Ich schreibe fürs Fernsehen. ARD, ZDF, Netflix.«

»Muss man schon mal etwas von Ihnen gesehen haben?«, hakte Weller nach.

Ann Kathrin war das völlig egal. Sie fuhr dazwischen: »Mit anderen Worten, als der Mord geschah, haben Sie in Ihrem Zimmer im Bett gelegen?«

»Wie kommen Sie darauf, Frau Kommissarin?«

»Na ja, etwa eine halbe Stunde nach der Ermordung wurde bereits die Leiche gefunden.«

Er gab ihr gestisch recht, machte im Sitzen geradezu eine Verbeugung, außerdem bot er den beiden Platz an. »Soll ich Ihnen vielleicht eine Tasse Kaffee bestellen? Ich sehe, das Frühstücksbuffet wird gleich abgeräumt.«

Zwei Gäste verließen das Restaurant. Weller wollte sich zu Eich setzen. Ann Kathrin blieb unentschlossen stehen. Sie konnte manchmal besser denken, wenn sie stand oder sich bewegte. Sie konnte hier im Frühstücksraum schlecht in ihren Verhörgang verfallen. Weller sah ihr an, dass sie sich selbst ausbremste, um nicht genau das zu tun. Dieser Gang hatte etwas Hypnotisches für die Menschen, die sie verhörte. Sie folgten ihr nach einer gewissen Zeit mit ihren Blicken.

»Und warum halten Sie sich hier in Norden auf, ganz in der Nähe der beiden Opfer?«

Er breitete die Arme aus: »Aber Frau Klaasen – Sie haben gut reden. Sie wohnen da, wo andere Urlaub machen. Hier gibt es einige wunderbare Strände. Ich gelte als Norddeich-Verrückter. Norderney, Juist, Baltrum«, er begann zu schwärmen, »ach, ich liebe die ostfriesischen Inseln. Von hier aus ist es nur ein Katzensprung. Wenn Sie wüssten, wie ich Sie beneide! Sie können Ihre Arbeit an einem der schönsten Orte der Welt tun.«

»Und wo wohnen Sie?«, fragte Weller.

Er tat so, als sei es geradezu eine Beleidigung. »Na, wo wohnen Drehbuchautoren? In den Metropolen, wo die Sender sind. Berlin. München. Frankfurt. Hamburg. Köln. Da werden die Filme gemacht.«

»Und Sie wohnen in all diesen Städten?«, hakte Ann Kathrin nach.

Er schüttelte lachend den Kopf. »Nein, natürlich nicht. Ich wohne in Köln, habe aber vor, mir hier eine Ferienwohnung zu kaufen. Am liebsten auf einer Insel. Da kann ich dann in Ruhe schreiben.«

»Verdient man als Drehbuchautor so gut?«, wollte Weller wissen.

»Ich kann nicht klagen«, grinste Eich.

Ann Kathrin kam wieder zum Fall zurück: »Sie sind also zufällig zur gleichen Zeit hier wie unsere beiden Opfer, mit denen Sie mal gemeinsam zur Schule gegangen sind … «

»Ganz so nicht. Als Schüler hatte ich mich in Valentina verguckt. Mein Gott, das ist ewig her. Ich war verliebt und … « Er sprach nicht weiter.

»Sie hat Sie abblitzen lassen«, ergänzte Weller seinen Satz.

»Haben wir das nicht alle schon mal erlebt, Herr Kommissar?«, fragte Eich.

»Und dann haben Sie sich an die Schwester herangemacht«, stellte Ann Kathrin fest.

»Ja, Frau Kommissarin.« Er nahm einen Schluck von seinem Cappuccino. Ein Milchschaumrand blieb an seiner Oberlippe kleben. »Ist das nicht menschlich? Machen wir das nicht alle? Wenn wir den Partner nicht kriegen können, den wir gerne hätten, nehmen wir halt einen anderen. Wirklich alleine bleiben will doch keiner von uns, oder?«

»Die Schwestern sehen sich doch gar nicht wirklich ähnlich«, behauptete Weller.

»Das sehe ich anders.«

Ann Kathrin konfrontierte ihn mit dem, was sie wusste: »Frau Humann hat uns erzählt, Sie hätten sich nur an sie herangemacht, um ihrer Schwester nah zu sein.«

Weller schrieb etwas in sein Notizbuch, und Eich tönte: »Herrgott, ja! Ich hatte mit beiden etwas! Ich war mit beiden im Bett. Na und? Ist das strafbar? Außerdem ist es eine Ewigkeit her, geradezu in einem anderen Leben. Glauben Sie, deshalb bringe ich die jetzt um?«

Ann Kathrin forderte: »Ich möchte mir gern Ihr Zimmer anschauen und Ihre Wäsche ansehen.«

Er lachte. »Na klar. Weil Sie mich für einen Idioten halten, der auf der Straße jemanden umbringt, dann in sein Hotel zurückrennt und die blutige Wäsche in den Koffer packt, hier in Ruhe die Zimmerbar leersäuft, sich erst mal richtig auspennt, am anderen Morgen gemütlich frühstückt und dann … «

Ann Kathrin ließ sich nicht provozieren. »Ich möchte gerne Ihr Zimmer sehen.«

»Ich weiß, dass Sie dafür einen Hausdurchsuchungsbefehl bräuchten, aber ich bin bereit, Ihnen mein Zimmer zu zeigen. Auch ohne richterliche Anordnung.«

»Als Drehbuchautor«, sagte Weller, »müssten Sie eigentlich wissen, dass es nicht mehr Hausdurchsuchungsbefehl heißt, sondern Durchsuchungsbeschluss. Oder schreiben Sie keine Krimis? Ich hatte Sie als *Tatort*-Autor eingeschätzt. Enttäuschen Sie mich jetzt nicht und sagen Sie mir nicht, dass Sie Liebesschnulzen schreiben.«

Eich ging darauf nicht ein.

Ann Kathrin schnippte mit Daumen und Zeigefinger: »Können wir uns dann jetzt bitte Ihr Zimmer ansehen?«

Eich stand auf.

Die Kinder kletterten in den Rieseninsekten herum und rutschten durch die Saugrüssel nach unten. Sie sahen Alex mit dem Eis schon von weitem und jubelten.

Es war wunderbar cremig und keineswegs geschmolzen. Die Kinder saßen im Sand und aßen, Indra und Alex im Strandkorb.

Er nahm amüsiert zur Kenntnis, dass sie sich in seiner Abwesenheit ein bisschen aufgehübscht hatte. Sie war also nicht ganz uninteressiert.

Möwen waren auch gleich da, weil sie etwas von den Waffeln abhaben wollten. Amelie lief mit ihrem Eis vor einer Möwe weg, verlor nach ein paar Schritten eine Eiskugel, die Möwe pickte sie aus dem Sand und flog damit weg.

»Mama«, rief Amelie, »die Möwen essen sogar Erdbeereis!«

»Ja«, scherzte Alex, »ich glaube, Schoko hätte die auch genommen.«

Amelie war stolz, neue Freunde gefunden zu haben. Sie hießen Kadir und Sönke. Beide Jungs waren ein bisschen älter und größer als sie. Das fand sie besonders toll, denn sie führte das Kommando in dieser Gruppe.

Jetzt schwangen sie sich an dem langen Seil dreißig, vierzig Meter weit über den Sand und kreischten dabei vor Freude.

Immer, wenn Indra überbehütend eingreifen wollte, stoppte Alex sie sanft: »Lass sie. Sie müssen ihre eigenen Erfahrungen sammeln und ihre eigenen Fehler machen.«

»Ja, aber wenn sie hinfällt … «

»Dann wird sie auch wieder aufstehen. Kinder fallen nun mal hin.« Unvermittelt fragte er: »Hast du mal darüber nachgedacht, wie das wäre, wenn es eine Zeitmaschine gäbe?«

»Du meinst so eine Maschine, mit der man hinreisen kann, wohin man will?«

»Ja. Stell dir vor, wir hätten so etwas und könnten heute entscheiden, was wir machen würden. Wo würdest du hinfahren? Was würdest du in welcher Zeit tun?«

Der Gedanke gefiel ihr. Sie schwärmte: »Ich glaube, ich würde ins Paris der Zwanziger fahren wollen. Kennst du den Film *Midnight in Paris*? Oh, ich habe diesen Film geliebt, ich habe ihn oft gesehen. Ein Amerikaner, ich glaube, er hieß Gil, verläuft sich nachts in Paris, und plötzlich hält ein alter Peugeot an. Gil wird eingeladen, mitzufahren. So gerät er in die Zwanziger mitten in Paris. Er lernt Hemingway kennen, Picasso, Gertrude Stein, Salvador Dalí und natürlich Zelda und Scott Fitzgerald. Luis Buñuel und Man Ray kommen, Cole Porter sitzt am Klavier – ach ja, darauf hätte ich Lust. Wie muss das gewesen sein, dieses literarisch-musikalisch-künstlerische Paris in den Zwanzigern? All diese damals noch unbekannten späteren Weltstars ganz nah beieinander …

Hemingway hat später darüber ein Buch geschrieben: *Paris – Ein Fest fürs Leben*. Ich habe es mehrfach gelesen. Irgendwie war ich innerlich immer in den Zwanzigern, also praktisch hundert Jahre zurück. Ich hatte immer Mühe, wirklich ein Kind der jetzigen Zeit zu werden.«

Sie schwieg jetzt. Der Gedanke an die Zwanziger löste Wortkaskaden in ihr aus, machte sie ungeheuer geschwätzig, fand sie. Es war ihr ein bisschen peinlich, so viel geredet zu haben, als habe sie ihm mehr erzählt, als er wissen wollte, und gleichzeitig zu viel von sich preisgegeben.

Er wirkte nachdenklich auf sie. »Ja, das wäre bestimmt schön«, sagte er. »Aber ich glaube, ich würde so eine Zeitmaschine anders nutzen.«

»Wie denn?«

»Ich würde mich nach Braunau am Inn beamen lassen.«

Sie sah ihn fassungslos an. »Nach Österreich? Nach Braunau? Nicht nach Paris, London, New York?«

»Nein, nach Braunau.«

»Aber warum? Was macht Braunau denn so spannend?«

Sie erwartete eine Antwort wie: *Da sind meine Eltern geboren, und ich hätte gerne gesehen, wie sie sich kennengelernt haben.* Aber stattdessen sagte er: »Dort wurde Adolf Hitler geboren und ging zur Schule.«

»Und dann? Was würdest du dann tun?«

»Ich würde der Menschheit viel Leid ersparen. Viel Kummer, Sorgen und Millionen Tote.«

»Du meinst, du hättest den jungen Hitler davon überzeugen können, dass das, was er später getan hat, falsch war?«

»Nein.« Er sah in die Sonne und schloss die Augen. Es war, als würde er die Sonnenstrahlen in sich aufsaugen, und dieser Strandkorb sei schon zu einer Zeitmaschine geworden. »Ich würde«, sagte er voller Überzeugung, »ihn töten.«

»Das Kind? Den Jugendlichen?«

Er rieb sich die Augen und sah sie an: »Ja. Später wäre es schwierig. Später wurde er bewacht. Wahrscheinlich war er der bestbewachte Mann der Welt. Aber damals, als Jugendlicher, in Braunau? Es wäre einfach gewesen, ihn zu ertränken oder bei einer Bergwanderung abstürzen zu lassen. Stell dir mal vor, wie viele Millionen Tote hätte es nicht gegeben? All die Väter, die in Stalingrad jämmerlich draufgegangen sind. All die Toten durch Bomben, Artilleriebeschuss. Welch schreckliches Leid wäre den Juden erspart geblieben ...«

»Ja, aber das hättest du doch nicht hingekriegt, ein Kind zu ermorden!«

»Nein.« Er sah zu ihrer Tochter und den beiden Jungs rüber. »Kein wirklicher Mensch schafft es, ein Kind zu töten. Aber wenn man weiß, was man damit hätte verhindern können, mit all dem Wissen von heute, wäre es nicht nur gerechtfertigt, ja, es wäre doch geradezu unsere Pflicht.«

Sie konnte nicht länger sitzen bleiben. Das Gespräch regte sie irgendwie auf, verwirrte sie.

Sie lief einmal um den Strandkorb herum, als würde sie etwas suchen. Dann sagte sie: »Ja, wahrscheinlich hast du recht. Mit all dem Wissen von heute müsste man das tun.«

»Und wenn man geschnappt worden wäre«, sagte er, »wäre man in der damaligen Zeit ein Kindsmörder gewesen, ein ganz furchtbar schlechter Mensch. Niemand hätte einem geglaubt, wenn man den Menschen erzählt hätte: *Ja, ich habe euch damit vor einem Weltkrieg bewahrt, vor einer rassistischen Verfolgung.* Die hätten einen doch für verrückt erklärt.«

Sie nickte. »Natürlich. Weil man ja weiß, dass es keine Zeitreisen gibt.«

Amelie kam angelaufen und befreite ihre Mutter aus der Situation: »Mama, Mama, ich muss Pipi.«

Indra nahm ihre Tochter an die Hand und ging mit ihr in Richtung Toiletten.

»Mama«, fragte die Kleine, »sehen wir den Alex jetzt öfter?«

»Hättest du was dagegen, wenn er mit uns zu Abend isst?«, fragte Indra zurück.

»Nein«, freute Amelie sich, »natürlich nicht. Er will mir Zaubertricks beibringen. Der kann nicht nur Luftballons falten, der kann auch zaubern!«

Nach dem Frühstück im Hotel *Bootshaus* konnten Sabrina und Finn-Henrik dem Blick auf den Yachthafen Uesen, der direkt in die Weser überging, nicht widerstehen. Beim Frühstück waren zwei Schmetterlinge auf ihrem Tisch gelandet. Sie sahen es als Zeichen. Der eine hatte von Sabrinas Erdbeermarmelade genascht, der andere fand ihr T-Shirt spannender und flatterte schließlich von dort in ihre Haare. Sie saß ganz ruhig und ließ es geschehen.

Finn-Henrik machte mit seinem Handy Fotos.

Der Schmetterling krabbelte über ihre Wangen und nutzte dann ihre Nase als Startrampe für einen kurzen Rundflug um den Frühstückstisch, um sich schließlich auf einem Brötchen niederzulassen.

»Das sind Tagpfauenaugen«, sagte er.

Sabrina wusste seit ihrer Kindheit, wie diese Schmetterlinge hießen, trotzdem dachte sie: Sogar davon hat er Ahnung.

»Ich habe Schmetterlinge immer geliebt«, schwärmte sie.

»Ich kenne kaum jemanden, der Schmetterlinge nicht mag«, lachte er und zeigte ihr die Bilder, die er von ihrem Schmetterlingsbesuch gemacht hatte.

»Ja, aber erst viel später habe ich den ganzen Symbolwert begriffen. Irgendwie sind sie für mich ein Zeichen von Wiedergeburt. Dass nach dem Tod nicht alles vorbei ist, sondern es weitergeht, wir von der Raupe zum Schmetterling werden können.«

Er sah sie kritisch an: »Du meinst, wir werden nach dem Tod zu Engeln und kriegen dann auch so schöne Flügelchen, oder was?«

»Du nimmst mich nicht ernst«, protestierte sie und spielte die Beleidigte.

Sie hätte ihn gern noch nach Brake begleitet. Es fiel ihr schwer, sich von ihm zu trennen, doch schließlich konnte sie nicht einfach mit ihm weiterreisen. Die Veranstalter waren zwar großzügig, zahlten sogar ihr Frühstück und das Doppelzimmer, aber sie hatte auch noch anderes zu tun.

»Kannst du dir«, fragte er, »keine Auszeit nehmen? Heute Abend habe ich spannende Diskussionspartner. Mein Co-Autor kommt dazu, ein Wissenschaftler aus den USA, der unsere Thesen unterstützt, ein berühmter UFOloge und dann noch eine ganz kritische Stimme aus dem kirchlichen Umfeld. Denen passt es natürlich gar nicht, dass die Götter Astronauten waren. Sie können sich ihren Jesus schlecht als Weltraumfahrer vorstellen. Dabei ist es so naheliegend. Sie wollen doch alle selbst in den Himmel«, er machte eine Bewegung nach oben, »auffahren.«

Es gefiel Sabrina, dass er sie dabeihaben wollte. Sie fühlte sich geliebt, aber gleichzeitig wollte sie natürlich weiterhin ihr eigenes Ding machen. Manchmal hatte sie schon mit dem Gedanken gespielt, in seine Forschungen mit einzusteigen, ihn bei den Veranstaltungen zu begleiten. Da musste viel vorbereitet werden, einerseits inhaltlicher Art, aber es gab auch eine

Menge Organisationskram. Im Grunde war er alleine längst überfordert.

Sabrinas Handy spielte *Piraten Ahoi!*, den Klingelton, den sie schon als kleines Mädchen ihrem Vater aufs Handy geladen hatte, weil es lange Zeit ihr Lieblingslied von Bettina Göschl gewesen war. Nachdem Bettina in ihrer Schule aufgetreten war, hatte sie für eine Weile ein richtiges Lesefieber ausgelöst, und alle wollten *Piraten Ahoi!* singen. Dass sie denselben Klingelton hatten, verband sie noch immer mit ihrem Vater. Im Moment spürte sie schmerzlich, dass es viel mehr nicht war.

»Warum gehst du nicht ran?«, fragte Finn-Henrik.

Sie verzog den Mund: »Es ist Papa.«

»Der ist gar nicht so verkehrt«, sagte Finn-Henrik und zwinkerte seiner Freundin zu.

Sie machte ein bewusst staunendes Gesicht. Sie würde jetzt eine ganze Weile nicht mehr rangehen und ihren Vater so richtig zappeln lassen. Sie wusste, dass er ein schlechtes Gewissen wegen des vergeigten Abendessens hatte. Jetzt nicht zu telefonieren war für sie eine Art Erziehungsmaßnahme. Ja, sie waren längst in der Phase angekommen, in der die Kinder ihre Eltern erzogen.

»Ach, sei doch nicht so streng zu deinem Alten. Der macht im Grunde dasselbe wie ich.«

»Was macht der?«, fragte Sabrina verständnislos.

»Der ist auf der Suche nach der Wahrheit, genau wie ich. Der will es genau wissen, lässt sich nicht mit simplen Erklärungen abspeisen. Ist doch kaum ein Unterschied, ob jemand versucht, ein Verbrechen aufzuklären, oder ob er, wie ich, die Ursprünge unserer Zivilisation sucht.« Er lachte.

»Mit der Meinung stehst du vermutlich ziemlich alleine da. Es ist doch ein Riesenunterschied. Der jagt Verbrecher und du UFOs. Der wird vom Land Niedersachsen bezahlt und du ... «

Er unterbrach sie: »Ja klar, ich bin jetzt kein Beamter mit dreizehntem Monatsgehalt und Pensionsansprüchen. Aber in der Tiefe tun wir doch etwas Ähnliches.«

Sabrina sah ihn lange im Gegenlicht an und stellte dann fest: »Du magst ihn. Stimmt's?«

Er nickte ein wenig schüchtern. »Ja, durchaus. Warum auch nicht?«

Nicht weit von ihnen stritten sich schnatternde Enten und legten einen Wasserstart hin. Fasziniert schaute Sabrina zu der wütenden Enten-Verfolgungsjagd. Die Tiere hatten plötzlich nichts Friedliches mehr an sich.

»Lass uns noch eine Runde spazieren gehen«, schlug er vor. »Es ist einfach zu schön hier, um jetzt schon ins Auto zu steigen. Außerdem sehe ich's dir doch an.«

»Was?«

»Na, du überlegst, ob du mit nach Brake fährst. Meine Mutter sagte in solchen Fällen gern: *Wem der Herr Termine gibt, dem gibt der Herr auch Ausreden.*«

»Deine Mutter war eine kluge Frau«, grinste Sabrina.

Wolf Eichs Zimmer im Hotel *Reichshof* war bereits gemacht, als Ann Kathrin mit ihm den Raum betrat. Alles sauber, akkurat und gelüftet.

Weller stand noch im Flur. Er hielt sein Handy in der Hand, sah aufs Display und steckte es enttäuscht wieder ein. Vielleicht, dachte er, war das ja auch ein Scheiß-Moment, um Sabrina anzurufen. Ich hätte ja doch wieder keine Zeit für sie gehabt und wie so oft mit einem Arsch auf zwei Hochzeiten getanzt. Man sollte, sagte er sich selbst, seine Kinder anrufen, wenn man auch wirklich Zeit zum Telefonieren hat.

Irgendwie war er jetzt wütend, aber nicht auf Sabrina, weil sie nicht ranging, sondern auf sich selbst, weil er in dieser Situation versucht hatte, sie anzurufen.

Wollte ich tatsächlich den Weg vom Frühstückraum bis zu Eichs Zimmer nutzen, um schnell mit meiner Tochter zu sprechen? Was bin ich als Vater bloß für ein Versager ...

Ann Kathrins Stimme klang mahnend: »Frank?!«

»Ja, ich bin schon da. Entschuldige. Heute ist irgendwie nicht mein Tag.«

Mit trotzig verschränkten Armen stand Wolf Eich im Zimmer und bot mit ironischem Unterton seine Mitarbeit an: »Möchten Sie vielleicht meine schmutzige Wäsche sehen? Ich mache Ihnen gerne meinen Koffer auf.«

»Nein, danke«, sagte Weller, »von schmutziger Unterwäsche haben wir im Moment genug.«

Doch Ann Kathrin widersprach: »Selbstverständlich möchte ich gerne Ihren Koffer sehen.«

Er warf ihn aufs Bett und öffnete ihn.

Ann Kathrin zog sich Gummihandschuhe an, bevor sie ein Hemd berührte und heraushob.

»Sie werden sich nicht infizieren. Ich habe keine ansteckenden Krankheiten«, tönte Eich.

Weller ging ins Badezimmer. Hier lagen bereits frische Handtücher.

Weller schätzte die Lage so ein, dass Ann Kathrin diesen Eich im Griff hatte. Er ließ die Tür zwar offen, ging aber in den Flur, um das Zimmermädchen zu befragen, das er nebenan rumoren hörte. Er mochte sie auf Anhieb. Sie war im Alter seiner Töchter, hatte ein offenes, freundliches Gesicht und wirkte auf ihn wie ein Mensch, der versuchte, durchs Leben zu kommen, ohne den anderen oder der Umwelt großen Schaden zuzufügen.

Er stellte sich als Polizist vor. Sie sah ihn mit unschuldigem Lächeln an und fragte: »Was kann ich für Sie tun?«

»Darf ich mir mal die Handtücher ansehen, die Sie aus dem Zimmer von Herrn Eich geholt haben?«

Sie wusste natürlich den Namen des Gastes gar nicht, hatte aber mitbekommen, aus welchem Raum Weller gekommen war. Sie zeigte auf den Berg Handtücher, die sie bis dahin entsorgt hatte, und erwiderte: »Eins davon muss es sein. Aber ich habe sie nicht nummeriert.«

»Darf ich?«

Sie nickte.

Weller ging ohne Handschuhe zu Werk. Er mochte das Gummi an den Fingern nicht. Und von dem weißen Puder darin bekam er Ausschlag.

Die meisten Handtücher sahen aus, als hätte man sie durchaus noch einmal benutzen können. Ein besonders verdrecktes oder eins mit Blutspuren fand Weller nicht.

Er zögerte einen Augenblick. Fast hätte er der jungen Frau ein Trinkgeld gegeben. In seiner Phantasie verdiente sie sich hier ihr Studium. Er tat es nicht, weil sie es vermutlich als unangemessen empfinden würde, obwohl sie das Geld sicherlich nötig hatte. Er bedankte sich freundlich und ging zurück zu Ann Kathrin und Wolf Eich.

»Ich finde es zwar ganz amüsant mit Ihnen«, sagte Wolf Eich gerade und setzte sich an den Schreibtisch, auf dem sein aufgeklappter Computer stand. Er schaltete ihn demonstrativ ein, um den Polizisten zu zeigen, dass seine Zeit kurz bemessen war.

Augenblicklich schaltete er den Computer fast erschrocken wieder aus.

»Also, es ist ja nicht so«, fuhr er fort, »als fände ich es nicht nett mit Ihnen. Für mich als Drehbuchautor ist das ja sozusagen Recherche, wie reale Polizeiarbeit abläuft …« Er zeigte auf Weller. »Das mit dem Zimmermädchen fand ich beeindruckend. Wenn Sie dort blutige Handtücher gefunden hätten, könnten Sie mich praktisch jetzt gleich mitnehmen, aber glauben Sie wirklich, ich wäre so dämlich, einen Mord zu begehen, blutüberströmt ins Hotel zurückzulaufen, mich dort zu waschen, mit den hoteleigenen Handtüchern abzutrocknen und die dann dem Zimmermädchen zu überlassen?« Er schüttelte nachdenklich den Kopf: »Haben Sie es wirklich ständig mit Idioten zu tun? Kommt es daher, dass Sie solche Rückschlüsse ziehen?«

Es war ihm gelungen, Weller abzulenken, doch Ann Kathrin hatte der Bruchteil einer Sekunde gereicht, um im Aufleuchten des Bildschirmschoners etwas zu erkennen. Sie deutete auf das Gerät: »Dürfte ich das bitte noch mal sehen?«

»Was?«, konterte er hart.

»Würden Sie den Computer bitte noch einmal für mich einschalten?«

»Warum?«

»Weil ich Sie darum bitte.«

Weller stand kampfbereit in der Tür. Die Stimmung im Raum war jetzt latent aggressiv. Weller stellte an sich selbst fest, dass ihm eine Rauferei jetzt ganz guttun würde, um seinen Gefühlen Luft zu machen. Er war wütend auf sich selbst, doch er konnte sich schlecht selber eine reinhauen.

»Ich glaube«, formulierte Wolf Eich, »ich bin nicht verpflichtet, Ihnen meine E-Mails zu zeigen. Das ist mir dann doch zu privat.«

»Die will ich auch gar nicht sehen. Schalten Sie bitte einfach noch einmal Ihren Computer für mich ein.«

»Das kann doch nicht so ein großes Ding sein«, tönte Weller. »Haben Sie Angst, das Teil fliegt in die Luft, wenn Sie es noch mal einschalten?«

Ann Kathrin sprach in Richtung ihres Mannes: »Nein. Ich glaube, er möchte nicht, dass wir sehen, welches Foto er als Bildschirmschoner benutzt. Wenn mich nicht alles täuscht, war das doch Valentina Humann.«

Wolf Eich klappte den Computer zu und wollte ihn wegräumen.

»Nein, das war sie ganz sicher nicht. Sie irren sich, Frau Kommissarin. Da war wohl der Wunsch der Vater Ihres Gedankens.«

»Wir können den Computer auch beschlagnahmen«, kündigte Weller an und hinderte Eich daran, das Teil in den Koffer zu legen. Weller erkannte es deutlich an Eichs Körperhaltung. Er hielt die Luft an. Jetzt fiel die Entscheidung. Entweder das Ganze hier würde eskalieren und sehr körperlich werden oder gleich käme er mit einem Geständnis rüber.

Noch bevor er es aussprach, wussten sowohl Ann Kathrin als auch Weller, was geschehen würde: Wolf Eich rang für sich um Verständnis: »Ja, Sie haben ja recht. Es ist Valentina.« Er setzte sich aufs Bett und atmete heftig aus: »Ich habe gerade eine harte Trennung hinter mir. Der Klassiker. Meine Frau hat mich jahrelang mit meinem besten Freund hintergangen. Sexuell, finanziell – auf allen Ebenen. Ja«, er guckte Weller um Mitleid heischend an, »ja, verdammt, Sie sehen einen Mann am Ende. Ich bin nach Norddeich gefahren, um mich zu erholen. Und ja, ich wusste, dass Valentina hier war. Sie war meine erste große Liebe. Erinnern wir uns nicht alle gern an unsere erste große Liebe, als alles noch voller Unschuld war? Mein Gott, wie lange hat sie mich zappeln lassen ... Und ich war so verknallt! *The first cut is the deepest*«, zitierte er einen Song. »Ich wusste, dass sie genauso norddeichverrückt war wie ich. Ja, vielleicht wäre es mit uns beiden noch mal was geworden. Dann habe ich hier aus der Zeitung erfahren, dass sie ermordet wurde. Jetzt machen Sie daraus bloß nicht die Geschichte, dass sie mich noch mal hat abblitzen lassen und ich sie dann umgebracht habe ... Das bin ich einfach nicht ... «

»Frauenhass ist ein beliebtes Mordmotiv«, gab Ann Kathrin in Wellers Richtung zu bedenken und fügte hinzu: »Wenn sie mir nicht gehören kann, dann soll sie auch kein anderer bekommen ... Da wäre er nicht der Erste.«

Wolf Eich lachte bitter. »Dann hätte ich wohl eher meine Ehefrau umbringen müssen.«

»Siehst du«, erklärte Ann Kathrin Weller, »er will nicht seinen *besten Freund* abstrafen, sondern seine Ehefrau.«

Wolf Eich schüttelte den Kopf: »Oh, da irren Sie. Ich habe mich grausam an ihm gerächt. Er hat seinen Job bei der Filmproduktion verloren, für die ich gerade eine neue Reihe schreibe. Und da, wo ich Einfluss habe, wird er in der Szene auch keinen Job mehr kriegen. Ja, das kann man verwerflich finden und gemein, aber so bin ich. Nur – ein Mörder bin ich ganz sicher nicht.«

Ann Kathrin gab zu bedenken: »Wie ein trauernder Ehemann, der gerade verlassen wurde und der soeben erfahren hat, dass seine große Jugendliebe ermordet wurde, sehen Sie aber nicht aus.«

Er klatschte sich auf die Oberschenkel und stemmte sich wieder hoch. Seine Nasenspitze war jetzt keine zwanzig Zentimeter von Ann Kathrins entfernt. Weller fand, dass er ihr viel zu nahe kam, doch sie wich nicht nach hinten aus. Das war nicht ihre Art. Wenn überhaupt, dann würde sie ihn gleich mit einem Stoß gegen die Brust von sich schubsen. Noch tat sie es nicht, weil sie eine Aussage erwartete, die sie vielleicht weiterbringen konnte. Menschen in Erregung sagten oft Dinge, die ihnen später leidtaten. Sie waren dann meist näher an der Wahrheit als bei einer ruhigen Konversation.

»Bevor ich Drehbuchautor wurde, habe ich die Schauspielschule besucht. Ich habe Film von der Pike auf gelernt, wenn Sie so wollen.«

Jetzt stieß Ann Kathrin ihn zurück, ohne ein Wort dazu zu sagen, warum.

Weller kommentierte: »Sie haben also gelernt, uns etwas vorzuspielen. Wie viel von dem, was wir gerade mitkriegen, ist denn der richtige Wolf Eich und wie viel eine gespielte Figur?«

»Ich habe Ihnen«, sagte Eich mit zitternder Lippe, »die Wahrheit erzählt. Ja, verdammt, ich bin einsam! Ich fühle mich verraten und verkauft. Aber ich bin kein Mörder!«

»Guck mal«, sagte Weller zu Ann Kathrin, »jetzt heult er auch noch. Der hat das wirklich gelernt. Muss eine gute Schauspielschule gewesen sein.«

Abrupt wandte Eich sich ab.

»Haben Sie vor, noch länger in Norden zu bleiben?«, fragte Ann Kathrin. Da er nicht antwortete, gab sie ihm klare Anweisungen: »Halten Sie sich bitte zu unserer Verfügung. Verlassen Sie das Land nicht. Melden Sie sich täglich einmal in unserer Polizeiinspektion. Falls Sie nach Köln zurückfahren, wüsste ich das gerne. Ich glaube, wir müssen uns noch einmal grundsätzlich unterhalten.«

Er schüttelte sich. »Lassen Sie mich jetzt bitte«, rief er und zeigte zur Tür.

»Was haben Sie denn jetzt vor?«, fragte Weller.

Ohne Weller anzusehen, antwortete Eich: »Ich schmeiß mich aufs Bett und heule. Und ich möchte nicht, dass mir dabei jemand zuguckt!«

Die Restaurants waren ihnen zu voll und vielleicht auch zu teuer. Alex schlug vor, für alle eine Piratenpfanne zu kochen. Amelie war sofort begeistert mit dabei.

Die zwei luden ihn in ihre Ferienwohnung ein. Er brachte eine Tüte voller Krabben mit und Heringe. Gemüse hatte Indra ohnehin genug eingekauft. Mindestens eine Mahlzeit am Tag bestand bei ihr hauptsächlich aus Gemüse.

Gegen diese Regel wollte Alex auf keinen Fall verstoßen. Er baute einfach in seine Fischpfanne mehr Gemüse ein als hineingehörte. Dafür nahm er weniger Knoblauch und auch weniger Zwiebeln und Eier. Chili ließ er ganz weg.

Es rührte Indra zu sehen, wie gut Amelie der männliche Kontakt tat. Beim Krabbenpulen entschuldigte sie sich bei jeder Krabbe, bevor sie ihr aus dem Mantel half, freute sich, wenn es geklappt hatte und quietschte zwischendurch immer wieder vergnügt, weil Alex Scherze machte.

Das mit dem Gemüse sei unheimlich wichtig, sagte er. Die Piraten hätten früher Skorbut bekommen. Amelie konnte mit dem Wort nichts anfangen, und er erzählte ihr, die meisten hätten kaum noch Zähne im Mund gehabt, durch den Vitaminmangel, weil es an Bord kein Gemüse gab. Deswegen sei es so wichtig, das jetzt hier an Land zu essen. So sei auch Labskaus entstanden. Alles püriert, weil die Piraten nichts mehr richtig kleinkauen konnten.

Beim Kochen krempelte er sich unbewusst die Ärmel auf, und Indra sah die Schnitte. Nach dem Essen, als Amelie sich zum Mittagsschlaf hingelegt hatte, fragte Indra ihn danach. Er antwortete zunächst nicht, sondern sah nur vor sich auf den Kaffee, den Indra gekocht hatte.

Es war ihr gleich peinlich. Vielleicht hatte sie eine Grenze überschritten. Sie versuchte, sich herauszureden: »Ich hatte mal eine Freundin, die hat sich immer selbst verletzt, wenn sie in Not war.« Oh nee, dachte sie, ich mache immer alles nur noch schlimmer. »Also, ich wollte jetzt nicht sagen, dass ich denke, du bist in Not, sondern … Ach, herrjeh, mach es mir jetzt nicht so schwer …«

»Schon gut«, beruhigte er sie. »Das sind Verletzungen aus einem Messerkampf. Aber ich habe sie mir nicht selber zugefügt.«

»Was?«

»Ich bin angegriffen worden. Aber ich habe mich gewehrt, die Hände hochgehoben vors Gesicht«, er machte es vor. »Dann hat mich die Klinge ein paarmal erwischt.«

»Wollte man dich ausrauben?«

»Es gibt so viele Verrückte heutzutage«, stöhnte er und krempelte sich die Ärmel wieder herunter, um die Wunden zu überdecken, als könne er damit alles ungeschehen machen.

So ganz überzeugt von seiner Erklärung war sie nicht, denn sie hatte durchaus gesehen, dass einige Wunden älter und einige frischer waren.

»Das Leben«, sagte er, »ist ein Hauen und Stechen. Ein Kampf um die Futtertröge. Wir sind gar nicht so weit entfernt von den Raubtieren in der freien Wildbahn.«

Als er sprach, hatte er etwas Trauriges und gleichzeitig etwas Echsenhaftes an sich, fand sie.

War sie, die sich geschworen hatte, sich auf keinen Kerl mehr einzulassen, kurz davor, genau das zu tun?

Amelie rettete sie. Sie rief aus ihrem Zimmer: »Alex soll kommen! Er hat versprochen, mir Zaubertricks zu zeigen!«

Er ging in ihr Zimmer und improvisierte. Er ließ vor ihren Augen einen Löffel verschwinden, und als sie wissen wollte, wie er das gemacht hatte, versprach er: »Entweder du träumst die Lösung oder ich zeige sie dir nach deinem Traum. Aber ich werde versuchen, dir im Traum zu erscheinen, und es dir im Schlaf beibringen.«

»Kannst du so was?«

»Na klar.«

»Das glaub ich nicht.«

Er zuckte mit den Schultern. »Schade. Wenn du es nicht glaubst, wird es auch nicht klappen.«

Sie wollte den Trick noch einmal sehen. Er wirbelte den Löffel durch die Luft und klemmte ihn sich unter der linken Achsel ein, während er sie ablenkte, weil er so tat, als sei ihm der Löffel hingefallen.

»Oh – weg!«

Sie zitterte fast vor Aufregung und ahnte, wo er den Löffel versteckt hatte. »Du hast ihn unterm Arm«, rief sie, »unterm Arm!«

»Nein«, sagte er und hob den rechten Arm hoch.

Sie lachte sich schief: »Unterm anderen Arm! Unterm anderen Arm!«

»Nun wird es aber wirklich Zeit, dass du schläfst.«

Indra hatte im Türrahmen gestanden und zugesehen. Später, in der Küche, sagte sie: »Du tust Amelie gut. Die Kleine hat viel zu viel mitgekriegt von der Trennung. Es ist ziemlich schmutzig abgelaufen. Es war die reinste Hackschlacht.« Sie winkte ab.

»Ist es immer noch. Huggi macht uns das Leben schwer, mischt sich in alles ein, ist immer dagegen, wenn ich dafür bin, und dafür, wenn ich dagegen bin. Hast du Kinder?«, fragte sie.

»Nein«, erwiderte er mit traurigem Gesichtsausdruck. »Offen gestanden habe ich mich das nie getraut.«

»Nicht die richtige Partnerin?«

»Nein. Ich dachte, es wäre nicht gut, in diese Welt Kinder hineinzusetzen.«

»Du meinst, trotz drohender Klimakatastrophe?«

»Ach, wenn es nur das wäre. Ich habe lange mit dem Gefühl gelebt, wir seien unrettbar verloren.«

Er sagte das auf eine so geständnishafte Art, dass ihr der Anstand jedes Nachhaken verbot. Sie schaffte etwas, das sie noch vor kurzem weit von sich gewiesen hätte: Sie nahm seine Hand. Es überkam sie das Gefühl, ihn trösten zu müssen. Äußerlich war er ein fröhlicher, wunderbar origineller Mensch. Kinderlieb und voller Sanftmut. Doch in sich drinnen trug er eine tiefe Verletzung. Die war schlimmer als die Wunden auf seiner Haut.

»Meine Freundin«, begann sie vorsichtig, »hat mir damals gesagt, sie habe sich geschlitzt, um sich überhaupt noch zu spüren. Um zu merken, dass der Arm zu ihr gehörte. Sie kam sich entpersonalisiert vor.«

Er streichelte vorsichtig mit dem Daumen über ihren kleinen Finger und gab ihr recht: »Ja, vielleicht ist es bei mir so ähnlich.«

»Kein Messerangriff.«

»Nein. Ich wollte nur nicht vor dir dastehen, als sei ich verrückt.«

»Das denke ich nicht.«

Wir kennen uns seit zwei, drei Stunden, dachte sie, und er kommt mir schon so vertraut vor.

Seine Verletzlichkeit und sein Leiden nahmen sie noch mehr für ihn ein. Dieses Gefühl, mit jemandem durchbrennen zu wollen, das sie seit ihrer Pubertät nicht mehr gehabt hatte, flackerte in ihr auf.

»Lass es uns«, sagte sie, »langsam angehen, Alex. Wir sind beide schwerverletzte Menschen und immer noch wund. Lass uns jetzt nichts überstürzen.«

Er nickte und wusste, dass er sie hatte.

Alles sollte ganz korrekt laufen. Noch nie hatte Rupert erlebt, dass so viele Leute mit so einer Begeisterung bei einer Hausdurchsuchung dabei waren. Und noch wusste niemand, was der Drecksack von Jessi verlangt hatte, denn dann hätte sie auch von dem Leberhaken erzählen müssen.

Marion Wolters war bereit, drei Urlaubstage zu verschenken oder eine selbstgemachte Himbeersahnetorte, um dabei sein zu dürfen.

Sylvia Hoppe war dagegen, dass ein Mann die Aktion leitete. »Solche Typen müssen Frauenpower spüren«, behauptete sie und erntete dafür Applaus.

Rupert sah sich irritiert um. Es war nicht gerade üblich, dass jemand für einen Vorschlag, wie weiter ermittelt werden sollte, Beifall bekam.

Sie standen alle im Flur beim Kaffeeautomaten. Eine Stelle, die Polizeidirektorin Schwarz den *üblichen Platz für Volksaufstände* nannte. Sie hatte offensichtlich mehr mitbekommen, als sie sollte, denn jetzt stoppte sie die Freude mit einem ihrer gefürchteten Vorträge: »Die meisten Entscheidungen, die Menschen treffen, fällen sie emotional. Sozusagen aus dem

Unterbewusstsein. Nur sehr selten mit dem Verstand. Der Verstand rationalisiert dann nur später unsere Gefühle, so dass wir glauben, was wir tun, sei logisch, richtig oder durchdacht.«

Sie hielt die Hände vor sich, als würde sie etwas wiegen, während das imaginäre Teil, das sie in der linken Hand hielt, sehr schwer wurde, so dass sie sich fast auf den Boden neigte und ihre rechte Hand immer weiter in die Luft ging. Dann änderte sie ihre Position und machte das Ganze jetzt noch einmal seitenverkehrt vor.

Sylvia Hoppe zischte Rieke Gersema zu: »Wird das ein neuer Tanz? So etwas Ähnliches wie Twist?«

Aber Rieke traute sich nicht zu lachen, denn der stechende Blick ihrer Chefin traf sie.

»Hier in Ostfriesland bin ich auf noch viel mehr gefühlsbestimmte Leute getroffen als anderswo. Das zeichnet Sie aus. Das macht aus Ihnen loyale Menschen. Wen Sie einmal in Ihr Herz geschlossen haben, der gehört halt dazu.« Sie merkte, dass sie der Gefahr entgegenlief, sich zu verhaspeln. »Aber das ist eben auch das Problem. Ich erlebe hier ständig emotional agierende Polizeibeamte, die später versuchen, in ihren Berichten alles so darzustellen, als sei es logische Ermittlungsarbeit gewesen.« Sie hob den Zeigefinger: »Aber das, Leute, ist falsch. Wir müssen wissen, wann wir emotional handeln und wann«, sie tippte sich gegen die Stirn, »der Verstand uns sagt: tu das jetzt und zwar genau so.«

Obwohl sie fast alle siezte, verfiel sie jetzt ins Du, wie eine Lehrerin, die mit ihren Grundschülern spricht: »Habt ihr das kapiert?«

Alle Frauen nickten. Rupert schüttelte den Kopf. Erst als Jessi ihn anstieß, nickte er ebenfalls.

»Ja, und was heißt das jetzt?«, fragte Marion Wolters, die noch nach der Sinnhaftigkeit der Belehrung suchte.

»Das heißt, es handelt sich hier um eine ganz normale Hausdurchsuchung. Weder stürmt hier der Mob ein Gebäude, noch besetzen wir ein Haus oder lynchen eine Person.«

»Hat sie uns gerade als Mob bezeichnet?«, fragte die aufgebrachte Sylvia Hoppe lauter, als sie wollte.

»Ich habe gesagt«, fuhr Elisabeth Schwarz ihr scharf in die Parade, »wir benehmen uns gerade *nicht* wie ein aufgebrachter Mob.«

Rupert räusperte sich, steckte seine Daumen hinter seine Gürtelschnalle und stellte sich anders hin. Zwischen so vielen Frauen wollte er gerne glänzen. »Unter Umständen haben wir es mit einem hochgefährlichen Mann zu tun, der zwei Frauen aufgeschlitzt hat. Ich wäre sogar dafür, ein Mobiles Einsatzkommando zu bestellen, um ihn so richtig auseinanderzunehmen.«

Marion Wolters hob die geballte Faust und zog sie nach unten: »Ja! Machen wir ihm so richtig Angst!«

Rupert passte die Aussage von Frau Schwarz überhaupt nicht. Er zeigte auf Jessi: »Wir waren alleine da. Wenn der Typ mich sieht, ist der lammfromm. Ich zeig ihm gerne, wo der Hammer hängt.«

Jessi gab ihm recht: »Stimmt.«

Frau Schwarz hatte keine Lust, sich auf eine lange Diskussion einzulassen.

Rupert schlug mit der Faust gegen den Kaffeeautomaten, um seine Ansicht kraftvoll zu unterstreichen, und obwohl niemand Geld eingeworfen hatte, begann der plötzlich laut zu arbeiten. Dampf pfiff heraus, und dann geschah das, was Rupert schon häufig erlebt hatte: Erst kam Milch, dann Zucker, schließlich Kaffee und ganz zum Schluss der Becher.

»Das Ding«, behauptete Rupert, »hasst mich. Jetzt habt ihr es alle gesehen.«

»Wenn man Geld reinwirft, kommt erst der Becher«, stichelte Marion Wolters.

Frau Schwarz stöhnte: »Also gut. Sie handeln auf eigene Verantwortung. Da keine höheren Dienstgrade zur Verfügung stehen, leitet Frau Wolters den Einsatz.«

Marion zog ein zweites Mal mit ihrer Hand einen Hebel ab, als hätte sie an einer Bingo-Maschine den Hauptgewinn ergattert. »Tschakka!«, rief sie.

»Moment mal, Moment mal«, rief Rupert. »Ich will mich ja nicht vordrängeln, aber wäre es nicht besser, ein Mann würde in dieser hochgefährlichen Situation ...«

Bis auf Jessi sagten alle Frauen gleichzeitig: »Nein!!!«

Rupert gab sich geschlagen. »Was ist nur aus dieser Welt geworden«, brummte er und zog zu seinem ersten Einsatz ab, der völlig frauendominiert war.

Als er sich umdrehte, glaubte er, in Frau Schwarz' Gesicht so etwas wie Schadenfreude zu sehen. Er wusste nicht, ob sie ihm galt oder Meyerhoff.

Diesmal baute Ann Kathrin im Verhörraum die Kamera auf. Schließlich hatte sie es mit einem Typen vom Film zu tun. Was andere Menschen einschüchterte, brachte den erst richtig in Fahrt.

Sie hatte ihn zweimal darauf hingewiesen, dass er ein Recht darauf habe, einen Anwalt hinzuzuziehen, ja, es ihm sogar empfohlen, und das vor laufender Kamera. Doch er verzichtete und unterschrieb stattdessen lieber ein Dokument, das Weller ihm mit den Worten hinlegte: »Für alle mit Anwalt-Allergie haben wir hier etwas vorbereitet.«

Eich wollte sich einfach nicht die Show stehlen lassen, und genau das befürchtete er von einem Anwalt.

Ann Kathrin erhoffte sich, dass er, nur um sich reden zu hören und weiter Aufmerksamkeit zu bekommen, sogar gestehen würde.

Sie kam ihm ein Stück entgegen. Er sollte sich verstanden fühlen. So baute sie Tätern gern Brücken. Sie stellte die Tat zwar als falsch, aber doch als verständlich dar und gab ihnen so die Möglichkeit, sich auszusprechen.

»Die meisten Morde«, behauptete sie, »geschehen aus Liebe. Nichts erschüttert uns tiefer, als von einem geliebten Menschen abgelehnt zu werden.«

Eich seufzte: »Das durfte ich bereits bei meiner Mutter erfahren. Sie war ein Kühlschrank. Gefühlskalt. Wenn sie mich in den Arm nahm, begann ich zu frieren. Wie eine Maschine war sie und gleichzeitig eine Black Box. Man wusste nie, was sie dachte.«

Ann Kathrin ließ ihm Zeit. Er sprach nicht weiter, zumindest nicht mit Worten. Sein Körper und sein Gesicht hingegen erzählten eine traurige Geschichte.

Ganz gegen ihre sonstigen Gewohnheiten guckte Ann Kathrin sogar durch die Kamera, um ihm noch mehr das Gefühl zu geben, es lohne sich, aus sich herauszukommen.

Gestisch und mimisch war das alles schon nah an einem Geständnis, doch sie brauchte die klare Aussage.

»Und Valentinas Verhalten hat diese alten Wunden wieder in Ihnen aufgerissen …«

Er sah nicht Ann Kathrin an, sondern sprach direkt in die Kamera. So, wie andere versuchten, Blickkontakt zu ihr zu bekommen oder ihn zu meiden, so spielte er mit der Kamera. Ja, hier wusste jemand das Medium Film für sich zu nutzen.

Er schluckte, tupfte sich eine Träne weg, verschränkte die Finger ineinander, als wisse er nicht, wohin damit, und müsse die Wahrheit dort herauspressen oder festhalten, ganz nach Sichtweise. Für Ann Kathrin war das alles Show, aber es spielte keine Rolle, wenn sie nur ein klares Geständnis bekam.

»Ja, Frau Klaasen, Sie haben recht. Genau so war es. Sie verstehen etwas von der menschlichen Seele. Es tut mir gut, darüber zu sprechen, wenn auch die Räumlichkeiten hier vielleicht nicht gerade einladend sind. Sie haben so eine Art ... Sie hätten auch Therapeutin werden können.«

Er schmeichelt mir, dachte Ann Kathrin. So will er mich für sich einnehmen.

Sie erlebte das nicht zum ersten Mal. Wenn sie Tätern half, das Verbrechen in harmloserem Licht erscheinen zu lassen, um ein Geständnis herauszulocken, dann schmeichelten sie ihr gern.

Weller stand hinter der Scheibe und sah zu. Seine Wut auf den Typen wuchs. Wie er versuchte, Ann Kathrin einzuseifen, das war schon ein starkes Stück. Gleichzeitig bewunderte Frank seine Frau für die Gesprächsführung. Er fragte sich, ob man so etwas überhaupt von ihr lernen könnte. Es war nicht ganz klar, wer hier gerade wen aufs Glatteis führte.

Weller stand an die Scheibe gelehnt und wäre am liebsten hindurchgesprungen, um den Kerl zu würgen und zu schütteln. Stattdessen steckte er die Hände in die Hosentaschen und ballte die Fäuste.

Jetzt malte Eich imaginäre Zeichen auf die Tischplatte. Für Weller war das ein reines Ablenkungsmanöver. Sie sollten mitlesen, versuchen, die Botschaft zu entziffern, während er Zeit hatte, sich eine neue Lüge auszudenken.

Manchmal begannen Täter, an irgendetwas herumzuknibbeln, als sei es wichtiger, die Tischplatte von einem Fleck zu säubern, einen Splitter aus dem Holz zu ziehen oder Fäden aus ihren Hemdsärmeln zu zupfen, als die Fragen zu beantworten. Sie befanden sich dann, so hatte Ann Kathrin erzählt, in einer Art Zwischenwelt, wo die Phantasie auf die Wirklichkeit traf. Für manche waren das kurz vor dem Verrücktwerden die letzten Berührungspunkte mit der Realität. Sie konnten etwas im wahrsten Sinne des Wortes *begreifen*. Sie dachten mit ihren Fingerspitzen.

Eich sprach jetzt stockend, so als müsse er jedes Wort aus sich herauspressen: »Ich bin nicht mehr derselbe wie damals, dachte ich mir. Klar wollte sie mich damals nicht. Ich war ein Kindskopf. Ein Spinner. Hielt mich für einen Universalkünstler. Aber auch sie ist nicht mehr dieselbe.«

Jetzt blickte er Ann Kathrin direkt ins Gesicht. »Wir verändern uns doch alle. Sie sind auch nicht mehr dieselbe wie vor zwanzig Jahren, Frau Klaasen, oder?«

Dies war eine schwierige Gesprächsgabelung für Ann Kathrin. Immer wieder versuchten Täter, sie mit ins Gespräch zu holen, eine Übereinstimmung mit ihr zu erzielen. In diesem Fall gab sie nach. Sie nickte. »Natürlich nicht.«

Weller stieß mit dem Kopf gegen die Scheibe, so dass sie es drinnen ploppen hörten. Das darf nicht wahr sein, dachte er. Der Typ sucht die Verbrüderung. Hoffentlich war Ann clever genug, um nur zum Schein drauf einzugehen.

Das ganze Gespräch kam ihm bisher vor wie ein Abtasten, ein Ausspionieren, wie Drohnenflüge über feindlichem Gelände vor einem Artillerieangriff. Gleichzeitig fragte er sich, wieso er in solchen militärischen Kategorien dachte. War das hier wie Krieg führen?

»Ich dachte«, fuhr Wolf Eich fort, »wir haben uns gegenseitig nichts vorzuwerfen. Sie hat ihr Leben gelebt, ich meins. Sie hatte ihre Niederlagen zu verdauen, ich meine. Ich hoffte auf eine neue gemeinsame Chance. Ja ... «

»Sie sind also nicht zufällig in Norddeich.«

»Nein, natürlich nicht. Silke führt ein reges öffentliches Leben, also bei Instagram und so. Sie hat schon drei Monate vorher Fotos von ihrer Ferienwohnung im Muschelweg gepostet und sogar damit angegeben, was sie alles vorhatten.« Er zählte auf: »Beach-Volleyballturnier, Fahrt nach Norderney, bei Regen die Seehundstation, bei *Meta* richtig abrocken – mit der Einschränkung, solange es *Meta* noch gibt. Valentina war da ganz zurückhaltend, aber Silke breitete gerne ihr ganzes Leben aus. Vermutlich, um Typen dorthin zu locken.«

»Na, das ist ihr ja dann auch gelungen«, sagte Ann Kathrin und ärgerte sich über ihren Einwurf. Es war viel besser, ihn einfach reden zu lassen.

Er sah wieder auf seine Finger. »Ich habe mir dann ein Zimmer im *Reichshof* genommen. Ich dachte, vielleicht kann ich sie ja *zufällig* irgendwo treffen und dann zum Essen in mein Hotel einladen. Aber daraus wurde dann nichts. Stattdessen sitze ich jetzt hier. Die erste große Liebe meines Lebens ist tot, und ich werde auch noch verdächtigt, der Mörder zu sein.«

Er klatschte mit der rechten Hand auf den Tisch, dann mit der linken gegen seine Stirn. Wieder sah er in die Kamera. »Na, wenn man das nicht eine Pechsträhne nennt.«

Ann Kathrin ließ sich ihre Enttäuschung nicht anmerken. »Es könnte noch schlimmer kommen«, sagte sie stattdessen.

»Schlimmer, Frau Kommissarin? Ich habe meine Ehefrau verloren, meinen besten Freund und jetzt auch noch meine Jugendliebe. Was kommt als Nächstes?« Er zuckte mit den

Schultern. »Schlechte Filmkritiken? Bin ich gewohnt. So was haut mich nicht mehr aus den Latschen. Und selbst wenn mich meine Ex finanziell noch so sehr ausplündert, es wird mir weiterhin gutgehen. Ich bin ein gefragter Autor.«

»Wenn Ihre Pechsträhne anhält, könnten Sie auch noch unschuldig im Gefängnis landen.«

Er hielt sich erst beide Hände vors Gesicht, dann sprang er auf, lief einmal um den Stuhl herum, verrückte den Stuhl, als sei es woanders bequemer, beugte sich weit über die Lehne in Ann Kathrins Richtung und bat: »Bitte helfen Sie mir, Frau Klaasen. Das habe ich nun echt nicht verdient.« Er versuchte zu argumentieren: »In meinen Filmen sind Polizisten nicht die verblödeten Bullen. Ich habe sie und ihre Arbeit immer wertgeschätzt. Diese einfachen Menschenbilder sind nicht mein Ding. Ich habe ihre Arbeit als schwierig und äußerst kompliziert erzählt. Zeigen Sie mir, dass Sie so sind, wie ich sie immer dargestellt habe.«

Ann Kathrin lächelte ihn milde an. Weller war kurz davor, eifersüchtig zu werden. Die Gefühle fuhren mit ihm Achterbahn.

»An einem Justizirrtum ist hier niemand interessiert, Herr Eich. Im Moment sind Sie schwer belastet. Helfen Sie mir zu beweisen, dass Sie unschuldig sind.«

»Und wie soll ich das machen?« Er lachte hämisch. »Holen Sie jetzt nur nicht die Adresse von irgendeinem befreundeten Rechtsanwalt heraus, den ich anrufen soll. Ich traue Anwälten nicht. Der meiner Frau versucht gerade, mir das Fell über die Ohren zu ziehen.«

»Das hatte ich auch nicht vor. Aber wissen Sie, Sie könnten mir mit der Wahrheit weiterhelfen. Mit beweisbarer Wahrheit.«

»Wie?«

»Geben Sie mir Ihr Handy und Ihren Computer und sämtliche Passwörter. Machen Sie mir eine genaue Liste, wo Sie, seitdem Sie in Norden angekommen sind, waren. Wo Sie gegessen haben, wer Sie gesehen hat. Ich brauche alles. Uhrzeiten, Orte ...«

»Wenn ich unter Verdacht stehe, dürfen Sie sich das doch sowieso alles holen, Frau Klaasen. Da wird Ihnen sofort jeder Richter ...«

»Ja. Aber es sieht besser für Sie aus, wenn Sie es mir freiwillig geben. Wenn Sie mir sozusagen Ihre Mitarbeit anbieten.«

Er zeigte seine offenen Handflächen in Richtung Kamera vor: »Okay. Nehmen Sie sich alles, was Sie wünschen. Sie kriegen es ja sowieso raus. Ich war seit meiner Ankunft täglich dort, wo ich hoffte, Valentina zu treffen. Buchhandlung *Lesezeichen*. *Café ten Cate*. Das *DECK*. Kennen Sie das *DECK*, Frau Klaasen?«

»Ich wohne hier.«

Trotz ihrer Antwort fuhr er fort, es zu erklären. Auch das wertete Ann Kathrin als einen Versuch, Zeit zu gewinnen, um nachdenken zu können.

»Das *DECK* ist toll geworden! Der ganze Küstenstreifen in Norddeich gesichert. Auch für Rollstuhlfahrer. Und endlich kann man abends einen Sundowner nehmen und dabei aufs Meer schauen. Früher war ja immer der Deich dazwischen.«

Ann Kathrin wiederholte sich noch einmal: »Ich wohne wirklich hier, und ich habe auch schon häufig dort gesessen. Es ist ein wunderschöner Platz. Und dort haben Sie sie getroffen?«

Er nickte. »Ja. Leider saß sie mit ihrer Schwester da. Das Ganze war eine absurde Situation.«

»Inwiefern?«

»Ihre Schwester tat so, als würde sie aufs Meer gucken. Es war ein herrlicher Sonnenuntergang. Juist lag da, als sei die Insel gerade aus dem Meer aufgestiegen und würde brennen. Aber Silke interessierte sich mehr für die Männer, die ebenfalls oben auf dem *DECK* saßen. Sie genierte sich auch nicht, per Augenkontakt mit Typen zu flirten, die mit ihrer Frau da waren. Valentina setzte sich immer so, dass sie genug Licht hatte, um die letzten Seiten in ihrem Buch zu lesen. Sie fand wohl ihren Roman spannender als den Sonnenuntergang.«

»Und? Haben Sie sie angesprochen?«

»Ja, als Silke runterging, um Getränke zu holen – natürlich genau mit einem Typen, der schräg neben ihnen mit seiner Frau gesessen hatte. Die beiden blieben ziemlich lange weg«, er verzog den Mund, »um zwei Gläser Wein und eine Apfelsaftschorle zu holen.«

»Wie haben Sie sie angesprochen?«

»Interessieren Sie sich ernsthaft für meine Anmachsprüche, Frau Kommissarin?«

»Ich interessiere mich für alles.«

Er schwieg sie an.

Ann Kathrin machte ihm ein Angebot: »Ja, nun los! Was haben Sie gesagt? *Hallo, Süße, ich habe meine Telefonnummer verloren, kann ich vielleicht deine haben?*«

Er schüttelte den Kopf. »Nein, natürlich nicht. Ich habe ihr gesagt: *Hey, bist du nicht die Valentina? Mein Gott, du bist ja noch schöner geworden.*«

Ann Kathrin wiegte den Kopf hin und her, als wolle sie die Frage auf die Waagschale legen. »Und, was hat sie geantwortet?«

»Was man von dir nicht gerade behaupten kann.«

»Und das hat Sie verletzt.«

Er zeigte auf Ann Kathrin. »Hätten Sie sich gebauchpinselt gefühlt? Aber, Frau Klaasen, so etwas ist kein Grund, einen Menschen umzubringen. Ach, nun gucken Sie doch nicht so traurig. Hatten Sie wirklich geglaubt, ich gestehe einen Mord, den ich nicht begangen habe, nur um Ihnen einen Gefallen zu tun?«

Weller hielt es in seiner Position kaum noch aus. Bevor er anfängt, sie zu trösten, dachte er, gehe ich rein und hole sie raus.

Er zögerte. Ann Kathrin würde es ihm übelnehmen. Er wusste es. Aber er konnte nicht anders.

Rebecca Kresse von den *Ostfriesischen Nachrichten* unterhielt sich bereits mit Holger Bloem vom *Ostfriesland Magazin* und Lasse Deppe von der *NWZ*. Die drei standen nicht weit von Meyerhoffs Wohnung entfernt, als die Polizei eintraf.

Obwohl es ein Katzensprung von der Polizeiinspektion bis hierher war, hatten sie zwei Fahrzeuge mitgebracht. Einerseits machte das mehr Eindruck, andererseits mussten sie davon ausgehen, eventuell eine Festnahme vorzunehmen, und niemand hatte Lust, einen randalierenden Mann in Handschellen zu Fuß am Teemuseum vorbei quer über den Markt zu zerren.

Die Leitende Oberstaatsanwältin Meta Jessen ließ es sich nicht nehmen, dabei zu sein. Normalerweise saß sie lieber im Büro und brachte zwischen sich und die unschönen Dinge dieser Welt ein paar Aktenordner und geschlossene Türen. Aber dieser Meyerhoff hatte einige schlimme Erinnerungen in ihr wachgerufen. Als Studentin hatte sie ihr Geld eine Weile mit

Kellnern verdient. Das Maß an Übergriffigkeiten und Anzüglichkeiten, das sie während der Zeit erleben musste, reichte aus, um ihr Verhältnis zu Männern für den Rest ihres Lebens zu belasten. Ein bisschen kam es ihr so vor, als könne sie jetzt einiges von dem Erlittenen zurückzahlen.

Sie versuchte, es nach außen nicht zu zeigen, doch sie spürte, dass alle Frauen, die sich für die Hausdurchsuchung gemeldet hatten, einen persönlichen Grund mitbrachten, der sie motivierte.

»Was wollen die denn hier?«, fragte Marion Wolters, die sofort Sorge hatte, irgendwelche Fehler zu machen.

Rupert lachte: »Vermutlich die Sonderangebote im Edeka fotografieren.«

Rebecca Kresse winkte den Polizisten zu. Holger Bloem telefonierte noch mit der Redaktion.

»Wer hat denn«, fragte Rupert, »den Tarzan und die anderen Journalisten informiert?« Sein anklagender Ton ging in Richtung Rieke Gersema. Die verstand nicht: »Welchen Tarzan?«

Rupert grinste und zeigte auf Holger Bloem: »Na, den Earl of Greystoke hier.«

Rieke schüttelte verständnislos den Kopf und wehrte sich sofort: »Ich garantiert nicht. Damit habe ich nichts zu tun.«

»Dann haben wir ein Leck in der Inspektion«, stellte Marion Wolters fest.

Rieke Gersema, die Pressesprecherin, lief mit ausgebreiteten Armen, als wolle sie so die Journalisten stoppen, auf die Dreiergruppe zu. »Hey, hey, Leute, das ist nichts für euch. Das ist hier keine Pressekonferenz, wir machen eine Hausdurchsuchung. Woher wisst ihr überhaupt davon?«

»Informantenschutz«, sagte Rebecca Kresse, und ihre beiden Kollegen nickten zustimmend.

»Das hier ist nicht von öffentlichem Interesse«, behauptete Rieke.

Lasse Deppe entgegnete: »Das entscheidet nicht die Polizei, sondern die Chefredaktion.«

Holger Bloem gab ihm recht: »Wenn in einer Touristenhochburg zwei Urlauberinnen ermordet werden, dann sorgt das für eine Menge Unsicherheit. Die Ersten reisen schon ab. Da würden wir ganz gern eine Festnahme vermelden.«

»Wer hat euch denn gesagt, dass unser Erscheinen damit in einem Zusammenhang steht?«, wollte Rieke Gersema wissen.

Holger hob abwehrend die Hände und grinste. Lasse Deppe guckte, als würde er so eine dämliche Bemerkung überhaupt nicht zur Kenntnis nehmen.

Rebecca Kresse sagte: »Wir wollen ja nicht stören und auch nichts veröffentlichen, was die Ermittlungsarbeit behindert. Aber es liegt ein großes öffentliches Interesse vor.«

Lasse Deppe warf ein: »Und eine Pressekonferenz hat es nicht gegeben ... «

Rieke Gersema gab sich jovial: »Ja, das verstehe ich ja auch. Aber es kann hier gefährlich werden. Und falls wir ihn mitnehmen müssen – keine Fotos von einer Verhaftung!«

Holger Bloem hob den Fotoapparat, der um seinen Hals hing, und konterte: »Wir sind seriöse Journalisten.«

»Sagt jemand, den sie Tarzan nennen«, stichelte Rieke Gersema.

Holger Bloem konterte: »Earl of Greystoke, bitte!«

Rebecca Kresse versuchte zu schlichten: »Solange niemand von einem Richter verurteilt ist, gilt für uns natürlich die Unschuldsvermutung.«

»Trotzdem wüssten wir gerne, was hier läuft«, sagte Lasse Deppe.

Marion Wolters teilte per Fingerzeig die Polizeigruppe ein.

Rupert lobte Marion: »Du machst das ganz prima, Mariönchen. Aber darf ich dich um einen Gefallen bitten?«

Sie war es nicht gewohnt, dass er so mit ihr redete. Empfand er etwa Respekt?

»Welchen Gefallen?«

Rupert flüsterte es, aber mit Bestimmtheit: »Wenn er Schwierigkeiten macht, darf ich ihn dann ruhigstellen?«

Marion überlegte zwei Sekunden lang, nickte dann und sagte: »Ja, aber nur auf mein Kommando.«

»So«, konterte Rupert, »hab ich mir den Rock 'n' Roll vorgestellt.«

Wenn jemand behauptet hätte, dass er jemals voller Freude auf ein Kommando von Marion Wolters warten würde, hätte er die Person gefragt, ob alles, was sie raucht, legal sei. Doch jetzt schien es folgerichtig, ja, logisch zu sein.

Marion zeigte auf die Tür: »Go!«

Das hatte sie wohl in irgendeinem Fernsehfilm gesehen, aber es kam gut an. Die Polizistinnen folgten ihr.

Sylvia Hoppe bemerkte hinter einem der Fenster im dritten Stock einen Schatten. Wahrscheinlich wurden sie von dort oben beobachtet.

Sie hatte schon einiges darüber gehört, wie es in der Wohnung aussah und roch. Sie zog ein silbernes Döschen aus ihrer Tasche. Darin befand sich eine cremige Substanz, die sie bei der Obduktion einer Wasserleiche in der Gerichtsmedizin in Oldenburg bekommen hatte. Sie schmierte sich unter jedes Nasenloch ein bisschen davon, atmete ein und schloss kurz die Augen, weil ihr die Tränen kamen, so heftig war der beißende Geruch, der eigentlich vor Gestank schützen sollte.

Sylvia reichte die Dose weiter an Jessi Jaminski. Jessi verstand sofort und nahm dankbar an, doch Marion Wolters bremste sie aus: »Nicht!« Mit erhobenem Zeigefinger zitierte sie Ann Kathrin Klaasen: »Wir dürfen unsere Sinne nicht abschotten. Genau hingucken!« Sie zeigte auf ihre Augen. »Hinhören.« Sie wies auf ihr Ohr. »Und dazu gehört auch das Riechen. Wir betäuben uns nicht. Wir sind hellwach!«

Sylvia Hoppe nahm das Döschen wieder an sich, schraubte es zu und wischte sich mit dem Ellbogen die Creme unter der Nase weg. Jetzt klebte alles am Ärmel. Sie kam sich unprofessionell und vorgeführt vor. Gleichzeitig wusste sie, dass Marion recht hatte.

Alle zogen ihre Gummihandschuhe an und ließen sie laut flitschen, als Zeichen dafür, dass sie für den Einsatz nun vorbereitet waren.

Rupert war vor Eifer kaum noch zu bremsen. Er sang vor sich hin: »Juppheidi, Juppheida, Hausdurchsuchung, Razzia!«

Dann war alles ganz unspektakulär. Meyerhoff stand fein herausgeputzt da, im sauberen Zwirn, als wolle er zur Arbeit gehen. Irgendjemand hatte sich wohl erbarmt, sein Hemd zu bügeln. Er war gut frisiert, mit Gel in den Haaren. Seine Fingernägel waren sauber. Er roch, als hätte er sich sogar die Zähne geputzt oder mit Mundwasser gegurgelt. Der ganze Kerl sah aus wie geleckt.

»Wahrscheinlich hat sein Anwalt ihm dazu geraten«, folgerte Jessi und flüsterte ihre Gedanken in Ruperts Ohr. Der nickte. Er war durchaus stolz auf Jessi, und das zeigte er auch.

Marion Wolters hielt Meyerhoff die schriftliche Anordnung der Hausdurchsuchung vor die Nase. Er sah nicht mal hin. Trotzdem fügte sie hinzu: »Falls Sie sich beschweren wollen, das da ist die Leitende Oberstaatsanwältin.«

»Moin«, sagte Meta Jessen angriffslustig, die gerade noch

rechtzeitig dazugekommen war, bevor sie nach oben gingen. Sie nestelte die ganze Zeit an ihrer Kleidung herum. Sie war fürs Büro passend angezogen, fragte sich aber, ob das auch für eine Hausdurchsuchung so in Ordnung war.

Meyerhoff reagierte überhaupt nicht auf sie, sondern lächelte nur überlegen.

»Sie können«, empfahl Meta Jessen, »gerne Ihren Anwalt hinzuziehen. Allerdings bitte ich Sie, unsere Arbeit nicht zu behindern.«

»Die Wohnung ist ja nicht groß«, stichelte Marion Wolters, »das wird wohl nicht ewig dauern.«

Die Leinen mit den Schlüpfern hatte Meyerhoff inzwischen wieder neu gespannt. Sie baumelten über ihren Köpfen.

Meyerhoff fläzte sich breitbeinig in seinen Sessel und machte eine einladende Geste: »Bitteschön, die Damen. Tun Sie sich keinen Zwang an. Fühlen Sie sich ganz wie zu Hause.«

Rupert hielt besonders nach versteckten Kameras Ausschau. Er ging davon aus, dass sie sich über den Köpfen befinden mussten, wahrscheinlich zwischen Wand und Decke, um den Überblick zu gewährleisten. Mit seinem Schweizer Offiziersmesser knibbelte er überall ein bisschen Tapete aus den Ecken.

Meyerhoff wusste genau, wonach Rupert suchte. Es war eine Art stillschweigende Übereinkunft zwischen ihnen, darüber nicht zu reden.

Marion Wolters bückte sich, um eine untere Schublade zu öffnen. Sie war verschlossen. Es steckte zwar ein Schlüssel, aber der gehörte offensichtlich hier gar nicht rein.

Rieke Gersema räusperte sich, um Marion Wolters wortlos darauf hinzuweisen, dass sie ihren breiten Hintern gerade Meyerhoffs Blicken aussetzte, der es ganz offensichtlich genoss.

Jessi zog eine Schublade auf und staunte: »Guckt euch das an! Seine Alben. Digital ist nicht so sein Ding, der steht noch auf Analog.«

Er grinste. »Ja, ich bin ein Gentleman der alten Schule.«

Die Frauen in Unterwäsche empörten Jessi keineswegs. Das sah alles eher bieder aus. Keins dieser Fotos hatte das Zeug, später mal im Playboy veröffentlicht zu werden. Alles war sehr hausgemacht. Doch neben den Fotos, in Plastikfolie eingeschweißt, Slipeinlagen.

»Wie krank ist das denn?«, fragte Jessi.

Meta Jessen rührte nichts an. Sie beobachtete nur, drehte sich langsam, um die Arbeit jeder Kommissarin genau zu betrachten.

Sylvia Hoppe wollte zeigen, dass sie hart drauf war, und ging ins Badezimmer. Sie ließ die Tür offen. Erstaunt stellte sie fest, dass hier gerade erst gründlich saubergemacht worden war.

Auf den ersten Blick machte das Badezimmer den Eindruck, als würden hier eine oder mehrere Frauen wohnen. Lockenwickler, Zahnbürsten, Deodorant, Intimspray, eine angebrochene Schachtel Tampons, mehrere Bürsten, darin Haare verschiedener Menschen. Das Waschbecken blitzblank, Badewanne und Toilette ebenfalls. Auf dem Fensterbrett neben der Toilette Lippenstifte, Puderdosen, Wimperntusche.

Sie ging davon aus, dass Meyerhoff damit nicht seine weibliche Seite pflegte. Alles war benutzt, und genau das machte wahrscheinlich den Reiz aus. Vermutlich hatte er die Dinge gestohlen oder gar von Frauen gekauft, denen es nichts ausmachte, wenn ein Typ sich an ihren Sachen aufgeilte.

Meta Jessen nahm zur Kenntnis, dass Dieter Meyerhoff sich an der Arbeit der Kommissarinnen weidete. Er saugte alles in sich auf, als würde hier ein kleines Schauspiel nur zu seiner

Belustigung inszeniert. Ihr war ganz klar, dass sie hier nichts Justiziables finden würden. Der Mann war vorbereitet.

Es gab in dieser Wohnung genug schockierendes Material, und er hatte Spaß daran, die Aufregung der Kommissarinnen zu erleben, aber es gab hier nichts Gerichtsverwertbares gegen ihn. Moralisch konnte man das alles verwerflich finden, gegen geltende Gesetze verstieß es nur, wenn die Dinge gestohlen worden waren. Dieser Beweis würde allerdings schwerfallen.

Marion Wolters stellte sich gerade hin und sprach Meyerhoff an: »Der Schlüssel in der Schublade passt nicht.«

»Ja, das habe ich auch schon bemerkt, Frau Kommissarin«, antwortete er mit unterwürfigem Blick.

»Ich fordere Sie hiermit auf, die Schublade für uns zu öffnen.«

»Das würde ich ja gerne machen, aber ich habe den Schlüssel verloren. Ich kriege die auch nicht auf. Echte deutsche Wertarbeit. Das ist kein Pressspan, sondern massives Holz. Eiche rustikal. Ein Erbstück. Ich wäre Ihnen dankbar, wenn Sie mir helfen, die Schublade zu öffnen. Sie haben da doch bestimmt Möglichkeiten, ohne gleich alles kaputtzumachen, oder?«

»Brecht den Scheiß einfach auf«, tönte Rupert.

Marion Wolters sah ihn sauer an.

Er stand auf einem Stuhl in der gegenüberliegenden Ecke und suchte immer noch nach einer kleinen Videokamera. Jetzt schimpfte er: »Ja, wollen wir etwa einen Schlosser rufen, hier noch ein paar Stunden warten, bis der endlich kommt, uns die Schublade öffnet, und der Arsch lacht sich kaputt, weil da drin seine Briefmarkensammlung liegt?«

Jessi war, nachdem sie die eingeschweißten Slipeinlagen gesehen hatte, so sauer, dass sie den Brieföffner vom Schreibtisch nahm und damit die Schrauben am Schloss löste.

Der Leitenden Staatsanwältin Meta Jessen gefiel das nicht, doch sie ließ es geschehen. Sie wollte hier nicht als Bedenkenträgerin die hochengagierten Kollegen ausbremsen. Auch sie war gepackt vom Fahndungsfieber und stellte sich vor, diesen Tag damit zu beenden, Dieter Meyerhoff aus dem Verkehr zu ziehen.

Deshalb, dachte sie, bin ich Staatsanwältin geworden.

Die Schublade flog auf. Jessi und Marion fanden zwar keine Briefmarkensammlung, dafür aber Dildos in allen Farben und Größen. Marion kam an einen Knopf und das Teil begann zu vibrieren.

»Sind die etwa auch gebraucht?«, fragte Jessi empört.

Meyerhoff breitete die Arme aus und antwortete strahlend, als sei er nach der Echtheit eines Picassos gefragt worden, der bei ihm in der Wohnung gefunden worden war: »Aber selbstverständlich! Das ist das Kernstück meiner Sammlung.«

Rupert sprang vom Stuhl und ging auf Meyerhoff los. Er riss ihn aus dem Sessel.

Marion Wolters ging dazwischen.

Meta Jessen rief nur: »Nein, nicht!«, obwohl sie es Meyerhoff von Herzen gönnte. Vielleicht klang ihre Stimme deshalb so, als würde sie nicht dazugehören. Sie erkannte, dass Meyerhoff es darauf anlegte, zusammengeschlagen zu werden. Dieser Mann hatte immer noch einen Plan B. Eine hidden agenda.

Marion Wolters presste ihren drallen Körper gegen Rupert, um ihn zurückzuhalten. Rupert brüllte: »Dem macht das doch Spaß! Der geilt sich daran auf! Ich werde dem jetzt die Fresse polieren!«

»Wirst du nicht«, zischte Marion streng, und es war, als würde die Luft aus Rupert gelassen. Er nahm Abstand, drehte sich sogar um, stand jetzt mit dem Gesicht zur Wand, und um das Ganze nicht als Niederlage verbuchen zu müssen, holte er tief Luft, klemmte seine Daumen hinter die Gürtelschnalle, schob die Hüfte vor und tönte: »Wir kriegen dich, du Saftsack! Das versprech ich dir! Am liebsten«, sagte er zur Staatsanwältin, »würde ich rausgehen und die Presseleute reinbitten. Wenn die hier ein paar Fotos machen und das veröffentlichen, kann der Typ sich nirgendwo mehr sehen lassen. Dann ist er fertig. Fix und alle. Dem verkaufen sie nicht mal mehr im Supermarkt 'ne Konservendose.«

»Irrtum«, lachte Meyerhoff, »ich habe nichts dagegen. Macht das nur. Ihr werdet sehen, ich werde zur Ikone! Ganze Fanclubs werden hier anreisen, um meine Sammlung zu besichtigen. Diese Wohnung hier könnte zum Ausstellungsraum werden. Dann hat Norden eine neue Touristenattraktion. Nicht nur das Teemuseum und die Seehundstation, sondern auch …«

Rupert schaffte es nicht, ruhig zu bleiben. Er wollte wieder los, um Meyerhoffs Rede zu stoppen.

Marion Wolters stand breitbeinig da, um Rupert aufzuhalten. Doch das war nicht nötig. Jessi schaffte es mit einem Satz. Sie berührte Rupert am Unterarm und sagte: »Lass es. Der ist es nicht wert.«

Wie um die Hoheit über das Ermittlungsverfahren zurückzugewinnen, ordnete Meta Jessen an: »Wir packen das alles zusammen und bringen die Gegenstände zu uns.«

»Was?«, brüllte Meyerhoff empört.

Meta Jessen fuhr fort, ohne die Stimme zu erheben, blieb aber in der gewohnten Strenge: »Möglicherweise sind einige der Slips oder Dildos relevante Indizien in anderen Ermittlungsfällen. Das alles muss kriminaltechnisch untersucht werden. Wir können nicht ausschließen, dass verschwundene Frauen oder Opfer von Gewaltverbrechen …«

»Spinnt die Tussi jetzt?«, rief Meyerhoff. »Was für verschwundene Frauen denn?«

»Das alles ist beschlagnahmt. Die Wohnung bis auf weiteres gesperrt. Die Spusi wird hier eine Menge Arbeit haben.«

»Das ist doch kein Tatort!«, brüllte er.

»Das zu entscheiden ist nicht Ihre Aufgabe, Herr Meyerhoff, sondern meine«, entgegnete Staatsanwältin Jessen und heimste damit großen Respekt von allen ein.

Meyerhoff wedelte mit den Armen herum: »Ja, was heißt das? Wo soll ich dann hin? Zahlen Sie mir ein Hotelzimmer?«

Rupert freute sich: »Wir haben Platz in den gekachelten Räumen, mit unverbaubarer Aussicht auf die Stahltür.«

Staatsanwältin Jessen relativierte: »Es steht Ihnen selbstverständlich frei, in ein Hotel zu ziehen oder in eine Pension. In diesen Räumen hier können Sie jedenfalls nicht bleiben, die werden versiegelt.«

Rupert scherzte: »Jetzt, zur Hauptsaison, sind Hotels knapp. In Norddeich ist alles ausgebucht. Ich würde ihm die gekachelten Räume empfehlen.«

»Ja, heißt das«, fragte Meyerhoff, »Sie nehmen mich jetzt mit?«

»Nein. Es heißt nur, dass wir Sie bitten, jetzt zu gehen«, konterte Marion Wolters.

Sie hatte im Fitnessstudio maX ein Probetraining hinter sich gebracht, und dies war genau der Moment, in dem sie entschied, einen Vertrag zu machen und regelmäßig zu trainieren.

»Wir wüssten nur gern, wo Sie sich aufhalten, und dass Sie das Land im Moment nicht verlassen dürfen, ist Ihnen ja wohl sowieso klar, oder?«, bekräftigte die Staatsanwältin und guckte ihn dabei so freundlich an, als hätte sie ihn zu ihrer Geburtstagsparty eingeladen.

Hauptkommissar Frank Weller freute sich über den Anruf seiner Tochter Jule. Er mochte ihre Stimme. Er bildete sich ein, sofort herauszuhören, ob es ihr gutging oder nicht. Heute klang sie sorgenvoll. Sie versuchte zunächst ein wenig Smalltalk, erkundigte sich danach, wie es ihm ging.

Ihm fiel dadurch auf, dass er schon lange nicht mehr über sich selbst nachgedacht hatte, denn er wollte gleich von dem Fall berichten, an dem sie arbeiteten. Er bremste sich selbst, um nicht von den beiden Morden zu erzählen. Stattdessen sagte er: »Ach, hier läuft die übliche Polizeiarbeit. Sag mir lieber: Wie geht's dir? Was läuft? Was macht die Liebe? Bist du glücklich?«

»Ich ... Ich mach mir Sorgen, Papa.«

»Sorgen?«

»Ja, Papa. Um Sabrina.«

»Ja, ich habe Sabrina wohl ziemlich verärgert. Sie hat uns mit ihrem neuen Freund Jan-Hinrik besucht ... Das ist leider völlig schiefgegangen. Noch vor dem Abendessen mussten Ann und ich ...«

»Er heißt Finn-Henrik, Papa. Aber er ist genau das Problem.«

»Wie meinst du das?« Weller wollte das Gespräch mit seiner Tochter nicht hier in der Polizeiinspektion führen. Er ging zum Hinterausgang hinaus vor die Tür. Zwischen den Polizeiwagen stand er in der Sonne. Er setzte sich auf die Kühlerhaube eines silberblauen VW-Passats.

Polizeidirektorin Elisabeth Schwarz öffnete oben ein Fenster und sah Weller. Sie fand, Kripoleute sollten nicht auf den Autos sitzen. Sie wies ihn nicht von oben zurecht, aber sie machte ein Foto mit ihrem Handy, um es ihm später unter die Nase zu reiben.

»Papa, die Sabrina fährt völlig auf den Typen ab. Und der ist verrückt! So ein UFO-Forscher.«

Weller versuchte Jule zu beruhigen und relativierte: »Na ja, der macht halt so Sachen wie Däniken auch und zig andere. Wer weiß, vielleicht gibt's ja wirklich UFOs. Warum nicht ... Wieso sollen wir allein im Universum sein?«

»Ja, Papa, das sagst du so locker. Aber die glauben da wirklich dran.«

»Find ich nicht schlimm. Der Junge wirkte ganz geerdet. Außerdem ist das das Vorrecht der Jugend. Die eine Generation wollte den Weltfrieden durch bewusstseinserweiternde Drogen herbeiführen, die nächste den Klimawandel durch veganes Essen stoppen. Es ist doch immer so, dass die Jungen die Alten für bekloppt halten und neue Wege suchen. So kommt Bewegung in die Gesellschaft.«

Jule stöhnte: »Papa, du siehst das zu locker. Sabrina kommt mir vor, als hätte der ihr Gehirn gewaschen. Die ist gar nicht mehr sie selbst. Es geht nur noch Finn-Henrik hin, Finn-Henrik her. Sie hat sogar versucht, mich zu so einem Vortrag zu schleifen. Einmal bin ich auch mitgegangen, und dann wollten sie mich in so eine Gruppe holen. Mit dem stimmt was nicht, Papa. Der manipuliert Menschen. Der tut so freundlich, aber der lässt andere Meinungen überhaupt nicht gelten. Und sein Co-Autor ist noch viel schlimmer. Hast du den mal kennengelernt?«

»Nein. Ich hab ja nicht mal diesen Finn-Henrik wirklich

kennengelernt. Wir waren nur ein paar Minuten zusammen und dann ... «

»Und dann wurde irgendein Verbrecher wichtiger. Stimmt's?«, fragte Jule.

Weller wusste, dass sie das schmerzhaft an einen Geburtstag erinnerte, an dem er versprochen hatte, als Clown aufzutreten. Er hatte ein paar Witzchen auswendig gelernt, von denen er dachte, Kinder könnten darüber lachen. Einen wusste er jetzt noch: *Mama, Mama, mein Bruder hat mein Brot in die Pfütze geworfen! – Mit Absicht? – Nee, mit Käse.* Aber dann war ein messerstechender Schwerverbrecher in der Polizeiinspektion dazwischengekommen. Weller hatte nicht mal den ersten Witz erzählen können, und seine rote Pappnase lag unbenutzt zu Hause. Als er vom Dienst zurückkam, war die Party schon beendet.

Jule hatte ihm das zwar offiziell verziehen, trotzdem spürte er noch Jahre später, dass sie eine Verletzung davongetragen hatte, weil ein Gangster mit seinem Verbrechen für ihren Papa wichtiger gewesen war als sie und sein Versprechen.

»Papa, red du doch mal mit Sabrina. Du hast doch immer noch Einfluss auf sie.«

»Ach, hab ich das?«

»Ja, das ist dir vielleicht nicht klar, aber deine Meinung ist wichtig für sie. Wenn ich mit ihr rede, empfiehlt sie mir nur irgendwelche Bücher, die ich lesen sollte, weil ich ja angeblich von nichts eine Ahnung habe, und«, sie zitierte, »mit verschlossenen Augen durchs Leben laufe.«

Ein Polizeiwagen rollte auf den Hof. Marion Wolters stieg aus, ging zum Kofferraum und öffnete ihn. Sie winkte Weller: »Komm, Alter, hilf uns mal. Wir räumen gerade eine Wohnung aus. Es gibt einige Kisten zu schleppen.«

Hinter ihr kam der zweite Wagen, in dem auch die Leitende Oberstaatsanwältin Meta Jessen saß.

»Tut mir leid. Ich muss auflegen. Hier ist gerade … «

»Ja ja, Papa, ich weiß«, sagte Jule traurig. »Kümmere dich um Sabrina, bevor die ganz in diese gruselige Szene abdriftet.«

Unausgesprochen war klar, dass sie die Nacht zusammen verbringen würden. Amelie war glücklich wie lange nicht mehr eingeschlafen. Sie hatten noch gemeinsam die Seehundstation besucht, aber richtig powerte sie sich erst im Kinderspieleparadies an der Kletterwand aus. Wo Indra ihre Tochter bremsen wollte, stachelte er sie stattdessen zu mutigen Höchstleistungen an.

Indra verstand, dass Amelie es nicht nur brauchte, behütet zu werden. Sie wollte sich selbst und ihre Grenzen im Abenteuer spüren. Dafür war Alex genau der richtige Partner.

Einmal, als Amelie abrutschte, fing er sie auf, warf sie sogar hoch in die Luft und schnappte sie ein zweites Mal. So wurde die gefährliche Situation zu einer Art Spiel.

Es lag Zärtlichkeit, aber auch Begehren in seinem Blick. Das Händchenhalten, das bisschen Kuscheln, ein hingehauchter Kuss, die Blicke – das alles genoss sie sehr. Doch vor dem Gedanken, dann mit ihm ins Bett zu gehen, schreckte sie zurück. Die schlimmen Auseinandersetzungen mit ihrem Exmann hatten sie kleingemacht, ihr jedes Selbstbewusstsein genommen. Seine Affären hatte er ständig damit entschuldigt, dass sie im Bett so eine Langweilerin sei. Er hatte sie als Null im Bett bezeichnet, kalt wie ein Fisch, ungelenkig und leidenschaftslos. Frauen wie sie seien dafür verantwortlich, dass viele Männer sich impotent fühlten, in Wirklichkeit aber keine Medikamente bräuchten, sondern nur ein richtiges Luder, das im Bett wusste, was zu tun war.

Sie hatte geheult und versucht, es ihm recht zu machen. So wurde er beim Sex zu einer Art Punktrichter, der am Ende seine Noten verteilte. Sie geriet immer mehr unter Leistungsdruck, verlor jeden Spaß daran. Etwas, das hätte schön sein sollen, war durch ihn mit Leistungsdruck und Versagensängsten aufgeladen worden.

Sie fürchtete, dass sich jetzt alles wiederholen könnte. Was, wenn Alex zum gleichen Urteil käme wie ihr Ex? Die Selbstzweifel nagten an ihr. Vielleicht wäre das alles ja schon nach der ersten Nacht wieder zu Ende und er würde sich enttäuscht von ihr abwenden, weil sie nämlich wirklich eine Null im Bett war.

Sie kam sich plötzlich hässlich vor. Was, wenn es nicht klappte? War das dann ihr Problem? Hatte sie wieder alles falsch gemacht?

Er war sensibel genug, um zu spüren, dass etwas nicht mehr stimmte.

Noch waren sie beide komplett angezogen. Er strich mit dem Zeigefinger über ihre Nase und tippte zweimal auf die Spitze, so wie er es mehrfach mit Amelie gemacht hatte.

»Das muss jetzt alles gar nicht sein«, sagte er. »Du bist zwar ein rattenscharfes Weib, und ich würde nichts lieber als ... « Er formulierte es nicht weiter aus, sondern bot ihr an: »Wenn dir aber gerade nicht danach ist, dann kann ich damit gut umgehen.«

Auch darin unterschied er sich von ihrem Ex, der jedes Mal, wenn sie ein Nein andeutete, beleidigt war und – zumindest in der Schlussphase – aggressiv wurde. Einerseits machte sie nichts richtig, andererseits wollte er aber ständig etwas von ihr. Je mehr sie sich zurückzog, umso größer wurden seine Ansprüche, umso vorwurfsvoller seine Blicke. Eigentlich brauchte er nur ihr Nein, um dann wieder seinen Affären nachzusteigen.

Plötzlich geriet sie unter den Druck, sich Alex gegenüber erklären zu müssen. Sie staunte über sich selbst. Sie kannte diesen Mann erst seit wenigen Stunden und erzählte ihm schon von ihren schlimmsten Verletzungen.

Er hörte ihr zu, während sie beschämt von ihren Niederlagen sprach. Sie öffnete sich so sehr, dass ihr die Tränen in die Augen schossen. Ihre Stimme wurde kratzig und brüchig: »Und wie ich mich für den zum Affen gemacht habe … mich für den in Klamotten geschmissen, in denen ich mich überhaupt nicht wohl gefühlt habe. Aber es hat natürlich alles nie gereicht, es war alles nie genug. Weißt du, was der mir zu Weihnachten geschenkt hat? So einen Sex-Ratgeber! Alles nur, um mich zu erniedrigen. Aber für Huggi bin ich immer die Null im Bett geblieben, zumindest seit Amelies Geburt.«

Alex lehnte sich zurück und lachte homerisch.

»Was ist denn jetzt daran so witzig?«, fragte sie pikiert. Am liebsten wäre sie aufgesprungen und hätte sich im Badezimmer eingeschlossen oder ihn rausgeworfen.

Er wischte sich auch Tränen aus den Augen. Es waren aber Lachtränen. »Weißt du«, sagte er, »ich habe mal vor Gericht gestanden, wegen Betrugs.« Er winkte ab. »Ist ja jetzt egal, worum es ging. Es war so eine Gebrauchtwagen-Geschichte. Der andere hat vor Gericht ein Gutachten vorgelegt, danach sah ich ziemlich alt aus. Und weißt du, was mein Anwalt gemacht hat?«

Sie schüttelte den Kopf.

»Er hat ein anderes Gutachten angefordert, sozusagen ein Gegengutachten. Und unser Gutachter kam zu einem völlig anderen Ergebnis.«

»Und wie ist der Prozess ausgegangen?«

Er trommelte einen fröhlichen Takt auf den Tisch und erschrak dann, denn er wollte ja Amelie nicht wecken. »Oh, Entschuldigung.«

»Na, und wie ist er ausgegangen?«

»Ich habe gewonnen. Das Gericht ist vollinhaltlich dem zweiten Gutachten gefolgt.«

Jetzt musste sie auch grinsen: »Und du meinst, ich hole mir gerade ein zweites Gutachten ein?«

Er nickte. »Ja. Der erste Gutachter war voreingenommen. Das ist meine Devise: Hol immer ein zweites Gutachten ein!«

Sie goss Rotwein nach. Sie tranken beide eine Weile schweigend, dann begann er sein Hemd aufzuknöpfen und sagte ein wenig verschämt: »Meine Ex hat behauptet, ich hätte sie nie befriedigt. Sie habe mir immer nur Orgasmen vorgespielt, damit die Rammelei ein Ende habe.«

Sie fragte sich, ob er das nur sagte, weil er ihr guttun wollte, oder ob es der Wahrheit entsprach. Aber was spielte das schon für eine Rolle?

»Das heißt«, lächelte Indra, »du brauchst also auch ein zweites Gutachten?«

»Genau.«

Sie berührte die Verletzungen an seinen Unterarmen zunächst vorsichtig mit ihren Fingerkuppen, dann mit ihren Lippen, und schließlich strich sie mit ihrer Wange darüber. Dabei spürte er die feinen Härchen, die so klein und hell waren, dass sie ihm mit bloßem Auge entgangen waren.

»Deine Berührung«, sagte er, und sie spürte, dass ein Schauer durch seinen Körper lief, »hat etwas Heilsames.«

Sabrina befand sich seit ihrem Abitur in einer Berufsfindungsphase, und sie hatte auch nicht das Gefühl, dass diese so bald beendet sei. Egal, was sie anfing, nach spätestens drei Monaten entpuppte sich der *Traumjob* als gar nicht so ihr Ding. Studienanfänge und -abbrüche gehörten inzwischen zu ihrem Lebenslauf wie ihre Größe und ihre Augenfarbe. Die einen nannten sie wählerisch, die anderen unentschlossen.

Wenn es den Beruf der Ausreden-Erfinderin gegeben hätte, so wäre sie in der Lage gewesen, die Meisterprüfung abzulegen.

Die Idee, bei einem Rechtsanwalt zu arbeiten, um die Praxis kennenzulernen und gleichzeitig Jura zu studieren, empfand sie plötzlich als völlige Überforderung ihrer selbst. Außerdem hatte Jule ihr die kritische Frage gestellt, ob sie das vielleicht nicht nur deswegen tue, um Papa zu gefallen, denn der regte sich ja immer darüber auf, wenn er Kriminelle festnahm und die dann vor Gericht, wie er es ausdrückte, gestreichelt wurden und der Richter nur »Du, du, du, das machst du aber besser nicht noch mal« zu ihnen sagte.

»Ihr wollt so eine Art Familienunternehmen gründen, was?«, hatte Jule gespottet. »Papa schnappt sie, und du sperrst sie ein.«

Dabei hatte sie den Kampf darum, Papis Lieblingstochter zu werden, eh längst aufgegeben. Während ihrer Kindergarten und Grundschulzeit war er ein Held für sie gewesen, der wie Superman die Welt beschützte: Stark, gerecht und unzerstör bar. Jetzt hielt sie ihn für einen Spießer und Workaholic, für den Arbeit eine Droge war. Sie wollte nicht mehr werden wie er und auch keinen Freund, der so war wie er. Sie wollte einen, der Zeit für sie hatte und dem es wichtiger war, gut zu leben, als hart zu arbeiten.

Sie rief aus dem Auto in der Kanzlei an. Der Chef selbst war gar nicht zu sprechen, sondern vor Gericht. Seine Frau war am Apparat, die manchmal am Empfang saß. Sie konnte Sabrina ohnehin nicht leiden. Es passte ihr nicht, dass ihr Mann sich ständig mit jungen Frauen umgab.

Sabrinas gespielter Husten und ihre Fürsorglichkeit für die Kollegen: »Besser, ich komme nicht, ich stecke sonst noch alle im Büro an. Ich habe schon zwei Tüten Aspirin Complex drin, aber ich schaffe es trotzdem nicht, mit dem Auto zu fahren. Ich bleibe einfach noch eine Nacht im Hotel, und wenn es mir besser geht, dann ... «, ließ ihre Gesprächspartnerin stöhnen. »Ja, das kenne ich. Als mein Mann und ich frisch verliebt waren, hatte ich auch ständig irgendwelche Krankheiten, weil ich ihn keine Minute aus den Augen lassen wollte. Wir klebten praktisch zusammen. Meinetwegen kannst du dir drei Tage freinehmen. Hier ist im Moment sowieso nicht viel los.«

Mag sie mich doch, dachte Sabrina, oder ist das hier ihre Art von einem Kündigungsgespräch?

Sie knipste laut hustend das Gespräch weg und sagte zu Finn-Henrik: »Hast du die Schnepfe gehört? Sie ist auf einmal so katzenfreundlich zu mir. Dabei war sie sonst immer eine Kratzbürste sondergleichen.«

Er gab schmunzelnd Gas und sprach mit ihr, als sei sie bereits fest bei ihm angestellt: »Ruf doch mal im nächsten Hotel an, ob wir früher einchecken können und ob sie gutes WLAN haben. Mein Co-Autor hat mir neues Material aus den USA geschickt. UFO-Sichtungen vor Kuba. Die gleichen Schiffe mit ähnlicher Form sollen gestern Nacht über der Nordsee gewesen sein. Sowohl von Borkum als auch von Langeoog aus haben Urlauber das Ereignis gefilmt. Sobald wir im Hotel sind, gucken wir uns alles an. Er hat mir geschrieben, es seien spektakuläre Aufnahmen. Wahrscheinlich umkreisen im Moment mehrere Schiffe die Erde.«

»Und warum?«, fragte Sabrina. »Haben sie einen Plan?«

Er zuckte mit den Schultern. »Vielleicht beobachten sie uns, wie unsere Wissenschaftler die Wale beobachten. Oder sie wollen landen und bereiten einen Angriffskrieg vor. Woher soll ich das wissen? Ruf im Hotel an!«

Sie tat, was er sagte, und spürte, dass die UFO-Sichtungen ihm plötzlich eine erstaunliche Autorität verliehen, ja, eine Macht. Auch über sie selbst.

Sie lagen nebeneinander im Bett. Fröhlich, wie erlöst. Statt wie früher danach eine Zigarette zu rauchen, stand Indra jetzt auf und öffnete das Fenster, um frische Luft hereinzulassen. Sie atmeten beide noch, als hätten sie einen Dauerlauf hinter sich.

Sie sah nach draußen, und die Welt wirkte irgendwie anders als vorher. Als sei sie mit ihr versöhnt.

»Ist das nicht witzig?«, fragte sie. »Wir haben die erste Nacht miteinander verbracht, und es ist noch taghell.«

»Du bist zum Niederknien schön«, sagte er und betrachtete sie mit wohlwollenden Augen.

»Mein Ex meinte, dadurch, dass ich Amelie gestillt habe, hätte ich meinen Busen versaut. Früher sei der mal schön gewesen ...«

»Dein Exmann ist einfach nur ein Idiot. Aber da erzähle ich dir vermutlich nichts Neues. Dein Busen ist wunderschön, da beneidet man jedes Baby. Das daran saugen darf.« Er verschränkte seine Arme hinterm Kopf. »Am liebsten«, sagte er, »würde ich jetzt noch ein bisschen mit dir am Deich spazieren gehen und am *DECK* einen Drink nehmen.«

»Ich kann Amelie jetzt nicht alleine lassen. Stell dir vor, sie wird wach und es ist niemand da. Nein, dazu ist sie noch zu klein. Aber wenn du Lust hast, dann geh ruhig alleine. Ich bleibe noch ein bisschen hier am offenen Fenster sitzen und genieße die Nordseeluft.«

»Aber ich wäre so gerne bei dir. Händchenhaltend abends an der Wasserkante – träumt da nicht jede Frau von?«

Sie ließ das Fenster sperrweit offen, schlüpfte aber zurück unter die Decke. »Ja«, gab sie zu, »vermutlich. Aber eins musst du gleich wissen: Wenn ich mich entscheiden müsste zwischen meinem Kind und meinem Liebhaber, würde ich immer meinem Kind den Vorzug geben.«

Er tat so, als fände er das völlig richtig, und meldete freundlich zurück: »Das heißt, ich bin jetzt dein Liebhaber?«

»Hatten wir uns nicht gerade sehr lieb?«

»Es fühlte sich nicht nach einem One-Night-Stand an. Erstens, weil es noch nicht Nacht ist, und zweitens, weil es bestimmt nicht bei dem einen Mal bleiben wird. Also, wenn es nach mir geht.« Er griff an sein Herz, als käme die Antwort von dort.

Am liebsten hätte sie ihr Handy geholt und all ihren Freundinnen mitgeteilt, dass sie sich, entgegen aller Schwüre, tatsächlich noch einmal getraut hatte, sich auf einen Mann einzulassen. Und vielleicht, ja vielleicht, war es diesmal der Richtige.

Sie nahm ihr Handy, kuschelte sich dicht an ihn und fragte: »Hast du was dagegen, jetzt ein Selfie zu machen?«

Er wischte sich durch die strubbeligen Haare: »Ich wäre begeistert.«

»Keine Angst«, versprach sie, »ich will das nicht auf Instagram einstellen. Aber mit ein, zwei Freundinnen, die mich in der ganz schweren Zeit begleitet und gestützt haben, würde ich mein Glück schon gerne teilen.«

»Ja«, lachte er, »die Alien-Technik macht es möglich.«

Das Wort *Alien-Technik* hatte sie noch nie gehört. Sie streckte den Arm mit dem Handy weit aus und machte gleich mehrere Fotos. Sie lächelten beide in die Kamera, und als sie sich die Bilder ansahen, fand sie, dass sie sehr lasziv aussah, und überlegte, ob sie das wirklich an ihre Freundinnen schicken sollte. Die hatten ein ganz anderes Bild von ihr. Nicht die Sexy-Hexy-Bitch, sondern mehr das treusorgende Hausmütterchen.

Was er sagte, tat ihr gut: »Tolles Bild. Darauf kommt dein wirkliches Ich zur Geltung. Ein Weib zum Verlieben!«

So, wie er *Weib* aussprach, war es kein abfälliges Wort, sondern es klang wie ein großes Lob. Ihr Ex hatte sie auch oft als *Weib* bezeichnet, und es hörte sich an wie *Dumme Schlampe*. Der Ton machte eben die Musik, und Worte waren mehr als Buchstaben und die Bedeutung, die der Duden ihnen zuschrieb. Worte konnten eine Energie haben, und er sprach über sie mit Bewunderung und tiefem Respekt. Sie konnte fast nicht glauben, dass er es ernst meinte, doch sie wollte es eine Weile genießen. Sie spürte erst jetzt, was sie wirklich vermisst hatte.

Er stand auf und zog sich an: »Lässt du mich wieder rein, wenn ich zurückkomme?«

»O ja«, lachte sie, »und ich werde auch ganz sicher noch wach sein.«

Er schlüpfte in seine Kleidung, ohne dem Vorgang Beachtung zu schenken. Er war die ganze Zeit mit seinen Blicken und seiner Aufmerksamkeit nur bei ihr. Er knöpfte sein Oberhemd falsch herum zu. Es sah lustig aus, fand sie. Sie sagte es ihm nicht, und er sah nicht in den Spiegel.

Verglichen mit ihrem eitlen Ex waren die zwei wie Tag und Nacht.

Bevor er die Wohnung verließ, küsste er sie auf die rechte Wange und flüsterte in ihr Ohr: »Ein paar Minuten alleine tun vielleicht jetzt jedem von uns gut.«

»Ja«, sagte sie, »das war doch alles sehr schnell und sehr heftig. Ich bin gar nicht so eine … «

»Ich bin auch kein Mann für eine Nacht«, erwiderte er.

»Ich muss das«, sagte sie, »erst verdauen. Es fühlt sich noch so unwirklich an.«

»Ich weiß«, lachte er. »Deshalb das Selfie. Schick es mir auch.«

Er nannte ihr seine Nummer, und sie tippte sie ein.

So, wie er es machte, klang es mehr nach einem Eheversprechen als nach einer Telefonnummer.

Er hängte sich seine Ledertasche lässig über die Schulter. Er trug sie ein bisschen wie Frauen ihre Handtaschen, fand sie. Sie fragte sich, was er wohl darin haben mochte. Vielleicht Zeitungen? Eine Regenjacke? Ein Getränk? Bonbons für Kinder? Oder eine Powerbank für sein Handy? Auf ein Mordwerkzeug wäre sie nie gekommen.

Er verließ die Wohnung. Aus Rücksicht auf Amelies Schlaf schloss er die Tür leise hinter sich.

Er konnte es riechen: Die Viecher waren ganz in der Nähe. Der Nordwestwind wehte ihren Gestank herüber.

Wie oft, dachte Indra, hat mein Ex, wenn er rausging, die

Tür so geknallt, dass Amelie wach wurde, falls der Streit sie nicht schon längst geweckt hatte.

Obwohl es schon kurz vor 21 Uhr war, brühte sie sich ganz gegen ihre Gewohnheiten noch einen Kaffee auf und trank ein großes Glas Leitungswasser. Sie wollte das hier nüchtern genießen.

Sie stellte den Rotwein weg und überlegte, ob sie ihre Freundinnen anrufen oder ihnen eine Whatsapp-Nachricht schicken sollte. Einerseits wollte sie ihr Glück allen mitteilen, andererseits hatte sie aber auch Angst vor kritischen Fragen oder Tipps wie: *Pass auf dich auf – Du steckst in einem großen emotionalen Loch und möchtest das gerne stopfen – Renn nicht mit offenen Augen in die nächste Katastrophe.*

Sie konnte sich all diese Sätze und Ratschläge vorstellen. Nein, das brauchte sie jetzt überhaupt nicht. Sie wollte einfach nur ihr Glück teilen und entschied sich für eine Sprachnachricht: »Ich habe einen wunderbaren energetischen Mann kennengelernt. Sanft und zärtlich. Ach«, seufzte sie, »wenn ich Amelie doch mit ihm bekommen hätte ... Sie ist mindestens genauso verknallt in ihn wie ich. Und ja, ihr Lieben, ja, ich habe mich darauf eingelassen! Ich spüre mich wieder! Er macht meinen Ex vergessen ... Das Universum meint es gut mit mir!«

Sie trank den Kaffee heiß, ohne Milch und ohne Zucker. Nackt stand sie vor dem großen Garderobenspiegel im Flur, drehte sich einmal und sagte zu sich selbst: »Ich bin schön. Schön! Schönheit liegt im Auge des Betrachters.«

Leicht beschwingt, aber schnüffelnd wie ein Hund, lief Alex bis zur Wasserkante. Er wollte die Naturgewalt des Meeres spüren. Hier kam es ihm vor, als habe er das Meer in sich. Diese Kraft, zu kommen und zu gehen, zu tragen, zu nähren und zu zerstören. Zwischen den Touristen, die hier spazieren gingen und auf den Sonnenuntergang warteten, fiel er nicht auf. Er war einfach einer von ihnen.

Er fragte sich, ob es richtig war, sie allein zu lassen. Natürlich würde sie das Foto jetzt an ihre Freundinnen schicken. Das war eine Gefahr für ihn, aber es konnte auch eine große Möglichkeit bedeuten. Vielleicht konnte er auch ein paar ihrer Freundinnen rekrutieren.

Hier war alles barrierefrei gebaut worden. Man war in der Lage, mit einem Rollator oder einem Rollstuhl bis hinunter an die Wellen zu kommen.

Früher, dachte er, hätte man das *behindertengerecht* genannt. Heute hieß es *barrierefrei*. Er fand es gut, dass es solche Orte gab, die den Menschen die Möglichkeit eröffneten, sich mit der Natur zu verbinden, zu erkennen, wer sie waren und woher sie kamen. Aber auch diese Plätze waren bereits durchseucht. Der Spielplatz mit den Riesen-Insekten war ein deutliches Zeichen dafür. Jetzt, bei diesem Licht, da ihre Farben verschwanden und sie nur noch zu dunklen Schatten wurden, konnte man die Bedrohung ahnen. Es war, als könnten die Dinger jeden Augenblick lebendig werden und über die knutschenden Pärchen in den Strandkörben herfallen. Er musste wachsam bleiben. Sie waren längst da und bereiteten sich auf den Tag X vor.

Er hatte die Gabe, sie zu erkennen. O ja, sie hatten raffinierte Methoden, sich zu verstellen und harmlos auszusehen. Sie kamen als junge Mädchen im Minirock, als Pastor in der

Robe, und auch der gehbehinderte alte Herr dort mit seinem Rollator konnte ihn nicht täuschen. Je harmloser sie sich gaben, umso gefährlicher waren sie. Er roch auf hundert Meter den Alien-Schweiß, den verräterischen Fäulnisgestank, der sie genauso umgab wie ihre dunkel vibrierende Aura.

Der Rollatorfahrer hatte eine sehr starke Ausstrahlung. Er gehörte nicht zum einfachen Fußvolk. Vermutlich leitete er eine kleinere Gruppe vor Ort. Sie waren dezentral organisiert, aber es gab immer einen, der das Sagen hatte. Einen, der die Aktionen koordinierte.

Die meisten Urlauber liefen in T-Shirts und kurzen Hosen herum, doch der Typ mit dem Rollator trug einen Ostfriesennerz, außen gelb und innen blau. Wäre er gefragt worden, warum, hätte er vermutlich vom Wind an der Nordsee gesprochen und von seinem Rheuma und dem schlimmen Rücken, für den der Wind eine Plage war, während die Salzluft ihm gegen sein Asthma half.

Alex fragte ihn nichts. Ihn interessierten all diese Ausreden und Plattheiten nicht. Er ließ sich nicht täuschen.

Der ältere Herr, der hier einen auf einsamer Witwer machte, hatte aus seiner Pension Brötchen mitgebracht und erdreistete sich, die an Möwen zu verfüttern. Bald umflatterten ihn so viele, er musste sich wie ein Popstar fühlen, der im Publikum badet.

Eine Mutter mit ihrem erwachsenen Sohn wies ihn darauf hin, dass das Möwenfüttern hier verboten sei. Er gab ihr sofort recht und packte seine Tüte weg. Enttäuscht zogen die Möwen ab. Einige von ihnen hätten der Frau wahrscheinlich gern das Gesicht zerhackt.

Alex folgte dem rüstigen Rentner, der mit dem Rollator über den sandfarben asphaltierten Boden bis zu seinem Strandkorb mit Meerblick ging. Er hatte Pfefferminztee in einem Thermosbecher dabei, und wenn die Möwen seine Brötchen schon nicht haben durften, aß er sie eben selbst.

Ein paar freche Raubvögel waren ihm bis zum Strandkorb gefolgt und belauerten ihn aus der Nähe.

Ja, ihr Lieben, dachte Alex und versuchte, innerlich Kontakt zu den Möwen aufzunehmen. Sie waren ihm als Bewohner dieser Erde näher als jedes außerirdische Wesen. Gleich könnt ihr euch die Brötchen holen und alles andere auch. Meinetwegen fresst den ganzen Typen auf. Ich bereite euer Festessen vor. Wir Erdenbewohner müssen zusammenhalten. Möwen wie Menschen.

Er umschlich den Strandkorb mit vierzig, fünfzig Metern Abstand. Er zog langsam seine Kreise. Der Aasgeruch wurde stärker. Das Vieh konnte ihm nicht mehr entkommen.

Es kündigte sich ein besonders zauberhafter Sonnenuntergang an. Das Meer schien zu glühen und der Sonne entgegenzufiebern. Eine Schäfchenwolke saß auf der Sonne wie die Mütze auf dem Kopf des Chefkochs.

Sogar *das Täuscherwesen* sah bei dem Naturspektakel zu.

Ein Gänseschwarm setzte sich vor dem Gluthimmel in Szene. Es war fast zu kitschig, um wahr zu sein. Die Menschen mussten es fotografieren, um sich später daran erinnern zu können, dass es so etwas wirklich gab, nicht nur in ihren Träumen.

Er überlegte, ob er das Vieh mit der Garotte umbringen sollte oder mit dem Messer. Er musste aufpassen, keine allzu große Sauerei anzurichten, schließlich hatte er vor, gleich zu Indra zurückzugehen, um den kinderlieben, sensiblen Lover zu spielen.

Die Garotte erschien ihm daher angemessen.

Er setzte sich einfach zu dem alten Herrn in den Strandkorb.

Der rückte sogar ein Stückchen und sah den unerwarteten Besucher an, als müsse er überlegen, woher sie sich kannten. Er hatte Sorge, für senil gehalten zu werden, deswegen tat er bei jedem fremden Gesicht, das sich ihm freundlich näherte, so, als wisse er Bescheid und versuchte dann, im Laufe des Gespräches herauszubekommen, woher sie sich kannten und wie sein Gegenüber hieß. Er hatte seinen zweiundachtzigsten Geburtstag hinter sich und war im Laufe der Jahre ziemlich geschickt darin geworden.

Er dachte sogar, der Fremde wolle ihn in den Arm nehmen. Vielleicht ein Kumpel aus alten Tagen, aus dem Ruhrgebiet? Ein ehemaliger Arbeitskollege, der auch hier Urlaub machte?

Dann legte sich die Stahlschlinge um seinen Hals, und es dauerte nur wenige Sekunden. Er zappelte kurz in seinem gelben Ostfriesennerz. Er betastete das Stahlseil an seinem Hals, versuchte aber nicht, es loszuwerden, sondern reckte die Hände gegen den Himmel, als wolle er die Wolken greifen. Die Zunge fiel aus seinem Mund.

Alex wollte sich auch davon nicht täuschen lassen. Obwohl der Mann sich nicht mehr bewegte, zog Alex weiterhin die Schnur zusammen, bis sie tief in seinen Hals schnitt.

Er löste die Garotte. Der Kopf des Mannes fiel nach vorn. Er saß jetzt da, als sei er friedlich in seinem Strandkorb eingeschlafen.

Doch Alex wollte auf Nummer sicher gehen. Er hatte schon zu viel mit diesen Monstern erlebt. Er wollte nichts riskieren. Er nahm den Dolch aus seiner Ledertasche, spannte das gelbe Gummi des Regenmantels glatt übers Herz des alten Mannes und nutzte es als Schmutz- und Blutschutz. Er stieß hindurch.

Kein Tropfen spritzte in sein Gesicht. Seine Hände blieben sauber.

Er drehte die Klinge einmal um. Er wollte ganz sichergehen, das Herz zu zerfetzen.

Unter dem Ostfriesennerz sprudelte das Blut. Etwas lief am Knie des Mannes hinunter.

Alex stand auf, wühlte in dem Rucksack, den der alte Mann im Strandkorb stehen hatte. Er nahm ein Handtuch heraus und wischte die Klinge damit ab.

Er fand auch noch zwei Hanuta. Eins aß er selbst, eins steckte er ein für Amelie. Kinder standen doch auf diese Haselnusswaffeln.

Mit seiner Tasche verwischte er seine Fußspuren. Er zog sie hinter sich her und kontrollierte mehrfach, während er in Richtung Dünen ging, ob hinter ihm auch wirklich nichts mehr zu sehen war. Den Rest, so hoffte er, würde der Nordwestwind erledigen, der feine Sandkörner über den Strand wehte.

Er fühlte sich großartig. Ruhig ging er zurück zur Ferienwohnung. Er würde noch ein Gläschen Rotwein mit Indra trinken und ihr ein paar Komplimente machen. Sie saugte alle Freundlichkeiten auf, und er hatte vor, sie damit zu überschütten.

Bald schon würde sie süchtig danach werden und alles tun, damit es nicht aufhörte.

Sie wohnten in Brake im Hotel *Ambiente*, direkt an der Weser. Das Haus war so eingerichtet, dass sie nicht das Gefühl hatten, in einem unpersönlichen Hotelzimmer zu wohnen, sondern zu Gast bei Freunden in deren gemütlicher Wohnung zu sein. Sie hatten ihre Koffer schnell nach oben gebracht, und Finn-Henrik checkte noch ein paar E-Mails.

»Das WLAN ist hier recht stabil«, lobte er, woraus sie folgerte, dass es in den Hotels oder Ferienwohnungen, in denen er auf seinen Tourneen wohnte, oft nicht so war.

Die Veranstaltung im *Centraltheater* war ausverkauft. Es kam zu einer langen Diskussion, und einige Gäste fragten nach seinem Co-Autor, der Johannes Loschinski hieß, aber da er in seiner Jugend Yogi genannt wurde, veröffentlichte er seine ersten Texte unter dem Namen YoLo2, was vermuten ließ, dass es auch einen YoLo1 gab, und somit tat sich gleich ein Geheimnis auf. Er liebte es, einen geheimnisvollen Nimbus um sich herum aufzubauen. Man wusste nie, wann er erschien oder auch nicht. In unregelmäßigen Abständen veröffentlichte er Podcasts. Er hatte einige tausend Abonnenten auf seinem Kanal. Doch an diesem Abend musste Finn-Henrik Fragen beantworten, die die Zuhörer eigentlich YoLo2 hatten stellen wollen. In der Szene wurde YoLo2 von einigen, die ihn persönlich kannten, auch R2D2 genannt.

In seinem letzten Podcast war es um Eisenhower gegangen, den Weltkriegsgeneral, der dann US-Präsident wurde. YoLo2 behauptete, 1954 habe die Welt vor der Zerstörung gestanden. Eine große außerirdische Streitmacht hätte die Erde bedroht. Das Ganze wurde von den Regierungen der Welt verschwiegen, um keine Massenpanik auszulösen. Eisenhower sei es gelungen, mit den Außerirdischen einen Friedensvertrag auszuhandeln.

Er verehrte Eisenhower dafür und sagte, wir seien ihm alle zu großem Dank verpflichtet. Die Verhandlungen hätten in einem Raumschiff der Außerirdischen stattgefunden. Er zitierte amerikanische Autoren und pensionierte CIA-Leute, die genau das bestätigten.

Eisenhower gab den Außerirdischen alles, was sie haben wollten: Menschen und Tiere für Experimente. Sogar einen

Platz in der Regierung. Sie durften, was sie brauchten, mitnehmen, und dafür ließen sie unfassbare Technologien da. Chips und Speicherkarten, die das Wissen der Erde auf wenige Millimeter komprimieren konnten, jederzeit abrufbereit. Die Erde wurde ein wichtiger Militärstützpunkt für sie, die Menschen zu Verbündeten.

Doch inzwischen hätte sich das Blatt gedreht. Aus Menschenfreunden seien wieder die alten Feinde geworden. Ein interplanetarischer Rat hätte beschlossen, die Menschheit zu versklaven und als Blutbank zu nutzen.

Von all dem hatte Sabrina noch nie etwas gehört. Sie verfolgte die hitzige Debatte aufgeregt. Dass die Aliens sich in jede Lebensform verwandeln konnten, davon ging hier praktisch jeder aus. Dass sie unter uns wandelten, galt auch als Fakt. Man stritt lediglich darüber, ob sie Freunde oder Feinde waren, ob sie uns mit wichtigen technischen und medizinischen Errungenschaften ausstatteten oder ob eine Fraktion bei ihnen inzwischen die Oberhand hatte, für die Menschen nicht mehr waren als Lebendfutter.

Einer behauptete: »Wie werden längst von ihnen regiert.«

Eine junge Frau erzählte, sie sei in ein Raumschiff gebracht worden. Dort hätte man Experimente an ihr durchgeführt. Seitdem könne sie Farben und Töne riechen.

Niemand lachte.

Sie gab Finn-Henrik eine kleine Karte mit ihrer Telefonnummer drauf. Und das, so registrierte Sabrina, war garantiert kein Versuch, ihn anzumachen. Die Frau erhoffte sich Hilfe. Sie brauchte jemanden, der ihr zuhörte.

Später, beim Essen mit den Veranstaltern im Restaurant *Culinaria*, bekam Sabrina kaum etwas runter, obwohl es wirklich köstlich aussah und roch.

Finn-Henrik verteidigte YoLo2. Nein, sein Co-Autor sei eben überhaupt kein Spinner, sondern beschäftige sich seit Jahrzehnten ernsthaft mit dem Thema. Seine Thesen seien auch gar nicht so neu. Noch zu Eisenhowers Zeiten sei darüber spekuliert worden, wo er am 20. Februar 1954 gewesen sei. Er befand sich damals auf einer US-Basis, war aber plötzlich verschwunden.

Offiziell erklärten Pentagon-Sprecher, er habe sich in zahnärztliche Behandlung begeben müssen und deshalb bei verschiedenen anberaumten Terminen gefehlt.

Seine Zahnärztin bestritt allerdings, ihn behandelt zu haben, und an seinem Gebiss habe auch niemand anderes herumgefuhrwerkt. Das wäre ihr schließlich aufgefallen.

Finn-Henrik sprach ganz locker über all das, als würde die nächste Strategie bei einem Fußballspiel erörtert. Dreierreihe, Viererreihe?

Er trank einen Schluck und setzte sein Glas wieder ab: »Zu dem Geheimtreffen kam es laut Angaben von Timothy Good im Bundesstaat New Mexico, auf einem abgelegenen Flughafengelände.«

Sabrina fragte: »Wer ist Timothy Good?«

»Das war ein Exregierungsbeamter. Der sagt sogar, Eisenhower habe die Außerirdischen dreimal getroffen. Sie würden ihre Nachrichten telepathisch übermitteln. Das ganze Treffen wurde so organisiert.«

»Im Ernst?«

»In einem Interview mit dem britischen Sender BBC sagte Good, auch andere Regierungen stünden in Kontakt mit den Außerirdischen, und das schon seit Jahrzehnten.«

Die Buchhändlerin Eleonore Gollenstede sah das alles sehr kritisch und wirkte fast ein wenig amüsiert. »Wird es denn«, fragte sie, »ein weiteres Buch geben? Wollen Sie auch die Eisenhower-Geschichte aufarbeiten?«

Finn-Henrik druckste ein wenig herum. Ja, klar würden sie gemeinsam an einem neuen Buch arbeiten. Sie hätten aber vereinbart, darüber Stillschweigen zu bewahren. Sie seien kurz vor einem ungeheuerlichen Durchbruch, der die Welt der Wissenschaft erschüttern könnte und alle Ungläubigen und Kritiker überzeugen würde. Mehr wollte er aber nicht dazu sagen.

Er aß gierig Sabrinas Nachtisch. Er wirkte, als könne er überhaupt nicht mehr satt werden. Wahrscheinlich, dachte Sabrina, ist der Energieverbrauch bei so einer Veranstaltung für den Vortragenden, der im Mittelpunkt steht, auf Fragen reagieren muss und dabei über sehr dünnes Eis geht, sehr hoch.

Danach, als sie alleine im Hotel waren, saßen sie am Fenster, tranken einen Tee, den sie sich selbst aufgebrüht hatten, und sahen auf die dunkle Weser.

»Wirst du mir das Geheimnis auch nicht verraten?«, fragte sie. »Darf ich auch nicht wissen, woran ihr arbeitet?«

Finn-Henrik stierte eine Weile nach draußen. Sie merkte ihm an, dass er einen echten Konflikt hatte.

»Vertraust du mir nicht?«, hakte sie nach.

»Doch«, sagte er, »doch. Aber wenn ich dir so etwas erzähle, dann musst du mir versprechen, dass ... «

Sie ließ ihn gar nicht weiterreden: »Ich bin verschwiegen wie ein Grab.«

»Okay. YoLo2 ist dabei, Kontakt aufzunehmen.«

»Kontakt zu wem? Zu den Außerirdischen?«

»Es gibt auch da Gute und Böse. Verschiedene Fraktionen. Die sind nicht alle gleich. Er hat zu einer Wesenheit Kontakt, die uns vielleicht helfen kann, die Konflikte zu verstehen.«

Sabrina setzte sich anders hin. »Moment mal. Dein Kumpel

hat Kontakt zu einem Alien und will irgendwann mit der Sensation rauskommen, und du reist mit mir durch die Provinz und hältst Vorträge? Wieso bist du nicht dabei? Lass dich doch nicht so beiseiteschieben! Das Ganze könnte dich und ihn berühmt machen. Ach, was sag ich, berühmt! Jules Verne oder …

»Jules Verne hat Romane geschrieben.«

»Ja, klar. Aber selbst Einstein, Hawking, Däniken – all diese Wissenschaftler würden doch alt aussehen gegen euch, wenn ihr tatsächlich ein Interview mit einem Außerirdischen führen könnt! Das wäre ja wie ein Interview mit …« Sie wagte kaum, es auszusprechen, tat es aber: »Mit Gott!«

Sie war so aufgeregt, dass sie ihren Körper nicht stillhalten konnte. Sie lief barfuß auf und ab, stieß mit dem Fuß gegen ein Stuhlbein und tat sich den kleinen Zeh tierisch weh. Sie hatte das Gefühl, gerade an etwas teilzuhaben, das historische Ausmaße hatte. Das hier konnte ein Paradigmenwechsel in der Wissenschaft werden. Ihr Finn-Henrik war ganz nah dran und ließ sich jetzt von seinem Co-Autor ausbooten.

»YoLo2 traut dir nicht«, sagte sie vorwurfsvoll. »Der will am Ende den Ruhm für sich alleine!«

»Nein«, beteuerte Finn-Henrik, »so ist das nicht. Das ist ein guter Typ.« Er schränkte ein: »Ja, immer ein bisschen radikaler, aber auch immer ein bisschen weiter als wir alle. Der hat keine Denkverbote im Kopf. Der ist ein richtig freier Geist, weißt du, der stellt alles in Frage. Der lässt sich nicht so einfach etwas vorgaukeln. Der vertraut mir! Wir sind wie du und ich, weißt du. Aber diese Aliens sind misstrauisch. Wenn sich so ein Wesen öffnen will, dann kannst du nicht einfach kommen und sagen, ich bring noch meinen Kumpel mit. Der legt mich nicht rein. Wir zwei, YoLo2 und ich, sind«, er schob den Mittelfinger über den Zeigefinger, »so! Wie wir beide, weißt du, Sabrina.«

Sie fand den Vergleich etwas schräg, sie verband immerhin eine Liebesgeschichte, ja, sie dachten an Heirat, während YoLo2 eine Art Chimäre war.

Plötzlich sah sie einen neuen Beruf vor sich. Ja, vielleicht war es das, vielleicht hatte sie darauf die ganze Zeit hingearbeitet und deswegen in so vielen verschiedenen Jobs Erfahrungen gesammelt.

»Du brauchst«, sagte sie, »eine Managerin. Nicht nur einfach jemanden, der Hotels bucht und mit Veranstaltern redet, sondern jemanden, der deine weitere Karriere in die Hand nimmt, damit du nicht über den Leisten gezogen wirst.«

Er zuckte mit den Schultern: »Über den Leisten gezogen … Was für ein Ausdruck!«

»Mit eurem nächsten Buch könnt ihr auch nicht bei dem popeligen kleinen Verlag bleiben. Das wird ein Welt-Bestseller! *Gespräche mit dem Außerirdischen* … Und wir müssen dafür sorgen, dass du dabei bist.«

Er hatte von der Buchhandlung Hoffmann in Achim eine Flasche *Backsberger* bekommen, einen klaren Pfefferminzschnaps der Familie Thran aus dem Gasthaus *Zum Backsberg* in Oyten. Veit Hoffmann hatte erzählt, dass das Gasthaus keine Homepage habe und keinen Onlineshop, dafür aber diesen tollen Schnaps, den man nur dort im Gasthaus kaufen könne und den sie dort trotz seiner 52,7 Prozent Likör nennen würden, weil er auch ein bisschen süß sei.

Finn-Henrik kippte jetzt ein Gläschen davon und goss sich gleich noch einmal nach.

»Du kannst dich da nicht so einfach einmischen, Sabrina. Das ist ein sehr sensibles Ding.«

»Die Außerirdischen müssen doch kapieren, dass es besser ist, wenn Zeugen dabei sind, wenn alles gefilmt wird.«

Er hob die Hände: »Sie sind seit Jahrtausenden unter uns. Und wieso gibt es keine Filmaufnahmen? Sie haben Gründe, glaub mir.«

»Wir brauchen aber Beweise!«, rief Sabrina.

Er schüttelte den Kopf: »Beweise, Beweise ... Aus deren Sicht haben wir genug Beweise. Oder glaubst du, dass die Pyramiden mitten in der Wüste ohne jede Technologie, ohne vernünftiges Werkzeug, gebaut werden konnten?« Er deutete um sich herum: »Wir leben zwischen den Beweisen. Sie sind überall. Wir sehen sie nur nicht als Beweise, sondern in unserer narzisstischen Überheblichkeit halten wir«, er zeigte auf sein Handy, »so etwas für das Ergebnis menschlicher Forschungen und Willenskraft.« Er lachte. »Wir sind doch nicht mal in der Lage, den Bahnverkehr hinzukriegen. Ich will jetzt gar nicht von größeren Projekten anfangen. Obwohl genug zu essen und genug Energie auf der ganzen Welt da ist, sterben Menschen an Hunger oder müssen frieren?« Er klatschte sich mit der Hand gegen die Stirn. »Wir sind echt die Krönung der Schöpfung! Aus Sicht von höheren Wesen sind wir einfach nur bescheuert, ohne Hemmungen und Moral. Es fällt schwer zu argumentieren, warum man uns überleben lassen sollte. Und was«, fragte er, »wenn sie genauso einen Gott haben wie wir, der ihnen auch sagt, macht euch die Erde untertan. Was dann? Dann werden sie uns so behandeln wie wir die Tiere und die Natur. Dann sind wir am Arsch!«

Sabrina zuckte zurück und erschrak. Sie kämpfte mit den Tränen. Ihr wurde plötzlich kalt. Am liebsten hätte sie sich dicke Socken angezogen oder unter einer Decke verkrochen.

Sie nahm von dem Tee, aber gar nicht, um ihn zu trinken, sondern um die warme Tasse in der Hand zu halten.

»Es ist alles viel komplizierter, als du denkst«, sagte er.

Er sah, dass seine Reaktion sie traurig machte. Er wollte jetzt keine Missstimmung zwischen ihnen aufkommen lassen, darum beschwichtigte er sie: »Natürlich hast du recht, und ich spüre aus deinen Worten so viel Liebe, und du meinst es einfach nur gut mit mir. Ja, und klar brauche ich im Grunde eine Managerin. Aber willst du den Job denn wirklich machen?«

»Ich möchte«, sagte Sabrina, »bei dir sein. Und wenn an dem hier irgendwas dran ist, dann werde ich doch nicht so verrückt sein und stattdessen Jura studieren und in einem Anwaltsbüro arbeiten, oder?«

Er lachte. »Für das, was wir machen, gibt es noch gar keine Gesetze. Und die Außerirdischen können über unsere Regeln sowieso nur lachen. Wir haben die Welt so schlecht organisiert ... Die Pole schmelzen. Die Klimakatastrophe wird das Leben hier unmöglich machen. Die Nordsee geht bald bis Münster, und in den Großstädten werden fünfzig, sechzig Grad Hitze ganz normal sein. Wenn es uns nicht gelingt, die Außerirdischen für uns zu gewinnen, haben wir sowieso verloren. Sie müssen uns weder versklaven noch ausrotten. Wir sterben einfach so, an unserer eigenen Blödheit und Gier.«

»Das heißt«, fragte sie, »du glaubst, die Aliens könnten uns helfen, die Klimakatastrophe zu verhindern?«

»Wer, wenn nicht die?«, antwortete er. »Sie haben die Technologie, sie haben das Wissen. Die Frage ist nur, ob sie es mit uns teilen.«

Der Respekt vor Finn-Henrik wuchs in ihr ins Gigantische. »Ihr wollt mit Alien-Technologie die Klimakatastrophe verhindern?«

Er nickte und flüsterte, als hätte er Angst, sie könnten in diesem Hotelzimmer belauscht werden: »Es ist unsere einzige Chance. Wir dürfen das jetzt nicht verpatzen.« Er deutete mit

Daumen und Zeigefinger einen oder zwei Zentimeter an: »Wir stehen so kurz davor. So kurz.«

Als sie sich küssten, um jede entstandene Missstimmung wegzuknutschen, hatte sie das Gefühl, nicht einfach mit dem netten jungen Typen rumzumachen, der so zärtlich sein konnte und so originelle Ideen hatte, nein, es war, als würde sie einen Helden küssen. Einen Menschheitserretter.

Und klar brauchte er eine Managerin. Er wusste ja gar nicht wie dringend. Sie würde mithelfen, die Welt zu verändern, ja, die Welt zu retten!

In der Nacht schlief sie kaum. Sie stellte sich vor, wie alle gucken würden. Ihre Schwester Jule. Ihr Vater. Ihre Mutter. Ann Kathrin Klaasen. Ihre ehemaligen Lehrer und Arbeitgeber. All die, die sie mal enttäuscht hatte, weil der Job oder das Studium sich doch wieder als Irrtum entpuppt hatten. Endlich hatte sie ihren Weg gefunden. Sie sah ihn klar vor Augen.

Sie bildete sich ein, in der Anwaltskanzlei gelernt zu haben, wie man Verträge macht. Sie mussten YoLo2 treffen, und zwar bald. Es gab viel zu besprechen!

Die Nacht war kurz für Ann Kathrin Klaasen. Um Viertel nach drei heulte der Seehund in ihrem Handy los. Sie träumte gerade davon, barfuß durchs Watt zu laufen. Sie spürte den Schlick zwischen den Zehen quatschen und Muscheln unter ihren Fußsohlen.

Sie schoss hoch und saß aufrecht, aber sie brauchte einen Moment, um zu realisieren, dass sie sich im Distelkamp in ihrem Bett befand und nicht am Deich.

Sie meldete sich mit einem unausgeschlafenen: »Moin.«

Sekunden später sang Bettina Göschl in Wellers Handy im Wohnzimmer *Piraten Ahoi!* Weller war beim Lesen in seinem Sessel eingeschlafen. Das Rotweinglas fiel von der Lehne. Wohl hundert Mal hatte Ann Kathrin ihm gesagt, das sei eine unsichere Position für ein Glas, aber er fand es gemütlich und mochte den Rotweingeruch beim Lesen unter seiner Nase.

Weller konnte sich gar nicht vorstellen, wie es Leute schafften, keine Romane zu lesen. Sie waren für ihn arme Menschen. Er brauchte es, sich in andere Personen hineinversetzen zu können. Die Welt mal aus der Sicht einer Frau, eines Obdachlosen oder eines Popstars sehen zu können.

Er fand das Handy nicht schnell genug. Bettina sang schon: »*Hisst die Flaggen, setzt die Segel*«.

Das Handy lag auf dem Wohnzimmertisch, auf einem Stapel signierter Kriminalromane. Weller wollte hin und trat barfuß in eine kleine, aber sehr spitze Scherbe. Er fluchte und jaulte. Auf einem Bein hopste er bis zum Tisch, griff sich das Handy und ließ sich damit aufs Sofa fallen. Sein dicker Zeh blutete.

Polizeidirektorin Elisabeth Schwarz war persönlich am Apparat: »Eine Leiche in einem Strandkorb in Norddeich. Wir sehen uns in wenigen Minuten.«

Weller reagierte nicht wie erwartet, deshalb fragte sie: »Ist was? Haben Sie getrunken?«

»Nein, ich habe einen Splitter im Zeh.«

Genervt belehrte sie ihn: »Ja, Rechnungen, Verletzungen, Krankheiten und Einsätze kommen immer zur falschen Zeit.«

»Boah, äi, wenn ich am frühen Morgen solche Sprüche höre!«, tönte Weller.

Ann Kathrin und Weller nahmen den froschgrünen Twingo, weil Ann Kathrin die Schlüssel dafür fand, während Weller die vom Citroën Picasso noch suchte.

Der Twingo sprang zunächst nicht an. »Die Rostlaube streikt«, maulte Weller.

Ann Kathrin streichelte übers Armaturenbrett und redete dem Wagen gut zu: »Das meint der nicht so. Der ist einfach nur ein Morgenmuffel. Nimm das nicht persönlich.«

»Autos nehmen nichts persönlich, Ann. Das sind Gebrauchsgegenstände!«

Wie, um Weller eins auszuwischen, sprang der Twingo jetzt an.

Ann Kathrin guckte kokett zu Weller rüber. Ihr Mann sah nicht nur müde aus, sondern auch traurig.

»Was ist, Frank?«, fragte sie.

Er druckste ein bisschen herum, bevor er mit der Sprache herausrückte: »Ich habe gestern wieder in alten Romanen gelesen. Georges Simenon. Dashiell Hammett. Das hat mir nicht gutgetan.«

»Nicht?«

»Nein. Und dann wiederum doch ... «

»Was war denn, Frank? Du müsstest dich mal selber reden hören ... «

Er seufzte. »Wenn ich Romane ein zweites oder drittes Mal wieder lese, dann ist das immer irgendwie ein doppeltes Wagnis. Es ist eine Begegnung mit mir selbst. Mit dem, der ich damals war. Das klingt vielleicht verrückt, aber ich lese einen Dialog oder ein paar Sätze, die mich damals beeindruckt haben, und ich weiß genau, wie es mir ging, wo ich saß, wie es da roch, was ich gegessen, gefühlt, gedacht habe. Alte Romane zu lesen ist für mich, als ob ich eine Zeitreise machen würde. Eine Reise zu mir selbst.«

Er schwieg.

Ann Kathrin hielt im Hafen beim Haus der Deutschen Gesellschaft zur Rettung Schiffbrüchiger. Sie wollte aussteigen und die Schranke an der Seenotrettungsstation anheben, um zwischen Wasserkante und Deich näher an den Tatort heranfahren zu können. Es war aber gar nicht nötig, denn dort stand ein junger Mann. Er winkte ihr zu und nahm ihr die Arbeit ab.

»Und du hast dich beim Lesen an eine Zeit erinnert, in der es dir schlechtging?«

Sie wollte es eigentlich wie eine Frage formulieren, doch es klang wie eine Feststellung.

»Erinnert? Ich bin da regelrecht reingefallen. Eingebrochen. Und dann darin versackt. Ich war damals unglücklich. Wir kannten uns noch nicht. Ich habe noch mit Renate zusammengelebt und dachte, ich könnte oder müsste unsere Ehe retten. Wie dämlich ich damals war! Sie hat mir ständig Hörner aufgesetzt und mich nach Strich und Faden verarscht ...«

Ann Kathrin fuhr langsam, aber zielstrebig auf einen Polizeiwagen mit Blaulicht zu, der neben einem Rettungswagen bei den Strandkörben stand.

»Damals«, sagte Weller, »habe ich nicht geglaubt, dass so ein Glück noch einmal auf mich wartet.«

Sie guckte ihn an. Die Zeit war nicht gerade günstig für solche Gespräche. Er ignorierte die aktuelle Situation und war ganz in seinen Gefühlen gefangen.

»Ich bin jetzt so froh, mit dir zusammen zu sein, Ann. Mein Selbstbewusstsein war damals schon auf Erdnussgröße zusammengeschrumpft. Und jetzt ...«

Er lächelte.

Die junge Kommissarin Jessi Jaminski kam auf den Twingo zu. Sie sah blass aus, als sei sie kurz davor, sich übergeben zu müssen.

Ann Kathrin beugte sich zu ihrem Mann vor und flüsterte:

»Mir ging es vorher auch nicht gerade gut, Frank. Mein Hero war ein intellektueller Arsch mit Ohren.« Sie küsste Weller flüchtig. »Gut, dass wir uns gefunden haben.«

Er griff ihre Hand. »Ja. Lass uns das nicht vergessen.«

Sie nickte. Es tat ihr zwar leid, aber sie sagte es trotzdem: »Frank ... Wir müssen. Wir haben da eine Leiche ...«

Er riss sich zusammen und switchte auf Kommissar um. Dann stieg er aus.

»Ich brauche einen Kaffee«, brummte er.

Jessi hielt ihm ihren Becher hin. »Nimm meinen.«

Er freute sich über ihr Angebot. Überhaupt fand er die junge Kollegin sehr sympathisch. Selbst jetzt, als sie den Mund verzog und mit einem Blick auf den Kaffee hinzufügte: »Mir schmeckt der sowieso nicht. Ekelhaft!«

»Hauptsache heiß und schwarz«, sagte Weller.

Auf Facebook und Instagram jagten Spekulationen durchs Netz. In Gruppen wie *Du bist Norddeichverrückt, wenn ...* oder Ostfrieslandkrimis-Fan-Club gab es schon erste Fotos von Polizeiwagen am Strand.

Indra war in beiden Facebook-Gruppen Mitglied. Sie liebte die Nordseeküste. Aber die Morde an den zwei Touristinnen ließen sie erschaudern und die Landschaft mit ganz neuen Gefühlen betrachten. Und jetzt war schon wieder etwas los ... Da, wo sie gerade noch mit Amelie gespielt hatte, musste es einen Unfall oder ein Verbrechen gegeben haben.

Die Meinungen im Netz gingen weit auseinander. Einige schrieben, der Touristinnen-Mörder sei von der ostfriesischen Polizei gestellt worden.

»Ich bin richtig froh, dass wir männlichen Schutz haben«, flüsterte Indra und kuschelte sich an Alex. Doch sie hielt es nicht länger im Bett aus, ging zum Fenster und öffnete es. Sie konnte die Blaulichter sehen.

»Hauptsache, Amelie kriegt nichts mit«, sagte Indra. »Sie fühlt sich so wohl hier. Gerade mit dir.«

»Euch passiert bestimmt nichts. Vermutlich verhaften die da draußen gerade den Täter.«

Der Gedanke gefiel Indra. »Muss ja ein komischer Typ sein. Bringt zwei Schwestern um ...«

Alex blieb im Bett liegen und versuchte, sie auch wieder hineinzulocken. »Das sind Familienstreitigkeiten«, behauptete er und machte eine abwertende Handbewegung. »Davon solltest du dir nicht den Urlaub verderben lassen. Das betrifft dich nicht.«

Sie beugte sich weit vor nach draußen und atmete tief ein. »Ich liebe diese Meerluft! Sie macht mich irgendwie frei!«

Sie streckte die Arme aus, als hätte sie vor, zum Vogel zu werden und nach draußen zu fliegen. Dann griff sie nach den Sternen. »Nirgendwo ist der Nachthimmel so schön«, rief sie.

Er lächelte. »Er ist für Verliebte überall besonders schön, nicht nur hier.«

Sie wendete sich zu ihm um: »Sind wir Verliebte?«

Er stand auf und kam zu ihr ans Fenster, legte einen Arm um ihre Schultern und sah mit ihr nach draußen: »Es hat sich für mich nicht wie ein One-Night-Stand angefühlt«, flüsterte er in ihr Ohr.

»Ich weiß noch gar nicht, ob ich für eine Beziehung schon bereit bin. Ich fühle mich noch so wund von der letzten«, gestand sie.

Er zeigte auf den Sternenhimmel: »Wenn man von da oben

auf uns runterguckt, dann werden wir ganz klein. Höchstens wie Insekten. Alle Probleme werden einfach lächerlich aus der Entfernung.«

Auf der Fensterbank krabbelte eine Ameise herum. Er hielt seinen Zeigefinger hin. Sie kletterte an ihm hoch. Er hob sie auf Augenhöhe. »Je weiter man weg ist, umso bedeutungsloser werden die Wesen, die wir sehen. Deswegen fällt es einem Jäger auch leicht, ein Reh zu schießen. Ein eigentlich – aus der Nähe betrachtet – wunderbar kuscheliges Geschöpf.«

Er drehte seine Hand immer so, dass sie beide die Ameise betrachten konnten. Er sprach voller Bewunderung über das Tier: »Ameisen. Sechs Beine. Zwei Fühler. Ein gepanzerter Körper. Fleißige Arbeiter. Architekten labyrinthischer Bauten und eiskalte Mörder. Sie gründen Staaten. Mit einer Königin und einer Armee. Sie bauen spektakuläre Städte, mit Kühltürmen, Schloten, Windfängen, Lagerhallen und Kompostkammern. Sie sorgen für Hygiene in ihrem Laden. Verglichen mit ihrem Staat ist unsere Gesellschaft vollkommen desorganisiert.«

Indra drückte sich fester an ihn. Er roch gut. Der Wind fuhr ihr in die Haare.

»Hast du mal Biologie studiert?«

»Nein«, lachte er. »Nur das Leben.«

Behutsam setzte er die Ameise auf der Fensterbank ab und raunte ihr zu, als sei sie ein menschliches Wesen und er könne mit ihr reden: »Geh zu deinen Leuten. Du wirst bestimmt schon vermisst.«

Es gefiel Indra, wie vorsichtig und wertschätzend Alex mit dem winzigen Tier umging. Sie folgerte daraus, dass er ein guter Mensch war.

Er sagte: »Was wissen wir schon über diese Lebewesen? Ihre Wünsche und Träume? Wir können im Supermarkt Gift kaufen, extra gemacht, um sie zu vernichten, falls sie es sich in unseren Häusern gemütlich machen wollen.«

Indra schämte sich, weil sie selbst schon mal Substral gegen eine Ameisenstraße im Badezimmer eingesetzt hatte und sogar Ameisenköder. Es war eine Dose mit Lockstoff, in die sie hineinkrochen. Dort vergifteten sie sich, doch sie starben nicht sofort, sondern brachten den Wirkstoff in ihre Nester und verfütterten ihn dort noch an ihre Brut. Erst Stunden später gingen sie ein.

Genau so war sie mit Silberfischchen in der Wohnung verfahren. Je schlimmer und verfahrener ihre Beziehung geworden war, umso mehr hatte sie für Reinlichkeit und Ordnung im Haushalt gesorgt.

Jetzt kam sie sich deswegen schäbig vor. Sie sprach lieber nicht darüber.

Wieder deutete er zu den Sternen: »Was, wenn es dort oben Kulturen gibt, die sich uns gegenüber genauso überlegen fühlen wie wir uns der Tierwelt? Vielleicht sind wir für sie auch nur Futter oder lästiges Ungeziefer, das beseitigt werden muss.«

Sie schwieg und guckte ihn nur an. Er wirkte ernst und sah hoch ins Universum, als könne er dort mehr erkennen als sie.

Sie fragte vorsichtig: »Du meinst, von dort könnte intelligentes Leben auf uns herabgucken?«

»O ja. Und ich bin mir sicher, sie kommen zu dem Schluss, dass sie die Krönung der Schöpfung sind und nicht wir. Den biblischen Satz: *Macht euch die Erde untertan* werden sie anders auslegen als wir.«

»Falls sie an Gott glauben«, rutschte es Indra raus.

Er sprach es aus wie eine Vermutung, doch sie hörte, dass so etwas wie eine Gewissheit mitschwang: »Sie werden sich mit Blick auf uns für Götter halten.«

Ihr wurde kalt. Sie wollte das Fenster schließen. Er hielt sie sanft auf und legte ihr sein Hemd über die Schultern. Es war, als müsse das Fenster geöffnet bleiben, damit die Gedanken frei fliegen konnten.

Blaulicht spiegelte sich jetzt in der Fensterscheibe.

»Der Mensch ist zum Teufel der Tierwelt geworden«, sagte er ganz sachlich.

»Du redest wie ein Vegetarier, isst aber doch selbst auch Krabben und ... «

Er lachte bitter: »Ja, ich bin ein Raubtier. Aber ich fürchte, dass andere, größere Raubtiere kommen werden ... Und ich will von denen nicht gefressen werden. So, wie der T-Rex andere Fleischfresser gejagt hat, so werden sie uns jagen.«

Sie bekam eine Gänsehaut. »Du sagst das, als sei es Wirklichkeit. Ich kriege Angst, wenn du so redest.«

»Unsere schlauen Politiker«, sagte er spöttisch, »streiten noch um nationale Interessen, zanken sich darum, wem Öl- oder Gasvorräte gehören, kämpfen um Zölle und Handelsabkommen. Sie haben nicht kapiert, dass es keine Rassen gibt und keine Länder, sondern nur eine Erde, einen kleinen blauen Planeten, der sich im Universum behaupten muss, gegen eine gnadenlose, bestens ausgerüstete Übermacht. Wenn wir Menschen nicht zu Hühnern in einer Legebatterie werden wollen, müssen wir uns zusammenschließen und ... «

Er merkte ihr Erschrecken und fürchtete, zu weit gegangen zu sein. Er riss sich zusammen. Nicht jeder Mensch vertrug die volle Wahrheit auf Anhieb. Es war zu groß. Ein Paradigmenwechsel im Denken. Er konnte ihr jetzt nicht einfach alles so vor die Füße knallen. Er hatte Angst, sie zu verlieren, bevor er sie richtig gewonnen hatte.

Er versuchte, sie zu küssen. Sie machte mit, wollte aber lieber weiterreden. Was er sagte, erschreckte sie, faszinierte sie aber gleichzeitig auch.

»Bist du«, fragte sie, »ein Anhänger der Prä-Astronautik?«

Er wunderte sich, dass sie den Begriff überhaupt kannte.

Sie sah seinen fragenden Blick und erklärte sich: »Ich habe mal auf n-tv eine Reportage darüber gesehen. Da ging es um den Besuch außerirdischer Intelligenzen auf der Erde.«

»Ja«, sagte er, »ich beschäftige mich mit der Frage, wo wir herkommen und was mit uns geschieht.« Er nahm ihren Kopf in beide Hände und sah ihr in die Augen: »Und jetzt würde ich am liebsten mit dir schlafen.«

»Schon wieder?«

»Ja. Dann sind wir näher dran an der Entstehung allen Lebens, an der Antwort auf alle Fragen unseres Seins.«

Sie gab seinem Drängen nach und fühlte sich auserwählt, ja auserkoren. Und das, was sie hier trieben, war nicht einfach Sex, sondern ein fast religiöser Akt.

Sie kam sich verwirrt vor, und gleichzeitig sah sie sich und die Welt mit seltener Klarheit, als hätte sie eine Droge genommen.

Weller guckte den Kaffeebecher verwundert an. Dass man aus gerösteten Kaffeebohnen und Wasser überhaupt so ein lausiges Getränk herstellen konnte, fand er erstaunlich. Das Beste, was sich über das Gesöff sagen ließ, war: Man konnte sich die Finger daran wärmen.

Jessi Jaminski stand bei Ann Kathrin Klaasen. Sie wollte von ihr lernen. Wenn sie so weitermachte, würde sie sich zu einer hervorragenden Kommissarin entwickeln, das ahnte jeder in der Inspektion. Sie hatte diese Leidenschaft für Ermittlungsarbeit und verband Instinkt mit Logik. Eine sehr erfolgreiche Mischung.

Es war kein Problem, die Leiche zu identifizieren. Der Tote trug sein Portemonnaie bei sich, mit Personalausweis, zwei Kreditkarten, einer Versicherungskarte, einer Bahncard 50, dazu Fotos seiner verstorbenen Frau, seiner zwei Söhne und drei Enkelkinder. Er hatte noch hundertzweiundachtzig Euro im Portemonnaie und eine Medikamentenliste. Er war ein offenes Buch. Von Ermittlung konnte gar keine Rede sein. Es handelte sich dabei lediglich um die Feststellung von Tatsachen.

Polizeidirektorin Elisabeth Schwarz beschäftigte sich mit dem Portemonnaie und prüfte es, als könne sie darin noch einen versteckten Hinweis finden.

Ann Kathrin folgerte daraus, dass sie sich mehr daran festhielt, um nicht zu nah an den Toten zu geraten. Sie hatte aus Ann Kathrins Sicht schon Probleme im Kontakt mit lebenden Menschen. Tote waren ihr erst recht nicht geheuer.

Jessi sprach aus, was Ann Kathrin ihrer Meinung nach dachte: »Wenn wir den Zusammenhang zwischen den ermordeten Schwestern und diesem Toten im Strandkorb finden, haben wir den Täter.«

»Ja, Jessi. Wir müssen überprüfen, ob sie sich kannten.«

»Dem wurden bestimmt keine Dickpics geschickt«, kommentierte Jessi.

Ann Kathrin zog sich die Gummihandschuhe an und öffnete den gelben Ostfriesennerz. Das blutdurchtränkte Hemd wurde sichtbar.

»Es hat wieder eine Übertötung gegeben, wie bei Silke Humann«, stellte Ann Kathrin fest. Sie deutete für Jessi auf die Schnittwunde am Hals: »Vermutlich wurde er zunächst mit einer Stahlschlinge getötet. Danach hat der Mörder ihm noch ein Messer in die Brust gerammt.« Ann Kathrin sprach wie zu sich selbst oder als würde sie ihre Beobachtung mit einem Diktiergerät aufzeichnen: »Schlecht vorstellbar, dass es umgekehrt gewesen sein soll. Erst der Messerstich und dann die Garotte. Nein, das glaube ich nicht.«

Weller stand mit seinem Kaffee da. Er fror. »Da wollte jemand auf Nummer sicher gehen.«

Ann Kathrin gab ihm recht: »Hm. Nach einem Wutexzess sieht das aber nicht aus.«

Jessi bückte sich: »Hier müssten Fußspuren vom Täter im Sand sein.«

Weller deutete auf eine breite Schleifspur, die in Richtung Dünen führte. »Da hat jemand einen recht simplen Trick angewendet und etwas hinter sich hergezogen. Eine Decke, einen Koffer, eine Luftmatratze oder so etwas … Jedenfalls wollte er es uns nicht ganz so leicht machen, seine Schuhgröße zu identifizieren.«

Jessi zeigte zu den Dünen: »Dafür wissen wir aber, wohin er gegangen ist.«

Ann Kathrin korrigierte Jessi: »Wir wissen, was er wollte, dass wir denken sollen. Hinter den Dünen, auf dem Asphalt, kann er dann überallhin gegangen sein. Zu den Parkplätzen, in Richtung Greetsiel, direkt nach Norden rein oder in Richtung Neßmersiel. Aber guck dir den Einstich mal ganz genau an.«

Jessi musste sich überwinden, aber sie tat es und versuchte, sich nichts anmerken zu lassen. Obwohl sie als knallharte Boxerin galt, konnte sie nicht gut Blut sehen. Eine geschwollene Nase oder ein Cut auf einer Augenbraue machten ihr wenig aus. Sie hatte zwar Probleme, der Gegnerin dann noch einmal genau auf die verletzte Stelle zu schlagen, wie Profis es gern machten, aber sie konnte weiterkämpfen und hinhauen.

Doch Schuss- oder Stichwunden setzten ihr zu. Es war, als würde ihr Magen den Inhalt nach oben drücken. Obduktionen waren gar nichts für sie, da ging es ihr kaum anders als anderen Kollegen. Zwischen Männern und Frauen gab es da kaum einen Unterschied. Den Männern fiel es nur schwerer, das zuzugeben.

Polizeidirektorin Elisabeth Schwarz hielt sich ein paar Meter vom Strandkorb und dem Toten entfernt auf. Sie telefonierte und hielt dabei das Portemonnaie in der Hand. Sie wendete allen den Rücken zu.

Ann Kathrin motivierte Jessi, genau hinzusehen. Es war kein schöner Anblick. »Solche Verletzungen machen Stichwaffen normalerweise nicht. Selbst nicht, wenn sie stumpf sind. Ich will der Obduktion nicht vorgreifen, aber für mich sieht das aus, als hätte jemand erst zugestoßen und dann die Klinge umgedreht. Möglicherweise mehrfach.«

Jessi nickte gelehrig.

Ann Kathrin wollte von ihr wissen: »Warum macht jemand so etwas?«

»Nachdem er sein Opfer bereits erdrosselt hat ...«, fügte Weller hinzu und kippte den sumpfigen Kaffee in den Sand. Dafür handelte er sich einen Tadel von Elisabeth Schwarz ein, die sich genau in dem Moment umdrehte, als hätte sie hinten Augen und nur auf seine Verfehlung gewartet. Das kannte Weller von seinem leider viel zu spät verstorbenen Vater.

»Sie verunreinigen den Tatort, werter Kollege Weller!«

»Das habe ich mit den Möwen gemeinsam«, konterte Weller patzig und zeigte auf eine, die gerade von einem Strandkorb aus schiss.

»Der Täter handelt«, sagte Jessi wohlüberlegt, »als würde er daran zweifeln, dass sich ein Mensch so leicht erledigen lässt.«

Ann Kathrin guckte Jessi verwundert an.

Jessi verwendete nicht den üblichen Begriff der Übertötung. Sie sah aus, als würde sie noch nach den richtigen Worten suchen: »Der Mörder befürchtet, sein Opfer könne die Attacke überleben.«

Ann Kathrin fand das klug und nickte.

»Als hätte er es mit einem Unsterblichen zu tun«, sagte Jessi. »In Vampirfilmen gibt es das, wenn man Untote nicht so einfach erledigen kann, sondern ihnen noch zusätzlich einen Pfahl ins Herz schlagen muss.«

Frau Schwarz kommentierte: »Ihre spannenden Kinoerlebnisse in allen Ehren, Frau Jaminski, aber der Mann war zweiundachtzig Jahre alt und brauchte einen Rollator. In seinem Portemonnaie befindet sich eine Medikamentenliste. Er litt unter Bluthochdruck, Diabetes und Rheuma. Er war sicherlich kein Superheld. Das da hat jemand gemacht, der einfach sehr wütend war.«

Ann Kathrin neigte mehr zu Jessis Theorie: »In Wut sticht jemand immer wieder zu, selbst wenn sein Opfer schon tot ist. Dies hier ist anders. Hier wollte jemand sichergehen, auch getötet zu haben. Der Täter hat den gelben Ostfriesennerz des Opfers genutzt, um selbst nicht mit Blut bespritzt zu werden. Er ging danach vermutlich wieder unter Menschen und hatte Angst, sie könnten Blut an seiner Kleidung finden. Nachts ist hier niemand mehr auf der Straße. Die Kneipen haben zu. Ich denke, er ist zu seiner Familie zurück, in seine Ferienwohnung, und zwar ganz hier in der Nähe.«

Frau Schwarz war baff: »Was für eine steile These! Er kann genauso gut zu seinem Fahrzeug gegangen sein und sich inzwischen auf der Autobahn befinden.«

»Denkbar«, gab Ann Kathrin zu. »Aber ich glaube, so ist es

nicht. Wenn dieser Mord etwas mit den beiden toten Frauen zu tun hat, dann hält sich der Täter die ganze Zeit in unserer Nähe auf.«

Frau Schwarz zuckte mit den Schultern.

Weller unterstützte Ann Kathrin: »Der erste Mord geschah keine fünfhundert Meter Luftlinie von hier entfernt. Der zweite in der Norder Innenstadt ...«

Die Polizeidirektorin würgte seinen Redeschwall ab: »Ich weiß, wo die Tatorte liegen, Herr Weller.«

Rupert erschien. Er sah aus, als müsse er dringend zur Toilette und suche zwischen den Strandkörben eine Gelegenheit, um sich zu erleichtern. Er verlagerte sein Gewicht von einem Bein aufs andere und wusste nicht, warum ihn alle so anglotzten. Er fühlte sich bemüßigt, etwas zu sagen. Er deutete auf die Leiche: »Also, wenn ihr mich fragt, können wir ein Sexualdelikt ausschließen. Selbstmord ebenfalls.«

Frau Schwarz legte einen Handrücken auf ihre Stirn und stöhnte theatralisch: »O Herr, schmeiß Hirn vom Himmel!«

Rupert versuchte, sich in noch besseres Licht zu setzen. Er deutete auf das Portemonnaie, das seine Chefin, geschützt durch ihre Latex-Einmalhandschuhe, in den Fingern hielt. Rupert bemerkte die Geldscheine, die oben herausragten. »Einen Raubüberfall können wir auch ausschließen.«

Frau Schwarz warf ihm einen verächtlichen Blick zu. Er wollte sich wehren und ging zum Gegenangriff über: »Eigentlich benutzen wir keine Latex-Handschuhe. Erstens sind sie zu dick und man kann nicht alles richtig fühlen und zweitens ...« Er hob dozierend den Zeigefinger und versicherte sich mit einem Rundblick, dass ihm auch alle zuhörten.

Weller stöhnte noch: »Och bitte, erspar uns das jetzt.«

Doch Rupert legte los: »In der Lebensmittelproduktion – wo

auf Hygiene äußerster Wert gelegt wird – dürfen Latex-Handschuhe nicht verwendet werden. Es könnten sich nämlich Latex-Proteine von den Handschuhen lösen und die Lebensmittel verunreinigen.«

»Echt jetzt?«, fragte Jessi.

Rupert gefiel sich in der Rolle des Erklärers: »Ja, Jessi, es gibt nämlich Menschen, die sind allergisch gegen Latex und könnten dadurch sogar einen Schock erleiden.«

»Das Portemonnaie leckt ja niemand ab«, verteidigte Elisabeth Schwarz sich.

Damit gab sie Rupert eine Steilvorlage: »Nein«, lächelte er milde, »aber später im Labor führt das vielleicht bei der Spusi zu falschen Rückschlüssen.«

Er zog seine Einweghandschuhe aus der Tasche und zeigte die schwarzen Dinger wie kleine Weltwunder vor: »Das kann bei Nitril-Handschuhen nicht passieren.« Nach einer kleinen Pause fügte er in Richtung Jessi hinzu: »Die gibt's auch in Pink, hat Beate gesagt.«

Weller echote: »Hat Beate gesagt. Ich glaub es nicht«

Nur selten hatte ein Untersuchungshaftbefehl solche Freude ausgelöst. Marion Wolters hätte die Leitende Oberstaatsanwältin am liebsten vor Begeisterung geküsst.

»Es besteht Flucht- und Verdunkelungsgefahr«, sagte Meta Jessen knapp.

»Tschakka!«, jubelte Marion.

Meta Jessen reagierte auf die so unverhohlene Freude mit einer langen, geradezu genussvollen Ausführung: »Es wurde längst noch nicht alles ausgewertet, was wir beschlagnahmt haben. Das könnte noch Wochen dauern. Aber es reicht schon, um Meyerhoff erst mal dem Haftrichter vorzuführen. Er hat sich nämlich schwer in der Altersgruppe vergriffen. Offensichtlich hat er auch verschwitzte Unterwäsche auf Schulhöfen und in Sportvereinen gekauft. Von Schülerinnen! Zwölf-, Dreizehnjährige! Sie dachten sich angeblich nichts dabei. Dafür können wir ihm jetzt die Gelegenheit geben, etwas länger darüber nachzudenken … «

»Wenn er nicht gelogen hat, wohnt er bei einem Kollegen in Wittmund. Den gucken wir uns gerne auch genau an, wenn wir ihn da abholen«, versprach Marion.

»Der sieht mir aus wie einer, der leicht durchdrehen und gewalttätig werden kann. Seid vorsichtig und macht das am besten mit einem Mobilen Einsatzkommando«, riet Meta Jessen.

Die anderen waren noch in Norddeich. Marion nahm Meta Jessens Worte mehr als freundlichen Vorschlag und nicht als klare Dienstanweisung, da sie selbst zu gern bei Meyerhoffs Verhaftung dabei sein wollte – so einen Genuss überließ sie doch keiner Truppe von Jungspunden aus Aurich.

Marion Wolters schickte die freudige Botschaft in die Whatsapp-Gruppe *Matjes – Wir sind die Guten.*
Wir dürfen ihn uns holen!

Zu der Gruppe gehörten Frank Weller, Rupert, Ann Kathrin Klaasen, Sylvia Hoppe und Jessi Jaminski, die die Gruppe für alle eingerichtet hatte, um ein Zusammengehörigkeitsgefühl zu erzeugen.

Jessi antwortete als Erste: *So hat jeder Tag doch noch etwas Schönes!*

Die ersten Gäste brachten das Gerücht ins Café *ten Cate*, der alte Herr Steinhauer sei tot im Strandkorb gefunden worden. Ermordet.

Monika Tapper erschrak. Sie kannte und mochte den alten Herrn. Er war ein Stammgast, der jedes Jahr während seines Urlaubs mindestens zweimal wöchentlich ins Café kam. Er saß nachmittags gern draußen und sah den Touristen auf der Osterstraße zu. Morgens war er lieber drinnen und las Zeitung. Er hatte als Norddeich-Liebhaber das *Ostfriesland Magazin* abonniert und suchte gern Orte auf, über die er dort gelesen hatte. Er aß mit Vorliebe Ostfriesentorte. Er erwähnte bei jedem Stück, dass der Arzt es ihm eigentlich verboten hatte. Er sollte nichts Süßes essen. Keine Torten, keine Eiscreme und erst recht nichts mit Alkohol. Aber die vom Branntwein und Rum schwangeren Rosinen in der Ostfriesentorte fand er unwiderstehlich.

Monika erinnerte sich an seine Worte: »Die Ärzte wollen einem im Grunde verbieten zu leben«, hatte er gelacht. »Dabei lebe ich doch so gerne! Ich esse heute sogar zwei Stückchen.«

Nun war er tot. Sie hatte ihn gestern noch im Café bedient.

Sie schrieb an Ann Kathrin: *Stimmt das mit Herrn Steinhauer? Er war Stammgast bei uns. Ein ganz Lieber.*

Ann Kathrin nutzte die Gelegenheit und besuchte, noch bevor der offizielle Rummel mit Dienstbesprechung und Presseinformation begann, ihre Freundin im Café.

Ein wolkenlos warmer Tag kündigte sich an. Zum Glück brachte der Nordwestwind Kühlung in die Stadt.

Ann Kathrin und Monika zogen sich für das private Gespräch ins Büro zurück. Aus der Konditorei roch es nach Mandeln, Tonkabohnen, Marzipan und Baumkuchen. Eine große Rolle wurde gerade hergestellt.

Sophie Hauser stand daneben und schaute zu, wie die Masse an der offenen Flamme abgebrannt wurde. In ihr reifte der Wunsch, eine Ausbildung zur Konditorin zu machen.

Jörg Tapper hatte ihr erklärt, dass Baumkuchen früher hauptsächlich im Winter gemacht wurde. Heute wurde er im Café ganzjährig verkauft. Es sei in vergangenen Zeiten der *Königskuchen* gewesen, also der *König der Kuchen* und nur in königlichen Häusern gebacken worden.

Monika erzählte Ann Kathrin einfach, was ihr zu Herrn Steinhauer einfiel: »Er hat in Oberhausen gewohnt und in Dinslaken gearbeitet, als ...«, Monika überlegte einen Moment, um nichts Falsches zu sagen, »als Anlagenmechaniker für Sanitär-, Heizungs- und Klimatechnik. Ich glaube, er hatte sogar eine eigene Firma. Ich habe mal Klempner gesagt, aber das hörte er gar nicht gerne. Er war Witwer, machte aber gerne dort Urlaub, wo er mit seiner Frau in glücklichen Tagen gewesen war. Er hat oft von ihr gesprochen. Ich glaube aber, er hatte sich neu verliebt. Er hat es nicht wirklich gesagt, vielleicht gestand er es sich nicht mal selbst ein oder hatte das Gefühl, seiner toten Frau untreu zu werden. Aber man konnte es ihm irgendwie anmerken. Er war so aufgekratzt und hat sich hier öfter mit einer Witwe getroffen. Ich denke, die haben ihren Urlaub abgestimmt, um immer *zufällig* gleichzeitig in Norden zu sein. Sie heißt ... Warte, ich hab's gleich ... Uschi ... oder Ursula ... Sie war auf jeden Fall aus Gelsenkirchen. Sie haben sich hier bei einer Krimiführung in Lütetsburg kennengelernt. Vielleicht weiß Susanne Roth mehr darüber. Die macht doch die Krimi-Stadtführungen und ...«

Ann Kathrin nickte kurz. Sie kannte die Stadtführerin gut und nahm sich vor, noch mit ihr zu sprechen.

Sie zeigte ihrer Freundin Monika Fotos von Valentina und

Silke Humann: »Hast du Herrn Steinhauer mal mit einer dieser beiden Frauen gesehen oder gar mit beiden gemeinsam? Waren die vielleicht sogar mal gemeinsam hier?«

»Die beiden ersten Opfer?!«, sagte Monika. »Nein, mit denen habe ich ihn nie bei uns gesehen.« Sie lächelte. »Ich glaube nicht, dass ihn so junge Frauen interessierten. Er flirtete gern, aber innerhalb seiner Altersgruppe ... Er konnte wirklich sehr charmant sein.«

Der Baumkuchenduft weckte in Ann Kathrin Wünsche. Sie bat Monika um ein Stück. Während sie aß, füllte Monika ein Tablett mit Leckereien für die Dienstbesprechung in der Polizeiinspektion auf.

Erst beim Essen bemerkte Ann Kathrin, wie hungrig sie wirklich war. Sie hatte noch nichts gefrühstückt, und auch das Abendessen gestern war ausgefallen.

Während Monika Torten- und Kuchenstücke zu einem farblichen Gesamtkunstwerk ordnete, fiel ihr noch etwas ein: »Herr Steinhauer hat hier mal den Künstler Horst-Dieter Gölzenleuchter getroffen. Die zwei kannten sich. Das war ein großes Hallo. Herr Steinhauer besaß ein oder zwei Gölzenleuchter-Holzschnitte oder Drucke, das weiß ich nicht mehr so genau. Vielleicht kann Jörg dir mehr erzählen, der hat sich damals auf einen Espresso zu den beiden an den Tisch gesetzt, weil er den Gölzenleuchter auch sehr mag.«

»Und wo ist Jörg jetzt?«

»Der ist doch Obermeister der Konditoren in Ostfriesland und im Bundesvorstand. Heute ist er in Berlin beim Arbeitskreis Ausbildung fürs Konditorenhandwerk.«

Ann Kathrin sah sich die Zusammenstellung der Teilchen an. Monika baute noch eine Marzipantulpe ein.

»Das sieht wirklich köstlich aus«, freute Ann sich. »Die

Kollegen können ein bisschen Aufmunterung auch wirklich gebrauchen.«

Mit dem Kuchentablett ging Ann Kathrin vorbei an der Schwanen-Apotheke über den Markt zur Polizeiinspektion.

Bald würden sie umziehen, in ein neues, großes, funktionales Gebäude auf dem ehemaligen Doornkaat-Gelände. Alle hatten über den viel zu kleinen alten Bau am Markt gemeckert, aber jetzt kamen Verlustgefühle auf. Die Inspektion sah – besonders um die Weihnachtszeit – aus wie ein Knusperhäuschen aus Lebkuchen mit Zuckerguss. Im Sommer hätte man sie mit einer gemütlichen Frühstückspension verwechseln können, wäre da nicht dieses kleine, verhuschte, blau-weiße Schildchen *Polizei* gewesen. Keine Leuchtschrift. Nichts Einschüchterndes. Alles, selbst die Möbel, aus den sechziger Jahren, erweckte eher den Eindruck, hier würde niemals etwas wirklich Schlimmes geschehen. Wahrscheinlich ging es dort nur um verlorene Handtaschen oder gestohlene Fahrräder. Niemand sah dem historischen Gebäude an, dass hier schon Serienkiller überführt worden waren, ja, im Laufe der Jahre war es zu einer Mausefalle für Serienkiller geworden. Sie konnten unangetastet eine Spur der Verwüstung durchs ganze Land ziehen, wenn sie aber dumm genug waren, sich nach Ostfriesland zu verirren, dann war dieser Küstenstreifen für die meisten Serientäter die Endstation. So zumindest ging die Legende in Kripokreisen.

Endstation Ostfriesland, sagten einige, anderer grenzten es noch weiter ein in *Endstation Norden*. Die älteste ostfriesische Stadt war durch die erfolgreiche Ermittlungsarbeit ihrer Polizei zu bundesweiter Berühmtheit gelangt.

Bürgermeister Florian Eiben kam Ann Kathrin entgegen. Auch im Rathaus wurden die drei Morde heftig diskutiert. Das

Interesse an einem raschen Ermittlungsergebnis war groß. Die Gäste sollten sich in der Stadt wieder sicher fühlen.

»Morde«, sagte Florian Eiben, »gehören in spannende Kriminalromane und -filme. Aber doch besser nicht in unsere Realität.«

Ann Kathrin nickte ihm zu: »Schön wär's. Aber leider haben wir es mit realen Mördern zu tun und nicht mit Literatur.«

Florian Eiben deutete auf das Tablett: »Geistesnahrung?«

»Ja. Monika Tapper hat uns gut versorgt.«

»Wenn du etwas brauchst, ruf an«, sagte er. Dann trennten sich ihre Wege. Er ging ins Rathaus, sie in ihre Dienstbesprechung.

Es war ein Tag wie gemacht für einen schönen Urlaub. Die Nordsee sah aus, als könne sie kein Wässerchen trüben, doch sie holte sich an diesem Tag einen Kitesurfer, der sich übermütig alleine viel zu weit rausgewagt hatte. Seine schwangere Freundin sah ihn nie wieder.

Amelie bewunderte die Sprünge der Kiter. Manchmal – wenn auch nur für ganz kurze Zeit – konnte man beim Zuschauen glauben, die Gesetze der Schwerkraft seien durch den Nordwestwind für ungültig erklärt worden.

Amelie wäre auch gerne durch die Wellen gejagt und durch die Lüfte geflogen, am liebsten auf Alex' Rücken. Sie kam mit immer neuen Vorschlägen: Sandburgen wollte sie bauen, von der großen Rutsche sausen, Eis essen, Muscheln sammeln. Doch ihre Mutter und Alex interessierten sich nur noch füreinander.

Sie sprachen ständig über so komisches Zeug, zum Beispiel

außerirdische Raumschiffe. Es klang manchmal für Amelie lustig, aber sie guckten dabei beide so ernst ... Alex erklärte ständig etwas, und Mama nickte häufig.

Amelie wünschte sich Alex als neuen Papa oder zumindest als Freund. Vielleicht mussten Erwachsene so sein, wenn sie anfingen, sich zu verlieben. Mit ihrem richtigen Vater hatte die Mama sich am Ende nur noch gestritten. Er schrie oft rum, und dann brüllte sie: »Schrei nicht so! Du weckst Amelie!« oder: »Siehst du nicht, dass du dem Kind Angst machst?!«

Mit Alex lachte Mama viel, und auch wenn sie beide ernst waren und erwachsenes Zeug diskutierten, stritten sie nicht und schrien sich nicht an. Ihre Mama und Alex wurden für Amelie so etwas wie Superhelden. Sie wollten die Welt retten. Sie planten etwas Gutes.

Amelie hätte gern dabei mitgemacht, doch sie schickten sie weg. Sie sollte mit den anderen Kindern spielen und lieb sein.

Mama hatte keine Apfelschiffchen mehr dabei und auch keine Möhren. Plötzlich durfte Amelie Pommes essen, so viel sie wollte, und auch an Eiscreme waren keine Bedingungen mehr geknüpft. Kein *erst nach dem Essen* oder *höchstens eine Kugel*. Sie wurde auch nicht ständig neu eingecremt. Sie musste nicht dauernd einen Schluck trinken. Das alles schien unwichtig geworden zu sein.

Einerseits fand sie Alex toll, aber andererseits auch wieder doof, denn seit er da war, durfte sie nicht mehr in Mamas Bett schlafen. Sie hatte zwar von Anfang an ein eigenes Zimmer gehabt, aber das war mehr so etwas wie ein Spielzimmer, in das sie sich zurückziehen konnte, wenn Mama mit ihrem Handy beschäftigt war.

Jetzt pappten Alex und Mama ständig zusammen. Sie waren ein bisschen wie Amelies klebrige Legosteine. Man bekam sie nur schwer auseinander, seitdem die Honigbonbons in der Legokiste geschmolzen waren.

Alex und Indra saßen nicht mehr im Strandkorb. Sie gingen aufgeregt miteinander diskutierend um den Spielplatz herum. Sie zogen Kreise um Amelie. Sie waren viel zu unruhig, um still im Strandkorb zu hocken. Sie mussten sich einfach bewegen, so aufgeregt, wie sie waren. Manchmal blieben sie kurz stehen. Alex zeigte in den Himmel oder wischte auf seinem Handydisplay herum, um Indra etwas zu zeigen.

Als Amelie zu ihnen lief, spürte sie, dass sie störte. Alex versprach ihr, später würden sie ins Waloseum fahren und sich das Skelett eines Pottwals anschauen, der hier an der Küste gestrandet sei. Alex behauptete, das Skelett sei noch viel größer als die Monster-Spielgeräte.

Amelie fand es zwar unwahrscheinlich, glaubte ihm aber. Alex strich ihr übers Haar. Er sah zufrieden aus. Die Dinge liefen gut für ihn. Indra befand sich schon völlig in seiner Welt. Bald schon würde sie zu einer wichtigen Mitstreiterin werden. Er plante, eine Kämpferin aus ihr zu machen. Sie würde ihn nicht nur decken, sie war nicht einfach nur eine Alibigeberin und Quartiermacherin. Er würde sie zur richtigen Soldatin ausbilden. Zu einer Kriegerin für die Menschheit. Er musste ihr nur erst beibringen, dass Amelie eine Außerirdische war.

Ja, das Kind gehörte zu ihnen. Das war typisch. Sie benutzten harmlose menschliche Hüllen, um nicht aufzufallen. Die Monster wandeln als schöne junge Frauen unter uns, als gebrechliche Männer, als Kinder oder Körperbehinderte. Jeder, der sie sah, hielt sie für völlig unschuldige Wesen, doch zum Glück hatte er die Gabe, sie zu erkennen. Er konnte sie riechen und ihre Aura lesen. In ihrer Nähe klingelten seine Ohren, und

er spürte ein Drücken in der Prostata, als würde sie auf Fuß-
ballgröße anschwellen.

Amelie musste sterben, das war klar. Er konnte es heimlich
ohne Indras Mitwissen tun und dann die trauernde Mutter
trösten. Das wäre der einfachste Weg. Völlig unkompliziert.
Größer aber wäre die Aktion, wenn es ihm gelänge, Indra dazu
zu bringen, es selbst zu tun. Das wäre der ultimative Treuebe-
weis. Ab dann könnte er sich ihrer Loyalität wirklich sicher
sein.

Ein erhebender Gedanke! Er atmete tief durch.

Aber wie konnte er einer Mutter klarmachen, dass sie ein
Alien geboren hatte? Wie war das überhaupt möglich, das
Böse in einem kleinen Kind zu erkennen und dann noch in
einem, das man selbst geboren hatte?

Er wusste nicht genau, wie diese Wesen es schafften, in
fremde Körper einzudringen, sie zu benutzen und schließlich
wie Marionetten zu besitzen. Sie wurden keine Menschen, da
war er sich ganz sicher. Sie blieben, was sie waren: außerirdische Wesen. Sie okkupierten Körper wie Kolonisten fremde
Länder.

Ja, das alles hatte viel mit Kolonialismus zu tun. Die Ko-
lonialherren fühlten sich kulturell überlegen. Sie hatten den
richtigen Gott und die Kolonialisierten natürlich den falschen.
Sie bemächtigten sich menschlicher Körper wie Kolonialisten
ganzer Kontinente. Vielleicht waren sie winzig klein ... Vielleicht nahm man sie mit der Nahrung auf oder atmete sie ein
wie Grippeviren ...

Er hatte auch schon befallene Tiere erlebt. Das erste war
sein Meerschweinchen gewesen. Er war zwölf, als es aus dem
Käfig ausbrach. Er suchte es überall in seinem Zimmer, aber
da war es schon lange nicht mehr. Er fand es in der Küche

unter der Spüle und wusste, dass es böse geworden war. Eine komplett andere Kreatur. Nicht mehr verschmust und kuschelig, sondern aggressiv.

Er konnte sich damals noch nicht erklären, was geschehen war, aber er tötete Toni – so hieß sein Meerschweinchen – mit einem Hammer. Nein, es tat ihm nicht leid, denn das war nicht mehr sein Toni, sondern irgendetwas anderes.

Er begrub das Tier im Garten. Es kam ihm vor wie eine Einkaufstüte – leblos und inhaltsleer.

Erst Jahre später las er Bücher über Prä-Astronautik und begriff, dass die Außerirdischen wieder da waren, falls sie die Erde überhaupt jemals verlassen hatten. Und er gehörte zu denen, die in der Lage waren, sie zu erkennen.

Er war – davon ging er aus – ganz sicher nicht der Einzige. Aber vielleicht wussten die anderen nichts mit ihren Fähigkeiten anzufangen oder verstanden nicht, wozu alles gut war, ja, hielten sich für verrückt, gingen zu Psychologen oder nahmen Tabletten. So, wie er damals mit seinen zwölf Jahren verwirrt über sich selbst war, weil er sein Meerschweinchen erschlagen hatte, ohne wirklich erklären zu können, warum.

Amelie sah zu ihrer Mutter rüber. Ihre Mama staunte Alex an. Er musste lange geschwiegen haben. Manchmal versank er mitten im Gespräch ganz in sich selbst. Indra wusste, dass stille Wasser tief waren. Eigentlich gefiel ihr das.

Alex sprach jetzt zu ihr, als käme seine Stimme aus einer anderen Welt. Einer Welt, die er tief in sich trug. Sie fühlte sich geehrt, weil er ihr sein geheimes Wissen anvertraute.

»Für die Welt«, sagte er, »war Edward Gein ein Irrer.«

»Wer«, fragte Indra, »ist Edward Gein? Ich habe nie von ihm gehört.«

Alex verzog bitter den Mund: »Doch, das hast du, Schönste,

glaub mir. Er war offiziell ein Serienkiller, der Menschen gehäutet hat. Er lebte in dem Kaff Plainfield, von dem die Welt ohne ihn niemals etwas erfahren hätte. Er hat nicht nur Leute umgebracht und gehäutet, sondern vor allen Dingen hat er Leichen ausgegraben und bei sich zu Hause genau untersucht. Dutzende.«

»Er war ein Grabräuber?«

»Ja, ein Grabräuber – so haben sie es dargestellt. Als sei er verrückt. Ein Nekrophiler. Aber weißt du, was ich glaube?« Er holte zu einer Geste aus, als könne er seine Gedanken in der Luft auffangen und einsaugen. »Nein, ich glaube es nicht, ich weiß es: Er hat die Leichen nicht geschändet, sondern untersucht. Er wusste nicht genau, dass es Außerirdische waren, aber er merkte, dass etwas mit ihnen nicht stimmte. Er hat sich die Leichen nur geholt, um Gewissheit zu bekommen. Er war auf der Suche nach der Wahrheit, ohne sie wirklich zu verstehen. Er kannte sie als lebende Personen in dem kleinen Plainfield. Er bekam jede Veränderung der Menschen mit und schließlich ihren Tod. Er hat dann die Leichen ausgegraben, um … «

Sie schüttelte sich. »Warum«, fragte sie, »hast du behauptet, ich hätte schon von ihm gehört? Wie kommst du darauf?«

Amelie lief zu ihnen. Sie unterbrachen das Gespräch. Amelie bat für sich und ihre Freunde Kadir und Sönke um ein Eis. Sie hatte ein sicheres Gespür dafür, dass Alex das Geld herausrücken würde. Mama und er wollten allein sein. Das war ihnen drei Eis wert. Zwei für ihre Freunde und eins für sie selbst.

Schon jubilierte sie mit den beiden großen Jungs und einem Zehneuroschein los.

Alex rief hinter ihnen her: »Aber das Wechselgeld bekomme ich zurück!«

Kadir drehte sich zu ihm um und zeigte den erhobenen Daumen. »Sie können sich auf mich verlassen, Mister!«

Ja, er rief *Mister*.

Alex nutzte die gewonnene Zeit, um Indra zu erklären, woher sie Ed Gein kannte. Das alles war schon Teil ihrer Ausbildung.

»Robert Bloch wurde durch Gein zu der Figur *Norman Gates* angeregt. Er schrieb den Roman *Psycho*. Durch die Hitchcock-Verfilmung kennt den jeder. Aber es ist eine völlige Fehlinterpretation. Weil Bloch sich Geins Verhalten nicht anders erklären konnte, machte er aus ihm jemanden, der mit dem Tod seiner Mutter nicht fertig geworden ist. Bloch war nicht der einzige Autor. Thomas Harris verarbeitete Ed Gein in seinem Roman *Das Schweigen der Lämmer* als Serienmörder Jame Gumb. Du erinnerst dich? Buffalo Bill ... der sich aus menschlicher Haut Klamotten geschneidert hat. Hannibal Lecter half dann Clarice Starling, ihn zu fassen.«

»Ich kenne den Film natürlich. Also, beide, *Psycho* und *Das Schweigen der Lämmer*. Aber ich habe nie vorher etwas von diesem Gein gehört.«

Sie fragte sich jetzt, woher Alex all das wusste. Seine Rückschlüsse erschienen ihr logisch, ja zumindest nachvollziehbar. Er war zweifellos der interessanteste Mensch, den sie je getroffen hatte. Er eröffnete ihr eine neue Welt. Diese Filme, die jeder kannte, hatten also einen Hintergrund, eine Inspirationsquelle, wovon die Menschen nichts wussten. Eine Dimension, die nicht jeder sofort begriff, und sie basierten auf einem Irrtum.

Sie fragte sich, ob es nicht besser war, jetzt hinter Amelie herzulaufen. Das schlechte Gewissen der Mutter regte sich. Sie hatte kein gutes Gefühl dabei, Amelie mit den beiden Jungs alleine zu lassen, doch Alex hielt sie fest: »Lass sie! Sie wächst gerade und lernt Freiheit. Sie ist viel weiter, als du denkst. Sie spielt für dich nur das kleine Mädchen, weil sie weiß, dass es dir gefällt. Guck dir die drei an. Sie ist da der Boss. Sie macht die Jungs zu ihren ...« Fast hätte er *Knechten* gesagt, aber er riss sich gerade noch zusammen und formulierte es anders: »Sie macht sie zu ihren Dienern.«

»Ja, sie spielt gern die Prinzessin«, sagte Indra.

Aber er sah das anders. »Nicht Prinzessin. Sie ist eine geborene Führerin. Eine Macherin. Eine, die die Dinge in die Hand nimmt und in der Lage ist, ihren Willen durchzusetzen, ja, anderen ihren Willen aufzuzwingen.«

Indra guckte ihn irritiert an. Dann lachte sie: »Ja, manchmal schafft sie das. Mit mir auf jeden Fall ...«

Alex nutzte die Zeit ohne Amelie, um Indra noch mehr zu erzählen. Er wollte sie weiter in seine Richtung beeinflussen. Es gab so viel, das sie wissen musste, bevor aus ihr eine richtige Kriegerin werden würde. Er begann mit der Geschichte von dem japanischen Piloten, der ein UFO gesehen hatte und, weil er darüber sprach und es meldete, ein Jahr Flugverbot bekam.

Sie staunte.

»Ja, so etwas wird immer sanktioniert. Die Militärs machen ein riesiges Geheimnis daraus, vermutlich im Auftrag ihrer Regierungen. Zum Beispiel gab es eine berühmte UFO-Sichtung Weihnachten 1980. Es war nordwestlich von London. Dort liegen zwei Militärstützpunkte im Rendlesham Forest. Ein Sergeant namens John Burroughs sah etwas Ungewöhnliches.«

Indra registrierte, dass Alex immer Namen und Orte sehr genau wusste. Auch Zeiten. Das alles hörte sich fast an wie eine wissenschaftliche Arbeit, wenn er darüber sprach. Er war dann sehr genau. Es war nicht *irgendwann in den Achtzigern,* sondern *Weihnachten 1980*. Wahrscheinlich wusste er auch den genauen Tag und die Uhrzeit. Sie fragte ihn nicht danach, doch sie ahnte es.

»John Burroughs benachrichtigte die Royal Air Force. Die Luft im Wald war wie aufgeladen, so erzählte er. Dazu grelle Lichter. Er konnte sich nicht erklären, was dort geschah, und holte Verstärkung. Sie gingen zu dritt hin. Sie sahen, wie sich etwas aus dem Wald zusammenzog und wegflog. Das alles ist in den Polizeiakten vermerkt. Nick Pope vom Verteidigungsministerium sprach sogar mit dem ZDF darüber. Neulich haben sie es noch auf ZDFinfo wiederholt. Es gab verbrannte Dreiecke im Wald, und die Spitzen der Bäume waren wie abgesägt. Alle Berichte wurden vom Militär unter Verschluss genommen. Das Objekt, das Burroughs und seine Leute gesehen hatten, war aber laut ihrer Aussage von mechanischer Natur und ganz sicher nicht menschlich. Mit einem Strahl aus der Luft wurde das Atomwaffenlager abgescannt, das die US-Truppen dort lagerten und das es offiziell überhaupt nicht gab. Am nächsten Tag wollte ein stellvertretender Kommandeur beweisen, dass das alles völliger Quatsch war, und ging selbst hin, um es sich anzusehen. Er sprach alles auf Band. So wurde es die bestdokumentierte UFO-Sichtung der Welt, denn während sie erhöhte Radioaktivität feststellten und den Vorfall vom vorherigen Abend untersuchten, landete das UFO erneut. Alles wurde live auf Tonband mitgeschnitten.«

Warum erzählt er mir das alles, fragte Indra sich. Er steht so sehr unter Druck, das muss einfach raus. So, als würde er sonst platzen und könne sich anderen Menschen nicht anvertrauen. Wahrscheinlich werden viele ihn für einen Spinner halten.

Sie selbst glaubte nicht, dass er ein Spinner war. Eher jemand mit einer klaren Meinung, ja, einer Botschaft.

»In Maine, in den USA, ereignete sich 1975 etwas Ähnliches. Auch dort lagerten übrigens Atomwaffen. Die Außerirdischen wollen wahrscheinlich wissen, welche Waffen wir ihnen im Ernstfall entgegensetzen können. Der UFO-Forscher Richard Dolan hat ein Buch darüber geschrieben.«

»Glaubst du«, fragte Indra, »dass wir von Außerirdischen beherrscht werden? Dass sie bereits in der Regierung sitzen?« Sie schützte ihre Augen mit einer Hand, die sie sich gegen die Stirn hielt. Die Sonne blendete sie. So, wie er stand, hatte er durch die Sonnenstrahlung einen Heiligenschein. Er kam ihr heldenhaft vor, wie ein Widerstandskämpfer, der bereit war, sein Leben zu riskieren, um ein schlimmes Regime zu stürzen.

»Die Gesellschaft ist längst durchdrungen von ihnen. Sie sind überall, und natürlich versuchen sie, wichtige Posten zu besetzen. Im Militär und in der Regierung. Kennst du das neue Buch von YoLo2 und Finn-Henrik Bohlens? Es heißt: *Sie sind längst gelandet.* Das sind zwei clevere Leute. Ich habe eine Veranstaltung von ihnen besucht. Ich kann dir das Buch gerne leihen.«

Amelie und die beiden Jungs kamen mit Eisbechern, verbotenerweise durch die Dünen, angerannt. Amelie dirigierte die Jungs. Sie taten tatsächlich, was sie sagte, teilweise in vorauseilendem Gehorsam. Sie wetteiferten darum, wer ihr bester Freund war.

Indra gefiel es, so eine selbstbewusste Tochter zu haben, die sich nicht unterbuttern ließ, wie sie selbst es ein Jahrzehnt lang hatte mit sich machen lassen.

Alex sah die heranwachsende Alienkraft. Sie war einfach viel zu klug für ihr Alter. Ihm wurde heiß und kalt bei dem Gedanken, dass sie möglicherweise intelligenter war als ihre Mutter und er zusammen. Wahrscheinlich stellte sie sich einfach nur kindlich an und versuchte, wie ein normales Kind zu sein, so wie der Rentner mit dem Rollator gestern den gebrechlichen alten Mann gegeben hatte. In Wirklichkeit war er garantiert stärker gewesen als jeder Profiringer.

Er selbst hatte sich als kleiner Junge manchmal auch dümmer gestellt, als er war. Wie lange hatte er vor seinen Eltern so getan, als würde er immer noch an den Weihnachtsmann glauben? Welch ein Blödsinn! Er wusste längst, von wem die Geschenke kamen. Er tat es nur, um sie nicht zu enttäuschen und weil er Angst hatte, es würde keine Geschenke mehr für ihn geben, wenn er ihnen sagte, dass er Bescheid wusste.

Wolf Eich hatte einen Spaziergang am Deich gemacht, und es war etwas geschehen, wovon er oft gehört, doch woran er nie geglaubt hatte: Plötzlich, beim Blick aufs Meer, tat sich am Horizont für ihn etwas Neues auf. Es war, als würden die Antworten auf seine Fragen aus dem Meer aufsteigen. Der Nordwestwind packte ihn und riss die lähmende Kraft, die ihn gefesselt hatte, einfach weg.

Er öffnete erst die Hände, dann den Mund, um den Wind besser zu spüren. Er fuhr in ihn hinein wie eine heilende Kraft. Eine bewusstseinsklärende Energie aus dem Inneren des Planeten. Eine Urgewalt wies ihm den Weg aus seiner persönlichen Krise.

Plötzlich wurde ihm alles ganz klar. Er war hierhergekommen, um einen neuen Lebensabschnitt zu beginnen. Er klammerte sich noch viel zu sehr an Altem fest. Es kam aber darauf an, loszulassen und die neuen Chancen zu nutzen.

Jetzt, mitten in der Lebenskrise, bot sich ihm die Möglichkeit für einen Neuanfang. Für eine neue Qualität nie gekannten Glücks. Für Selbstbestimmung!

Scheiß auf alles, schien die Nordsee ihm zuzurufen. *Scheiß auf deine Exfrau und deinen Exfreund!*

Auf einmal löste der Blick aufs Meer einen inneren Sturm in ihm aus. Er war sofort bereit, sich von der Fernsehserie zu verabschieden. Zu lange hatte er daran gelitten. Er hatte keine Lust mehr, als Lohnschreiber die klischeehaften Vorstellungen seiner Auftraggeber zu bedienen. Das Geld lockte ihn nicht mehr.

Wie viele Jahre, dachte er, habe ich mich freiwillig zum Knecht gemacht, nur um genug Geld zu verdienen. Damit habe ich mir Sachen gekauft, um Leute zu beeindrucken, die mich eigentlich genauso wenig leiden konnten wie ich sie. Ich habe so wenig an mich selbst geglaubt, mich für so wenig liebenswert gehalten, dass ich sogar versucht habe, mir Freunde, Ansehen und die Liebe zu kaufen wie Kleidungsstücke. Was war ich nur für ein Idiot! Kein Wunder, dass sie mich mit diesem treulosen Arsch betrogen hat. Jetzt zeigen die beiden mir wenigstens ihr wahres Gesicht. Jetzt geht es nur noch um Zaster.

Er sollte weiterblechen, das war ganz klar. Aber er würde ihnen einen Strich durch die Rechnung machen. Er konnte sein Einkommen mühelos herunterschrauben.

Er wollte endlich seine eigenen Ideen umsetzen. Kompromisslos. Im Grunde interessierten ihn die Abenteuer auf dem Ponyhof, für die er gerade die zweite Staffel schrieb, überhaupt nicht. Er fühlte tief in sich drin einen Stoff reifen. Ja, darüber wollte er schreiben! Über Dinge, die ihn selbst wirklich betrafen. So komisch und pervers war er doch nicht, dass Abgründe, die ihn faszinierten, für den Rest der Welt uninteressant waren.

Er wollte richtig recherchieren, statt bei Google nach der

Wahrheit zu klicken. Er war mittendrin in einem Kriminalfall. Warum mussten Valentina und ihre Schwester sterben? Er würde selbst ermitteln und sich auf die Suche nach der Geschichte hinter den Morden begeben.

Sein nächstes Drehbuch würde einen realen Fall erzählen. *True Crime.*

Er hatte mit beiden Opfern geschlafen, und er war in Valentina immer noch verliebt. Wer sollte denn diese Geschichte schreiben, wenn nicht er?

Er begann, sich als Figur seines eigenen Buches selbst zu erfinden. Welch ein Gefühl! Klar war er aus Sicht der Polizei erst einmal verdächtig. Sollten im Film die Zuschauer sofort wissen, dass er unschuldig war? Ja, der Gedanke gefiel ihm. Das ergab schon mal ein schlüssiges dramaturgisches Konzept. Die Zuschauer sollten mehr wissen als die Polizeiermittler und sich ihnen dadurch überlegen fühlen. Anders als in ihrem Alltag sollten sie sich bei ihm nicht unterlegen vorkommen. Er, als unschuldig Verdächtigter, hatte sowieso alle Sympathien auf seiner Seite, wenn die Leute wussten, dass er unschuldig war.

Er würde seine Geschichte erzählen und auch wenn er eigentlich mit der Schauspielerei durch war, liebäugelte er jetzt durchaus damit, diese Rolle selbst zu spielen. Wer sollte es authentischer rüberbringen können als er?

Er kannte bei der ARD mindestens zwei Redakteurinnen, denen die Geschichte garantiert gefallen würde, und beim ZDF einen Redakteur, der für so etwas offen war. Er entschied sich für die Öffentlich-Rechtlichen, weil er nicht wollte, dass sein Film von Werbung unterbrochen werden würde. Auch bei Netflix kannte er gute Leute, aber er rief jetzt noch niemanden an. Er behielt erst mal alles für sich und begann mit der Recherche.

Gab es jemanden, der vom Tod der Schwestern profitierte?

Was hatte es mit diesem ermordeten Rentner auf sich? Der störte irgendwie in der Geschichte.

Er sah sich auf Silkes Instagram- und Facebook-Accounts um. Er fand zwei Bilder, die Silke und Valentina mit einem jungen Autor zeigten. Er stand strahlend zwischen den Schwestern. Es war kein Selfie. Eine vierte Person musste das Bild gemacht haben. Valentina hielt sogar ihren Hund im Arm. Auf einem Foto hatte der Autor wilde, krause Haare und die Augen geschlossen.

Unter den Fotos stand: *Ein aufregender Abend mit Finn-Henrik Bohlens. Er hat uns über UFO-Sichtungen aufgeklärt und sein Buch mit einem Herzchen signiert. Ein lockerer Typ! Es war meine erste Autorenlesung. Meine Schwester hat mich mitgeschleppt. Unser erstes Treffen seit drei Jahren. Oder sind es schon vier? Bin echt nur ihr zuliebe mitgegangen, aber dann war es viel spannender, als ich vorher dachte. Also, Leute – wenn Finn-Henrik Bohlens in eure Gegend kommt, nicht verpassen, hinzugehen! Ein unterhaltsamer Abend erwartet euch. Die nächsten Vorträge sind in Achim, Brake, Bremerhaven, Wremen, Wennigsen, Harpstedt, Bassum, Bremervörde, Soltau und Filsum.*

Valentina war immer die große Leserin gewesen. Silke fand das Leben spannender. Valentina war die Tiefgründige, Silke eher die Oberflächliche. Valentina langweilte Smalltalk. Sie wollte immer allen Dingen auf den Grund gehen. Sie fragte nach dem Warum, Silke mehr nach dem Wie.

Wolf Eich suchte nach diesem Finn-Henrik Bohlens im Internet. Sein Co-Autor war ein sehr umstrittener Mann, YoLo2, mit bürgerlichem Namen Johannes Loschinski. Auf den beiden Fotos sah er ihn nicht.

Jahrelang waren die Schwestern in einer Art Hassliebe verbunden gewesen und sich immer aus dem Weg gegangen. Dann versuchten sie gemeinsam einen Neuanfang, besuchten diese Veranstaltung und buchten danach einen Urlaub in Norddeich. Während des Urlaubs wurden sie umgebracht.

Er hätte nicht sagen können, warum, aber ihn beschlich das Gefühl, Valentina und Silke könnten noch leben, wenn sie diesen Vortragsabend in der Rohrmeisterei in Schwerte nicht besucht hätten und stattdessen woandershin gegangen wären.

Sein Verstand rebellierte dagegen. Es gab keinerlei Anhaltspunkte für diese Annahme, aber er hörte, wenn er schrieb, auch nicht auf seinen Verstand, sondern ließ sich von etwas leiten, das er Intuition nannte.

Er ging aus dem *Reichshof* rüber in die Buchhandlung *LeseZeichen,* um sich das Buch zu bestellen. Das war aber gar nicht nötig, denn dort waren drei Exemplare vorrätig. Das Buch hieß: *Sie sind längst gelandet.*

Ann Kathrin Klaasen, Marion Wolters und Frank Weller saßen schon im Dienstwagen, um nach Wittmund zu fahren, aber Jessi hatte am traditionellen Umschlagplatz für geheime Nachrichten, dem Kaffeeautomaten, von ihrem Einsatz gehört und bat, mitkommen zu dürfen. Weller war dagegen, aber Ann Kathrin nickte knapp, und Jessi stieg mit den Worten ein: »Danke, das möchte ich nicht verpassen!«

Marion geheimniste: »Er ist bei einem Freund in Wittmund.« Nach einer Sprechpause, die es spannender machen sollte, fügte sie hinzu: »Leider ein unbeschriebenes Blatt. Herr

Vincent Mammen ist ein unbescholtener Mann.« Sie stupste Frank Weller an. »Er hat viel mit dir gemeinsam.«

»Häh?!«

»Geschieden. Zwei erwachsene Töchter.«

Weller protestierte: »Ich bin verheiratet!«

»Das kann ich bestätigen«, flachste Ann Kathrin und hielt ihre Hand mit dem Ehering hoch.

Marion fuhr. Ann und Jessi saßen hinten.

Ann Kathrin fragte: »Was weißt du über Wittmund, Jessi?«

Sie antwortete, ohne nachzudenken: »Wittmund ist flächenmäßig die größte Stadt Ostfrieslands, hat aber weniger Einwohner als Norden. Und nur halb so viele wie Emden oder Leer. Dort ist das taktische Luftwaffengeschwader 71 stationiert. Zwei Dutzend Eurofighter, glaube ich. Die sogenannte *Alarmrotte*.«

Weller lachte: »Ich glaube, Jessi, Ann meinte, was du über die Situation der Polizei in Wittmund weißt.«

»Ach so. Entschuldigung.« Jessi sprudelte gleich weiter: »Das Kommissariat ist auch für die Inseln Spiekeroog und Langeoog zuständig. Ihnen sind in letzter Zeit zwei große Coups gelungen. Sie haben eine kriminelle Autoschieberbande hopp genommen und eine internationale Gruppe von Geldautomatensprengern einkassiert. Sie gehören zu uns oder wir zu ihnen, ganz wie du willst. Frau Schwarz ist auch ihre Chefin – also die der Wittmunder Kollegen.«

Marion Wolters grinste, weil Jessi so übereifrig schien.

Sie hörten noch eine Weile Musik und freuten sich darauf, Meyerhoff festzunehmen. Auf der Bundesstraße 210 fuhren sie an dem Phantom-Denkmal vorbei. Das Kampfflugzeug sah aus, als wolle es gerade starten. Weller nannte es beim Spitznamen: »Das Eisenschwein.«

Ann Kathrin wandte ein: »Wir hätten mit zwei Fahrzeugen zum Einsatz fahren sollen. Wenn wir ihn einkassieren wollen, wird es eng hier drin.«

Sie hielten am Kurt-Schwitters-Platz, vor der Stadtverwaltung, und gingen den Rest zu Fuß. Vincent Mammen war nicht zu Hause, aber eine Nachbarin erzählte, er sei mit seinem Freund zum Eis essen in die Innenstadt gegangen. Vermutlich ins *Venezia* in der Drostenstraße, da sei Herr Mammen Stammkunde. Im Sommer mindestens dreimal pro Woche.

Die Entscheidung, Meyerhoff in aller Öffentlichkeit in der Fußgängerzone festzunehmen, löste bei Marion Wolters Heiterkeit aus. Das war ihrer Meinung nach genau das, was dieser Typ brauchte: öffentlich vorgeführt zu werden!

Auf dem Weg in die Drostenstraße wurde Jessi nervös. »Wie machen wir das jetzt?«

Ann Kathrin belehrte sie freundlich: »Rupert würde vermutlich einen großen Auftritt daraus machen, zur Waffe greifen und etwas rufen wie ... « Sie ahmte ihn nach und ging nun wie ein Cowboy, der zu lange auf dem Pferd gesessen hatte und vor Tatendrang kaum laufen konnte: »Hände hoch, ihr blöden Schweine!«

»Ja«, nickte Jessi, »so ähnlich würde er es machen.«

Sie guckte auf den Boden. Sie befanden sich auf der Meile *Hands of Fame*. Die Hände berühmter Zeitgenossen waren hier auf Tonplatten, die im Wittmunder Klinkerwerk gebrannt wurden, verewigt.

In Hollywood waren es Sterne für Filmstars, hier in Wittmund ging es mehr um Bundespräsidenten, Komiker, Boxer und Schriftsteller.

Jessi hatte viel Respekt vor den Händen und fand die ganze Idee großartig. Irgendwie war das für sie identitätsstiftend. Sie vermied es, darauf zu treten. Weller hingegen latschte achtlos darüber.

»Hey«, rief Jessi, »du hast gerade Otto auf die Finger getreten!«

»Na, hoffentlich kann der trotzdem noch zeichnen«, grinste Weller und knüpfte am vorherigen Gespräch an: »Da Rupert nicht da ist, machen wir es auf die höfliche, sprich elegante Art.«

»Nämlich?«, fragte Ann Kathrin gespielt neugierig.

»Wir sagen: Bitte machen Sie uns keine Schwierigkeiten. Sie sind vorläufig festgenommen. Folgen Sie uns unauffällig, es muss ja nicht jeder mitkriegen.«

Marion guckte enttäuscht. Ruperts Methode gefiel ihr in diesem Fall viel besser. »So eine Gentleman-Festnahme hat der gar nicht verdient«, maulte sie.

»Vielleicht«, hoffte Ann Kathrin, »wird dieser Vincent Mammen ja gesprächig.« In Richtung Jessi erläuterte sie ihre Vermutung: »Wenn mehrere Personen sitzen und einer wird verhaftet, gibt es grundsätzlich zwei völlig unterschiedliche Reaktionen. Besonders wenn Alkohol im Spiel ist oder eine andere Droge, geht der Hass gegen die Polizei. Die Anwesenden verbrüdern sich und stellen sich schützend vor ihren Kumpel. Dann gibt es Ärger. Am besten ruft man sofort Verstärkung. Aber es passiert oft auch genau das Gegenteil, vor allen Dingen, wenn es keine große Gruppe ist. Kein Kegelverein oder so, sondern nur zwei beim Kaffeetrinken. Dann ist der andere oft erleichtert, dass wir nicht kommen, um ihn zu holen. Dem kannst du dann das schlechte Gewissen ansehen. Sie sind froh, dass der Blitz nicht sie trifft, sondern nebenan einschlägt. Die belasten dann oft den Delinquenten, um sich so besonders scharf von ihm abzugrenzen.«

Weller zitierte: »Oh! Ich hab dir immer gesagt, das geht nicht gut, Egon … irgendwann musste der ganze Mist ja mal auffliegen. Ich bin froh, dass es endlich vorbei ist.«

Ann Kathrin nickte: »Ja, so oder ähnlich. Wir müssen also erst genau die Situation analysieren. Haben wir es mit einem Singvogel zu tun oder mit einem Stier, für den wir ein rotes Tuch sind und der auf uns losgeht. Die Kumpane sind oft aggressiver als die Typen, die wir einkassieren wollen.«

»Zehn Euro auf Singvogel«, bot Marion.

»Das habe ich nicht gehört«, sagte Ann Kathrin kopfschüttelnd.

Weller zog einen Zehneuroschein und hielt ihn Marion hin. »Die Wette gilt!«

Ann Kathrin verzog den Mund und sagte zu Jessi: »Ich mag das nicht. Es ist kein Spiel.«

Gerd Thellmann vom *Verein Hands of Fame* kam ihnen entgegen. Er lachte Ann Kathrin an: »Deine Hände gehören ja eigentlich auch längst hierhin, Ann Kathrin!«

Weller und Jessi stimmten sofort zu.

Ann Kathrin guckte plötzlich wie eine schüchterne Schülerin, die für einen Aufsatz gelobt wurde, den sie nicht selbst geschrieben hatte. Diese Seite kannte Weller an seiner Frau noch gar nicht. Er konnte nicht anders. Er gab ihr in seinem Überschwang einen fetten Kuss auf die Wange.

»Ach, Thelly«, sagte sie, »du machst Spaß.«

Gerd Thellmann wusste natürlich nicht, dass diese gutgelaunten Menschen zu einem Polizeieinsatz gingen. Sie kannten sich gut. Als Vorsitzender des Vereins *Kinder in Not* hatte er Lebensmittel und Babynahrung gesammelt und direkt zu Beginn des Krieges in die Ukraine gefahren. Ann Kathrin hatte in der Inspektion für die Aktion gesammelt.

Irgendwie hatte Thelly aufgeschnappt, dass sie zur Eisdiele gingen. Vielleicht war es auch nur eine Vermutung. Normalerweise hätte Ann Kathrin ihn dort auch gerne auf einen Kaffee eingeladen, doch jetzt musste sie versuchen, ihn loszuwerden, um ihn nicht zu gefährden.

Die Innenstadt war voll mit flanierenden Besuchern. Ann Kathrin flüsterte: »Wir sind beruflich hier. Es geht um eine Festnahme.«

»Oh«, staunte Thelly, »im Ernst?«

Sie waren keine fünfzig Meter von der Eisdiele entfernt. Marion Wolters sah Meyerhoff schon breitbeinig draußen sitzen und in einem großen Eisbecher herumstochern. Der zweite Mann an seinem Tisch war Mitte siebzig, sah aber aus wie Anfang sechzig. Seit der Pensionierung ging es ihm täglich besser. Mit fünfzig war er gesundheitlich und nervlich so gut wie erledigt gewesen. Heute fühlte er sich topfit und jünger als damals.

Er trank einen Latte macchiato und dazu ein Wasser ohne Kohlensäure. Er sah Thelly und winkte dem stadtbekannten Bürger zu. Thelly winkte freundlich zurück.

Meyerhoff guckte von seinem Eis auf. Er erkannte Jessi und Marion.

Er sprang auf. Der Eisbecher fiel um und stieß gegen Mammens Kaffeeglas. Der bekam einiges auf seine Hose und fluchte. Er verstand noch nicht, was los war.

Meyerhoff floh in Richtung Kirchstraße. Niemand hätte geahnt, wie schnell Marion Wolters laufen konnte. Sie spurtete hinter Meyerhoff her, bevor sich der Rest der Gruppe überhaupt in Bewegung setzte.

Herr Mammen stellte sich mit bekleckerter Hose und weit ausgebreiteten Armen den Polizisten entgegen, um sie zu stoppen und rief: »Hey, hey, hey!«

Ann Kathrin hielt ihren Polizeiausweis hoch und forderte: »Aus dem Weg! Dies ist eine polizeiliche Maßnahme! Bitte bleiben Sie alle ruhig!«

Jessi lief einfach an Mammen vorbei. Seine linke Hand berührte sie kurz, aber folgenlos.

Meyerhoff schrie: »Hilfe! Das Weib ist irre!«

Zwischen der Buchhandlung *Thalia* und der Drogerie *Rossmann* blieb er kurz stehen und griff sich an die Rippen. Er hatte Seitenstechen.

Marion war schon bei ihm. Meyerhoff schlug und trat um sich.

Weller packte Mammen und setzte ihn auf einen Stuhl. Einige Leute machten Fotos und filmten sogar. Weller drohte Mammen mit dem Zeigefinger: »Ich kann auch anders. Wenn Sie unsere Arbeit behindern, wird Ihnen das nicht gut bekommen. Sie können hier einfach ganz ruhig sitzen bleiben, dann wird Ihnen nichts geschehen.«

Thelly bot sich als Vermittler an. Ann Kathrin lehnte dankend ab.

Meyerhoff boxte gar nicht mal so talentlos und erwischte Marion mit zwei harten Körpertreffern. Ihr blieb die Luft weg. Er tänzelte jetzt vor Jessi herum und fauchte: »Na, brauchst du auch noch eine Fahrkarte?«

Damit war Meyerhoff bei Jessi genau an der richtigen Adresse. Sie verpasste ihm eine rechte Gerade durch seine Deckung. Seine Nase schwoll an und blutete. Er ließ die Arme schlaff runterhängen und machte zwei Schritte nach vorn. Er war schon k. o., er wusste es nur noch nicht. Orientierungslos taumelte er herum, bevor er zusammenbrach.

»Das sind die Frauen von heute!«, jubelte ein älterer Herr und klatschte Jessi Beifall.

Jessi fing den umfallenden Meyerhoff auf.

Jemand hatte die Polizei gerufen, und auch ein Rettungswagen war zu hören.

Marion brauchte ein paar Minuten, um sich von den Schlägen zu erholen. Sie japste.

Weller stand neben Marion und sagte: »Ich glaube, ich habe gewonnen. Kein Singvogel, sondern ein Stier.«

»Ist ja gut, ist ja gut, du hast gewonnen«, stöhnte Marion.

Das Treffen mit YoLo2 wurde urplötzlich an die Wurster Nordseeküste verlegt.

»Typisch für ihn«, sagte Finn-Henrik. »Er liebt es, Ort und Zeit von Treffpunkten zu verschieben. Er verhält sich manchmal völlig paranoid. Dann wieder denke ich, es sind sinnvolle Schutzmaßnahmen. Er will im Moment nicht in die Öffentlichkeit. Er widmet sich ganz der Forschung, und ich mache den Frontman. Ich stehe auf der Bühne, ich gebe Interviews und kurble den Buchverkauf an. Manchmal kündigen wir ihn mit an, und am Ende sage ich dann, dass er leider nicht kommen konnte, sondern das Publikum mit mir vorliebnehmen muss.«

Johannes Loschinski hatte akzeptiert, dass Sabrina mit dabei sein würde. Sie wollten sich in der Willehadi-Kirche treffen. Sabrina wunderte sich. Sie hatte an ein geheimes Gespräch in einer Privatwohnung gedacht, vielleicht in einem unverdächtigen Café oder einer dunklen Spelunke. An einen Spaziergang am Deich oder ein Meeting in einem anonymen Hotelzimmer. Aber nie wäre sie auf eine Kirche gekommen.

Doch je länger sie darüber nachdachte, umso schlüssiger

wurde eine Kirche für eine erste Begegnung. Kirchen waren fast immer offen. Man musste sich am Eingang nicht ausweisen. Es gab vermutlich wenig bis keinen Publikumsverkehr. Man konnte dort in Ruhe unbeobachtet sitzen und reden. Es gab garantiert keine Videoüberwachung.

Als sie auf das Gebäude zuschritten, fand sie es plötzlich stimmig, sich in einer Wehrkirche aus dem 12. Jahrhundert zu treffen.

Auf dem Kirchhof standen zwei große Grabplatten. Finn-Henrik blieb stehen und guckte sie sich ganz genau an. Sabrina wollte gerade sagen: »Wir sind nicht zur Besichtigung gekommen, das ist hier keine Sightseeing-Tour«, da deutete er auf die in Stein gehauenen Figuren, die wie durch Tore zu kommen schienen. Auf einem der Grabsteine war unten eine Zahl zu lesen: 1595.

Finn berührte die Zahlen mit dem Zeigefinger. »Schau sie dir an. Ich denke, das könnten Astronauten sein. Sie kommen aus ihren Hyperschlafkapseln.«

Für Sabrina sahen die Männer aus wie historische Figuren, mit Umhang und großem Hut. Für Finn-Henrik waren es keine Hüte, sondern Astronautenhelme.

Sabrina begleitete Finn-Henrik in die Kirche. Es war angenehm kühl. Sie glaubten, allein in der Kirche zu sein, und schritten durch die Bankreihen.

Da ertönte von oben eine Stimme: »Ich dachte schon, ihr kommt gar nicht mehr.«

YoLo2 hockte oben auf der Empore, die Ellbogen auf die Brüstung gelegt. Er bewegte sich so selbstverständlich in diesen Räumen, als ob sie ihm gehörten.

Er kam zu ihnen nach unten. Es war, als würde er sich dazu herablassen.

Er strahlte Würde aus, hatte etwas Erhabenes an sich, so als würden die weltlichen Gesetze für ihn nicht wirklich gelten.

Er trat auf, als sei es undenkbar, dass er so etwas Schnödes wie eine Steuererklärung machen oder für Geld arbeiten müsste.

Sabrina hätte nicht sagen können, was es genau war, aber sie spürte etwas Ehrwürdiges in seiner Nähe. Ja, er wirkte arrogant, aber nicht auf eine unsympathische Weise, sondern mehr beeindruckend, so als würde es ihm zustehen. Normalerweise reagierte sie allergisch auf Arroganz. Jetzt war das anders.

YoLo2 trug eine leichte Sommerjacke mit hochgekrempelten Ärmeln, darunter ein offenes weißes Hemd und eine weiße Jeans. Schwarze Lederschuhe.

Er umarmte Finn-Henrik und gab Sabrina die Hand. Sein Händedruck war energisch. Er lächelte sie an: »Sie sind eine kluge Frau. Sie haben sich einen der Besten geschnappt. Das …«, er klopfte Finn-Henrik auf die Schultern, »ist nicht nur einer der klügsten Köpfe unseres Landes, sondern ein mutiger Mann dazu.«

Sabrina gestand sich ein, dass YoLo2 sie mehr beeindruckte, als ihr lieb war. Sie fragte sich, wo der Außerirdische war.

YoLo2 konnte entweder Gedanken lesen, oder er sah es ihr an. Er beantwortete ihre nicht gestellte Frage: »Ja, Sie dürfen dabei sein. Gundula ist bereit, Sie zu treffen. Sie beide.«

Ein Schauer lief Sabrina über den Rücken, und das lag nicht an der kühlen Kirche.

»Gundula?«, fragte Finn-Henrik.

»Ja. Ihr bürgerlicher Name ist Gundula Frisch. Sie sitzt drüben im Restaurant *Börse*. Wir haben einen Tisch für vier reserviert. Es gibt dort guten Fisch, und die können in der Küche auch mit Fleisch umgehen.«

Finn-Henrik putzte seine feucht gewordenen Hände an den Hosenbeinen ab.

»Wir gehen also jetzt mit einem Alien essen, ja?«, fragte Sabrina.

»Nennen Sie sie bitte nicht so«, verlangte YoLo2. »Sie mag das nicht. Es klingt so abwertend.«

»Wie sollen wir sie denn nennen?«, fragte Sabrina.

Er antwortete: »Reden Sie sie einfach mit ihrem Namen an. Gundula. Gundula Frisch.«

Sabrinas Herz schlug schneller. Ihr war schwindlig vor Aufregung.

»Warum im Restaurant? Warum nicht hier?«, wollte Finn-Henrik wissen.

YoLo2 grinste: »Sie sieht Kirchen lieber von außen.«

»Und warum hast du dann diesen Treffpunkt gewählt?«, hakte Finn-Henrik nach.

YoLo2 legte einen Arm um ihn und zog ihn mit sich zur Tür: »Es war ein Test. Außerirdische scheuen Kirchen wie Vampire das Tageslicht. Sie wollte sichergehen, dass ihr echte Menschen seid.«

Die beiden Männer gingen voran, Sabrina hinterher.

Es roch gut in der *Börse*, doch Sabrina befürchtete, keinen Bissen runterzukriegen.

Gundula Frisch saß an einem Vierertisch am Fenster.

Sabrina schätzte sie auf Anfang fünfzig. Sie war pummelig und hatte schulterlange dunkelblonde Haare mit ein paar gefärbten Strähnchen drin. Für Sabrinas Gefühl war sie ein bisschen zu hysterisch geschminkt. Die Lippen knallig rot und um die Augen herum viel zu viel Blau und Schwarz. Sie hatte ein grobes Gesicht und versuchte vielleicht, durch Farben von ihrer dicken Nase abzulenken.

Sie hatte offensichtlich sehr schlechte Augen und trug eine Brille mit dickem Glas, die Sabrina völlig geschmacklos fand. Das Glas war nicht entspiegelt, so dass sie sich ständig selber sah, wenn sie Gundula anguckte.

Sie stellten sich vor, einigten sich darauf, dass man sich duzen wolle, und sprachen zunächst übers Essen. Die ausgesprochen freundliche Kellnerin zündete eine Kerze auf dem Tisch an und nahm die Getränkebestellung auf.

Gundula trank – wie sie sagte – bei dem Wetter gerne Weißweinschorle. Sofort stimmten alle ein. Sie orderten eine Flasche trockenen Weißwein und Mineralwasser mit Kohlensäure. Wenn das ein Vorzeichen war, dann deutete alles darauf hin, dass Gundula hier bestimmte, wo es langging.

Sie sprach über das Essen, als könne sie die Gerichte auf der Speisekarte bereits riechen und schmecken, während sie vorlas.

Sie war auf jeden Fall eine Frau, die wusste, was sie wollte. Sie bestellte eine Bouillabaisse von Nordseefischen und Muscheln mit Knoblauchbaguette. Als Hauptspeise ein Wolfsbarschfilet mit krosser Haut gebraten, auf einem Ragout von Lauch, Erbsenschoten und Tomatenwürfeln.

Sie sagte nicht einfach: *Ich nehme den Wolfsbarsch*, wie Sabrina es getan hätte, nein, sie zelebrierte die Speisekarte, sagte sie auf wie ein Gedicht, das ihr mal über eine Lebenskrise geholfen hatte. Als Nachspeise nahm sie ein Gratin von Blaubeeren und Himbeeren, dazu Biskuitwürfel mit Löwenzahn-Zabaione überbacken auf Vanilleeis.

Sabrina wusste nicht, ob das eine Nachspeise war oder gleich drei. Sie hatte zwar überhaupt keinen Hunger, hörte sich aber sagen: »Ich nehme das Gleiche.«

Finn-Henrik und YoLo2 taten es ihr gleich. Sie bestellten das Gericht vier Mal.

Sabrina hatte sich ein Treffen mit einer Außerirdischen echt anders vorgestellt. Sie redeten nur übers Essen, übers Wetter an der Nordsee, über Filme und die Notwendigkeit, die Deiche zu erhöhen, da das Schmelzen der Pole die Nordsee für Küstenbewohner sonst zur Mordsee machen konnte.

Niemand, der uns zuhört, kommt auf die Idee, dass hier eine ganz brisante, ja vielleicht historische Situation entsteht, dachte Sabrina.

Sie prosteten sich mit den Weißweingläsern zu und stießen sie aneinander. Die Gläser klangen, als würde eine neue Zukunft eingeläutet.

Sabrina und Gundula saßen sich gegenüber. Neben ihnen die Männer.

Finn-Henrik legte eine Hand auf Sabrinas Oberschenkel. Das hatte nichts Sexuelles. Es war auch nicht, als wolle er sie beruhigen, sondern mehr, als müsse er sich festhalten oder sich vergewissern, dass er nicht träumte.

Die Vorspeise kam rasch. Mehrfach lächelte Gundula Sabrina an, und einmal zwinkerte sie ihr sogar komplizenhaft zu. Sabrina fand alles merkwürdig unwirklich, so als würde es gar nicht stattfinden, sondern sie es nur träumen.

Die Art, wie YoLo2 Gundula anhimmelte, deutete für Sabrina darauf hin, dass er verknallt in sie war.

Sie überschlugen sich gegenseitig im Lob der Bouillabaisse. Sabrina und Finn-Henrik senkten die Köpfe in Richtung Fischsuppe und führten die Löffel knapp zehn Zentimeter über der Tasse zum Mund.

Gundula aß ganz anders. Sie saß dabei aufrecht, den Rücken durchgedrückt, den Kopf hoch. Ja, sie reckte ihr Kinn hervor. Sie brachte den Löffel, beladen mit Nordseefisch aus der Suppentasse, mit einer ruhigen Bewegung zu ihren Lippen. Ihre

Hand bewegte sich mit maschineller Präzision. Kein Tropfen fiel herunter. Da war eine fast steife Eleganz. Auch Hochmut schwang mit. Sabrina kam sich verglichen mit ihr plump vor, so als hätte sie keine Essmanieren.

YoLo2 versuchte, es zu machen wie Gundula, aber er konnte es nicht so gut. Fischsuppe schlabberte von seinem Löffel, sogar ein Stück Heilbutt fiel herunter und platschte in die Suppe zurück. Zitterte seine Hand?

Sabrina fragte sich: Sind wir für sie Schweine? Sie erschrak über ihren eigenen Gedanken. Je länger sie mit Gundula zusammen war, umso unsicherer wurde sie.

»Wir werden später in unser Ferienhaus fahren. Da sind wir ungestört«, sagte YoLo2 mit vollem Mund. Er fischte eine Muschel aus seiner Suppe und lutschte sie mit gespitzten Lippen vom Löffel.

Finn-Henrik brach Knoblauchbrot ab und knabberte daran herum. YoLo2 stippte seins in die Fischsuppe.

»Später beantworte ich all eure Fragen ...«, versprach Gundula und fügte nach einer kurzen Sprechpause lächelnd hinzu: »Wenn wir unter uns sind.«

Sie löffelten jetzt alle stumm, fast bibbernd vor Erwartung, ihre Suppe.

Kaum kratzte sein Löffel am Grund der Tasse, versuchte YoLo2, gute Stimmung zu machen. Das Schweigen war ihm fast unerträglich peinlich. Gleichzeitig gab es nicht viele unverfängliche Themen.

Am Nachbartisch flirtete ein Pärchen. Sie hatten sich vor zehn Jahren kennengelernt. Sie aßen jetzt, was er damals für sie gekocht hatte. Limandes. Und sie stießen mit Prosecco an.

»Limandes«, sagte er, »gehört einfach hierhin. Das gibt es

nirgendwo sonst auf der Welt. Nur bei uns in Wremen und in Bremerhaven.«

Sie lachten unbeschwert, und es störte sie nicht im Geringsten, dass alle Leute im Lokal an ihrem Glück teilhaben konnten. Vielleicht machten sie es sogar absichtlich, um Neid zu provozieren mit ihrer zur Schau gestellten Liebe.

Möglicherweise angeregt dadurch, rückte YoLo2 näher zu Gundula, nahm ihr die große Brille vom Gesicht und bereitete damit seinen Kuss vor. Sie kannte das schon. So machte er es sehr gerne, und sie scherzte: »Hast du Angst, wenn ich dich richtig sehen kann, küsse ich dich nicht?«

Er lachte und küsste sie innig. Sie strahlte und erwiderte seinen Kuss.

Auch wenn die Zeit für ungestörte Gespräche noch nicht angebrochen war, fragte Sabrina: »Seid ihr zusammen?«

YoLo2 erschrak und sah Sabrina an, als hätte sie das unmöglich fragen dürfen. Doch Gundula reagierte mit fröhlicher Gelassenheit: »Ja, sicher.« Sie stieß YoLo2 mit dem Ellbogen sanft in die Rippen. »Hast du deinen Freunden das verschwiegen?«

Er schüttelte den Kopf. »Nein, natürlich nicht.«

Sabrina hatte viel Sympathien für die LGBTQ-Community. Sie beurteilte Menschen weder nach ihrer sexuellen Ausrichtung noch nach ihrer Hautfarbe. Sie kannte nur gute und schlechte Menschen. Spannende und langweilige. Spießer oder Rebellen. Dumme oder kluge.

Sie empfand sich selbst als sehr tolerant allen Menschen gegenüber, und wer mit wem schlief, war ihr völlig egal. Aber ein Mensch mit einer Außerirdischen?

Die Kellnerin räumte die leeren Suppentassen ab und servierte das Hauptgericht. Bis alles auf dem Tisch stand, schwiegen sie. Nachdem die Kellnerin sich entfernt hatte, schnüffelte

YoLo2 an seinem Wolfsbarsch herum und testete ihn mit der Gabel. »Köstlich und kross«, sagte er.

Er gab Gundula noch einen Kuss und belehrte Sabrina und Finn-Henrik: »Wisst ihr – Glück ist das Einzige, das sich verdoppelt, wenn man es teilt.«

Das Pärchen am Nachbartisch reagierte erfreut. Beide hoben ihre Gläser und prosteten rüber: »Wie wahr! Wie wahr … «

YoLo2 deutete mit seinem Weinglas ein Anstoßen aus der Ferne an.

Gundula guckte so versonnen, als würde der Satz für sie nicht wirklich stimmen. Sie widersprach aber nicht.

Sabrina fragte sich, ob Gundula noch mehr kannte, das sich verdoppelte, wenn man es teilte. Galten unsere physikalischen Gesetze für Außerirdische überhaupt? Konnte Gundula die Gedanken aller hier am Tisch lesen? Oder gar aller Personen im Restaurant? Kam ihre Überlegenheit daher? Lächelte sie deshalb so wissend?

Gundula bat YoLo2, ihr die Kerze zu geben, die auf der Fensterbank stand. Er tat es. Sie führte den Docht an die Flamme der Kerze, die in der Mitte ihres Tisches brannte. Beide Flammen hielt sie nebeneinander und sagte: »Feuer kann man auch teilen, und es verdoppelt oder vergrößert sich beliebig.«

»Ja«, lachte YoLo2, »mit dem Feuer ist es wie mit dem Glück.«

Alex und Indra gingen barfuß über den Strand. Die Ausläufer der Wellen leckten an ihren Füßen und verwischten ihre Abdrücke im Sand.

Er krempelte seine Hosenbeine nicht hoch, wie andere Männer es taten. Er lief auch nicht in Badehose herum. Er nahm es in Kauf, dass seine Hosenbeine nass wurden.

Na und? Der Wind würde sie trocknen und nur eine Salzspur zurücklassen.

»Erzähl mir mehr über Amelies Vater. Was ist der für ein Mensch?«, fragte Alex.

Indra schaute ihn empört an. »Huggi ist ein Arsch! Sein Foto müsste im Lexikon der Superlative unter A wie Arschloch zu finden sein.«

Für Indra war die Sache damit erledigt. Für Alex nicht.

Sie lief ein paar Schritte vor und ging weiter ins Wasser. Eine Welle spülte Gischt an ihre Knie. Sie hob ihr Sommerkleid ein bisschen höher. Der weiße Schaum klebte am Saum wie Chiffonspitzen oder Seide. Die Sonnenstrahlen ließen die Bläschen golden und hellblau glitzern.

Amelie baute mit ihren zwei Untergebenen eine Burg. Das heißt, die Jungs gruben und schaufelten nassen Sand, während Amelie Muscheln und Federn sammelte, Anweisungen gab, wo Türme hinsollten und Mauern erhöht werden mussten. Sie schmückte dann ganz nach Gutdünken die Dächer.

Indra sah zu ihrer Tochter und freute sich, dass sie Anschluss gefunden hatte.

»Erzähl mir mehr. Ich will mehr über ihn wissen.«

»Wozu?«, fragte sie in Richtung Horizont und rief gegen die heranrollenden Wellen: »Ich bin gerade dabei, ihn zu vergessen!«

Es kümmerte ihn wenig: »Aber was hat dich an ihm so fasziniert? Du warst doch irgendwann mal verliebt in ihn, oder?«

»Lass mich! Ich versuche wirklich die ganze Katastrophe zu vergessen!«

Er ging weiter zu ihr ins Wasser und lief neben ihr her. Er

startete einen Versuchsballon: »Soll ich es dir erzählen? Es war wie die meisten Liebesgeschichten, stimmt's? Die Klischeenummer. Erst der tolle Hecht. Die große Liebe. Honeymoon. Dann kam Amelie.«

Er winkte zu Indras Tochter hinüber. Sie winkte aber nicht zurück.

»Ein Kind ist für jede Beziehung eine Belastung«, behauptete er. »Plötzlich verschiebt sich das ganze Koordinatensystem. Das Kind kostet Zeit und Kraft. Abends ist man dann kaputt, und sexuell läuft kaum noch was. Wenn, dann diese öden Pflichtnummern ... «

Indra blieb stehen, drehte sich um und blickte ihm zornig ins Gesicht. Ihre Lippen zitterten. »Hör auf damit! Was soll das? Willst du die ganze Wahrheit wissen? Ja, verdammt! Meinetwegen! Ich wollte es eigentlich für mich behalten, aber wir sollten auch nicht alles mit einer Lüge beginnen.«

Er machte ein ratloses Gesicht.

Sie rückte jetzt mit dem heraus, was eigentlich für immer ein Geheimnis hätte bleiben sollen, die Füße fest auf dem Meeresboden und die Oberschenkel von der Nordsee umspült: »Er konnte keine Kinder zeugen. Sein Sperma gab das einfach nicht her. Wir haben uns aber so sehr ein Kind gewünscht. Also, ich vielleicht noch mehr als er. Aber er auch!«

»Wie – er konnte keine Kinder zeugen? Habt ihr Amelie adoptiert? Das kannst du mir nicht erzählen, sie ist dir wie aus dem Gesicht geschnitten.«

Indra vergewisserte sich, dass es Amelie gutging und sie außer Hörweite spielte: »Wir waren bei einer Samenbank. Sie soll es nie erfahren.«

»Klar.«

Indra schlug mit der Faust nach einer Welle. Das Salzwasser

spritzte ihr ins Gesicht. »Er wollte es echt genauso wie ich, verdammt nochmal! Aber dann ist er damit nicht klargekommen. Er wurde immer komischer. Musste sich beweisen, was für ein toller Kerl er war. Hinter jedem Rock war er her, hat mitgenommen, was er kriegen konnte, und ein Flittchen nach dem anderen gevögelt. Nur mich eben nicht mehr.«

Alex versuchte, sie zu beruhigen, tat, als würde es ihm leidtun, sie überhaupt gefragt zu haben, doch in ihm tobte ein ganz anderer Gedanke: War er da auf einer ganz heißen Spur? Vermehrten sie sich so? Benutzten sie eine Samenbank? Hatten sie sie vielleicht gar okkupiert? Schmuggelten sie so ihre Brut in gebärfähige Frauen?

Indra sprach weiter. Plötzlich konnte sie gar nicht mehr aufhören. Sie boxte dabei gegen Alex' Brust: »Wir haben alles versucht. Alles! Wir haben um die Zeit der künstlichen Befruchtung weiter miteinander geschlafen, geradezu verzweifelt, damit die Vorstellung, das Kind sei von ihm, realistisch wachgehalten wurde. Aber es hat alles nichts genutzt. Er ist nicht damit klargekommen. Wenn er Amelie sieht, fühlt er immer eine persönliche Niederlage und Kränkung.« Sie funkelte Alex entschlossen an. »Amelie darf das nie erfahren! Nie! Schwörst du?«

Er legte seinen Arm um Indra und drückte sie an sich. »Du bist eine echt tapfere Frau. Du kannst wirklich stolz auf dich sein.«

Wie aneinander geklebt standen sie zusammen im Meer. Jugendliche wurden auf sie aufmerksam und kicherten.

Eine hohe Welle warf sie fast um. Sie sackten immer tiefer in den Boden ein.

»Ich habe mir geschworen, dass es nie jemand erfährt«, raunte sie in sein Ohr. »Ich hatte sogar Angst, dass er mich damit erpressen könnte. Ich will nicht, dass jemand der Kleinen weh tut.«

Ich werde ihr nicht weh tun, dachte er. Ich werde sie töten. Und wenn du die ganze Wahrheit erfährst, wirst du froh sein, dass es jemand beendet – falls du es nicht selber hinkriegst.

Er musste herausfinden, von wo der Samen geliefert worden war, und dann am besten das ganze Ding in die Luft jagen. Vielleicht war dort ja das Epizentrum ihrer Verbreitung. Er durfte keine Möglichkeit ausschließen. Selbst ihren Ex würde er töten müssen. Er wollte auf Nummer sicher gehen. Es war besser, ein paar Unschuldige zu töten, als die Existenz der ganzen Menschheit zu gefährden. Ein paar Kollateralschäden musste er eben in Kauf nehmen.

»Bei dir«, sagte sie, »ist mein Geheimnis in guten Händen. Du bist ein lieber Mann. Im Grunde tut es gut, es ausgesprochen zu haben. Es macht mich freier und zeigt mir, wie sehr ich dir vertraue und dich liebe.«

Sie küssten sich, und die Nordsee machte rauschend Musik dazu. Gischt flog ihnen bis in die Haare.

»Wir sind«, sagte er, »Seelenverwandte.«

»Knutschi! Knutsch! Knutschknutsch!«, lachte ein Jugendlicher wenige Meter von ihnen entfernt ein bisschen neidisch, weil er keine Freundin hatte, aber auch gern in den Wellen geschmust hätte.

Da gab es am Strand ein ziemliches Geschrei. Sie wussten beide sofort, dass es mit Amelie zu tun hatte.

Die Situation war unklar. Es sah aus, als würden die beiden großen Jungs sie verhauen oder zumindest an ihr herumzerren. Offensichtlich hatte es Streit gegeben.

Indra und Alex sprinteten los. Er hielt sich für sportlich durchtrainiert. Ein Kampfsportler, der auf seine Fitness achtete, denn er trat gegen einen gefährlichen Feind an. Aber sie war viel schneller als er. Mutterinstinkt trieb sie und gab ihr enorme Kraft.

Amelie hatte sich richtig in Sönke verbissen. Kadir versuchte, sie von ihm wegzureißen. Sönke brüllte vor Schmerz.

»Wir haben nix gemacht«, beteuerte Kadir.

Indra packte sein Ohr und drehte es um. Er ließ Amelie sofort los.

Selbst ihrer Mutter fiel es schwer, Amelie zu beruhigen.

Sönke blutete heftig. Amelie hatte ihn in den Unterarm gebissen.

Alex stand ein bisschen dumm herum, kümmerte sich dann um den verletzten Jungen.

Amelie weinte auf dem Arm ihrer Mutter und blickte über deren Schulter die Jungen aus irren Augen an.

»Sie ist plötzlich durchgedreht«, behauptete Kadir.

»Was habt ihr gemacht?«, wollte Alex wissen.

»Sie hat angefangen!«, rief Kadir.

»Der hat meinen Turm kaputtgemacht!«, schimpfte Amelie voller Wut.

Indra ging einfach mit ihrer Tochter weg. Abstand vom Geschehen war jetzt das Beste. Sie hatte ein schlechtes Gewissen, weil sie, statt auf ihre Tochter aufzupassen, mit Alex geknutscht hatte.

Sie hat sich nicht im Griff, dachte Alex. Ihr wahres Wesen kommt zum Durchbruch.

Er verband Sönke den Arm und gab beiden Jungs auf den Schrecken ein Eis aus. Sie wollten es nicht an die große Glocke hängen, dass sie gemeinsam nicht mit einem kleinen Mädchen fertig geworden waren.

Sönke behauptete, es sei alles halb so wild und tue auch

schon gar nicht mehr weh. Er sei mal von einem Kaninchen gebissen worden und das wäre viel schlimmer gewesen. Aber er sah aus, als ob er noch unter Schock stünde, und sosehr er sich bemühte, cool zu sein, zitterten seine Beine doch heftig, und sein Gesicht zuckte.

Später, in der Seehundstation, schien Amelie alles vergessen zu haben und machte ganz auf liebes Kind. Sie hätte sich gerne die Nase an den Scheiben plattgedrückt, um die Seehunde zu bewundern, das ging aber nicht, da eine durchsichtige Absperrung sie auf Abstand hielt.

Doch auch hier geschah etwas Merkwürdiges. Als könne sie die Tiere rufen, tauchten sie alle nacheinander zu ihr und sahen sie mit ihren schwarzen Augen an. Einige führten Tänzchen für sie auf. Eine wunderbare Unterwassershow. Die anderen Kinder wurden neidisch.

Jeder musste doch spüren, dass die Seehunde eine ganz besondere Beziehung zu dem Kind hatten. Wenn Amelie auch nur in die Nähe der Scheibe kam, glitten sie ins Wasser und suchten ihre Aufmerksamkeit. Konnte sie sie rufen? Hatte sie kraft ihrer Gedanken die Kontrolle über die Tiere?

Indra sah das alles mit argloser Freude. Hauptsache, es ging Amelie wieder besser.

»Der Streit mit den großen Jungs ist ihr doch sehr nahegegangen. Aber ich bin stolz auf sie, dass sie sich gewehrt hat«, flüsterte Indra Alex zu.

»Ja, sie ist eine Kämpferin, das hat sie von dir«, lobte er sie, doch sie schüttelte den Kopf. »O nein, leider nicht. Ich habe mir immer viel zu viel gefallen lassen, mich kleingemacht und meinen Ärger runtergeschluckt.«

»Das kann man von ihr nun wirklich nicht behaupten«, sagte er und zeigte stolz auf Amelie, als sei sie seine Tochter.

Sie stand vor dem großen Becken und schien zwei Seehunde bei ihrem Unterwasserballett zu dirigieren.

»Guck mal«, freute Indra sich, »Amelie spielt mit ihnen. Sie macht ihre Bewegungen nach.«

»Nein«, sagte er, »es ist genau umgekehrt. Die Tiere machen sie nach. Sie hat sie voll im Griff. So, wie vorher die beiden Jungs. Sie ist sehr dominant. Menschen wie Tiere unterwerfen sich ihr.«

Indra hatte ihre Tochter noch nie so gesehen. Sie fand Alex' Worte auch sehr übertrieben. »Vielleicht tun kleine Jungs, was sie sagt, weil sie ein Eis haben wollen oder spielende Seehunde. Aber du übertreibst doch. Weder Tiere noch Menschen unterwerfen sich ihr! Sie ist nicht dominant. Sie ist einfach ganz süß und nett und motiviert die Leute, mitzumachen.«

Wolf Eich recherchierte zunächst im Internet. Dieser Finn-Henrik und vermutlich auch sein Co-Autor YoLo2 schienen harmlose Spinner zu sein. Trotzdem wollte er mit Finn-Henrik reden. Es war immerhin ein erster Ansatz.

Er glaubte immer noch, an einem hochbrisanten Stoff für einen großen Film zu arbeiten. Vielleicht würde er es wagen, zunächst einen Roman zu schreiben und daraus dann später ein Drehbuch zu machen. Er sah sich schon in eine ganz neue Kategorie von Autoren aufsteigen. Nicht mehr der Serienschreiber für ARD und ZDF. Nein, zur Edelfeder würde er werden. Er würde in Talkshows sitzen und Interviews geben. Er spürte erst jetzt die tiefe Kränkung, mit der alle Drehbuchautoren, die er kannte, herumliefen. Ohne ihre Grundlagenarbeit würde es gar keinen Film geben. Aber später dann schrieben die Blätter über die tollen Schauspielerinnen, den Kameramann und den großartigen Regisseur, als hätten sie die Dialoge selbst erfunden.

Sie saßen dann in Talkshows und gaben Interviews. Den Drehbuchautor kannte kein Mensch. Niemand lud ihn ein.

Mit seinem Roman und dessen Verfilmung würde sich das ändern!

Er hatte auch keine Lust, zu einem dieser literarischen Schwergewichte zu werden, die für ihren Verlag vielleicht ein Aushängeschild, aber doch auch eine finanzielle Belastung waren. Verdient hatte er beim Film immer gut, und das sollte auch so bleiben. Er wollte nicht zu denen gehören, die nach Literaturpreisen gierten, weil sie die Geldsumme für ihren Lebensunterhalt brauchten und die Ehre für ihre Seele in Ermangelung von Lesern. Für sein Buch beanspruchte er keinen großen Platz in den Feuilletons. Ihm war einer am Eingang einer Buchhandlung oder neben der Kasse wesentlich lieber. Er wollte seine Leser berühren. Ja, erst käme der Roman, dann die Verfilmung.

Er fühlte sich heroisch, auf der Suche nach der Wahrheit. In seiner Vorstellung von einer investigativen Ermittlung gab es keine Tabus. Er war nur der Wahrheit verpflichtet.

Er hatte keine Viertelstunde gebraucht, um sich in Valentinas E-Mail-Konto zu hacken. Er schaffte es sogar mit seinem Handy. Ihr Passwort war ihr Geburtstag, kombiniert mit dem Namen ihres Hundes. Vermutlich hatte sie das für sehr raffiniert gehalten.

In der Cloud standen ihm 746 E-Mails zur Verfügung. Er interessierte sich nur für die letzten.

Amelie lief in die Ausstellung. Als Indra sie nicht mehr sah, wurde sie sofort hektisch. Gemeinsam suchten sie nach ihr.

Indra rief: »Amelie?! Amelie?!«

Sie teilten sich auf. »Du nach links, ich nach rechts.«

Er spürte eine große Kraft. Das war nicht allein Amelie. Entweder wuchs ihre Energie hier ins Unermessliche, oder es waren noch andere Außerirdische in der Seehundstation.

Eine Gruppe junger Frauen stand lachend beim Walross. Es waren Teenager aus Hessen, die in Norddeich Urlaub machten. Sie erzählten sich kichernd Geschichten.

Das Walross schien zu schweben. Es sah gewaltig aus. Aber trotz der monströsen Zähne keineswegs gefährlich. Es war ausgestopft, wirkte aber, als könne es jeden Moment gähnen und aus seinem Schlaf erwachen.

Alex fand Amelie. Sie hockte auf dem Boden und bewunderte den Penisknochen, der unter dem Walross als Einzelstück ausgestellt war.

Eine dieser jungen Frauen musste zu den Monstern gehören. Wenn nicht sogar zwei … Hatte Amelie ihre Nähe gesucht? Spürte sie, dass da ihre Leute waren?

Amelie war schwer zu erkennen. Die jungen Besucherinnen verdeckten sie.

»Hier!«, rief Alex. »Ich hab sie gefunden!«

Er drängte sich zwischen den Frauen durch zu Amelie. Eine berührte er mit dem Ellbogen, und es durchfuhr ihn. Sie war nicht menschlich.

Er bückte sich zu Amelie. Es sah jetzt ein bisschen aus, als würde er vor den Besucherinnen knien. Mühsam versuchte er, Contenance zu bewahren.

»Wir haben dich gesucht, Amelie. Deine Mutter macht sich große Sorgen.«

Er strich ihr von hinten über den Kopf.

Amelie entschuldigte sich nicht, sondern zeigte auf den Penisknochen: »Was ist das?«

Die jungen Frauen schwiegen schlagartig und warteten fast atemlos auf Alex' Antwort. Sie hielten ihn für den Vater.

Das Luder weiß genau, was das ist, dachte Alex. Sie will mich vorführen. Lächerlich machen. Sie hat die boshafte Intelligenz der Monster. Sie will ihren Leuten zeigen, was sie draufhat.

Indra kam bei ihnen an. Sie atmete schwer. »Du hast mich vielleicht erschreckt, Süße«, rief sie.

Indra spürte die Erwartungshaltung der jungen Frauen um Alex herum. Sie war irritiert. Was lief hier? Sie kapierte nicht ganz und war kurz davor, sogar eifersüchtig zu werden, ohne genau zu wissen, warum und auf wen. Irgendetwas stimmte hier nicht.

»Weißt du nicht, was das ist?«, fragte Amelie.

Eine junge Frau mit einem regenbogenfarbenen T-Shirt riss die Hand aus ihrer Chipstüte und hielt sich den Mund zu. Sie prustete aber trotzdem los. Gemüsechipskrümel spritzten zwischen ihren Fingern in die Luft. Ein paar landeten auf Alex' Oberarm und in Amelies Haaren.

Sie war es! Sie war ganz klar nicht menschlich. Er wusste es, so wie er wusste, dass dieses Walross nicht mehr lebte.

Wenn ich jetzt hier eine Aufklärungsstunde gebe, setze ich mich bei Amelies Mutter in die Nesseln, und die Gören lachen sich schief. Sie will mich dem Spott preisgeben. Sie tut nur so kindlich-naiv.

Plötzlich kam er sich selbst verklemmt vor und überfordert. Dieses kleine Monster machte sich einen Spaß daraus, ihn in die Enge zu treiben.

Amelie wiederholte ihre Frage: »Was ist das, Alex?«

Ein Teenie mit einem pinkfarbenen Hoodie, auf dem stand: *Dafür bin ich nicht betrunken genug*, feixte: »Ja, das interessiert mich aber jetzt auch.«

Indra erkannte, in welcher Lage Alex war. Sofort griff sie beherzt ein, bückte sich zu Amelie und sagte: »Das ist ein Knochen vom Walross.«

Die Lage schien geklärt. Die Mädchen waren ein bisschen enttäuscht. Doch dann rief Amelie: »Der hat das in seinem Pipimann, nä?«

Die mit dem Regenbogen-T-Shirt grinste: »Ich kenne einige, die das nötig hätten!«

Der Rattenkopf neben ihr lachte: »Ja, Zoe, ich auch!«

Amelie fragte Alex staunend: »Hast du auch so was, Alex? Ist deins auch so groß?«

»Nein«, antwortete Indra für Alex, »er ist doch kein Walross!«

Zwei Teenager giggelten und sprangen von einem Bein aufs andere, die Gemüse-Chipstüte fiel zu Boden.

»Die Kleine ist ja herrlich«, rief die, die für irgendetwas noch nicht betrunken genug war.

Indra hob Amelie hoch und trug sie Richtung Ausgang.

Die junge Frau mit dem regenbogenfarbenen T-Shirt, die von den anderen Zoe genannt wurde, pfiff hinter Alex her: »Hey, Alter, ich will ein Kind von dir!«

Er drehte sich um.

Sie hob theatralisch die Arme, tat erschrocken, als sei das alles ein Missverständnis, und rief: »Das ist ein Song, das ist ein Song!« Dann drehte sie sich zu ihren Freundinnen um und lachte: »Der alte Macker dachte, ich meinte ihn!«

Amelie wollte noch mal zurück. Indra ließ sie von ihrem Arm runter.

Amelie entdeckte jetzt, dass dort ein menschliches Skelett und ein Seehundskelett zum Vergleich ausgestellt waren.

Alex nutzte die Gelegenheit, um Kompetenz zu beweisen: »Guck mal, Amelie. Hier kannst du es genau sehen. So ein Seehund ist fast so groß wie ein Mensch. Allerdings leben wir an Land, und die Seehunde hauptsächlich im Wasser. Deswegen haben wir so lange Beine, um aufrecht gehen zu können. Bei den Seehunden sind die Beine viel kürzer und die Hände dafür zu einer Art Flossen geworden. Das ist so, als wären unsere Finger mit Schwimmhäuten verbunden, und wir könnten damit paddeln.«

Zoe zeigte auf Alex und raunte Indra zu: »Der Typ ist echt schnuckelig. Wo hast du den her? Gibt's da noch mehr von der Sorte?«

YoLo2 legte noch ein Holzscheit ins Kaminfeuer, obwohl es nicht nötig war, denn die Sonne hatte die Luft aufgeheizt. Aber so ein Kaminfeuer machte dieses Ferienhaus im Wehldorf in Wremen noch wohnlicher.

Gundula saß noch beim Ofen. Sie hatte die Beine übereinandergeschlagen und erinnerte Sabrina eher an ihre Oma väterlicherseits als an ein außerirdisches Wesen. Gundula aß gern, trank gern und schien auch anderen leiblichen Genüssen gegenüber nicht abgeneigt zu sein, falls Sabrina die Gesten und Blicke zwischen YoLo2 und Gundula richtig deutete.

YoLo2 köpfte eine Flasche *Schampus*, wie er den Prosecco nannte, und verteilte Gläser. Jetzt konnten sie endlich ungestört reden. Aber Gundula stellte gleich zu Beginn klar, dass sie keineswegs dabei gefilmt werden wollte.

Finn-Henrik war maßlos enttäuscht: »Aber wie stehen wir denn dann vor der Öffentlichkeit da? Wir haben Kontakt zu einer Außerirdischen, können sie aber nicht zeigen? Wir werden uns dermaßen blamieren ...«

Sie nahm ihm das nicht übel, sondern argumentierte ruhig in seine Richtung. YoLo2 schien das alles längst zu wissen und es akzeptiert zu haben. Jedenfalls nickte er die ganze Zeit und gab sich gelassen.

»Stelle dir mal vor, Finn, was das für mich bedeuten würde. Ich würde doch meines Lebens nicht mehr froh. Ich hätte sofort ein Heer von Wissenschaftlern und Journalisten an den Hacken, die nichts Besseres zu tun hätten, als zu beweisen, dass ich eine Schwindlerin bin. Sie würden mich vorführen, ausstellen und mit mir Experimente machen ...«

Das leuchtete Sabrina sofort ein.

YoLo2 beugte sich vor und brachte ein noch viel gewichtigeres Argument: »Außerdem würden ihre eigenen Leute die Jagd auf sie eröffnen und sie umbringen.«

Sabrina erschrak.

»Ja, guckt nicht so«, sagte Gundula. »Was glaubt ihr denn, warum nie einer von uns an die Öffentlichkeit gegangen ist? Das wird von allen Gruppen und Fraktionen als schwerste mögliche Straftat angesehen. Als monumentaler Verrat. Darauf steht die Todesstrafe. Jeder von uns hat die Verpflichtung, so einen Verräter umzubringen.«

Finn-Henrik stöhnte gequält auf. »Also, no chance?«

»No chance!«, bestätigte YoLo2. »Wir haben die verdammte Pflicht, sie zu schützen, Leute. Ich hoffe, das seht ihr genauso.«

»Ja, und was machen wir dann?«, fragte Finn-Henrik.

Das Feuer im Kamin knisterte und knackte. Funken flogen wie kleine Sterne durch den Raum.

Sabrina bekam einen kratzigen, trockenen Hals und trank den Prosecco schneller, als ihr guttat. Sie spürte ihn im Blut und rülpste leise.

Gundula lachte.

»Wir können«, sagte YoLo2, »Tonaufnahmen für meinen Podcast machen. Wir würden ihre Stimme bearbeiten, so dass man sie nicht mehr aus Tausenden raushört, und jetzt, Leute, schlagen wir das aufregendste Kapitel der Menschheitsgeschichte auf!« Er rieb sich die Hände. »Wir können die Wahrheit über unsere Herkunft, über das Wesen vieler Dinge, erfahren. Ach, was rede ich? Jetzt ist Gundula dran. Fragt sie, was ihr wollt. Und ich hoffe, ihr wisst ihr Vertrauen zu schätzen, das sie euch darbringt. Sie riskiert viel.«

Gundula nickte ihm zu und machte eine einladende Geste. »Deine Freunde sind meine Freunde.«

YoLo2 triumphierte. »Ihr seid die Ersten, die die Wahrheit erfahren.« Er deutete Gundula an, dass sie jetzt dran war.

Demonstrativ stellte er vor ihr einen kleinen Tisch auf. Darauf baute er ein Aufnahmegerät auf und schaltete es ein. Ein Lämpchen leuchtete. Sabrina musste die ganze Zeit hinsehen, als hätte sie noch nie so ein schönes grünes Licht gesehen.

YoLo2 nickte zufrieden.

Finn-Henrik stotterte plötzlich vor Aufregung. »Ich … ich … also, ich weiß jetzt echt gar nicht … wo ich überhaupt anfangen soll … Wir sehen vor uns eine Frau. Wie wurden Sie, was Sie sind?«

Er kam sich selbst blöd dabei vor, aber seitdem das Mikro eingeschaltet war, siezte er Gundula plötzlich, so als sei jetzt der offizielle Part des Treffens eröffnet worden und ein Du für die wissenschaftliche Arbeit einfach zu privat.

Es schoss aus Sabrina heraus: »Wie seht ihr wirklich aus?«

Gundula lachte und zeigte auf sich. »Na, so!«

YoLo2 fand das auch witzig.

Dann begann Gundula ganz ernst: »Ihr müsst euch das so ähnlich vorstellen wie das Meer. Ja, wie das Wasser, das ist, glaube ich, ein guter Vergleich. Wir können viele Formen annehmen, so wie Wasser, das verdampfen kann und dann wieder auf die Erde tropft. Es kann gefrieren und ewig als Eiswürfel im Kühlschrank lagern. Aber irgendwann auch wieder im Fluss landen und ins Meer fließen.« Sie zeigte auf Finn-Henrik: »Du bestehst zu achtzig Prozent aus Wasser. Du hast«, lachte sie, »die Nordsee praktisch in dir und die Regenwolken und den Amazonas. Das alles macht dich aus.«

»Und Prosecco«, witzelte YoLo2 und hob sein Glas.

»Bei uns«, erklärte Gundula, »kommt nur noch etwas hinzu.« Sie legte ihre Finger wie Antennen auf ihren Kopf: »Die Kraft unserer Gedanken. Wir sind sozusagen wie intelligentes Wasser.«

»Und wie hat dieses Wasser deinen Körper übernommen?«

Gundula lachte: »So, wie es deinen übernommen hat. Selbst in dem zweifellos guten Essen heute Mittag in der *Börse* war Wasser enthalten. Es ist jetzt nicht nur in dir. Es ist Du.«

»Wir sind, was wir essen und trinken plus Geist«, fügte YoLo2 hinzu.

»Du bist also nicht immer eine Außerirdische gewesen?«, fragte Sabrina.

»Nein. Ich war ein ganz normales Mädchen und eine junge Frau. Aber dann – ich war gerade dreißig – suchte die Energie einen neuen Körper und nahm mich.«

»Es fährt in einen rein? Wie ein Geist?«, wollte Finn-Henrik wissen.

»Ja, wenn du so willst, schon. Die Energie ist materielos.

Reine Geisteskraft. Sie übernimmt Lebewesen, um sich zu materialisieren.«

Finn-Henrik warf ein: »Da bekommt das Wort *Heiliger Geist* eine ganz neue Bedeutung.«

YoLo2 stand auf. Draußen zogen Leute in ein benachbartes Ferienhaus ein. Er ging zum Fenster, um es zu schließen. Er war ganz auf Sicherheit bedacht.

»Bist du dann jetzt auch ein Außerirdischer?«, fragte Finn-Henrik seinen Co-Autor.

Der schüttelte den Kopf.

»Aber er könnte es jederzeit werden, wenn man die Aufladung mit der Energie so nennen will«, bestätigte Gundula.

Sabrina blies heftig aus. »Also, ich hatte mir das ganz anders vorgestellt. Ich dachte, ihr kommt mit fliegenden Untertassen und seid hier irgendwo gelandet.«

»Ja«, sagte Gundula, »das gibt es auch. Die Schiffe und die Versuche, die Erde zu erobern. Das sind die ganz Harten. Die erste Generation. Wir sind nicht alle gleich. Es ist im Universum wie auf der Erde. Es gibt viele Daseinsformen. Wie bei euch. Fische. Vögel. Menschen. Raubtiere. Selbst bei den Menschen gibt es ja wahrlich viele Unterschiede.«

»Warst du mal auf einem Raumschiff?«, fragte Sabrina.

»O ja. Viele Male. Aber jetzt … «, Gundula sah YoLo2 verliebt an, »jetzt möchte ich ganz hier auf der Erde bleiben. Bei ihm.«

Sie küssten sich.

Völlig unromantisch hakte Finn-Henrik nach, ohne das Ende des Kusses abzuwarten: »Und wenn ihr Kinder bekommt, sind das dann Außerirdische oder Menschen?«

Gundula löste sich von YoLo2, strich aber mit ihrem Zeigefinger von seiner Nase quer über sein Hemd bis zu seinem Hosenreißverschluss und guckte ihn vielversprechend an. »So, wie ihr zu achtzig Prozent aus Wasser besteht, so ist auch ein Teil von mir noch menschlich. Sonst würde ich ja nicht so aussehen, wie ich eben aussehe. Auch ich nehme zu. Werde krank. Verletze mich. Wenn wir ein Kind bekämen, könnten wir die Energie in ihm aktivieren oder auch nicht. Es ist ein Willensakt.«

Finn-Henrik stöhnte. »Puh … Heftig!« Er setzte sich anders hin. »Stimmt das mit Eisenhower?«

Gundula legte die Fingerkuppe, mit der sie gerade YoLo2s Körper entlanggefahren war, auf ihre Lippen und leckte daran. YoLo2 grinste wissend.

»Ja«, antwortete sie, »es stimmt. Wir haben mit ihm verhandelt. Ich war dabei.«

»Aber«, wandte Sabrina kritisch ein, »das war, wenn ich mich richtig erinnere, im Februar 1954. Da warst du doch noch gar nicht geboren.«

Gundula schmunzelte: »Dieser Körper hier nicht, aber die Energie in mir ist ewig. Wie das Wasser. Ich war leider nicht die Kommandantin des Schiffes, sondern nur eine Servicekraft, aber ich war dabei. Präsident Eisenhower hat einen Angriff auf die Erde verhindert.«

Finn-Henrik war begeistert. Er warf seinen Kopf in den Nacken, starrte zur Decke und klatschte dort irgendwem Beifall.

»Servicekraft? Du hast Eisenhower Kaffee serviert?«, fragte Sabrina.

»Nein, es war Tee.« Gundula fächelte sich Luft zu. Der Kamin heizte doch ganz schön auf. In seiner Nähe wurde allen warm. Oder lag es an dem Gespräch?

»Und wenn du es genau wissen willst, er nahm dazu noch Schokokuchen mit heißen Himbeeren und einem Sahnehäubchen obendrauf.«

»Das«, versprach YoLo2, »wird meinen Podcast zur berühmtesten Sendung überhaupt machen. Wir werden Millionen Anklicker bekommen und mehr Zuhörer haben als jede Nachrichtensendung.« Er schwärmte: »Gerade noch ein Gesprächsmagazin für ein kleines, handverlesenes Publikum, und plötzlich lauscht die ganze Nation.«

»Vielleicht«, machte Sabrina ihm Mut, »wird es sogar richtig im Radio laufen.«

YoLo2 winkte ab. »Radio, Fernsehen – wer braucht das noch? Heute hört man Podcasts und informiert sich über Youtube. Und von dort aus werden wir einen Paradigmenwechsel in der Wissenschaft einläuten.«

Sabrina dämpfte seinen Optimismus: »Trotzdem brauchen wir Beweise.«

Finn-Henrik nahm deutlich zur Kenntnis, dass sie *Wir* sagte, nicht *Ihr*. Sie fühlte sich also inzwischen zugehörig.

YoLo2 schüttelte den Kopf. »Wir brauchen keine Beweise. Wir müssen sie nicht vorführen und in Gefahr bringen. Die Leute glauben sowieso nur an das, woran sie glauben wollen. Fakten sind out.«

Ann Kathrin Klaasen war froh, einen Moment mit Weller alleine zu sein. Sie lehnte sich gegen ihre Bürotür, damit niemand hereinkam.

Weller zerteilte auf einem Unterteller mit ostfriesischer Rose einen Marzipanseehund. Er nutzte dazu sein Taschenmesser. Er aß fast andächtig erst den Kopf, dann den Schwanz. Das große Mittelstück lag noch auf dem Teller.

Kauend kämmte er sich mit den Fingern durch die Haare.

»Ich möchte«, sagte Ann, »mir die Wohnungen der Opfer ansehen. Die von allen dreien.«

»Du willst doch nicht ernsthaft ins Ruhrgebiet?«

»Doch, ich will sehen, wie sie gelebt haben. Vielleicht finden wir in ihren eigenen vier Wänden Hinweise auf das, was hier bei uns passiert ist.«

»Ann, das bekommst du nie genehmigt. Wir können die Kollegen vor Ort hinschicken. Aber du kannst doch jetzt nicht von hier weg!« Er ereiferte sich: »Gerade in dieser heißen Phase! Wir haben Meyerhoff einkassiert und …«

»Ich denke, Meyerhoff ist ein wirklich kranker und sehr übler Bursche, aber ich glaube nicht, dass er es war.«

»Ann! Er hat den beiden Frauen Penisbilder geschickt!«

»Hm. Aber bestimmt nicht unserem toten Rentner.«

Weller stach in den Seehundkörper und führte ihn mit dem Messer zu seinem Mund. Er kaute mit vollen Wangen. Er wirkte trotzig wie ein kleiner Junge auf Ann Kathrin.

»Valentina Humann hat das Buch von Sabrinas neuem Freund bei sich gehabt«, sagte Ann Kathrin und ging zu ihrem Schreibtisch. Sie hob einen Zettel hoch und las Weller die Buchliste vor. »In ihrem Koffer haben wir außerdem Romane von Kerstin Gier, Carlos Ruiz Zafón und Anabelle Stehl gefunden. Na ja, und dann halt das Buch von Finn-Henrik Bohlens und YoLo2.«

Weller schluckte Marzipan herunter, hustete und behauptete ein bisschen stolz: »Ja, der Junge wird wohl echt gelesen. Ist doch klasse für ihn!«

So, wie Ann Kathrin guckte, geheimniste sie mehr hinein. Weller kannte sie gut. Er sah es ihr an. »Och nee, Ann! Komm! Mach da jetzt kein Ding draus. Das ist Zufall!«

»Ich glaube nicht an Zufälle, Frank, das weißt du doch.«

Er hatte Sorge, Ann Kathrin könne sich lächerlich machen. Er war froh, dass sie nicht in der Dienstbesprechung damit angefangen hatte.

»Sie liest aber auch Kerstin Gier und die Stehl«, protestierte er.

»Ja, und auch das ist kein Zufall, Frank. Wir lesen eben, was uns interessiert, und das macht uns aus. Was liest du im Moment?«

»Ingo Bott.«

»Siehst du, das ist auch kein Zufall.«

»Nee. Ich stehe auf Spannungsliteratur. Na und?«

»Eben. Das gehört zu dir, Frank. Aber es ist nicht alles. Du, der die ganze Zeit hinter Gaunern herrennt, um sie in den Knast zu bringen, liest den Roman eines Strafverteidigers.«

»Ja und?«

»Ich sage dir jetzt was voraus: Du wirst dir auch noch die neu übersetzten Simenon-Ausgaben im Kampa-Verlag bestellen, obwohl du den kompletten Simenon im Buchregal stehen hast, stimmt's?«

»Hab ich längst bestellt«, triumphierte er.

»Siehst du.«

»Ja, und was willst du mir jetzt damit sagen, Ann?«

»Dass ich mehr über die Opfer wissen muss, um an die Täter ranzukommen. Wir sollten eine Veranstaltung deines Schwiegersohns besuchen.«

Weller ließ die flache Hand auf den Tisch knallen. »Er ist nicht mein Schwiegersohn! Und du willst ins Ruhrgebiet und dann nach Bremerhaven, oder was? Weißt du, wonach das aussieht? Hauptsache weg aus Ostfriesland!«

»Du kennst den Tourneeplan ja ganz genau«, stichelte sie.

»Ann, wenn wir dahin gehen, machen wir das privat, sozusagen als eine Familienveranstaltung, oder glaubst du ernsthaft, bei einer solchen Lesung etwas über unseren Fall rauszukriegen? Herrgott, sie hat sich halt das Buch von ihm gekauft! Wahrscheinlich, weil es im Moment in aller Munde ist, vor allem bei jungen Leuten.«

»Ich will mehr über diese Frau wissen, Frank. Und das ist immerhin ein Ansatz ... «

Sabrina breitete bei einem Spaziergang am Leuchtturm *Kleiner Preuße* ihre Pläne aus. Finn-Henrik war es fast ein bisschen peinlich. Er druckste herum. Für YoLo2 war hauptsächlich wichtig, was Gundula dachte.

Wenn ich sie gewinnen kann, dann habe ich beide im Sack, vermutete Sabrina. Deswegen sprach sie Gundula an und redete mit ihr über die beiden Männer.

»Sie sind wirklich wunderbar. Mutige UFO-Forscher ohne Denkbarrieren. Die Welt braucht solche Freigeister. Aber jemand muss das ganze Geschäftliche in die Hand nehmen. Sie verkaufen sich unter Wert. Statt Volkshochschulen und Bibliotheken könnten sie Stadien füllen mit ihren Vorträgen. Auch die Bücher müssten ganz anders vermarktet werden. Man könnte Vorabdruckrechte an Illustrierte verkaufen. Diese Podcasts bringen doch im Grunde nichts ... «

YoLo2 hörte aufmerksam zu, sah dabei aber die ganze Zeit Gundula an.

Als ob das irgendeine Rolle spielen würde, sagte Gundula: »Das ist der kleinste Leuchtturm, den ich je gesehen habe.«

Sabrina nahm Gundula in den Arm, die die Umarmung nur zu gern erwiderte.

»Mit ihrem Wissen,« wandte sie sich an die beiden Männer, »werdet ihr zu Popstars in der UFO-Szene. Ich kann gute Buchverträge für euch aushandeln, Jungs! Man könnte euch in Talkshows vermitteln und ... «

»Uns will doch keiner sehen«, warf YoLo2 ein. Er zeigte auf Gundula: »Wenn schon, dann müsste sie in Talkshows! Aber das geht eben nicht.«

Sabrina widersprach: »Wir können jedem klarmachen, warum ihr sie nicht vorzeigt. Das versteht selbst der größte Idiot. Es ist wie mit E. T.«

Über den Vergleich erschrak YoLo2, doch Gundula konnte darüber herzhaft lachen. Sie hob einen Finger nach oben und sagte: »Nach Hause telefonieren ... «

Sabrina und Gundula verstanden sich großartig. Sie gingen eng umschlungen, links und rechts von den Männern flankiert.

»Ihr zwei«, triumphierte Sabrina, »werdet so was wie ihre Stellvertreter. Ja, ihr werdet so was wie der Papst! Gott wird auch nicht zu einem Interview geladen, aber der Papst kann sich zeigen und eine Predigt halten. Er ist der Stellvertreter Gottes, und ihr seid die Stellvertreter – die Sprecher – der ersten Außerirdischen, die bereit ist, auszupacken!«

»Das ist gut«, sagte Gundula, »wirklich gut. Ihr solltet euch überlegen, was Sabrina vorschlägt. Ihr konzentriert euch aufs Schreiben und auf die Auftritte, ich gebe euch alle Informationen, und sie regelt das Geschäftliche. Wir sind ein Team!«

Gundula blieb stehen und hielt ihre Hand zum Einschlagen hin. Sabrina legte ihre Hand auf Gundulas, Finn-Henrik war sofort mit dabei, zuletzt auch YoLo2.

Er blickte Sabrina fest in die Augen: »Das ist ein harter Job mit einer großen Verantwortung. Traust du dir das echt zu?«

Sabrina zeigte sich zuversichtlich: »Ich hab mal bei einem Anwalt gearbeitet. Ich kenne mich mit solchen Sachen aus.«

Gundula drückte von unten alle Hände hoch und rief dabei: »Huuuiiii! Abgemacht!«

»Okay, dann sind wir jetzt ein Team«, stellte YoLo2 fest. »Das wird für mich als einsamer Wolf gar nicht so einfach.«

»Wieso einsamer Wolf? Wir zwei arbeiten doch schon die ganze Zeit zusammen«, widersprach Finn-Henrik.

»Ja. Aber im Grunde meines Herzens bin ich ein Einzelkämpfer. Gruppen sind mir eigentlich ein Graus.«

»Wir sind keine Gruppe. Wir sind ein Quartett.«

Gundula lachte: »So was wie die drei Musketiere, bloß mit Frauen und einer mehr.«

Als wolle sie ihre überflüssigen Pfunde abtrainieren, joggte Gundula plötzlich los, weg vom Kutterhafen. Die drei hatten sogar Mühe, mitzuhalten.

YoLo2 grinste, weil er wusste, dass Sabrina und Finn-Henrik Gundulas Fitness unterschätzten. Das war ihm am Anfang auch passiert. Er lief zwischen Sabrina und Finn-Henrik hinter Gundula her. Er nahm es wie einen Beweis. »Es ist nicht nur die reine Geisteskraft, Freunde. Die Energie steckt auch in ihrer Muskulatur. In ihrem ganzen Körper!« Er wandte den Kopf zu Finn-Henrik: »So was wie sie habe ich vorher noch nie im Bett gehabt!«

Sabrina tat, als hätte sie das nicht gehört.

Vor ihnen lag jetzt eine weite Wattfläche, die glitzernd in eine Wolkenformation überging. Es sah aus wie das Ende der Welt. Wenn man hier stand, konnte man sich gut vorstellen, wie die Menschen darauf gekommen waren, die Erde sei eine Scheibe.

Gundula breitete die Arme aus und rief, vor Glück fast platzend: »Deswegen bin ich so gerne auf der Erde! Das hier hat kein anderer Planet!«

Sie begann sich auszuziehen und forderte die anderen auf, es ihr gleichzutun. »Lasst uns ins Watt rennen und die Naturgewalt spüren! Ist es nicht wunderbar, auf der Welt zu sein?«

Sabrina gefiel der Gedanke. Sie hatte das Gefühl, in eine neue Lebensphase einzutreten. Endlich hatte sie ihre Aufgabe gefunden. O ja! Sie würde das Management übernehmen und als Frau im Hintergrund die Fäden ziehen. Sie würde dafür sorgen, dass keiner diese drei guten Menschen betrog, die sich so wenig um Geld kümmerten und sich ganz einer Sache verschrieben hatten.

Sie warfen ihre Kleidungsstücke ins Gras und liefen nackt hinter Gundula her. Sie war ihnen immer ein paar Meter voraus. Schließlich ließ sie sich fallen und rollte lachend im Matsch herum.

»Ist das nicht herrlich!!!«

Finn-Henrik breitete die Arme aus und ließ sich rückwärtsfallen. »Ja«, juchzte er, »das ist es!«

So sind sie, dachte Sabrina. Sie genießen diesen Moment und machen sich jetzt noch keine Gedanken darüber, wie sie sich wieder waschen wollen. Es gibt hier in der Nähe keine Duschen, wir haben keine Handtücher dabei, aber scheiß drauf. Vielleicht ist das genau das Richtige: einfach das Leben genießen.

Sie ließ sich ebenfalls ins Watt fallen und rollte darin herum. Sie presste nur die Lippen fest aufeinander, um nichts zu schlucken.

Gundula kniete plötzlich und wühlte im Watt herum. Sie saß in einer kleinen Wasserpfütze und hob eine Auster hoch: »Guckt mal, welch süßes Lebewesen sich hierhin verirrt hat!«

Sie versuchte, die Auster zu öffnen. Es fiel ihr schwer.

YoLo2 wollte ihr helfen: »Was hast du vor?«

»Ich will sie essen. Wer Austern isst, hat das Meer in sich.«

»Jetzt? Essen? Hier?«

Verständnislos über die Frage, antwortete Gundula: »Sie ist zu mir gekommen. Ich möchte mich mit ihr vereinigen. Essen ... das hört sich immer so profan an.«

»Um eine Auster zu essen«, sagte Finn-Henrik, »braucht man eigentlich richtiges Werkzeug.«

»Die ersten Menschen, die Austern gegessen haben, hatten vermutlich auch kein Austernbesteck«, lachte Gundula. Ihr Gesicht war schwarz vom Watt, wodurch ihre Nase besonders weiß leuchtete. Sie knackte die Auster und zeigte sie vor: »Seht nur! Ist leider keine Perle drin.«

Sabrina sagte nicht, dass sie es ekelhaft fand. Sie hoffte, dass nicht noch mehr Austern gefunden werden würden und sie schließlich genötigt würde, auch eine zu essen. »Muss man die«, fragte sie vorsichtig, »nicht erst säubern?«

Gundula schüttelte den Kopf, dass Matschbrocken durch die Gegend flogen: »So, wie wir aussehen, willst du dieses kleine Lebewesen erst waschen?« Sie führte ihre Lippen zu der Auster, als hätte sie vor, sie zu küssen. Liebevoll sagte sie: »Ja, komm zu mir. Wir beide gehören zusammen.«

Finn-Henrik wischte sich mit den Händen durchs Gesicht, wodurch er noch dreckiger aussah als vorher. »Das wird dann die erste außerirdische Auster«, scherzte er.

Gundula stöhnte, als hätte sie selten etwas Besseres gegessen. Dann packte sie YoLo2s Kopf mit beiden Händen, zog ihn zu sich und gab ihm einen langen Zungenkuss.

Wolf Eich war vom *Reichshof* ins *Smutje* gezogen. Nach der Auseinandersetzung mit der Kommissarin schien ihm dieser Ortswechsel sinnvoll, und so war er immer noch ganz nah dran.

Er hatte sich eine Rinderroulade bestellt und aufs Zimmer bringen lassen. Er wusste gar nicht, wann er zum letzten Mal etwas gegessen hatte. Wenn er an einer Geschichte recherchierte oder an Dialogen feilte, vergaß er manchmal, zu essen. Das war ein gutes Zeichen. Es hieß, dass die Story ihn gepackt hatte, dass die Figuren interessant genug waren und er sich aus der schnöden Gegenwart in eine Fiktion gebeamt hatte.

Es war zweifellos die beste Rinderroulade seines Lebens.

Eich bildete sich ein, ein Gespür für gute Geschichten zu haben. Und dies war eine.

Er fand eine E-Mail von Valentina an einen gewissen Johannes Loschinski, der sich YoLo2 nannte. Sie setzte sich mit seinem Podcast und seinem Buch *Sie sind längst gelandet* kritisch auseinander und schrieb, leider habe er ja an dem Abend *gekniffen*.

Er konnte sich zwar nicht vorstellen, was zu Valentinas Ermordung geführt haben sollte, aber immerhin wurde die Verbindung deutlicher. Er musste alle Personen überprüfen, zu denen sie in den letzten Tagen Kontakt gehabt hatte.

Ein Mann namens Reinhard Fleurus beschimpfte sie in einer E-Mail als *manipulative Schlampe* und kündigte an, dass er keine gerichtliche Auseinandersetzung scheuen würde.

Jetzt suchte Wolf Eich gezielt nach einem E-Mail-Wechsel mit Reinhard Fleurus. Es gab dafür sogar einen eigenen Ordner in ihren E-Mails. Er trug die Überschrift: *Gerichtsstress*.

Der Duft der Roulade hing noch im Zimmer. Gäbe es davon ein Parfum, er hätte es sich gekauft.

Er machte sich ein paar Notizen. Dieser Reinhard Fleurus hatte eine kurze Affäre mit Valentinas Schwester Silke gehabt und sie, wie Valentina es nannte, *abgekocht.*

Das Problem war, dass es bei dem Geld um eine Lebensversicherung der Eltern ging, insgesamt fünfzigtausend Euro, von denen die Hälfte Valentina zugestanden hätte. Silke hatte die bürokratischen Arbeiten übernommen, und das Geld war zunächst ihrem Konto gutgeschrieben worden. Sie wollten es dann schwesterlich teilen, doch zu der Zeit gab es keine Zinsen. Manchmal wurden sogar Minuszinsen fällig, und Reinhard Fleurus hatte von einem Konto als *Geldvernichtungsmaschine* gesprochen. Er wollte das Geld für die beiden gewinnbringend investieren.

Wie er das gemacht hatte und warum alles schiefgegangen war, das füllte nun die Gerichtsakten. Jedenfalls waren von den fünfzigtausend nur siebenhundert-zweiundsechzig Euro übriggeblieben.

Silke schämte sich nur und bezeichnete Reinhard Fleurus als einen Heiratsschwindler, der ihr nicht mal die Ehe versprochen hätte, da sie nie vorgehabt habe, irgendwen zu heiraten. Sie behauptete aber, sie sei nicht die erste Frau gewesen, die er ausgenommen habe.

Er verteidigte sich mit Sätzen wie: *Vermögen zu verwalten ist in diesen Zeiten eine schwierige Kunst. Je höher der Gewinn sein soll, umso größer ist auch das Risiko.* Darüber habe er die beiden informiert. Es sei alles mit rechten Dingen zugegangen.

Ein Gerichtstermin war anberaumt, doch nun waren beide Schwestern kurz vorher in Ostfriesland ermordet worden.

War es so profan? Hatte sie jemand um ihre Erbschaft gebracht? Und aus Angst vor den Konsequenzen hatte der Betrüger seine Opfer getötet?

Reinhard Fleurus wohnte in Gelsenkirchen-Ückendorf in einem alten Bergmannshäuschen mit Garten. Es war sein Eigentum.

Wolf Eich schwankte. Sollte er zunächst nach Bremerhaven, um eine Veranstaltung von Finn-Henrik Bohlens und YoLo2 zu besuchen? Oder war Gelsenkirchen-Ückendorf die heißere Spur?

Er entschied sich für einen Trip ins Ruhrgebiet.

Jessi Jaminski war dagegen, doch Rupert bestand darauf, ihr jetzt zu zeigen, wie man ein richtiges Verhör führte. Damit wollte er auch den Mythos Ann Kathrin Klaasen brechen. In seinen Augen war sie gar keine Verhörspezialistin, sondern sie konnte nur Männer mit einem Mutterproblem in Schwierigkeiten bringen, weil die kleinen Jungs gewohnt waren, ihrer Mama gegenüber die Wahrheit zu sagen. Und diese Karte spielte Ann Kathrin zugegebenermaßen manchmal sehr geschickt aus.

Vielleicht, dachte Jessi, macht Rupert es auch nur, weil er das Video von Meyerhoff haben will, um mich zu schützen. Sie erwischte sich dabei, dass sie mal wieder eine Möglichkeit suchte, den Schwachsinn, den Rupert verzapfte, zu seinen Gunsten auszulegen.

Damit es nicht zu einem hochoffiziellen Akt wurde, bei dem ein Anwalt zugegen sein müsste, besuchte Rupert gemeinsam mit Jessi Meyerhoff einfach in den gekachelten Räumen und lud ihn ein: »Wollen wir nicht diese gastliche Stätte verlassen und zu mir ins Büro gehen? Da könnten wir gemeinsam einen Kaffee trinken und mal von Mann zu Mann reden.«

So, wie Meyerhoff guckte, wusste er nicht, ob *von Mann*

zu Mann reden auf ein vertrautes Gespräch, ja ein Angebot hindeutete oder eine Drohung war. Ganz deutlich machte Jessi ihm aber mehr Angst als Rupert. Er achtete darauf, immer genügend Abstand zu ihr zu halten, was in dieser kleinen Zelle schwerfiel. Auf keinen Fall wollte er in die Reichweite ihrer Fäuste geraten. Er hatte inzwischen kapiert, dass sie hart zuschlagen konnte.

»Ich ... ich habe Sie gar nicht aufgenommen. Es war ein Bluff. Es existiert kein Video«, sagte er und machte ein ehrliches Gesicht, sofern einem wie ihm das überhaupt gelingen konnte.

Jessi atmete erleichtert auf, und Rupert sagte: »Okay, das werten wir jetzt mal als ein Friedensangebot. Ich wäre also bereit, nicht nur 'ne Tasse Kaffee zu spendieren, sondern auch noch ein paar Kekse.«

»Ja«, sagte Meyerhoff, »bitte bringen Sie mich hier raus. Ich kann in diesen Räumen nicht atmen.«

»Warum?«, fragte Jessi. »Zu sauber? Sollen wir vielleicht ein bisschen schmutzige Unterwäsche hier verteilen, um die Luft zu verbessern?«

Meyerhoff blickte getroffen und sah sie mit einem Hundeblick an. »Ja, Sie haben ja recht. Ich bin im Grunde ein verabscheuungswürdiger Typ. Ich kann mich oft selbst nicht leiden. Aber ich bin halt, wie ich bin. Ich wäre auch gern so ein Sonnyboy, dessen Leidenschaften gesellschaftlich anerkannter sind.« Er deutete auf Rupert. »Ja, wenn ich sein könnte wie Sie ...«

»Häh? Wie bin ich denn?«, fragte Rupert irritiert.

Jessi befürchtete, dass das Gespräch entglitt. Rupert stellte keine Fragen mehr, sondern ihm wurden Fragen gestellt. Es ging plötzlich nicht mehr um den Verdächtigen, sondern um den Kommissar. Wenn sie sich nicht sehr täuschte, steuerte

Meyerhoff das Gespräch jetzt in eine ihm angenehme Richtung. So etwas, dachte sie, wäre Ann Kathrin Klaasen nie passiert.

»Sie sind ein treuer Ehemann. Es sei denn, es läuft Ihnen eine scharfe Schnitte über den Weg. Dann legen Sie die natürlich flach – selbstverständlich nur, wenn der Staatsanwalt nicht mehr die Hände zwischen den Schenkeln hat. Sie können Ihre Sexualität in der anerkannten Norm ausleben – wie schön für Sie. Sie nehmen auch schon mal gerne eine, die ein paar Jährchen jünger ist, aber volljährig muss sie sein.«

»Klar«, stimmte Rupert zu. Mit einem Blick auf Jessi sagte er: »Ende zwanzig, Anfang dreißig sollten sie schon sein.«

Jessi räusperte sich und versuchte, Rupert mit Blicken darauf aufmerksam zu machen, dass dieses Gespräch so nicht mehr in Ordnung war. Da Rupert nicht zu kapieren schien, sagte sie: »Wir sind hier in einer Zelle, und wir stehen nicht in einer Kneipe an der Theke.«

Rupert bemerkte, dass Jessi nicht begeistert von dem Gespräch war. Er befürchtete schon, sie würde nach seinen Worten annehmen, dass sie genau in sein Beuteschema passte. Er wusste nicht, wie er aus der Situation herauskommen sollte, wollte jetzt auch nicht lange herumeiern. Er schlug einfach vor, nun nach oben zu gehen und Kaffee zu trinken.

Meyerhoff atmete beim Treppensteigen schwer. Als sie am Kaffeeautomaten vorbeikamen, bot Jessi an, für alle Kaffee mitzubringen. Rupert war das ganz recht. Einerseits wollte er im Flur nicht mit Meyerhoff gesehen werden, andererseits fürchtete er, der Kaffeeautomat könnte, nur um ihn zu blamieren, Gemüsesuppe ausspucken.

»Für mich einen Latte macchiato oder wenigstens einen Cappuccino«, forderte Meyerhoff.

»Und du?«, fragte Jessi. »Ein Black Eye?«

Rupert nickte. »Ja. Kann ich brauchen.«

Meyerhoff fragte: »Was ist das denn?«

»Schwarzer Kaffee mit einem Espresso drin statt Milch.«

So wie er *statt Milch* sagte, hatte er Meyerhoff damit eins verpasst, fand Jessi.

Rupert verschwand mit Meyerhoff im Büro. Vielleicht, dachte Rupert, macht Jessi das auch nur, damit ich einen Moment mit ihm alleine sein kann.

Rupert bot Meyerhoff einen Stuhl an und hielt dann seinen Zeigefinger nah vor Meyerhoffs Nase. »Weißt du, was passiert wäre, wenn du das Video mit ihr veröffentlicht hättest?«

Meyerhoff hob die Hände, als wolle er sich ergeben. »Es gibt kein Video! Es war ein Bluff, das habe ich doch gesagt.«

»Ja. Aber wenn es eins gegeben hätte und du unserer Jessi damit Schaden zugefügt hättest, dann würdest du jetzt nicht hier auf dem Stuhl sitzen und auf dein Mädchengesöff warten, sondern du lägst auf der Intensivstation an einem Tropf und wärst noch längst nicht in der Lage, wieder flüssige Nahrung zu dir zu nehmen. Auf unsere Jessi lassen wir nämlich hier nichts kommen. Nicht dass du was Falsches denkst – ich rede nicht nur von mir, sondern von der ganzen Truppe. Wenn du nicht willst, dass wir mit dir den Boden aufwischen, dann lässt du sie in Ruhe. Kapiert?«

Meyerhoff nickte.

Jessi kam mit den Getränken herein. Rupert roch an seinem Black Eye, atmete tief den Duft ein und schloss die Augen, als würde er die Wirkung bereits spüren. »Ich brauche mal wieder 'ne Mütze Schlaf«, gestand er.

Der erste Schluck Latte macchiato veränderte für Dieter Meyerhoff die Situation. Es kam Jessi fast so vor, als sei aus dem Kaffeeautomaten ein Wahrheitsserum getropft.

»Was soll's«, sagte Meyerhoff, »es hat ja sowieso keinen Sinn. Ihr wisst es ja schon längst. Ich war's.«

Jessi zuckte zusammen und verschüttete ein bisschen von ihrem Kaffee auf den Boden. Mir so einem plötzlichen Geständnis hatte niemand hier gerechnet. Auch Rupert vergaß, von seinem Black Eye zu trinken. Er stellte den Kaffeebecher auf der Schreibtischkante ab.

»Habe ich das gerade richtig verstanden? Wir bekommen jetzt ein Geständnis?«

Meyerhoff trank noch einen tiefen Schluck Latte macchiato. Er hatte jetzt einen weißen Oberlippenbart, der ihn ein bisschen lächerlich aussehen ließ.

»Soll ich die anderen holen?«, fragte Jessi, doch Rupert hielt sie auf: »Mo … Moment. Das klären wir jetzt hier miteinander ganz in Ruhe. Wir schreiben jetzt Ihre Aussage mit«, kündigte Rupert an, ohne sich an den Computer zu setzen.

Jessi war sofort bereit, die Aufgabe zu übernehmen.

Rupert machte eine wedelnde Handbewegung: »Name, Adresse, Geburtsdatum, der ganze Kram.«

Jessi schielte zu Rupert rüber, der unbewusst Ann Kathrin Klaasens Verhörgang nachahmte: Drei Schritte, eine Kehrtwendung, drei Schritte. Bei jedem zweiten Schritt ein Blick auf den Verdächtigen. Er versucht zu sein wie sie, dachte Jessi, und glaubt doch, dass er ganz anders ist.

Rupert staunte, wie schnell Jessi tippen konnte. Er musste kaum Fragen stellen. Meyerhoff lieferte ein klassisches Geständnis ab. Für alle drei Morde. Er schilderte im Detail, was er getan hatte.

Bei Herrn Steinhauer hakte Rupert nach: »Das mit den beiden Frauen kann ich ja noch nachvollziehen. Aber warum diesen Rentner?«

Jessi nannte den Namen: »Günther Steinhauer.«

»Er hat mich gesehen, wie ich nach dem Mord an Valentina Humann das Haus verlassen habe. Er wollte mich erpressen.«

»Und dann haben Sie sich in Norddeich verabredet? An seinem Strandkorb?«

»Ja.«

»Und dann?«

Meyerhoff zeigte auf sich selbst: »Ja, sehe ich aus, als hätte ich hunderttausend Euro mal so eben auf dem Konto rumliegen?«

»Nee«, antwortete Rupert, »bestimmt nicht.«

»Er hat sich sogar«, prahlte Meyerhoff, »auf zwanzigtausend runterhandeln lassen, als er merkte, dass ich keine Lust hatte, Geld an ihn abzudrücken.«

»Und dann?«, fragte Rupert.

»Dann habe ich mein Messer gezogen und ihn abgestochen.«

Jessi tippte zwar die Aussage, guckte aber irritiert zu Rupert. Der fragte: »Und was war mit seinem Hals?«

»Ja, ich habe ihm auch den Hals durchgeschnitten. Ich war dann einfach sauer auf den alten Sack.«

Jessi ließ das Geständnis ausdrucken, und Meyerhoff unterschrieb es.

»Und was wird jetzt aus mir?«, fragte er.

Rupert wechselte ins Sie und erklärte, als würde er vor einer Tafel stehen und zu Schülern sprechen: »Jetzt trinken Sie erst mal schön Ihren Latte macchiato aus, dann bringen wir Sie zurück in Ihre Zelle, übergeben das Geständnis unserer Chefin, der Staatsanwältin, und den Rest regelt dann die Justiz.«

Jessi wusste nicht, welchen Lehrer Rupert nachmachte, aber mit Sicherheit einen, den er in der Grundschule gehabt hatte. Sie begann Rupert immer besser zu verstehen. Er machte immer andere nach. Menschen, die ihn beeindruckt hatten. Manchmal waren es Filmstars, manchmal Sportler oder auch Leute, die er kennengelernt hatte. Wahrscheinlich, dachte sie, weiß er gar nicht wirklich, wer er selbst ist. Und deswegen imitiert er immer andere, von Humphrey Bogart über Clint Eastwood bis hin zu Grundschullehrern. Das hatte in ihren Augen auch etwas durchaus Sympathisches. Sind wir nicht alle so, dachte sie. Ich selbst vielleicht auch? Machen wir nicht einfach die nach, die wir gut finden?

Sie brachten Meyerhoff in seine gekachelte Zelle zurück. Er legte sich auf die blaue Plastikmatratze und verschränkte die Hände hinterm Kopf. Eine viel gemütlichere und entspanntere Haltung war in diesem Raum auch kaum denkbar.

Rupert und Jessi verschlossen die Zelle sorgfältig. Dann konnte Rupert seine Freude kaum noch bremsen. Er hüpfte vom linken Bein aufs rechte, machte Handbewegungen, als würde er an einer Glocke ziehen und rief: »Tschakka! Tschakka! Wir haben ihn überführt! Siehst du, Jessi, das ist gute Verhörtechnik!«

Jessi hatte ein mulmiges Gefühl dabei und war gleichzeitig stolz darauf, ein Teil von all dem zu sein. Sie fühlte sich als vollwertiges Mitglied dieser Polizeitruppe, die so oft im ganzen Land für Aufmerksamkeit gesorgt hatte.

Zielstrebig ging Rupert auf das Büro der Polizeidirektorin Elisabeth Schwarz zu. Er konnte durch die Scheibe sehen, dass Ann Kathrin Klaasen und Weller sich bereits im Büro befanden und zwischen ihnen und Frau Schwarz eine hitzige Debatte abging.

»Umso besser«, sagte Rupert zu Jessi. »Gut, dass sie auch da sind. Genießen wir jetzt den Triumph gemeinsam. *Wir* haben das gewuppt!«

Die unterschriebene Aussage in der Hand schwenkend, öffnete Rupert die Tür. Wie immer, ohne anzuklopfen. Die Chefin sah ihn missbilligend an.

Rupert warf die Aussage auf den Tisch. Frau Schwarz beachtete sie überhaupt nicht, sondern sagte: »Sie beide kommen mir gerade recht. Wissen Sie, was hier im Internet kursiert?« Sie durchbohrte Jessi geradezu mit ihrem zornigen Blick. »Polizeigewalt! Das ist nicht witzig! Versuche, Geständnisse zu erpressen erst recht nicht!«

»Häh? Was?«, fragte Rupert.

Jessi stand erschrocken da und wurde kurzatmig. Sie hatte Angst, zu hyperventilieren. Irgendetwas lief hier gerade ganz und gar schief.

Rupert glaubte, es handle sich um Aufnahmen aus der Wittmunder Innenstadt. Dort hatten ja einige Leute die Polizeiaktion mitgefilmt.

»Der Typ wollte uns entkommen. Er hat Marion Wolters übel angegriffen. Jessi hat lediglich … «

Schnippisch zischte Elisabeth Schwarz: »Papperlapapp!« Sie drehte ihren Laptop um. Rupert und Jessi erkannten sofort Meyerhoffs Wohnung. Die Filmaufnahme existierte also doch!

»Ja, aber er hat doch gesagt, es gäbe überhaupt keine Filmaufnahme … «, stammelte Rupert.

Jessi wurde schlecht. Ann Kathrin schob ihr einen Stuhl hin. »Was wird hier eigentlich gespielt?«, fragte sie.

Rupert deutete auf die Papiere, die er auf den Tisch geworfen hatte: »Das ist jetzt sowieso alles egal … Meyerhoff hat uns gerade alle drei Morde gestanden. Was spielt es da noch für eine Rolle, ob Jessi ihn ein bisschen härter angefasst hat oder nicht? Wir haben den Fall aufgeklärt!«

Frau Schwarz nahm das Geständnis in die Hand und guckte darauf. Ann Kathrin und Weller machten sich die Mühe gar nicht mehr. Sie stürmten sofort nach draußen und rannten die Treppe runter zu den Zellen.

Weller brauchte einen Moment, bis er die Tür geöffnet hatte. Dahinter hörten sie schon Gejammer.

Meyerhoff kniete am Boden. Als er zu ihnen hochsah, waren seine Hände voller Blut, sein Gesicht ebenfalls. Er jammerte: »Sie haben mir die Finger gebrochen und mich zusammengeschlagen! Ich will meinen Anwalt sprechen!«

Rupert stolperte die Treppe herunter. Jessi hinter ihm her. Rupert japste: »Das ... das waren wir nicht! Der legt uns rein, der Hund! Wir haben den ganz korrekt behandelt!«

Ann Kathrin sah die Stelle an der Wand. Sie vermutete, dass Meyerhoff mit der Stirn dagegen gerannt war, um sich eine klaffende Kopfverletzung zuzufügen. Beweisen ließe sich das nie. Er könnte jederzeit behaupten, er sei mit dem Kopf gegen die Wand geschleudert worden.

Rupert flehte sie an: »Ann! Wir waren das echt nicht! Du glaubst doch nicht, dass wir ...«

»Nein«, sagte Ann Kathrin, »das glaube ich nicht. Aber aus der Nummer kommen wir nicht mehr gut raus, Rupert. Du, deine Machosprüche, dieses Video mit Jessi ... Und dann ihr beide mit ihm alleine hier unten in der Zelle. Was soll das? Du baust echt nur Scheiß, Alter!«

Weller versuchte, Rupert und Jessi zu verteidigen: »Sie sind in eine Falle gelaufen, Ann! In eine Falle!«

»Ja«, sagte sie, »und jetzt sitzen wir alle drin.«

»Ich will einen Arzt und einen Anwalt«, forderte Meyerhoff.

»Beides werden Sie bekommen«, kündigte Ann Kathrin an und drängte ihre Kollegen aus der Zelle.

Weller verschloss die Tür. Jessi heulte.

Erst jetzt kam Frau Schwarz die Treppe herunter. Sie hatte

vorher das Geständnis gelesen. »So ein Blödsinn! Das Ding strotzt vor Widersprüchen. Es sieht genau aus wie ein erpresstes Geständnis beziehungsweise ein erfundenes. Günther Steinhauer wurde mit einer Garotte getötet. Von wegen Hals durchgeschnitten! Und auch die beiden anderen Morde können unmöglich so abgelaufen sein. Meyerhoffs Anwalt wird uns vorführen!«

»Warum«, fragte Jessi, »macht der das?«

Frau Schwarz sprach ganz langsam, als würde irgendjemand mitschreiben und hätte Mühe, dabei nicht schnell genug zu sein: »Damit wir wie Idioten dastehen. Deshalb macht der das. Und selbst wenn er es war, haben wir jetzt vor Gericht eine unhaltbare Position, egal, wie viele Beweismittel wir noch heranbringen. Es hat nämlich wirklich Polizeigewalt gegen Unschuldige gegeben und erpresste Geständnisse ebenfalls.«

»Nicht hier bei uns«, konterte Ann Kathrin hart.

»Nein, hier vielleicht nicht. Aber jeder kennt das Problem. Und nun fällt es schwer zu beweisen, was real ist und was ein Fake.« Sie giftete Rupert an: »Vor allen Dingen, wenn man sich so bescheuert benimmt wie Sie!«

Jessi nahm ihn in Schutz: »Er war das doch gar nicht, sondern ich!«

»Er trägt die Verantwortung«, blaffte die Chefin zurück, »und er hätte dieses bescheuerte Geständnis gar nicht erst aufnehmen dürfen! Wofür haben wir einen Verhörraum mit einer Kamera, die alles dokumentiert? Damit wir dann entscheidende Aussagen in den gekachelten Räumen aufnehmen oder privat im Büro?«

Da sie im Moment mit ihrer Meinung nicht hinterm Berg hielt, teilte sie auch noch gegen Ann Kathrin aus: »Genauso dünn ist es, Verhöre im *Café ten Cate* durchzuführen oder im *Smutje*, nicht wahr, Frau Klaasen? In Zukunft verbitte ich mir so etwas! In dieser Polizeiinspektion wird ab jetzt alles in geordneten Bahnen ablaufen.« Sie stieß mit dem rechten Fuß trotzig auf: »Das kommt dabei heraus, wenn jeder macht, was er will, und jeder sich für den Größten hält!«

Sie ist noch nicht bereit, ihre Tochter zu töten, und sie würde auch nicht zulassen, dass ich es tue. Ich muss langsamer vorgehen. Ihr mehr Zeit geben. Es muss Schritt für Schritt passieren. Vielleicht kann ich sie mitnehmen, um diese Zoe zu entsorgen. Vielleicht würde sie es sogar schon selbst machen, wenn sie versteht, was für ein Monster in dem regenbogenfarbenen T-Shirt steckt.

Er machte mit Indra und Amelie einen Spaziergang am Deich. Sie hofften, dass Amelie dadurch müde werden würde. Sie war so quirlig, als hätte sie in den nächsten Stunden noch nicht vor, schlafen zu gehen.

Sie sahen eine Schafherde auf dem Deich. Die Schafe waren für Amelie mindestens so spannend wie die Seehunde, und an die Schafe kam sie näher heran. Sie lief mit ausgebreiteten Armen jubelnd auf die Herde zu. Die Schafe stoben in alle Richtungen auseinander. Amelie fand das witzig, andererseits wollte sie gerne ein Schaf streicheln und mit ihnen spielen. Je schneller die Schafe vor ihr wegliefen, umso mutiger wurde sie und umso größer wurde ihre Lust, eins zu berühren.

Ein schwarzes blieb plötzlich stehen, bot ihr die Breitseite und wirkte, als hätte es vor, den Rest der Herde, die weißen Schafe, zu beschützen.

Indra war ziemlich geschafft von dem Tag. Sie sagte zu Alex:

»Sie darf das nicht machen. Bitte hol sie zurück. Schafe sind so schreckhaft. Die kriegen schnell einen Herzinfarkt. Wenn der Schäfer das sieht, gibt es Ärger. Sie will ja nichts Böses, aber ... «

Wenn du wüsstest, dachte er.

Er lief zu Amelie. Indra setzte sich ins Gras und sah den beiden zu.

Die Wolkenformation über Juist hatte etwas Magisches. Er konnte Gesichter darin erkennen. Eine Mutter mit Kind auf dem Arm ...

Indra nahm ihr Handy heraus, um den Himmel zu fotografieren, doch dann schien ihr plötzlich etwas anderes noch viel bedeutsamer als dieses beeindruckende Wolkenschauspiel. Nicht weit von ihr weg kniete Alex bei dem schwarzen Schaf und hielt es fest, so dass Amelie es streicheln konnte.

Wie gut die beiden sich verstehen, dachte sie. Welch ein zauberhaftes Bild!

Sie machte mehrere Fotos und zoomte die zwei nah heran. Sie achtete darauf, dass kein Blitzlicht anging. Sie wollte auf keinen Fall diese anrührende Situation stören oder gar das Schaf erschrecken.

Er bat darum, den Versuch machen zu dürfen, Amelie ins Bett zu bringen. Normalerweise durfte das nur ihre Mama, und eigentlich war es dafür auch noch zu früh, doch ihm wurde eine Chance eingeräumt, denn er versprach ihr, noch eine Geschichte zu erzählen.

Während er vor ihrem Bett saß und ihr statt eines Märchens eine Geschichte von fliegenden Untertassen erzählte, aus denen angeblich kleine grüne Männchen kamen, lachte sie. Vermutlich, weil sie genau wusste, dass die Außerirdischen keine kleinen grünen Männchen waren.

Er berichtete von einem Außerirdischen, als hätte er ihn selbst gekannt. Der Fremde wäre so gerne ein Mensch gewesen oder ein Teddybär, aber er wurde von den Leuten abgelehnt. Alex erfand die Geschichte aus dem Stegreif.

Amelie war empört darüber, dass die Menschen das kleine grüne Männchen ausschlossen. »Wenn er zu mir käme«, sagte sie, »ich würde mit ihm spielen.«

»Dürfte er auch in deinem Bett schlafen?«, fragte Alex.

»Na klar. Ich will doch nicht, dass er friert.«

Er blieb länger als eine halbe Stunde. Dann schlief sie ein.

Eine Weile saß er noch an ihrem Bett. Er wusste jetzt, womit er beginnen würde. Indras Ex musste ohnehin beseitigt werden. Und was glaubten Frauen von ihrem Ex am liebsten, wenn sie sehr enttäuscht von ihm waren oder ihn gar hassten? Dass er ein Monster war, ein Außerirdischer. Und genau das würde er ihr jetzt erzählen.

Vielleicht wäre sie sogar dankbar und froh, wenn er den Kerl ins Jenseits beförderte. Vielleicht würde sie sogar mithelfen, vielleicht wäre das der richtige Einstieg für sie. Später dann würde sie begreifen, dass sie seinen Samen in sich trug, als ihr Ei befruchtet wurde. Und dass Amelie viel von ihrem Vater hatte.

Vielleicht wusste der sogar, was mit ihr los war, und lehnte sie deshalb ab, weil er selbst nicht verstand, was geschah. Nicht alle verkrafteten das Wissen. Manche landeten in der Psychiatrie. Andere brachten sich um. Sie spürten nur, dass mit ihnen etwas nicht stimmte, wussten aber nicht genau, was.

Ich werde jetzt ein gutes Gespräch mit ihr führen, dachte er. Ich werde viel Verständnis für sie haben. Vielleicht biete ich ihr eine Massage an, für die Seele oder für den Körper. Vielleicht auch beides. Ich werde sie zärtlich lieben, und dann werde ich sie über ihren Ex interviewen, ihr die Gelegenheit geben, sich so richtig über ihn und die misslungene Beziehung auszukotzen. Und wenn ihre Wut auf dem Höhepunkt ist, dann werde ich ihr vorschlagen, den Dreckskerl umzubringen.

Um diese Zoe würde er sich zunächst alleine kümmern. Am besten noch heute. Dieser Schritt war erst mal zu groß für Indra. Sie war längst noch nicht so weit, in einer schönen jungen Frau ein Monster sehen zu können.

»Ein Blick aufs Meer«, so hatte der ehemalige Kripochef Ubbo Heide einmal gesagt, »relativiert alles.« Diese Wahrheit hatte Ann Kathrin in sich aufgesogen, und oft genug hatte ihr der Blick aufs Meer geholfen. Es war noch mal anders, als aus einem Flugzeug auf die Erde herunterzuschauen. Dort fühlte Ann Kathrin sich den Dingen überlegen, alles unter ihr wurde klein. Sie schwebte dann über allem. Aber das war kein Zustand, der sich real im Alltag halten ließ. Ein Blick aufs Meer aber vermittelte ihr, dass sie eins war mit den Naturgewalten, ihnen nicht einfach ausgeliefert, sondern ein Teil all dessen. Und Dienstpläne, Formulare, die ausgefüllt werden mussten, bevorstehende unangenehme Termine wurden vielleicht nicht zum Witz, wenn sie auf dem Deich stand und aufs Meer sah, aber aus all diesem aufgeblasenen Alltagskram wurde die Luft rausgelassen.

Deshalb wäre Ann Kathrin jetzt am liebsten mit der jungen Kollegin Jessi Jaminski zum Deich gefahren. Sie stellte sich vor, dort mit ihr im Gras zu sitzen, sie im Arm zu halten und ihr zu helfen, die Niederlage zu verdauen.

Es war ein harter Schlag für Jessi. Diese energiegeladene

junge Frau, die dem Leben voller Optimismus gegenüberstand, wirkte kraftlos, geknickt, wie kurz vor einem Knockout, wenn die Boxerin schon fühlt, dass sie den Kampf verloren hat, aber auch nicht die Kraft aufbringt, aufzugeben. Auch dazu brauchte man einen Rest Mut.

Jessi war unter dem Strafgericht und der Last ihrer gefühlten Schuld zusammengebrochen. Sie wollte aber jetzt nicht ans Meer, sondern sich zurückziehen. Sie brauchte vier Wände als Schutz um sich herum. Am liebsten wäre sie ganz allein gewesen, um sich auszuheulen, doch das sagte sie nicht, weil sie Ann Kathrin nicht zurückweisen wollte.

Sie saßen jetzt gemeinsam im Distelkamp in der Küche. Durch die Glastür und die Fenster konnte Ann Kathrin den glutroten Himmel über Norddeich sehen. Dort gab es heute, wie so oft, einen phantastischen Sonnenuntergang.

Ann Kathrin öffnete die Küchentür, ging auf die Terrasse, um ein wenig Luft hereinzulassen. Die warme Abendluft strömte in den Raum.

Ann Kathrin Klaasen zeigte zu den rotgold schillernden Wolkenformationen. Doch Jessi hatte dafür kein Auge. Sie war in sich gekehrt und kaute sich die Lippen blutig. Sie rieb sich die Oberarme. Sie schien zu frieren und suchte die Nähe zum Heizkörper, obwohl die Heizung seit Wochen nicht mehr eingeschaltet worden war.

Es kostete sie viel Überwindung, doch dann schaffte sie es, Ann Kathrin zu fragen: »Kannst du die Tür nicht schließen?«

Ann Kathrin kam ihrer Bitte sofort nach. »Fühlst du dich so schutzlos?«

Jessi nickte.

Ann Kathrin machte Wasser heiß und goss zwei Becher voll. Einen für Jessi und einen für sich.

»Manchmal«, sagte Ann Kathrin, »hilft mir das. Einfach nur heißes Wasser, gegen die innere Kälte und um all das Gift und den Müll auszuspülen. Alles, was wir tagsüber so in uns aufnehmen.«

Jessi klammerte sich mit beiden Händen an dem Becher fest und nippte daran.

»Vielleicht«, sagte Jessi, »sollte ich den Dienst einfach quittieren. Das ist nichts für mich.«

Ann Kathrin wollte das erst gar nicht sacken lassen, sondern versuchte, den Vorschlag gleich beiseitezuschieben: »Du bist doch eine Boxerin. Manchmal steckt man ganz schön ein. Dann nimmt man die Fäuste wieder hoch und ... «

»Netter Versuch«, sagte Jessi resigniert.

»Frau Schwarz war sehr hart. Das war eine Schaufensterrede. Sie hat natürlich Angst um den Ruf der Polizei.«

Getroffen nickte Jessi und verzog den Mund. »Ja. Ich bin schlecht für den Ruf der ganzen Firma.«

»Ubbo Heide«, sagte Ann Kathrin nachdenklich, »war da ganz anders. Der hat sich immer mit breitem Rücken hinter uns gestellt. Manchmal auch vor uns, wenn es nötig war. Aber später dann, wenn wir mit ihm alleine waren, dann hat er unsere Fehler klar benannt. Nie hätte er jemanden von uns vor der Presse, vor einem Anwalt oder irgendeinem anderen Externen fertiggemacht.«

»Ich bin ja selber schuld«, behauptete Jessi. »Sie werden mich eh rausschmeißen. Ich sollte ihnen mit der Kündigung zuvorkommen. Aber was viel schlimmer ist: Wegen meines dämlichen Fehlers wird Meyerhoff freikommen. Wenn die Polizei einmal ein Geständnis von jemandem erpresst oder erprügelt hat, dann spricht den kein Gericht mehr schuldig, weil alle Beweise und Indizien, die man bringt, nichts mehr wert sind. Wir wirken ja, als würden wir nur in eine Richtung ermitteln, um ihn in den Knast zu bringen.«

Etwas an dieser Kritik stimmte sogar, fand Ann Kathrin. Sie wollte aber jetzt nicht auch in dieses Horn blasen. Wenn der Blick auf die Nordsee jetzt nichts relativieren konnte, dann musste sie es eben mit Argumenten versuchen: »Das war ein abgekartetes Spiel, Jessi. Es ist von außen gesteuert worden.«

Jessi wurde hellhörig.

»Sein Anwalt hat seine Kanzlei in Oldenburg. Ein Strafverteidiger. Ein harter Hund. Er führt Leute wie dich und mich vor Gericht gern als schlampige Ermittler vor, und das ist dann noch sehr nett. Wenn er einen wirklichen Fehler findet, macht er Idioten aus uns, und die Gerichtsverhandlung wird zu einer Art Fortbildung degradiert, bei der man uns vorführt. Wir müssen uns dann erklären lassen, wie eine Ermittlung richtig zu laufen hat und an welchen Stellen wir dagegen verstoßen haben. Aber weißt du, was das Schlimmste ist, Jessi? Meistens hat der Typ sogar recht. Er heißt Krokolowski, wird aber von den meisten Krokodil genannt oder Kroko, weil er die ganze Zeit so ruhig und gelassen wirkt, als sei er eingeschlafen. Und dann schnappt er plötzlich zu und beißt sich fest.«

»Und ausgerechnet den hat Meyerhoff ...«

»Ja, Jessi. Überleg doch mal. Meyerhoff legt ein Geständnis ab, bricht sich die Finger und rennt mit dem Kopf gegen die Wand. Sein Oldenburger Anwalt steht praktisch schon vor der Tür. Der war doch schneller da als der Notarzt. Was sagt uns das?«

»Meyerhoff hatte kein Handy mit in der Zelle ...«

»Nee«, lachte Ann Kathrin bitter. »Solche Kardinalfehler macht nun wirklich keiner bei uns. Als wir Meyerhoff in Wittmund verhaftet haben, war dieser Vincent Mammen bei ihm.«

»Ja und?«

Obwohl das Wasser sehr heiß war, nahm Jessi einen tiefen Schluck aus der Tasse. Es tat ihr tatsächlich gut. Die Eisklumpen in ihrem Magen und in ihrem Hals begannen zu tauen.

»Die haben das genau abgesprochen. Sollte ich verhaftet werden, passiert das und das.«

»Das heißt«, sagte Jessi, »der ist direkt nach der Verhaftung angerufen worden, in Oldenburg gestartet und hat im Café gesessen und nur noch auf den Anruf gewartet?«

»Ja, auf jeden Fall ganz nah bei der Polizeiinspektion.« Ann Kathrin zeigte auf Jessi: »Guter Hinweis. Ich rufe im *Café ten Cate* an.«

»Um die Zeit ist im Café zu«, konterte Jessi.

»Na ja, ich meine, bei Jörg und Moni privat.«

Ann Kathrin tat es sofort.

Jessi leerte ihren Becher.

»Moin, Jörg.« Ann Kathrin stellte das Handy auf laut. Jessi sollte genau mitkriegen, was in ihrem Sinne geschah.

Hinter Jörg Tapper war lautes Lachen zu hören. »Ich habe gerade den Grill angeworfen. Habt ihr Lust, rüberzukommen?«, fragte er.

»Lust schon. Aber keine Zeit.«

»Bist du wieder auf Diät?«

»Nein.«

Es tat gut, jetzt solche privaten und banalen Dinge zu besprechen – verglichen mit dem, worum es ging. Es gab ja außer Meyerhoff noch mehr im Leben.

»Du kennst doch den Kroko?!«

»Den Anwalt, den ihr alle so gerne habt wie Zahnschmerzen und Durchfall im Urlaub?«

»Ja, genau den. War der heute bei euch im Café?«

»Ja. Witzigerweise hat er genau den Tisch gewählt, an dem früher gerne Dr. Sommerfeldt gesessen hat. Er hat sich sogar das Gleiche bestellt. Baumkuchen und …«

Bevor Jörg weiter aufzählen konnte, unterbrach Ann Kathrin ihn: »Weißt du, wann er gekommen ist?«

»So genau kann ich dir das natürlich nicht sagen, aber es war so um die Mittagszeit. Er saß ziemlich lange da und hat auf sein Handy geguckt. Weißt du, was komisch war?«

»Nein, erzähl.«

»Er hat nach jeder Bestellung sofort bezahlt. Das machen die Leute normalerweise nicht, sondern sie zahlen erst, wenn sie gehen wollen. Aber ich glaube, der wollte jeden Moment aufspringen können, um das Café zu verlassen. Er hat auf irgendwas gewartet. Und dann ist er auch plötzlich aufgesprungen und rausgerannt. Hat nur so gewunken und *Tschüs* gerufen. Der war mächtig in Eile.«

»Danke, Jörg. Du hast uns sehr geholfen.«

Noch einmal versuchte er, mit seiner Einladung durchzukommen: »Dann Schluss jetzt mit der Arbeit. Kommt, lasst euch ein bisschen verwöhnen.«

»Du hast so recht, Jörg. Nichts tut mehr gut als ein paar Stunden bei guten Freunden. Aber wir sind gerade in die Jauchegrube gefallen, und uns steht die Brühe bis zur Unterlippe.«

»Lasst mich wissen, wenn ich was tun kann.«

»Du hast uns schon sehr geholfen. Danke. Ich umarme dich. Liebe Grüße an Moni!« Ann Kathrin knipste das Gespräch weg. Jessi hielt ihr den leeren Becher hin.

Ann Kathrin nahm ihn lächelnd und füllte ihn wieder auf: »Es war also genau so, wie ich mir dachte. Jeder von uns hätte in diese Falle laufen können, Jessi. Das war nicht speziell für dich gedacht.«

»Ja, aber von mir gibt es diese bescheuerte Videoaufnahme. Und ich bin in die Falle reingelaufen. Ich war das ideale Opfer.«

Eine Whatsapp von Frank Weller kam an. Ein Foto vom Sonnenuntergang. Frank schrieb dazu: *Schwingt euch auf die Räder, Mädels, und kommt nach Norddeich. Es ist mal wieder gigantisch!*

Ann Kathrin antwortete: *Viel Spaß, Frank. Wir igeln uns ein bisschen ein.*

Okay, antwortete er, *wenn ich zurückkomme, mache ich uns eine Pilzpfanne.*

Ann Kathrin war begeistert. Sie zeigte Jessi das Bild vom Sonnenuntergang in Norddeich. Jessi las auch, was Frank geschrieben hatte, und sagte: »Frank kocht gern, was?«

»Leidenschaftlich gern!«

»Du Glückliche. Hast einen Mann, der dich bekocht.«

»Ich selbst bin eine lausige Köchin. Irgendwie ist das nicht mein Ding. Aber ich esse gern.«

Einerseits wäre Indra am liebsten mit ihm verschmolzen, andererseits wusste sie, dass es einer Beziehung auch guttat, wenn jeder mal ein bisschen Zeit für sich hatte. Er brauchte das, abends noch mal rauszugehen, einen Spaziergang am Meer zu machen und dem Sonnenuntergang zuzusehen. Andere Männer gingen nachts in die Kneipe oder in irgendwelche Stripteasebars und kamen angesoffen wieder zurück. Damit hatte sie genug Erfahrungen.

Bei Alex war das anders. Der kam aufgeladen mit Sauerstoff heim, nicht auf Krawall gebürstet, sondern strahlend, glücklich.

Nachdem Amelie eingeschlafen war, nutzte Indra die Zeit,

um mit ihren Freundinnen im Kontakt zu bleiben. Eins hatte sie durch die schlimme Trennung gelernt: Man durfte für einen Kerl nicht alle anderen Beziehungen vernachlässigen.

In der ersten großen Liebeseuphorie neigte sie genau dazu. Sie meldete sich nicht mehr bei ihren Freundinnen, sie hatte nur noch Zeit und Gefühle für ihren Typen. So etwas rächt sich später in der Trennungsphase sehr, das hatte sie inzwischen gelernt.

Von daher sah sie es mit einem lachenden und einem weinenden Auge, dass er abends noch mal wegging. Die Ledertasche hing wie immer an seiner Seite.

Ein Blick zum Fenster sagte ihr, dass der Sonnenuntergang gigantisch werden würde. Er zeigte dorthin und sagte: »Das sind die größten Kunstwerke der Welt. Die Natur schafft sie selber. Wir müssen nur hingucken und sie in uns aufsaugen. So«, er schlug sich gegen die Brust, »entsteht ein Museum in uns selbst. Eins, das wir ständig besuchen können. Es hat montags nicht geschlossen, und es kostet auch keinen Eintritt.«

Für solche Sätze liebte sie ihn. Welch ein wunderbarer Mann, dachte sie. Sie sah ihm durchs Fenster nach, wie er in Richtung Deich ging.

Er wusste nicht, ob es seine Instinkte waren, die ihn leiteten, oder sein Verstand. Er wollte sich diese Zoe holen. Das Monster in ihr verstand sich prächtig darauf, den harmlosen Teenie zu geben. Wer vermutete schon hinter so einem fröhlichen, unbekümmerten Girlie mit frechen Sprüchen eine invasive Spezies, eine biologische Invasion, die zu einer militärischen werden würde? Wusste sie selbst überhaupt, wer ihren Körper beherrschte? Spielte das Monster das Girlie oder wusste die junge Frau gar nicht, was mit ihr los war, und sie fühlte sich nur manchmal so komisch, wie nicht von dieser Welt?

Zu gern wäre er der Frage auf den Grund gegangen. Er erkannte diese Monster, und er tötete sie. Das war seine eigentliche Aufgabe.

Doch er musste mehr über sie wissen. Bei Amelie hatte er jetzt die Möglichkeit. Mit ihr konnte er eine Weile zusammenleben und sie studieren, bevor er sie umbrachte. Es war wie ein Laborversuch. Am Ende musste die Ratte sterben.

Mit Zoe musste er kurzen Prozess machen, was ihm eigentlich leidtat. Zu gern hätte er sie befragt. Doch wie konnte er sie zu Aussagen zwingen? Folter funktionierte in diesem Fall vermutlich nicht. Dem Monster in ihr war es doch egal, ob er dem menschlichen Wesen Schmerzen zufügte oder nicht. Konnten diese Aliens überhaupt Schmerzen empfinden?

Tat es einer Marionette weh, wenn man ihr den Holzarm brach?

Musste man nicht den Spieler verletzen, weil nur der Gefühle hatte?

Diese Gedanken trieben ihn vorwärts in Richtung Sonnenuntergang.

Sie waren genau da, wo er sie vermutet hatte: Bei einer der vier Meeresterrassen mit diesem Wahnsinnsausblick aufs Meer. Sie lachten, tranken Prosecco aus Dosen und hörten eine Musik, die ihm nicht gefiel. Der eintönige Rhythmus hatte etwas von einem zu schnell schlagenden Herzen.

Da dort so viele schöne junge Frauen ausgelassen tanzten und sich frei bewegten, fanden sich auch sehr schnell genügend männliche Besucher ein. Die Frauen taten so, als würden sie die Männer gar nicht beachten, lieferten ihnen aber eine ziemliche Show. Zoe hopste im Takt auf und ab, immer wieder hob sie ihr regenbogenfarbenes T-Shirt hoch und reckte dem Sonnenuntergang ihre Brüste entgegen, als würden sie von dort einen besonderen Segen empfangen. Sofort ließ sie das T-Shirt wieder runtersausen und tat, als sei nichts gewesen und sie wisse überhaupt nicht, warum die jungen Männer so guckten und ihre Handys zückten.

Sie richteten die Objektive auf Zoe. Die lachte und zeigte in die andere Richtung. »Der Sonnenuntergang ist dort, Leute!«

Alex stand in einer Männergruppe und fiel nicht weiter auf. Niemand beachtete ihn.

Als zwei Typen in Motorradjacken ein wenig zu zudringlich wurden, hörte er Zoe laut schimpfen: »Äi, das ist hier kein islamistischer Gottesstaat! Hier darf ich meine Brüste genauso zeigen wie jeder Mann! Wenn du da nicht drauf klarkommst, Kleiner, dann verzieh dich!«

Die mit dem Rattenkopf brüllte: »Hol dir in der Umkleidekabine einen runter!«

»Warum zeigt sie mir denn dann ihre Titten?«, pflaumte der Biker, der bis vor kurzem auf seinem roten Motorradhelm gesessen hatte, sie an. Jetzt stand er. Jemand stieß – nicht unbedingt versehentlich – gegen seinen Helm, der die vierzehn Stufen herunterrollte und dabei hohle Geräusche machte. Der Helm landete im Watt.

Noch einmal hob Zoe ihr T-Shirt und rief: »Das mache ich nicht für dich, sondern für mich! Schnallst du das?«

Sie erntete Beifall und Gelächter.

Der Motorradfahrer bückte sich, um seinen Helm aus dem Watt zu heben. Die Chance nutzte eine von Zoes Freundinnen, die auf grau-schüchterne Maus machte, aber sicherlich keine war. Sie stieß ihn leicht an, und er klatschte in den Matsch.

Blitzlichter erhellten den Augenblick.

Zoe ahnte, dass es besser war, sich jetzt zu verziehen. Sie löste sich aus der Gruppe und lief in Richtung Wattwurmrutsche.

Alex folgte ihr mit gehörigem Abstand.

Sie ist ein Alien, dachte er. Sie weiß genau, was sie tut. Sie macht den Typen scharf und verwirrt ihn. Sie will, dass er ihr folgt, und wenn er glaubt, dass er mit ihr alleine ist und sich für seine Blamage revanchieren will, dann wird sie über ihn herfallen wie eine hungrige Katze über eine vollgefressene Maus.

Du hast keine Chance, Kleiner, dachte er. Nicht die geringste. So, wie du groß geworden bist, denkst du garantiert, dass du ein starker Mann bist und sie ein schwaches Mädchen. Aber sie könnte dich in Stücke reißen, wenn sie wollte, und dein Herz roh verspeisen.

Zoe saß jetzt bei der Rutsche und rauchte eine E-Zigarette. Es stank für ihn nach brennendem Kaugummiautomaten. Er würde nie verstehen, wie man so etwas rauchen konnte. Er fragte sich, ob das ein menschliches Verlangen war oder ob das Monster in ihr sie zu diesem Unsinn trieb, weil der intensive Duft nach Mango und Räucheraal in Vanille half, den Verwesungsgeruch, den die Außerirdischen manchmal ausdünsteten, zu übertünchen.

»Zoe, brauchst du Hilfe?«, rief eine ihrer Freundinnen und lief dabei in ihre Richtung.

Zoe winkte ab: »Nee, danke, solche Typen quetsch ich mir zum Frühstück ins Müsli!«

Die beiden Motorradfahrer, die sich zwischen Zoe und der Gruppe befanden, hoben die Arme. »Keine Sorge, wir tun der Zimtzicke nichts! Aber wenn ich eins der Fotos bei Insta sehe, bringe ich euch um! Euch alle!«, rief der, dem der Matsch zäh von der Jacke tropfte.

»Oh«, lachte Zoe, »hast du Angst, deine Freunde sehen dich so? Dazu muss man doch erst mal Freunde haben!«

»Ich hab ein Recht am eigenen Bild«, schimpfte er.

Zoe lachte: »Recht am eigenen Bild! Kommst du aus dem letzten Jahrtausend? Wenn man keinen Mist über sich im Netz sehen will, sollte man keinen Mist bauen!«

Er machte eine deutlich für alle sichtbare Geste und drehte sich dabei, so dass ihn die Gruppe am Meer sehen konnte und dann Zoe. Er deutete an, sich selbst den Hals durchzuschneiden. »Ich warne euch!!!«

Alex sah sich alles von weitem an und grinste. Vermutlich, dachte Alex, ist er auch dabei gefilmt worden. Wenn ich dieses kleine Monster erledigt habe, wird sich die Polizei bei ihm melden. Umso besser, dann habe ich Luft, um noch ein paar Tage ungestört mit Indra und Amelie am Meer zu verbringen.

Zoe hockte im Maul des Wattwurms. Sie sah aus, als würde das Monster sie verschlucken.

Sie rauchte und sah zum Sonnenuntergang. Sie wirkte in sich gekehrt.

Die beiden Biker trollten sich. Nachdem sie in Richtung Bierausschank verschwunden waren, schlenderte Alex scheinbar zufällig in ihr Sichtfeld. Er winkte ihr.

Es war schon recht dunkel, und so, wie er stand, konnte Zoe sein Gesicht nicht richtig erkennen, nur seine Silhouette vor dem glühenden Himmel.

Sie riet mehr, als dass sie es wusste: »Ach, der süße Papi aus der Seehundstation!«

Er nickte und ging auf sie zu.

»Die Kleine hat dich ganz schön in Verlegenheit gebracht, was?«, grinste Zoe. »Was ist nur mit uns los«, fragte sie, »dass wir Dinge an unserem eigenen Körper peinlich finden? Ich bin gerade dabei, mich für nichts mehr zu schämen. Ein gar nicht so einfacher Prozess ... «

Er lächelte: »Ich hab's gesehen ... «

»Wo hast du denn Frau und Kind gelassen?«

»In der Ferienwohnung. Manchmal brauche ich auch ein bisschen Zeit für mich.«

»Ich auch. Selbst die da«, sie zeigte auf die Gruppe auf der Meeresterrasse, »werden mir manchmal zu viel.«

Sie schwiegen eine Weile und bemühten sich, in andere Richtungen zu blicken. Sie vermieden es, sich gegenseitig anzuschauen.

Dann seufzte sie: »Willst du ein bisschen mit mir gehen?« Sie lachte über ihre eigenen Worte: »Ich meine, hier so rumgehen.«

»Wenn wir nach dort laufen«, sagte er und zeigte zu weniger gut ausgeleuchteten Stellen am Deich in Richtung Greetsiel, »da stört uns keiner.«

Sie erhob sich und steckte ihre E-Zigarette weg.

»Atme mal tief ein«, sagte er. »Etwas Geileres als diese Luft hier wirst du kaum mehr in die Lunge kriegen. Die Ausdünstungen des Meeresbodens, dieses Metallische«, er schnalzte mit der Zunge, »man kann es schmecken. Ein bisschen wie ... «

»Blut«, vervollständigte sie seinen Satz.

Fast hätten sie sich an die Hände gefasst, als sie nebeneinander weitergingen. Hier irgendwo mussten auch die beiden Motorradfahrer langgegangen sein. Doch sie hatte nicht die geringste Sorge, dass die beiden ihr auflauerten. Erstens ging sie zusammen mit Alex spazieren, und zweitens übte sie sich gerade darin, ein Leben ohne Angst und Schamgefühle zu führen, weil sie beides als einengend empfand. Sie wusste noch nicht, ob es funktionieren würde. Eine Freundin hatte es eine Weile probiert, aber dann wieder aufgegeben. Es wurde ihr zu stressig, wie sie sagte.

»Liebst du deine Frau?«, fragte sie.

»Ja, das kann man so sagen.«

»Man merkt es euch beiden an. Ich wünsche mir auch so etwas.«

»Einen Mann und ein Kind?«, fragte er.

»Ja, irgendwann schon. Mit dem Kind habe ich noch ein bisschen Zeit, denke ich.«

Die Sonne schien im Meer zu ertrinken. Sie blieben stehen und sahen sich die letzten Schimmer an, die das Wasser erhellten. Dann wurde es um sie herum sehr dunkel. Nur von der Uferpromenade her waren noch vereinzelte Lichter zu sehen.

»Jetzt«, sagte er, »sind wir ganz alleine hier. Ich könnte dich töten, und niemand würde es bemerken.«

»Na«, lachte sie, »das ist ja mal 'n Anmachspruch! Ich dachte, du schlägst jetzt vor, dass wir hier schnell 'ne Nummer schieben, bevor du zu deiner geliebten Frau nach Hause gehst.«

»Würdest du das tun?«

Sie ließ sich mit der Antwort Zeit. »Hättest du denn Lust?«

»Ja«, bestätigte er.

Sie schlug mit der rechten Faust in die linke Handfläche: »Schade. Ich dachte, du wärst anders.«

»Wie, anders?«

»Na, treu!« Sie seufzte und machte eine große Geste: »In letzter Zeit graben mich ständig verheiratete Typen an, die sich von ihrer Frau«, sie malte Anführungsstriche in die Luft, »nicht verstanden fühlen.«

»Und? Gehst du drauf ein?«

Sie ging ein paar Schritte.

Er hinter ihr her.

Wattvögel lärmten in der Dunkelheit.

»Du musst aber lange über die Frage nachdenken«, lästerte er.

»Ja, wie soll ich sagen? Eher nicht – also, kaum noch. Früher bin ich ein paarmal drauf reingefallen.«

»Und was sagst du, wenn sie dich angraben?« Er wiederholte bewusst das Wort, das sie benutzt hatte.

»Ich frage sie, ob sie nur Geld für den Puff sparen wollen.«

»Du kannst aber ganz schön direkt sein.«

»Ja, das übe ich gerade.«

Er öffnete seine Tasche. Sie rechnete damit, dass er ein Getränk hervorzaubern würde. Sie fand die Idee, hier mit ihm in der Dunkelheit zu sitzen und aufs Meer zu schauen, sehr angenehm. Doch dann sah sie die Klinge blitzen. Sie begriff augenblicklich, dass es um ihr Leben ging.

Sie schrie nicht. Es war, als habe sie nie eine Stimme besessen. Sie bekam keinen Ton heraus, doch sie rannte los. Sie wollte von der Wasserkante weg, den Deich hoch, um von dort auf die Straße zu fliehen, doch sie stieß mit dem rechten Fuß heftig gegen einen Wellenbrecher. Der Schmerz ließ sie fast ohnmächtig werden, nur die Angst hielt sie wach. Sie rollte sich auf den Boden und versuchte aufzustehen. Sie konnte nur noch humpeln.

Als er sich über sie beugte, schaffte sie es, zwei Worte zu formulieren. Sie wusste nicht, ob sie ihn wirklich darum bat oder es nur dachte: »Bitte nicht!«

»Es schmerzt mich fast, so ein schönes Ding zu töten«, sagte er mit trauriger Stimme. »Aber ich kann nicht anders. Ich habe dich erkannt.«

Warum, wollte sie schreien, warum? Doch nur ein Glucksen war zu hören, als würde sie versuchen, unter Wasser loszubrüllen.

Er durchstieß ihr regenbogenfarbenes T-Shirt. In der Dunkelheit sah ihr Blut schwarz aus.

Sie griff mit der rechten Hand in sein Gesicht und versuchte, ihren Daumen in sein linkes Auge zu drücken.

Er zog das Messer aus ihr raus und versenkte es ein zweites Mal in ihrem Körper. Ihre Hand fiel schlaff herab.

Er kniete auf ihr. Ihr Körper zuckte unter ihm.

Ein drittes Mal stieß er noch zu.

Nicht weit entfernt lagen auf der Deichbefestigung junge Birken und Stangen mit Zweigbüscheln. Hier sollten Backbordpricken gesetzt werden. Im Mondlicht sah es aus, als würden dort riesige Reisigbesen liegen. Auf ihn wirkte es wie ein Parkplatz für Hexenbesen.

Er wusste nicht, warum er es tat. Er schleifte die tote Zoe dorthin und rollte sie zwischen die Zweige, als ob sie genau dorthin gehören würde.

Alex nahm die erste Dusche am Strand, um sich zu reinigen. Es waren nur ein paar Blutspritzer an seiner Hand und in seinem Gesicht.

Zufrieden mit sich ging er zurück zu Indra und Amelie. Einer, dachte er, muss den Job ja machen.

Er wünschte sich so sehr, Chef einer Einheit zu sein. Ja, das war sein Traum. Mit seinem sicheren Gespür würde er die Monster aus der Menge herausfiltern und dann seine Killerschwadron losschicken. Er würde seine Einheit ausbilden und anleiten. Frauen wären wahrscheinlich am Unauffälligsten und vermutlich am effektivsten. Vielleicht könnte Indra seine erste Soldatin werden.

Schäfchenwolken zogen am blauen Himmel Richtung Osten. Es war ein heller, klarer Morgen. Tau lag auf den Gräsern. Die Sonnenstrahlen ließen die Tropfen glitzern. Von hier aus hatte man einen weiten Blick ins Land.

Vielleicht lag es an dem diamantenen Glitzern … Sabrina kam das Land plötzlich unglaublich reich vor. Reich und schön. Kein Wunder, dass Außerirdische hier landeten und nicht auf irgendeinem anderen, unwirtlichen Planeten.

Gundula drängte darauf: »Wir sollten die Männer alleine lassen, damit sie arbeiten können, und wir Mädels machen was für uns.«

Sie schlug vor, nach Bremerhaven zu fahren, um dort im Hafen im *Treffpunkt Kaiserhafen,* der *Letzten Kneipe vor New York,* ein bisschen abzuhängen, Kaffee zu trinken und den Hafenarbeitern zuzusehen.

Gundula schwärmte von den großen Kränen und Maschinen, mit denen die Frachtschiffe beladen wurden: »Im Hafen, wo richtig gearbeitet wird, fühle ich mich immer wie zu Hause. Schiffe und Raumschiffe haben doch viel gemeinsam.«

Sabrina spürte, dass Gundula mit ihr alleine sein wollte. Zwischen den beiden war etwas entstanden. Sie konnte es noch nicht richtig einschätzen. Gundula verhielt sich, als seien sie uralte Freundinnen oder Geschwister.

Die Männer freuten sich über die gute Beziehung, die die Frauen in so kurzer Zeit zueinander aufgebaut hatten, und zogen sich zu hitzigen Debatten über ein neues Anfangskapitel zurück.

Gundula und Sabrina gingen zunächst im Wehldorf spazieren und sahen sich die Anlage an. Gundula nahm ihre Brille ab und putzte die dicken Gläser mit einem hellblauen Mikrofasertuch. Sie kannte von jeder Pflanze, jeder Blume den Namen, als hätte sie mal in einer Gärtnerei gearbeitet oder sei Floristin gewesen. Sie brüstete sich nicht mit ihrem Wissen. Es war einfach da.

Sie bückte sich, roch an einer Blume, nannte sie beim deutschen und oftmals auch beim lateinischen Namen. Auf Sabrina wirkte es beim Zusehen, als könnte Gundula Kontakt zu den Pflanzen aufnehmen, ja, als würde sie mit den Blumen reden und von ihnen auch eine Antwort bekommen.

»Haben«, fragte Sabrina, »Pflanzen auch Gedanken? Kannst du sie mit deiner Energie irgendwie erreichen?«

Gundula hakte sich bei Sabrina unter und zog sie weiter weg, so als ginge es darum, eine möglichst große Entfernung zu dem Ferienhaus herzustellen, in dem Finn-Henrik und YoLo2 arbeiteten.

»Sie können uns hier nicht belauschen«, lachte Sabrina. »Wir sind zweihundert Meter weit vom Haus entfernt.«

Gundula reagierte nicht darauf, sondern zog Sabrina weiter.

»Ach«, sagte Sabrina, »ich kapiere! Du kriegst von hier aus noch ihre Gedanken mit? Hast du Angst, sie könnten auch deine lesen?« Es klang ein bisschen Spott in ihren Worten mit.

Sie hatten noch nicht gefrühstückt, nur Wasser getrunken und Kaffee, aber Gundula sagte, sie esse meist erst nach vierzehn Uhr. Das Frühstück sei für sie keineswegs die wichtigste Mahlzeit des Tages, sondern belaste sie nur bei all den Aktivitäten, die sie vorhatte. Sie, die von allen am meisten Körperfett mit sich schleppte, hatte die anderen eingeladen, mit ihr eine Diät zu machen oder besser gesagt, sie dahin manipuliert, denn da sie nicht frühstückte, machten es nun die anderen auch nicht, obwohl im Hauptgebäude des *Deichhofes* ein Frühstück für sie bereitstand.

Zwei Dohlen liefen links und rechts neben ihnen her wie ein Begleitschutz.

»Heute Nacht war bei euch ja ganz schön was los«, sagte Sabrina.

Gundula kicherte: »Oh, waren wir zu laut? Ich hoffe, wir haben euch nicht gestört.«

Sabrina presste die Lippen aufeinander und schüttelte den Kopf. Sie überlegte kurz, aber dann sprach sie es aus: »Nein, wir hatten auch unseren Spaß. Aber weißt du, dafür bewundere ich dich: Ich kann das gar nicht so laut. Ich bin da eher ein bisschen ...«

»Verklemmt?«

»Ich würde es eher schüchtern nennen. Du dagegen wirkst so frei, Gundula. Du sagst, was du willst, du kriegst, was du möchtest. Manchmal schaue ich dich an und denke: Was für eine Frau! So wäre ich auch gerne.«

Unvermittelt blieb Gundula stehen. Die Dohlen blieben ebenfalls stehen.

Sabrina fragte sich, ob Gundula diese Vögel im Griff hatte. Sie wusste, dass Raben und Dohlen früher als Botschafter und Agenten von Zauberern und Hexen galten. War an diesen alten Mythen etwas dran?

»Ich weiß, dass du mich durchschaut hast«, sagte Gundula. »Bitte verrate mich nicht.«

»Was? Wie?«

»Ich weiß, dass ich dir nichts vormachen kann. Meinst du, ich spüre das nicht? Du hast mich längst durchschaut! Wir können beide davon profitieren. Glaub mir, es soll dein Schaden nicht sein, wenn du dichthältst.«

»Wovon sprichst du?«

»Du weißt genau, dass ich ihnen was vormache.«

»Du bist keine Außerirdische?«

»Genauso wenig wie du.«

»Und was soll das alles?«

Sie gingen eine Weile nachdenklich schweigend nebeneinander her. Die Dohlen kommentierten den Beitrag mit wildem Gekrächze, hielten immer den gleichen Abstand und blieben auf ihrer Höhe.

Es war, als hätte sich Gundulas Stimme verändert. Sie klang jetzt ganz anders, weniger aufgekratzt, weniger um Aufmerksamkeit heischend: »Glaub mir«, sagte sie, »ich war bei den Jungs nicht immer die erste Wahl, ganz anders als du, Sabrina. Diese natürliche Schönheit, diese Weiblichkeit, die du ausstrahlst und die Männer verrückt macht, davon hatte ich nichts. Weißt du, wie Jungs es nennen, wenn auf einer Party die besten Mädchen bereits abgeschleppt wurden und nur noch die übrig geblieben sind, die keiner haben wollte?«

»Nein.«

»Dachte ich mir. An diesem Wettbewerb hast du nie teilgenommen. Sie nennen es Resteficken. Weißt du, wie verletzend das ist? Ich habe mir solche Mühe gegeben, aus meinem Typ etwas zu machen. Ich war charmant, ich habe mich für all die Dinge interessiert, die für Jungs wichtig sind: Fußball, Boxen … Ich habe alle Sexratgeber gelesen, um es ihnen so richtig zu besorgen. Aber selbst wenn sich mal einer für mich interessierte, dann lief das immer nur ein paar Wochen, bis er zur nächsten sprang. Ich habe jeden guten Kerl an eine verloren mit einem tollen Schlitz im Kleid, einer schmalen Hüfte und einem großen Busen – oder wenigstens mit Kulleraugen wie ein Reh. Ich war verzweifelt. Fast hätte ich die Männer aufgegeben. Nee, nicht, was du denkst. Ich bin nicht lesbisch, wahrlich nicht. Ich mag Männer. Aber ich bin es leid, ihnen nachzulaufen, und ich will auch nicht, dass einer aus Mitleid bei mir bleibt. Und dann habe ich diesen wunderbaren YoLo kennengelernt.«

Sabrina wusste nicht, wohin mit ihren Händen. Sie hatte auch Angst, zu stolpern. Es fiel ihr schwer, gerade neben Gundula herzugehen. Sie starrte sie die ganze Zeit ungläubig und gleichzeitig wissend an. Sie hätte Gundula vor Wut ohrfeigen können, und gleichzeitig wollte sie sie umarmen und an sich drücken.

»Ich habe das nicht geplant, glaub mir. Ich wollte mich irgendwie interessant machen. Ich habe ihn nach einem Diavortrag angesprochen. Ich war eigentlich nur aus Langeweile und ein bisschen aus Neugier hingegangen. Er wurde von vielen tollen Frauen umlagert, die seinen Podcast hören und für die er so eine Art Einstein in der UFO-Forschung ist. Die sind wie Groupies richtig hinter unseren Jungs her. Aber ich denke, das hast du längst mitgekriegt. An deiner Stelle würde ich Finn-Henrik auch auf der Tournee begleiten.«

Sabrina wollte diese Ablenkung jetzt nicht zulassen. Sie sprach es aus: »Und dann hast du ihm erzählt, du seist eine Außerirdische?«

»Ja, das habe ich getan. Ich habe es ihm zugeflüstert und ihm einen Zettel zugesteckt. Andere schoben ihm ihre Handynummer rüber, ich einen Zettel, auf dem stand: *Ich bin eine Außerirdische und will mit dir reden.* Weißt du, mit einem Schlag waren all die anderen Frauen abgeschrieben. Er hat nur noch versucht, sie loszuwerden, und ist mit mir ins *Café Extrablatt*. Das war nicht weit vom Veranstaltungsort. Er hat natürlich sofort eingesehen, dass wir da nicht in Ruhe reden können, und vorgeschlagen, ich solle mit in sein Hotelzimmer gehen. Habe ich gemacht.« Sie lachte. »Früher hat man sich die Briefmarkensammlung gezeigt, das war ein Codewort, um allein zu sein, hat meine Mutter mir erzählt.«

Sabrina atmete heftig aus. »Und er hat dir das einfach so abgenommen?«

»Ja. Und ich war überhaupt nicht vorbereitet. Ich hab mir erst danach alles so richtig draufgeschafft. Seine Podcasts gehört, ein paar Videos auf Youtube geguckt über Prä-Astronautik ... Natürlich habe ich dann auch Däniken gelesen. Weißt du, Sabrina, ich bin eine glückliche Frau. Ich werde geliebt. Ich werde verehrt. Er behandelt mich wie eine Königin. Ich muss nicht die ganze Zeit überlegen, ist das richtig oder das richtig? Was denkt er, wenn ich das tue? Ich muss auch nicht versuchen, ihm zu gefallen. Zum ersten Mal im Leben kann ich einfach so sein, wie ich bin.«

»Aber du bist ein Mensch und keine Außerirdische.«

»Spielen wir nicht alle Rollen? Du doch auch! Du hast gerade angeboten, unsere Managerin zu werden. Das ist doch auch nur eine Rolle. Du bist keine Managerin. Hast du je einen Popstar gemanagt? Einen Politiker? Einen Fußballspieler? Aber du weißt genau, wenn du deinen Finn-Henrik managst, hast du alles im Griff. Ihn, die Finanzen, die Tourneen, die Buchverträge. Jeder tut seins, um sich ein bisschen Raum zu verschaffen und Anerkennung. Jeder will ein Stückchen vom Kuchen abhaben.«

»Ja, Mensch, aber gleich als Außerirdische?«

Die Dohlen flatterten los, als hätten sie ihre Aufgabe erfüllt.

»Egal, was ich tue, Sabrina – YoLo sieht es durch diese Brille. Ich bin jetzt in einer Beziehung, in der ich nichts mehr falsch machen kann.«

»So lange deine Lüge nicht auffliegt.«

»Ja, stimmt. Und darum bitte ich dich: den Mund zu halten und mitzuziehen. Was die anderen Leute sagen, ist denen egal. Die sind Gegenwind gewöhnt. Der Klugscheißer-Club wird weiterhin klugscheißen und sie als Spinner hinstellen. Je mehr sie angegriffen werden, umso heftiger verteidigen sie ihre Theorie. Und wenn die ganze Welt sagt, ich sei eine Lügnerin, werden sie mir trotzdem weiter glauben. Die haben sich von Kritik doch längst abgekoppelt. Aber was du sagst und denkst, ist nicht unwichtig. Zumindest nicht für Finn-Henrik. Und der wiederum ist wichtig für YoLo.«

»Boah, das ist wirklich starker Tobak«, sagte Sabrina vorwurfsvoll. »Weißt du, was du mir da zumutest? Finn-Henrik und ich, wir lieben uns richtig! Und ich soll ihn jetzt belügen?«

Gundula reckte ihr Gesicht der Morgensonne entgegen. »Ihr liebt euch richtig, ja? Und habt euch versprochen, immer die Wahrheit zu sagen?«

»Hm, genau.«

»Mach dir nichts vor. Das war doch bereits die erste Lüge. Was soll das denn heißen, Wahrheit? Die Wahrheit ist relativ.«

»Relativ?«

Gundula legte ihre Hände auf den Rücken und bog sich durch. »Schminkst du dich nicht morgens, um ein bisschen besser für ihn auszusehen? Die Wahrheit wäre, sich ungeschminkt gegenüberzutreten.«

»Ach, hör doch auf, das ist ganz was anderes«, schimpfte Sabrina.

»Hast du ihm nie einen Orgasmus vorgespielt, damit er sich toll fühlt? Komm, erzähl mir nichts! Alle tun das.«

»Nein, ich …« So, wie Sabrina versuchte, die Frage zu verneinen, hörte es sich sehr unglaubwürdig an.

Gundula hämmerte auf Sabrina ein: »Du erlaubst ihm, in seiner Wirklichkeit zu leben, die er sich selbst zurechtgelegt hat. Was sind schon Fakten? Es kommt doch nur drauf an, wie man sie interpretiert. Die einen sagen: Das war eine optische Täuschung. Die anderen sagen: Das war ein UFO. Na und?«

»Es gibt eine überprüfbare Wirklichkeit«, protestierte Sabrina.

Gundula lachte demonstrativ. »Ja? Und was soll das sein? Das, was du bei Google nachgucken kannst?«

»Ich bin echt geplättet«, stöhnte Sabrina.

»Wenn du deinen Finn-Henrik behalten willst, liebe Sabrina, dann solltest du mitspielen. Glaub mir, vor die Wahl gestellt, sich für dich und deine Wahrheit zu entscheiden oder für meine, wirst du den Kürzeren ziehen.«

Es kam Sabrina gemein vor, aber gleichzeitig wusste sie auch, dass Gundula die Wahrheit gesagt hatte. Ja, vermutlich würde es so laufen, Finn-Henrik baute sein Leben darauf auf, dass es UFOs gab, die auf der Erde schon vor Jahrtausenden gelandet waren. Dies zu beweisen, empfand er als seine Lebensaufgabe. Abgesehen davon lebte er von genau dieser Geschichte. Das Gegenteil würde sein Geschäftsmodell zerstören. Was sollte sonst aus ihm werden? Erdkundelehrer? Sozialarbeiter für schwer erziehbare Jugendliche?

Ihr Weg hatte sie zum Haupthaus geführt. »Komm, lass uns frühstücken gehen«, schlug Gundula vor.

»Ich denke, vor vierzehn Uhr isst du nichts …«

Gundula schmunzelte: »Ja ja, aber man muss doch auch mal alle fünfe gerade sein lassen, oder nicht? Und so ein Frühstücksbuffet mit knackigen Brötchen ist jetzt genau das Richtige für uns, oder nicht? Reicht doch, wenn die Jungs bei Leitungswasser und Kaffee ihre Köpfe rauchen lassen.«

Sabrina ging mit. Was bist du nur für ein Mensch, dachte sie.

Sie ging zwei Meter hinter Gundula her, und plötzlich kam ihr diese Frau in der selbstverständlichen Art, wie sie durch die Tür schritt, wie ein Vorbild vor. Sie trat der Welt so unverschämt gegenüber – war das genau der richtige Weg? Jedenfalls holte sie für sich ein Maximum an Spaß heraus.

Ging nicht alles darum, geliebt zu werden? Sie hatte ihren Weg gefunden.

Als sie sich in der Wohnzimmeratmosphäre des lichtdurchfluteten Torzimmers gegenübersaßen, flüsterte Gundula Sabrina augenzwinkernd zu: »Ich sehe es schon kommen. Aus dir wird auch noch eine Außerirdische. Und dann haben wir die beiden Jungs im Griff und ganz für uns alleine.«

Sie fasste sich an die Schläfen und rieb sie mit ihren Fingerspitzen. Dabei schloss sie die Augen und raunte: »Ich kann eine Außerirdische aus dir machen, kraft meiner Gedanken und durch meine Berührung.«

Sie löste ihre Finger von ihren Schläfen und stupste Sabrina an.

Sabrina entschied sich für einen Ostfriesentee. Sie nahm ihn mit Kluntje und Sahne. Es war, als würde sie sich damit ihrer Herkunft vergewissern.

Wer sind wir Menschen eigentlich wirklich, dachte sie. Vielleicht hatte Gundula ja recht, und wir sind alle unsere eigene Erfindung. Ihr Vater, Frank Weller, wollte Polizist sein. Er hatte diese Phantasie. Und dann tat er alles, was die Gesellschaft von ihm verlangte, damit er mit Fug und Recht von sich sagen konnte: *Ich bin Hauptkommissar.*

Es gab eine freie Berufswahl in dieser Gesellschaft. Man musste nur die vorgeschriebenen Wege gehen und die entsprechenden Prüfungen ablegen. Wenn jede Bürgerin werden konnte, was sie wollte, warum konnte man dann nicht auch

Außerirdische werden? Es erschien ihr verrückt und gleichzeitig irgendwie logisch.

Sie sah Gundula an, die sich ihren Teller volllud und nicht den geringsten Gedanken daran verschwendete, dass sie vielleicht noch dicker werden könnte. Ihr Freund würde sie garantiert nicht wegen zu breiter Hüften verlassen.

Sabrina zerkrachte den Kandis mit den Zähnen. Es kommt darauf an, dachte sie, herauszufinden, wer man sein möchte, und es dann durchzuziehen. Das kann ich von Gundula lernen.

Gundula schwärmte von dem super Joghurt, dem herrlichen Fischsalat und dem Aufschnitt. Sie biss mit solcher Lust in ihr Brötchen hinein, dass Sabrina neidisch wurde. Vor ihr saß eine glückliche Frau. Eine, die endlich angekommen war und wusste, wo es langging.

»Und wenn alles auffliegt?«, fragte Sabrina leise.

Gundula sprach mit vollem Mund: »So etwas kann gar nicht auffliegen. Weil jeder nämlich glaubt, was er glauben möchte. Und es ist schöner, mit einer Außerirdischen zu vögeln, als von einer fetten Versagerin reingelegt worden zu sein. Entscheide dich, Sabrina, auf wessen Seite du stehen willst. Willst du mitmachen oder dir den Rest des Lebens damit versauen, dich mit anderen Frauen in Konkurrenz zu setzen? Glaub mir, irgendwann wird eine kommen, die noch graziler aussieht als du, ein bisschen jünger ist und die ihn mit großen Kulleraugen anhimmelt. Dann fällt ihm plötzlich ein, was ihm alles an dir nicht gepasst hat und dass er dich nicht mehr liebt. Eins dieser Groupies wird ihn abschleppen. Es sei denn, du gehst meinen Weg. Dann sind sie alle chancenlos. Lass uns etwas versprechen ... «

Um überhaupt etwas zu tun, griff Sabrina jetzt auf Gundulas überladenen Teller, nahm eine Käsescheibe herunter, rollte sie zusammen und biss hinein.

Gundula sagte es wie einen Schwur: »Wir werden uns gegenseitig unterstützen. Wir werden uns nicht verraten. Jede darf tun, was sie will, aber keine versucht, der anderen den Kerl auszuspannen. Alle anderen Frauen sind gegen uns beide sowieso chancenlos. Wenn wir uns einig sind, gehört uns die Welt, meine Gute.«

Sabrina hatte selten besseren Käse gegessen. Sie ging zum Buffet und lud sich den Teller genauso voll, wie Gundula es getan hatte. In ihr machte sich das wohlige Gefühl breit, dass jetzt ein neues, ganz anderes Leben begann.

Sabrinas Handy meldete sich. Sie sah aufs Display. Sie stöhnte: »Jule.«

Wie mag sich ein Mörder fühlen, der sein Ziel erreicht hat, fragte sich Wolf Eich. Als Drehbuchautor hatte er so etwas ein paarmal beschrieben. Aber es war ihm immer schwergefallen, sich in die Person hineinzuversetzen. War es ein Triumph wie nach einer bestandenen Prüfung? Ein inneres Hochgefühl, gesiegt zu haben? Kam die Angst, für die Tat zur Rechenschaft gezogen zu werden? Meldete sich das schlechte Gewissen? War es eine Mischung aus alldem, ein Wechselbad der Gefühle?

Er parkte sein Auto im Bergkamp und ging bis zum Krahwinkel zu Fuß. Reinhard Fleurus ließ es sich gutgehen. Er saß im Garten und schmierte sich ein Brot mit grober Leberwurst. Er tat das, als sei es eine Meditation oder ein fast religiöser Akt. Er träufelte Maggi darauf und sah den Tropfen zu, wie sie verliefen und zwischen den groben Leberwurststückchen einsickerten. Neben seiner Kaffeetasse lag eine Tube Löwensenf. Die schärfere Variante war für die zweite Leberwurststulle gedacht.

Dazu trank er Kaffee mit drei Stückchen Zucker drin.

Er schnitt eine Gewürzgurke vom Spreewaldhof in Scheiben und belegte damit sorgfältig sein Brot. Ein kleines Kunstwerk entstand.

Viele Menschen hatten Klischeevorstellungen vom Ruhrgebiet im Kopf. Wenn er sagte: *Ich komme aus Gelsenkirchen*, begegnete ihm das überall sofort. Über Ückendorf dachten einige sogar, es sei unregierbar, eine Art Dreckloch und eine No-Go-Zone für die Polizei. Das war alles Bullshit. In Wirklichkeit steppte hier kulturell der Bär. Die Mieten waren niedrig, der Pott war grün geworden, ehemalige Zechen und Fabrikhallen zu Kulturzentren mutiert. Es gab hier mehr Bands als in Liverpool zu Beatles-Zeiten und aus seiner Sicht mehr Grünflächen und Bäume als im Schwarzwald. Aber was für ihn besonders wichtig war: Hier gab es die tollsten Frauen. Ein Gemisch aus allen Ländern, und die Frauen waren nicht zickig, nicht überkandidelt. Sie wussten, wie es unten war, und sie wollten nach oben. Sie konnten zupacken, feiern und knutschen, als würde morgen die Welt untergehen.

Nirgendwo auf der Welt hatte er so viele lebenslustige schöne Frauen gesehen wie im Pott. Hier würde er niemals wegziehen. Hier fand er täglich sein Glück aufs Neue.

Dieser lässige Lebensstil hatte einfach etwas …

Er biss in sein Brot, schloss die Augen und ließ sich die Sonne ins Gesicht scheinen. Er streckte die Beine aus. Er merkte nicht, dass er beobachtet wurde.

Erst als ein Schatten auf sein Gesicht fiel, wusste er, dass jemand in den Garten gekommen war. In diesem Augenblick wurde ihm bewusst, dass Menschen andere Schatten warfen als Wolken. Sie verdeckten die Sonne auf eine unverschämt andere Art und Weise.

Reinhard Fleurus öffnete die Augen. Der Mann in seinem Garten verhieß nichts Gutes. Das war einer, der sich selbst sehr ernst nahm und sich um einen beeindruckenden Auftritt bemühte. Er trug bei dem Wetter eine Krawatte und ein Jackett. Reinhard Fleurus saß mit Trainingshose, Latschen und im Feinripp-Unterhemd hier. Er hatte einen gemütlichen Bierbauch. Der Typ vor ihm steckte offensichtlich viel Arbeit in seinen Körper, um so auszusehen.

»Weißt du«, fragte Fleurus seinen Besucher, »was der Philosoph Diogenes gesagt hat, als Alexander der Große versprach, ihm jeden Wunsch zu erfüllen, den er aussprechen würde?« Er nahm einen Schluck Kaffee und fuhr fort: »Geh mir aus der Sonne.«

Wolf Eich antwortete: »Oh, ich bin beeindruckt. Hier zitiert jemand die griechischen Philosophen.«

Sein Besucher sprach akzentfrei, was für Reinhard Fleurus darauf hindeutete, dass er entweder seine Herkunft verleugnete und Schriftdeutsch sprach oder aus Hannover kam.

»Ja«, grinste Reinhard Fleurus und biss in sein Brot, »es gibt ja Leute, die denken, in Gelsenkirchen wohnen nur Versager und Idioten. Aber weißt du was? Die schließen nur von sich auf andere. Wenn ich dir sage, was ich für die Hütte hier bezahle, fällt dir ein Ei aus der Hose.«

»Nichts. Sie haben sie geerbt.«

Reinhard Fleurus setzte sich anders hin. Der Satz saß. Da war also jemand vorbereitet. Hetzte der Staat jetzt seine Schergen auf ihn, um ihm das Leben schwerzumachen?

»Was habe ich verbrochen? Die Grundsteuererklärung nicht rechtzeitig abgegeben?«

Wolf Eich zog sich den einzigen freien Klappstuhl heran und setzte sich.

»Setzen Sie sich ruhig. Herzlich willkommen«, kommentierte Reinhard Fleurus.

Wäre der Mann stehen geblieben, hätte er ihn gesiezt, aber wer es sich in seinem Garten gemütlich machte, den duzte er: »Ich kann dir zwar kein Sushi anbieten, aber hier wird gutes Brot gemacht. Nicht so eine Toastpampe wie in Spanien oder Frankreich. Hast du mal im Urlaub in Frankreich oder Spanien versucht, ein vernünftiges Brot zu kriegen? Von den USA will ich erst gar nicht anfangen, da kann ein deutscher Bäcker reich werden, sag ich dir. Wir müssten denen im Grunde Entwicklungshelfer schicken, im Brotbacken und im Bierbrauen.«

Wolf Eich ließ sich auf das Spiel ein. So sah also ein Mörder aus … Dieser Mann fühlte sich völlig sicher. Die Fünfzigtausend würde er niemals zurückzahlen müssen. An wen denn auch? Er hatte die Frauen erst abgekocht, und als sie es sich nicht gefallen lassen wollten, hatte er sie umgebracht.

Vor mir, dachte Wolf Eich, sitzt ein skrupelloses Schwein. Ich habe Valentina wirklich geliebt. Warum nehme ich jetzt nicht einfach so ein stumpfes Brotmesser und ramme es ihm in die Brust, so wie er es mit ihr getan hat? Was stimmt mit mir nicht? Bin ich degeneriert? Oder ist es ein Zeichen meiner moralischen Überlegenheit? Ich denke nicht mal daran, ihn der Polizei auszuliefern. Eigentlich will ich aus ihm eine literarische Figur machen. Will ihn kennenlernen, um ihn als Figur in den Griff zu kriegen. Und am Ende würde ich mit der Buchverfilmung mehr verdienen als er mit seinem Betrug, für den er auch noch einen Doppelmord begehen musste.

Eine Frau mit Kinderwagen stöckelte am Garten vorbei. Sie rauchte eine Filterzigarette und telefonierte. Sie war auf eine, wie Reinhard Fleurus fand, wunderbare Art schamlos und stand zu sich.

Sie redete mit ihrer Freundin, vermutete er. Sie fingen Satzfetzen auf: »Der kann mich mal, die alte Sackratte! Von wegen Mindestlohn! Ich sollte einen Halbtagsvertrag unterschreiben, aber ganztags arbeiten. So kommen die um den Mindestlohn drum herum. Ich hab gesagt, nee, nicht mit mir ... Wieso hab ich jetzt nix? Ist ein Kind nix? Ja, einen Mann, der für mich sorgt, hätte ich auch gerne, aber das ist voll das letzte Jahrtausend, äi!«

Reinhard Fleurus beugte sich vor, um ihr so lange wie möglich nachsehen zu können. Sie hatte zauberhafte Beine und zeigte die auch.

Fleurus breitete die Arme aus und ließ seinen Gast an seinem Glück teilhaben: »Sind sie nicht cool, die Frauen hier? Du kannst nicht sagen, ob die Bitch aus Italien ist, aus dem Iran oder Kurdistan. Bestimmt in der dritten Generation hier. Das sind richtig harte Emanzen geworden, da haben es die jungen Kerle nicht mehr leicht. Bin ich froh, dass ich nicht mehr zwanzig bin!«

Wolf Eich bestrich ein Brot mit Leberwurst. Warum nicht, dachte er. Literatur muss mit allen Sinnen entstehen. Ich will auch wissen, was er schmeckt und was ihm gefällt.

»Darf ich?«, fragte Eich und deutete auf das Gurkenglas und die Maggi-Flasche.

Reinhard Fleurus nickte.

Während Wolf Eich versuchte, das essbare Kunstwerk nachzuahmen, wischte Fleurus sich Maggi von der Unterlippe. »Auch 'n Kaffee?«

Wolf Eich nickte. »Interessiert es Sie gar nicht, warum ich gekommen bin?«

»Nö.«

Verwundert sagte Wolf Eich: »Ich besuche Sie einfach völlig

unangekündigt, sitze hier in Ihrem Garten. Sie wissen nicht mal, wie ich heiße, und wir frühstücken zusammen. Oder ist das Ihr Mittagessen?«

»Ach, damit nehme ich es nicht so genau.«

Wolf Eich hatte oft von Typen gehört, die so taten, als würde ihnen alles am Arsch vorbeigehen. Als würden sie über den Dingen stehen. Gerade von Schauspielern hatte er diese Aussage mehrfach gehört, aber nie geglaubt. Es war nur Pose. Sie schützten sich damit. In Wirklichkeit fürchteten sie Kritik oder nicht ernst genommen zu werden. Um die verletzliche Seite nicht zu zeigen, machten sie dann ganz auf lässig.

Aber Reinhard Fleurus schien tatsächlich so einer zu sein. Ein Diogenes in der Tonne, der sich nur dafür interessierte, wie es ihm selbst ging.

Er duzt mich die ganze Zeit, obwohl ich ihn sieze. Er ist auf seine bollerige Art freundlich, aber doch ganz abgegrenzt. Wolf Eich erschrak fast bei dem Gedanken, aber er hatte einen Satz über Reinhard Fleurus im Kopf: Das ist der freieste Mensch, den ich jemals erlebt habe.

War das eine Aussage, die er so in den Roman übernehmen konnte? Konnte man in den ersten Minuten eines Gesprächs bereits feststellen, dass jemand der freieste Mensch war, auf den man je getroffen war? War das ein Zeichen dafür, dass ein Mörder vor ihm saß? Einer, der über diese Grenze gegangen war, der sich von allen gesellschaftlichen Zwängen befreit hatte, selbst vom Verbot: *Du sollst nicht töten*?

»Was halten Sie von den Zehn Geboten?«, fragte Wolf Eich, und es gelang ihm, Reinhard Fleurus zu verblüffen. Er machte eine unbedachte Bewegung. Eine Schnitte Brot fiel auf den Boden. Er bückte sich danach, zerbröselte sie in der Hand und warf die Brocken im hohen Bogen in den Garten, wo sich die

Spatzen gleich darüber hermachten. Es waren zwanzig, vielleicht dreißig. Wolf Eich hatte sie vorher nicht gesehen. Sie mussten in der Hecke oder im Kirschbaum auf ihre große Chance gewartet haben.

Das macht der auch nicht zum ersten Mal, dachte Wolf Eich. Die Vögel wissen das und lieben ihn dafür.

»Ja ... die Zehn Gebote ... Mensch, da fragst du mich was. Ich weiß gar nicht, ob ich die alle kenne.« Er zählte an den Fingern auf: »Du sollst nicht ehebrechen. Ja klar, kann ich mit leben. Ich bin ja nicht verheiratet.«

Die Antwort ließ Wolf Eich nicht gelten: »Und wenn sie verheiratet ist?«

»Also, wenn sie verheiratet ist, ja, am besten fragt man vorher gar nicht. Ich meine, wenn du so 'ne richtig scharfe Schnitte vor dir hast, fragst du die dann erst, ob sie verheiratet ist? Oder denkst du dir, den Ehering hat die bestimmt vom Flohmarkt?«

Wolf Eich half Reinhard Fleurus auf die Sprünge: »Du sollst nicht begehren deines Nächsten Hab und Gut.«

»Na ja, wenn der so mit seiner Rolex rumprotzt, muss er sich nicht wundern ... Die Dinge haben doch immer zwei Seiten, oder?«

»Du sollst nicht töten«, sagte Wolf Eich und fixierte Fleurus. Er hoffte, aus seiner Reaktion etwas literarisch Verwertbares ablesen zu können.

»Klar, wo kämen wir denn da hin? Ich meine, es sei denn, der andere geht dir tierisch auf den Sack. Ich würde ihm dann immer erst 'ne Chance geben, wegzurennen ...« Reinhard Fleurus lachte schallend und klatschte sich auf die Oberschenkel. Er fand seinen Gag hervorragend.

»Nehmen Sie gar nichts ernst?«

»Hömma, weißte, wat mein Vatta immer zu mir gesacht hat?«

Wolf Eich registrierte, dass sein Gegenüber jetzt extra Ruhrgebietsslang redete, um ihn zu provozieren.

»Nein, was hat Ihr Vater denn immer gesagt?«

Reinhard Fleurus zählte es an den Fingern auf: »Erstens: Junge, such dir 'ne Frau, die dir den Schwanz hart macht und nicht das Leben. Zweitens: Lass den Klugscheißerclub klugscheißen. Die kochen auch nur mit Wasser. Und drittens: Wenn man sich nicht mehr dafür interessiert, was andere über einen denken, ist man wirklich frei. Viertens: Glaub nicht jeden Scheiß, den man dir erzählt. Und weißte auch, warum mein Vatta dat gesacht hat?«

Wolf Eich schüttelte, beeindruckt von der Offenheit und dem Redeschwall, den Kopf. Er konnte sich Reinhard Fleurus immer besser als literarische Figur vorstellen. Ja, der drängte sich ja geradezu auf. Eine Urgewalt von einem Mann.

»Mein Vatta«, dozierte Fleurus, »hat inne Schule noch gelernt, dat eine große Eiszeit auf uns zukommt. Und dass das die große politische Herausforderung für alle wird. Ein ganz anderer Städtebau muss erfolgen, mit Wärmedämmungen und all so'n Mist.« Er zog an seinem Unterhemd. »Sieht man ja, was draus geworden ist. In meinem Garten werden bald Palmen wachsen, und ich kann Kokosnüsse ernten. Mein Vatta hat damals 'n Referat darüber geschrieben. Ja, dat war so'n ganz Schlauer, aus dem sollte mal wat werden.« Er winkte ab: »Ist dann aber – na ja, dat is eine andere Geschichte. Jedenfalls hat er für dat Referat 'ne Eins gekricht. Soll ich's dir mal zeigen? Ich hab's aufbewahrt. Altes Familienerbstück.«

Wolf Eich probierte von dem Brot und musste sich eingestehen, dass es ein besonderes Geschmackserlebnis war.

»So, und jetz nimmste deine Stulle und verziehst dich, oder du sachs mir, watte wirklich von mir willz.«

»Sagen Ihnen die Namen Silke und Valentina Humann etwas?«

Reinhard Fleurus setzte sich anders hin. Sein Blick bekam etwas Lauerndes. Seine Körperhaltung konnte man durchaus als aggressionsbereit interpretieren.

»Ich wüsste nich, wat dich dat angeht.«

»Silke Humann hat Ihnen die Lebensversicherung ihrer Eltern anvertraut. Fünfzigtausend Euro. Sie wollten ihr helfen, das Geld anzulegen. Was ist daraus geworden?«

Reinhard Fleurus stand auf und stemmte seine Hände fest auf den Tisch. »Wat bist du für einer? Bulle? Privatdetektiv? Willze sie beerben?«

Als hätte er gerade erst von Reinhard Fleurus gelernt, wie es war, wenn man frei heraus die Wahrheit sagte, versuchte er es jetzt auch. Unter anderen Umständen hätte er sich niemals solch eine Blöße gegeben, doch jetzt schien es ihm logisch, ja richtig. »Ich habe Valentina Humann geliebt.«

Die Körperspannung wich aus Reinhard Fleurus. Er verlagerte sein Gewicht auf den linken Fuß und deutete an, in seine Faust beißen zu wollen. »Ach, du arme Sau! Ja, dat tut mir jetz auch wirklich leid für dich. Schlimmer hätte es nich kommen können, wat? Die hatte mit Männern ungefähr so viel am Hut wie ich mit Arbeit unter Tage.«

Wolf Eich spürte, dass er es falsch angepackt hatte. Er bekam jetzt auch noch männliches Mitleid.

»Und jetzt bist du gekommen, um mich zu stellen? Um ihren Tod zu rächen oder was? Weil sie dir diesen Bären aufgebunden hat, ich hätte ihr ganzes Geld durchgebracht?« Fleurus lachte seinem Gegenüber das herausgestellte Lachen ins Gesicht.

Wenn du von dem Typen etwas lernen willst, dann sag ihm die Wahrheit eiskalt ins Gesicht. So sind die hier im Pott. Klare Kante.

»Nein, ich will kein Duell. So einer bin ich nicht.«

Reinhard Fleurus grinste und machte ihn nach: »Ach, so einer bin ich nicht ... Gibt's das auch bei Männern? Ich kenn den Satz bisher nur von Frauen. Nein, so eine bin ich nicht!« Er bewegte die Hüften dabei hin und her, als sei er eine Tänzerin.

Wolf Eich ließ sich davon nicht aus dem Konzept bringen. »Ich will ganz ehrlich sein: Ich bin Drehbuchautor auf der Suche nach einer großen, emotionalen Geschichte. Die Polizei verdächtigt mich, und ich habe das Gefühl«, er rieb die Finger gegeneinander, als würde er Geldscheine zählen, »dass es die Geschichte meines Lebens ist.«

»Kenn ich Filme von dir?«

Wolf Eich zählte ein paar seiner berühmtesten auf, und Reinhard Fleurus war echt beeindruckt. Er breitete die Arme aus und sprach entweder zum Kirschbaum oder zu den Spatzen, auf jeden Fall hocherfreut: »In meinem Garten in Ückendorf sitzt ein Drehbuchautor und fragt mich aus, weil er einen Film machen will! Wie geil ist das denn?«

Jule wollte nicht zu ihrem Vater Frank Weller, sondern suchte das Gespräch mit Ann Kathrin. Die war sich einerseits der Ehre bewusst, andererseits ahnte sie aber auch, dass ein Konflikt heraufzog. Noch nie hatte Jule gezielt sie alleine besucht, sondern manchmal war Ann Kathrin halt dabei gewesen, wenn Jule zu ihrem Vater kam, was selten genug der Fall war.

Jule nannte Ann Kathrin *meine Stiemu*, was für Stiefmutter stehen sollte, aber für Ann Kathrin keineswegs liebevoll klang, sondern genauso abwertend wie das ursprüngliche Wort. Zu oft war es in Märchen und Geschichten benutzt worden, um über eine böse Frau zu erzählen. Über die geheiligten Mütter durfte natürlich nichts Schlimmes gesagt oder gedacht werden, also mussten die Stiefmütter für alles herhalten, was Literatur und Märchen an schlimmen Eigenschaften brauchten. Man schrieb es der Stiefmutter zu, und damit wurde es erzählbar.

Das alles war Jule nicht bewusst. Sie fand die Abkürzung *Stiemu* witzig. Aber heute war ihr nicht nach Scherzen zumute.

Ann Kathrin fragte sich, um was es gehen könnte. War Jule schwanger und wusste noch nicht, wie sie es ihrem Vater beibringen sollte? Brauchte sie Hilfe? Ging es um Geld?

Einerseits fühlte sie sich gebauchpinselt, weil Jule sie ins Vertrauen zog, andererseits wollte sie sich auf keinen Fall gegen Frank positionieren lassen.

Was werde ich tun, fragte sie sich, wenn Jule von mir verlangt, dass ich ihrem Vater nichts darüber sage? Ist das illoyal? Darf sie mich um so etwas überhaupt bitten? Hat sie das Recht, mich in so einen Konflikt zu stürzen?

Vielleicht war das Ganze aber auch eine Möglichkeit für sie, ihre Beziehung zu Jule aufzubauen. So richtig ernsthaft hatte es nie funktioniert zwischen ihnen.

Dieser Gedanke machte Ann Kathrin traurig. Sie suchte Ausreden. Zu Beginn, als sie und Frank zusammenzogen, waren die Kinder noch sehr jung. Sie mussten sich als Paar erst selbst finden, außerdem funkte die real existierende Mutter ja immer hinein.

Doch all ihre Ausreden ließ sie vor sich selbst nicht gelten. Zu sehr hatte sie auch bei ihrem Sohn versagt. Sie hätte nicht auf Anhieb sagen können, wann sie ihn zum letzten Mal gesehen hatte.

Das Treffen mit Sabrina und ihrem neuen Freund Finn-Henrik lag ihr auch noch im Magen. Im Grunde hatte sie dieses Familientreffen gesprengt, zumindest gab sie sich die Schuld dafür.

Sie atmete tief durch und hoffte, jetzt mit Jule nichts falsch zu machen.

Beruflich erfolgreich zu sein schien ihr viel einfacher, als Freundschaften zu halten oder Beziehungen zu pflegen ... Die Flamme einer Liebesbeziehung am Lodern zu halten war eine zusätzliche Herausforderung. Wenigstens dabei wollte sie nicht versagen.

Sie und Frank waren sich sehr nah. Manchmal fast symbiotisch. Dann aber wurde es ihr zu eng, und sie suchte Abstand.

Sie kam sich verkorkst vor.

Sie versuchte, von ihren Freundinnen zu lernen, die erwachsene Kinder hatten. Monika Tapper, Rita Grendel. Aber immer, wenn sie die mit ihren Kindern erlebte, sagte sie sich: Das bin ich so nicht, und das kann ich auch so nicht.

Eine Weile hatte sie gar versucht, Monika nachzumachen, aber da war es schon zu spät gewesen und ihr Sohn Eike zu seinem Vater und dessen neuer Geliebten gezogen.

Vielleicht konnte sie wenigstens mit Wellers Töchtern ein bisschen Familie spielen ... Sie erschrak bei dem Gedanken. Familie spielen, das ist wahrscheinlich das Problem, dachte sie. Genau das kann man nicht. Familie ist kein Spiel, sondern der Ernstfall.

So, wie Jule jetzt vor ihr stand, nahm Ann Kathrin vor allen Dingen eins wahr: Wut.

Ich darf sie nicht mit den Augen der Kommissarin anschauen. Dies wird kein Verhör. Sie ist keine Beschuldigte.

»Du hast bestimmt Hunger«, sagte Ann Kathrin, weil sie der Meinung war, dass so etwas zu den typischen Muttersätzen gehörte. »Ich könnte uns ein paar Eier in die Pfanne hauen«, schlug sie vor.

Dass es mit ihren Kochkünsten nicht zum Besten bestellt war, wusste jeder. Dafür liebte Frank es, alle zu bekochen und neue Rezepte auszuprobieren. Er wandelte alles ab, so dass daraus immer ein Weller-eigenes Rezept wurde. Egal, wie ausgefeilt die Anweisungen im Kochbuch waren, Weller optimierte sie.

»Eier?«, fragte Jule nach, als hätte sie nicht richtig verstanden.

Ann Kathrin nickte. »Wir haben auch noch Brateringe im Haus.«

»Ich lebe vegan.«

Treffer, dachte Ann Kathrin. Blöder hätte es nicht laufen können. Aber vielleicht war das ja eine neue Entwicklung, hoffte sie, und sie musste nichts darüber wissen.

»Oh, seit wann denn?«

»Seit vier Jahren.«

Die junge Kommissarin Jessi Jaminski, die im Gästezimmer übernachtet hatte, kam die Treppe runter.

Jule guckte irritiert. »Ich dachte, du wärst alleine.«

»Ja, ich meinte ja, Frank ist schon zum Dienst«, verteidigte Ann Kathrin sich.

Jessi hob die Hände. Es war ihr unangenehm, hier zu stören. »Ich bin sofort weg. Ist das deine Tochter?«

»Ihre Stieftochter«, erklärt Jule, ohne ihren Namen zu sagen.

Ann Kathrin versuchte, die beiden vorzustellen. »Das ist Jessi, Jessi, das ist Jule.«

Jule schien wenig daran interessiert zu sein, Jessi kennenzulernen, wirkte aber nicht nur abweisend, sondern auch eifersüchtig.

Jessi befeuerte das noch, indem sie zu Jule sagte: »Du hast ganz schön Glück. Bei ihr kann man sich so richtig ausquatschen. Um die Mutter beneidet dich jede.«

»Stiefmutter«, korrigierte Ann Kathrin.

Ann Kathrin und Jessi verstanden sich mit Blicken.

Irgendwie tat es Ann Kathrin gut, dass Jule und Jessi sich begegnet waren. Es war wie ein Beleg ihrer Mutterkompetenz, und gleichzeitig fühlte sie sich merkwürdig dabei, fast schuldig, so als wäre es nicht in Ordnung, dass eine andere junge Frau bei ihr Rat und Beistand suchte.

Ann Kathrin wurde fatal an ihren Exmann Hero erinnert, der seine therapeutische Praxis in ihrem damaligen Wohnhaus eröffnet hatte. Ständig hatte sie in dem Gefühl gelebt, dass er für seine Patientinnen mehr Verständnis aufbrachte als für seine Ehefrau. Und als sie herausfand, dass er sie auch immer wieder mit Patientinnen betrog, hatte sie es geschafft, die Beziehung zu beenden.

Eigentlich ein Glücksfall für mein Leben, dachte sie, sonst wären Frank und ich nie zusammengekommen.

Ann Kathrin bot Jessi noch einen Kaffee an, doch die wollte gar nichts mehr. »Ich habe schon viel zu viel von deiner Zeit in Anspruch genommen. Ihr habt euch Sachen zu erzählen, bei denen ich sowieso nur störe, stimmt's?«

Ann Kathrin schüttelte den Kopf. Jule nickte vehement.

Jessi stand schon in der Tür und wollte eilig los, doch Ann Kathrin hielt sie auf und ordnete ihr Haar. »So lasse ich dich nicht vor die Tür.« Ann Kathrin knöpfte sogar Jessis Bluse höher zu.

Jule verdrehte die Augen.

Kaum hatte Jessi die Tür hinter sich geschlossen, kam Jule mit ihrem Anliegen raus: »Sabrina hat schon wieder ihre Arbeitsstelle gekündigt!«

Es geht gar nicht um sie, sondern sie kommt, um irgendetwas über ihre Schwester zu petzen? Herrjeh, was mache ich jetzt, dachte Ann Kathrin.

»Na ja«, sagte sie, »deine Schwester sucht halt noch das Richtige. Es ist nicht leicht heutzutage. Man spricht ja schon von der Generation Praktikum, weil nach vielen Praktika oft keine Festanstellung erfolgt.«

Jule stemmte ihre Fäuste in die Hüften: »Ja, nimm sie ruhig in Schutz! Diesmal ist es schlimmer!«

»Wie – schlimmer?«

Jule suchte nach Worten. Sie war so hasserfüllt, dass Ann Kathrin sich einen Moment fragte, ob die beiden Schwestern vielleicht denselben Mann liebten. Ging es um Finn-Henrik?

»Wenn du der Sabrina und ihrem Macker Finn-Henrik erzählst, dass Star Wars nicht an Originalschauplätzen gedreht wurde, kriegen die eine seelische Krise! Wahrscheinlich werden sie versuchen, dich vom Gegenteil zu überzeugen. Es muss ja stimmen, wir haben es ja alle im Fernsehen gesehen. Der Killerplanet, der große Jabba, Han Solo, Chewbacca … das alles ist für die Realität.«

Ann Kathrin nahm Finn-Henrik und Sabrina in Schutz: »Das geht jetzt wirklich zu weit. Der junge Mann betreibt ernstzunehmende Forschungen, hält Vorträge und … «

»Ja, verteidige sie auch noch«, schimpfte Jule. Sie trat nach etwas, aber es lag nichts im Weg. Sie wusste einfach nicht, wohin mit ihren Emotionen.

Ann Kathrins Exmann Hero hatte Patienten in solchen Situationen angeboten, auf ein Kissen einzuprügeln. Er hatte sogar Gummikeulen dafür in seinem Therapieraum. Aber so etwas konnte sie Jule schlecht vorschlagen.

Verdammt, dachte sie, warum muss ich dauernd an Hero denken? Mit dem bin ich doch nun wirklich fertig. Soll er doch glücklich werden mit seiner Susanne ...

»Stört es euch denn gar nicht, dass Sabrina zu einer Art Groupie für Alienforscher wird? Der hat eine Gehirnwäsche mit ihr gemacht. Ich habe gestern mit ihr gesprochen. Sie ist«, spottete Jule und äffte ihre Schwester übertrieben nach, »einer ganz großen Sache auf der Spur. Einem Ding, das die Welt erschüttern wird. Und sie wird die Managerin von diesem ganzen Laden. Nicht nur von Finn, sondern auch von diesem anderen Spinner, der sich YoLo2 nennt.«

Ann Kathrin ging in die Küche. Jule hinter ihr her. Ann Kathrin setzte Wasser auf. Ein Beruhigungstee schien ihr jetzt genau richtig. Kaffee oder schwarzer Tee putschten jetzt zu sehr auf.

Neulich hatte Weller eine Ingwerwurzel geschnitten und mit heißem Wasser überbrüht. Das, so hatte er behauptet, sei gut für den Magen, die Nerven, ja das ganze System.

Sie bot Jule jetzt Ingwerwasser an.

»Wir müssen toleranter sein, Jule. Selbst wenn Sabrina sich verrennt, sie ist doch eine erwachsene Frau. Irgendwann wird sie erkennen, dass das vielleicht Quatsch war und der Typ ein Idiot. Sie trennen sich, das Leben geht weiter – meine Güte, man begeht Irrtümer, und am Ende macht das einen Menschen doch aus. Wenn wir uns nicht mehr verrennen würden, könnten wir auch nichts Neues mehr entdecken. Wir ... «

»Ja. Als du jung warst, war das vielleicht so. Ihr konntet jeden Scheiß machen und hinterher noch Kommissarinnen werden, Staatsanwältinnen, Lehrerinnen ... Weiß der Himmel. Aber das ist heute nicht mehr so. Jeder Fehler, den wir machen, der bleibt ewig im Internet hängen.«

»Ja«, sagte Ann Kathrin, »da ist was dran, Jule. Ich bin froh, dass es in meiner Jugend noch keine Handys gab. Es wäre nicht schön, wenn es jetzt im Internet Bilder von mir gäbe, wie ich ...« Sie sprach nicht weiter, sondern winkte ab.

Jule ergänzte: »Wie du kotzend überm Klo hängst?«

»Oder voller Liebenskummer heulend am offenen Kamin sitze.«

Jule griff das auf: »Ja, und welcher Kriminelle würde dich noch ernst nehmen, wenn es von dir Videos gäbe, in denen du von UFO-Landungen erzählst oder ... Herrjeh, Ann, Sabrina versaut sich gerade ihr ganzes Leben!«

Ann Kathrin sah das alles nicht ganz so dramatisch und fragte sich, was an all dem Jule so rasend machte.

Jule rührte in ihrer Tasse herum, hob immer wieder einige Ingwerstückchen heraus und sah sie an, als wüsste sie nicht, was das war.

Es fehlt nicht viel, dachte Ann Kathrin, und sie klatscht die Tasse an die Wand.

Sie ließ einen Versuchsballon los, wie sie es manchmal im Verhör machte: »Hast du dir Hoffnungen auf Finn-Henrik gemacht? Wart ihr mal zusammen, oder warst du mal verknallt in ihn?«

Jule drehte ihr den Rücken zu: »Boah, äi, ich glaub es nicht!« Sie goss das Ingwerwasser im hohen Bogen in die Spüle. Heiße Tropfen spritzten ans Fenster und auf den Fußboden. Sie sah Ann Kathrin an und giftete: »Oh, Verzeihung, wolltest du mit dem Hexengebräu noch den Läufer im Flur einreiben, damit daraus ein fliegender Teppich wird?«

»Was«, fragte Ann Kathrin, »sagt denn eure Mutter dazu?«

Jule fuhr Ann Kathrin an: »Die blöde Kuh ist noch verliebter in ihn als Sabrina! Wenn Sabrina den laufen lässt, dann brennt die mit ihm durch! Ihr kapiert das nicht! Das ist so einer, der«, sie machte die entsprechende Bewegung, »Menschen um den Finger wickeln kann. Nach kurzer Zeit glaubt man, dass die Erde eine Scheibe ist oder was auch immer für einen Scheiß der erzählt.«

»Beruhige dich, Jule. Ich verstehe ja, dass du dir Sorgen um deine Schwester machst, aber wir können uns da nicht einmischen ...« Ann Kathrin suchte ein Beispiel, um es Jule zur Verfügung zu stellen. »Als mein Sohn mit einer wesentlich älteren Frau nach Hause kam, da war ich zunächst empört. Ich dachte, das geht doch nicht. Aber die beiden sind ein glückliches Paar geworden.«

»Ja«, schimpfte Jule, »komm mir jetzt bloß nicht so. Auf jeden Topf passt ein Deckel und all den Mist ...«

»Jule, halt mal die Bälle flach! Du überreagierst nun wirklich.«

»Ach, leckt mich doch alle«, fluchte Jule und rannte an Ann Kathrin vorbei zur Haustür.

»Hey, wo willst du hin? Lass uns doch reden!«

Jule riss die Tür auf und sah Jessi ins Gesicht, die sich an die Garagentür lehnte und für ihre Anwesenheit um Entschuldigung bat. »Ich ... ich hab mein Handy im Haus vergessen. Ich brauche mein ...«

»Sieh nur, liebe Stiemu«, triumphierte Jule, »deine Ersatztochter ist da! Die muss noch ein bisschen behutzelt und betutzelt werden und braucht Verständnis.«

»Jule!!!«, rief Ann Kathrin. Doch ihre Stieftochter ließ sich nicht mehr aufhalten. Sie setzte sich in ihren geleasten Golf.

Sie schlug auf das Lenkrad und biss sich in den Handrücken, bevor sie losfuhr. Eine Geste, die Ann Kathrin schon mehrfach bei Weller beobachtet hatte.

»Tut mir echt leid«, sagte Jessi und kam vorsichtig näher.

»Hör auf, dich ständig für jeden Scheiß schuldig zu fühlen«, konterte Ann Kathrin. »Das ist ja nicht zum Aushalten!«

So, wie sie es vorbrachte, konnte Jessi es nicht nehmen. »Ich mach echt alles kaputt«, sagte sie. »Ich mach aus Gold Scheiße.«

Ann Kathrin versuchte, sich zu erklären: »Nein, machst du nicht! Verzeih, wenn ich gerade blöd war. Ich verstehe nur manchmal die Welt nicht mehr.«

Für Hunde war der Deich hier gesperrt, damit die Schafe in Ruhe grasen konnten, deswegen joggte Agnes Battke hier besonders gern. Sie mochte Hunde, ja wünschte sich selbst wieder einen, doch in ihrer Zweizimmerwohnung in Essen und mit ihrem Achtstundenjob ließ sich das nicht gut realisieren.

Beim Joggen waren ihr die Schafe lieber. Die gingen ihr aus dem Weg.

Die Sonne weckte mild die Landschaft, die Wildblumen auf den Wiesen reckten ihr die Köpfe entgegen, Vogelkonzerte begleiteten ihren Lauf und verliehen ihm Leichtigkeit. Sie hatte kaum das Gefühl, mit den Füßen den Boden zu berühren.

Erstaunt über sich selbst stellte sie fest, dass ihr die schwarzen Schafe lieber waren als die weißen, vielleicht, weil sie sich ihnen zugehörig fühlte.

Sie sah die Pricken vor sich liegen und erinnerte sich an den ersten Urlaub mit ihrer Oma in Norddeich. Damals hatte die Oma ihr ein Märchen aufgebunden.

Sie hatte gefragt: »Oma, wachsen da Birken im Meer?« Und die Oma hatte geantwortet: »Ja, mein Kind, die haben die Ostfriesen für die Seehunde gepflanzt. Du weißt doch, dass Hunde gern an Bäumen ihr Bein heben, um zu pinkeln und weil es im Wasser so wenig Bäume gibt, aber hier in Norddeich so viele Seehunde, da wollten die Ostfriesen einfach nett sein.«

Die Geschichte erzählte viel über ihre Oma, und sie dachte immer noch liebevoll an die inzwischen verstorbene alte Dame, wenn sie irgendwo Pricken sah.

Sie lief hin, und es war, als würde sie mit ihrer Oma sprechen: »Siehst du, die lieben Ostfriesen pflanzen wieder Birken für die Seehunde ...« Sie glaubte, die Oma lachen zu hören: *Du hast es also nicht vergessen, mein Kind.*

Inzwischen war Agnes achtunddreißig und hatte selbst zwei Kinder. Die waren noch mit ihrem Mann in der Ferienwohnung. Sie wechselten sich morgens mit dem Kinderdienst ab. Einmal durfte sie joggen oder shoppen gehen, einmal er.

Zunächst glaubte sie, unter den Ästen habe sich jemand versteckt. Vielleicht ein Kind, um Leute zu erschrecken. Doch dann sah sie das Blut.

Sie hatte beim Joggen immer ein Handy dabei. Sie rief nicht gleich die Polizei an, auch keinen Rettungswagen, nein, sie suchte Kontakt zu ihrem Mann, als müsse sie sich erst bei ihm vergewissern, was zu tun sei.

Später ärgerte sie sich darüber, weil sie sich dadurch so unselbständig vorkam. Er fühlte sich aber geehrt, weil sie in der Krisensituation seinen Rat eingeholt hatte. Er, der keinen Samstagskrimi im ZDF verpasste, wusste sofort, was zu tun war: »Ich rufe die Polizei. Mach Fotos. Schau dich um. Ist da irgendwo einer in der Nähe?«

»Schafe!«

»Nein, nicht Schafe, ich meine Menschen! Gib mir über Google deinen genauen Standort durch.«

Er hörte sich plötzlich hektisch an. Sie ahnte, warum: »Glaubst du, dass hier ein Mörder herumläuft? Vielleicht war es einfach nur ein Unfall ...«

»Klar. Und danach ist die Leiche dann unter die Pricken gekrochen, damit sie keiner findet«, konterte er.

Sie griff sich ans Herz. Sie hatte das Gefühl, es würde stehenbleiben, und sie bekam nur schwer Luft. In Wirklichkeit raste ihr Herz, und sie wurde kurzatmig, was ihr beim Joggen nur sehr selten passierte.

Die Frau, die die Leiche gefunden hatte, war so umwerfend schön, dass Rupert Mühe hatte, sich an das kleine Einmaleins des Ermittlungsverfahrens zu erinnern.

Ihre Lippen zitterten, und ihr Busen hob und senkte sich in den engen, bunten Joggingklamotten, dass Rupert ganz rattig wurde.

»Sie sollten hier«, stammelte er, »nicht alleine herumlaufen. Das ist eine üble Gegend. Ich meine ... das ist jetzt hier nicht die erste Leiche, die wir am Strand finden.«

»Ja, mein Mann hat auch gesagt, es müsse sich um Mord handeln.«

»Ach, Sie sind verheiratet?«

»Spielt das irgendeine Rolle?«

»Nein ... ich meinte ja nur ...«

Verheiratete Frauen waren Rupert eigentlich die liebsten. Sie machten selten große Schwierigkeiten und hatten selbst ein großes Interesse daran, dass eine kleine Affäre geheim blieb.

Dann tauchte plötzlich eine Horde Schülerinnen auf. Sie kamen über den Deich, als hätten sie vorher mit den Schafen dort geweidet. Niemand konnte sagen, woher sie es wussten oder wer sie gerufen hatte. Sie redeten alle durcheinander, kreischten, zerrten an Rupert herum, brüllten ihn an, er solle doch etwas tun.

Sie kannten die Tote. Sie hieß Zoe Dorffmann.

Umringt von so vielen jungen Frauen am Rande des Nervenzusammenbruchs, bemühte Rupert sich, den coolen Polizisten raushängen zu lassen, der alles im Griff hatte. Doch das ging gründlich schief. Er konnte nicht einmal verhindern, dass Handyfotos gemacht und Videos hochgeladen wurden.

Noch bevor Ann Kathrin Klaasen am Tatort erschien, gab es bereits Fotos in der Gruppe *I love Norddeich* und unter dem Hashtag *#Nordsee–Mordsee*.

Ann Kathrin wurde nicht einmal laut, sondern die anderen wurden leiser. Sie sprach sachlich und klar. Sie drohte nicht. Trotzdem taten alle, was sie sagte.

Woher, verdammt, dachte Rupert, nimmt sie diese Autorität? Wie macht sie das?

»Mein Name ist Ann Kathrin Klaasen. Ich bin von der Mordkommission. Bitte machen Sie jetzt keine weiteren Fotos mehr, löschen Sie auch nichts, was Sie aufgenommen haben. Vergessen Sie Ihre Handys mal für einen Augenblick. Konzentrieren wir uns ganz auf das Hier und Jetzt. Setzen Sie sich dort drüben auf den Deich. Schauen Sie ein bisschen aufs Meer. Versuchen Sie, sich zu beruhigen. Mein Kollege Rupert wird jetzt Ihre Personalien aufnehmen, damit wir Sie als Zeuginnen registriert haben. Wer von Ihnen kennt die Tote?«

Fünf Arme reckten sich zum Himmel. Lediglich Agnes Battke schüttelte den Kopf.

»Zoe«, riefen einige gleichzeitig. Ein Mädchen bekam einen Heulkrampf.

»Nehmen Sie bitte Abstand. Sie befinden sich hier an einem Tatort. Wir müssen Spuren sichern.«

Rupert kniete bei der Toten. Er hob ein paar Zweige hoch und sagte: »Unser Messerstecher. Wir haben ein dickes Problem, Ann. Mitten in der Hauptsaison.«

Rupert sah zu Ann Kathrin hoch. Er ließ die Zweige los. Ein paar federten in sein Gesicht und hinterließen dort eine Kratzspur. Er hob die Faust, als wolle er zurückhauen, ließ es dann aber.

Eine junge Frau reichte ihm ein Papiertaschentuch. »Sie haben da was …« Sie deutete auf seine rechte Wange. Er griff hin. Blut. Auch das noch. Eine Verletzung im Kampf machte ihm wenig aus, doch so etwas Blödes durch zurückfedernde Birkenzweige, das war irgendwie peinlich, fand er.

Eine verheulte junge Frau, die Piri oder Kiri genannt wurde, das verstand Rupert nicht so genau, hielt ihm ihr Handy vors Gesicht und sagte: »Das ist er. Der hat sie umgebracht.«

Auf dem Display war ein Biker zu sehen, mit einer Lederjacke, wie sie Rupert auch gut gestanden hätte. Er hatte Matsch in den Haaren und im Gesicht.

Ann Kathrin zog Kiri zur Seite und gab Rupert einen Wink, er solle jetzt endlich beginnen, die Personalien aufzunehmen.

Ann Kathrin ging mit Kiri ein paar Meter, und auf ihre Frage: »Was machen Sie beruflich?«, antwortete Kiri nicht: *Ich bereite mich aufs Abitur vor* oder: *Ich studiere im ersten Se-*

mester ... Mit so einer Antwort hatte Ann Kathrin gerechnet, aber nicht mit: »Ich bin Klimaaktivistin.«

Ann Kathrin verkniff sich die Frage, ob man davon leben könne, aber Kiri legte gleich los: »Früher bin ich mit meinen Eltern nach Bali geflogen, nach Jamaika und natürlich Florida, aber ich kannte unser Land überhaupt nicht. Jetzt reise ich mit der Bahn. Darum sind wir alle hier. Es gibt von Köln einen durchgehenden Zug nach Norddeich Mole. Etwas Schöneres als das Wattenmeer hier habe ich noch nie gesehen. Der Wechsel der Gezeiten, die gute Stimmung hier und ... «

Ann Kathrin ließ sie einfach reden. Im Grunde stand die junge Frau noch unter Schock. Manchmal begannen Menschen angesichts einer schrecklichen Tat, die sie nicht so rasch verarbeiten konnten, über ihre Hobbys zu sprechen, über ihre Kindheit, das Wetter, den Straßenverkehr oder eine schöne Urlaubsreise. Sie suchten etwas, das wahr war, richtig und gut. Etwas, woran sie sich klammern konnten.

Kiri zeigte Ann Kathrin das Foto von dem Biker auf ihrem Handy. »Der war's! Nehmen Sie ihn fest!«

»Haben Sie den Mord beobachtet?«, wollte Ann Kathrin wissen.

Kiri schüttelte den Kopf: »Nein, natürlich nicht. Dann hätte ich die Polizei gerufen und um Hilfe geschrien. Wir waren Freundinnen!«

Als würde das alles hier plötzlich überhaupt keine Rolle mehr spielen, sah Kiri einer Möwe nach und schützte mit ihrer rechten Hand die Augen gegen die Sonne, um die Möwe noch länger beobachten zu können.

Sie ist völlig durch den Wind, dachte Ann Kathrin. Wahrscheinlich beschuldigt sie jetzt irgendeinen Jungen, der einmal Krach mit Zoe gehabt hat.

Den Wunsch, dass schnell jemand verhaftet werden würde, hatten jetzt viele.

Kiri ballte die Fäuste und trommelte damit gegen ihre Oberschenkel, so als könne sie so irgendetwas rückgängig machen. Sie erinnerte Ann Kathrin dadurch an eine Mutter, die, als sie ihr die Nachricht vom gewaltsamen Tod ihres Sohnes überbracht hatte, begonnen hatte, alle Kerzen aus einem Kerzenständer zu nehmen und in der Mitte durchzubrechen. Menschen machten merkwürdige Dinge, um schlimme Nachrichten zu verarbeiten.

Kiri seufzte: »Wir haben so viel Spaß miteinander gehabt. Aber Zoe muss es immer übertreiben. Sie kennt keine Grenzen. Wissen Sie – oder ja, sie kennt die Grenzen wahrscheinlich, aber sie akzeptiert sie nicht. Eine Grenze ist für sie nur dazu da gewesen, sie zu übertreten, sie einzureißen. O mein Gott, ich spreche von ihr schon in der Vergangenheit ... «

»Über welche Grenze ist sie gegangen?«, fragte Ann Kathrin.

Kiri wedelte mit den Armen, als müsse sie Mücken vor dem Gesicht vertreiben. Es waren aber keine da.

Manchmal glaubte jemand, der unter Schock stand, er hätte Spinnweben im Gesicht oder Insekten würden über seinen Körper krabbeln. All das war für Ann Kathrin nichts Ungewöhnliches. Menschen, die sich ständig durchs Gesicht wischten, kratzten, sich schüttelten – das alles hatte nichts mit Intelligenz oder Bildung zu tun. Konfrontationen mit der Endlichkeit des Seins warfen einige vollständig aus der Bahn. Kiri kam Ann Kathrin trotz allem noch sehr klar orientiert vor. Alles sprudelte aus ihr heraus. Ann Kathrin empfand es nur als ihre Aufgabe, die richtigen Informationen herauszufiltern und von all dem zu trennen, was die Seele sonst noch herausspülte.

»Die hat immer ihr T-Shirt hochgehoben und ihre Brüste gezeigt.«

»Wem?«

»Na, allen! Also, im Grunde der Sonne. Sie hat sie dem Meer entgegengereckt. Sie war stolz auf ihren Körper und empfand sich als Teil der Erde. Für sie war das ganz natürlich. Zoe feierte damit einfach nur das Leben. Aber Sie hätten die geilen Blicke der Typen sehen müssen! Da waren zwei Biker, die sind überhaupt nicht damit klargekommen. Und dann ist der eine ins Watt gefallen. Zoe hat sich verzogen. Die muss manchmal einfach alleine sein. Ganz mit sich ... Das kenne ich schon. Erst ist sie Mittelpunkt einer Gruppe und liebt das sehr, dann plötzlich kann sie keinen in ihrer Nähe ertragen. Der Typ ist ihr hinterher. Sie hat bei diesen Spielgerüsten gesessen, im Maul vom Wattwurm, das weiß ich noch. Er ist auch in die Richtung gegangen.«

»Gab es Streit?«

»Kann man wohl sagen. Aber ich bin nicht hinterhergegangen. Zoe wird alleine mit frechen Typen fertig.«

»So ...?«, warf Ann Kathrin kritisch ein.

»Die hat den grünen Gürtel im Judo. Braucht sie auch bei der großen Klappe, die sie hat ... Die hat mal in Frankfurt vor dem Cinestar einen verdroschen, der auf einen Obdachlosen pinkeln wollte. Genauer gesagt waren es sogar zwei. Der eine ist dann abgehauen, den anderen hat ein Krankenwagen abgeholt.«

Ann Kathrin fragte: »Kennen Sie den Namen des Bikers?«

Kiri zuckte mit den Schultern. »Ich glaube, er nannte sich Jason oder so. Das heißt aber nichts. Die geben sich ja immer alle Namen, die besonders toll klingen sollen, als seien sie Hollywoodstars.«

»Wohnte Zoe noch bei ihren Eltern?«

»Bei ihrem Vater. Der hat eine Kneipe in Frankfurt-Bockenheim. Da hat Zoe manchmal gekellnert. Ich übrigens auch.«

Sie waren die ganze Zeit nebeneinander hergegangen. Plötzlich blieb Kiri stehen, drehte sich um und ging zurück in Richtung der Backbordpricken.

Ann Kathrin sah jetzt Frank Weller und Leute der Spurensicherung.

Die jungen Frauen saßen aufgereiht wie auf einer Hühnerleiter auf dem Deich, jede gut einen Meter Abstand zur nächsten, und Rupert ging mit seinem Block und einem Kugelschreiber von einer zur anderen und notierte ihre Namen und Adressen. Sobald er zur nächsten ging, rückten die bereits Befragten näher zusammen.

Mit bedrohlichem Surren näherte sich eine Drohne. Weller hätte sie am liebsten abgeschossen. Eine Drohne im Weltnaturerbe, direkt beim Vogelschutzgebiet. Herzlichen Dank! Damit konnte man Weller richtig auf die Palme bringen.

Er vermutete, dass von dort aus Fotos gemacht wurden. Legal war das jedenfalls nicht.

Weller telefonierte mit Marion Wolters. Er sprach laut in sein Handy: »Wir brauchen hier sofort Leute, um das Gelände abzusperren. Ich möchte nicht gerne, dass die Mamis mit ihren Kindern hier am Tatort aufgeschreckt werden. Das muss wirklich keiner sehen. Und sorg außerdem bitte dafür, dass diese Scheiß-Drohne hier wegkommt. Die müssen sich irgendwo einloggen und registriert werden, die haben im Leben keine Genehmigung dafür.«

Marion Wolters sprach die Worte ruhig aus, denn sie spürte Wellers Aufregung und wollte ihn ein bisschen runterholen: »Wer sagt uns, dass der Täter die Drohne nicht geschickt hat, um uns zu beobachten und sich daran zu weiden, wenn er die aufgeschreckten Reaktionen sieht?«

Damit traf sie bei Weller ins Schwarze. Er zog seine Heckler & Koch und richtete sie auf die Drohne, die in fünf, sechs Metern Höhe über den Köpfen schwebte.

Ann Kathrin sah, was ihr Mann vorhatte, und rief: »Frank!« Sie rannte los, um ihn daran zu hindern.

Allein ihre Stimme und dass sie seinen Namen rief, reichte aus, und er steckte seine Waffe verschämt wieder weg. Als sie bei ihm ankam, sagte er: »Verzeih mir, aber … das geht doch einfach nicht!« Er deutete nach oben. »Marion meint, sie könnte sogar dem Täter gehören und Bilder an ihn schicken.«

In dem Moment drehte die Drohne ab. Ein paar hundert Meter weiter in Richtung blaue Brücke und *Haus des Gastes* saß ein Vater mit seinem Sohn, und beide probierten das neue Spielzeug aus.

Susanne Kaminski aus Dinslaken, die zusammen mit ihrem Mann Martin ein paar Tage in Norddeich verbrachte, stand neben dem Vater und fragte ihn, ob er noch ganz dicht sei. Er könne doch hier keine Drohne fliegen lassen.

»Warum denn nicht?«, fragte er, und Susanne wusste nicht, ob das naiv war oder dreist.

Der Anruf von Indras Ex kam Alex sehr gelegen. Sie kämpfte mit Wuttränen. Ihr Verflossener hatte eine Neue, und der wollte er seine Tochter gern vorstellen.

»Wahrscheinlich«, spottete Indra bitter, »als Beweis, dass er es doch noch bringt und genug Tinte im Füller hat. Manchmal gibt er nämlich besonders gern vor Frauen mit Amelie an. Mit ihrer Schönheit und Intelligenz. So ganz nach dem Motto: *Schaut nur, was für ein tolles Kind ich zeugen kann.* Aber dann wieder lehnt er sie vehement ab, und mich natürlich erst recht. Er glaubt ja echt, sie sei ihm«, sie verzog den Mund und rollte mit den Augen, als sie ihn nachmachte, »wie aus dem Gesicht geschnitten. Dann wieder spürt er genau, dass sie nicht von ihm ist. Das wechselt zigmal am Tag. So hat er das Kind gespalten und ganz verrückt gemacht mit seinem Irrsinn. Alles Gute hatte Amelie natürlich von ihm und war der Beweis dafür, dass sie von ihm ist, und wenn ihm irgendetwas an ihr nicht passte, dann war das der Gen-Müll eines anderen. Ich kam überhaupt nicht vor. Ich war nur so etwas wie der Brutkasten. Nein, ich will nicht, dass er sie abholt! Das ist nicht gut für das Kind. Er benutzt sie nur für seine Zwecke. Hinterher ist sie wieder traurig und ganz verdreht.«

Alex wollte sie in den Arm nehmen. Statt sich an ihn zu kuscheln und trösten zu lassen, zuckte sie verkrampft zurück.

Sie standen auf der kleinen Terrasse der Ferienwohnung und sahen Amelie zu, die über den Gartenzaun hinweg Kontakt zu einem Mädchen knüpfte, das gestern erst mit ihren Eltern angekommen war. Amelie erzählte von den tollen Spielgerüsten am Strand. Sie sprach von *Monsterrutschen* und *Klettertieren.*

Felicitas war gut zwei, wenn nicht drei Jahre älter als Amelie, doch wieder übernahm Indras Tochter die Führung in der aufkeimenden Beziehung.

Von dem neuen Mord am Deich hatte Indra noch gar nichts mitbekommen. Der Anruf ihres Ex nahm sie zu sehr gefangen, um offen zu sein für Nachrichten vom Rest der Welt.

Alex hatte Brötchen bei Grünhoff geholt, dazu Frischkäse,

Erdbeermarmelade und Pilsumer Rohmilchkäse vom Hofladen. Um sich bei Amelie beliebt zu machen, hatte er sogar Nutella besorgt.

Der Bünting-Tee duftete verführerisch, aber niemand nahm am gedeckten Frühstückstisch Platz. Amelie suchte Kontakt zu Kindern, und Indra war vollständig von der Idee gefangen, ihr Ex gönne ihr den Urlaub nicht und schon mal gar nicht ihr neues Glück. Er käme jetzt, um ihr mal wieder alles im Leben kaputtzumachen.

Die Sonne verlangte schon heute Morgen Hautcreme mit einem hohen Schutzfaktor. Irgendwo summten gut hörbar, aber nicht sichtbar, Erdhummeln herum. Es war wie ein fernes Motorenbrummen. Felicitas kam über den Gartenzaun, quer durch die Blumenbeete, zu ihnen aufs Grundstück. Alex war sich nicht sicher, ob die Verfügbarkeit der Nussnougatcreme sie nicht mehr gelockt hatte als die Aussicht auf eine neue Freundin. Jedenfalls nahmen die Mädchen am Frühstückstisch auf der Terrasse Platz, und Amelie benahm sich wie eine Prinzessin, die mit ihren Bediensteten sprach, wenn sie sich an ihn wandte.

Er bediente die zwei mit herausgespielt unterwürfigen Gesten, redete sie mit *Madame* an und gebrauchte Floskeln wie: *Stets zu Diensten* oder *Ganz, wie Madame wünschen.*

Felicitas schielte zum Nachbargrundstück rüber, wo ihre Eltern damit kämpften, einen widerspenstigen Liegestuhl aufzubauen. Sie setzte sich so, dass ihre Eltern sie nach Möglichkeit nicht sehen konnten.

»Wenn meine Ma sieht, was ich hier esse, kriegt die voll die Krise«, kicherte Felicitas und schmierte sich dick Nutella aufs Weizenbrötchen.

Alex hob sein Handy hoch, um ein Foto von den beiden zu

302

schießen. Spatzen hüpften zwischen ihren Stuhlbeinen herum und ein ganz frecher wagte sich sogar auf den Tisch.

Als er das Foto schoss, ploppte eine Nachricht von *ZDF heute* bei ihm auf: Einen Tag nach dem Abschuss eines unbekannten Flugobjekts über dem US-Bundesstaat Alaska gab der kanadische Premierminister Trudeau bekannt, ein zylinderförmiges, nicht identifiziertes Flugobjekt sei in den Luftraum eingedrungen und in 1200 Metern Höhe von einem Kampfjet abgeschossen worden. Angeblich wieder ein chinesischer Spionageflieger. Die chinesische Regierung dementierte allerdings. Sie habe damit nichts zu tun.

Wann werden sie den Menschen endlich die Wahrheit sagen, fragte er sich. Haben sie Angst vor einer Massenpanik? Oder wissen sie es nicht besser? Sind sie echt so ahnungslos oder einfach nur verlogen? Wacht endlich auf! Der Angriff hat begonnen …

Er zeigte Indra stumm die Meldung. Sie überflog sie nur. Die Drohung ihres Ex, Amelie für ein paar Stunden zu sich zu holen, erschien ihr gefährlicher als ein Angriff von Außerirdischen auf die Erde.

»Meinst du echt, er kommt hierhin?«

Indra guckte nur verdrossen und deutete mit den Augen ein Ja an.

»Na, der traut sich was«, brummte Alex und blies seinen Brustkorb auf, um zu zeigen, dass er bereit war, sein Territorium zu verteidigen.

»Wir haben hier das Hausrecht. Wir lassen ihn nicht rein«, bestimmte er.

Indra guckte ihn ungläubig an, als sei das ganz und gar undenkbar. »Du kennst ihn nicht.«

»Er mich auch nicht.« Alex zögerte einen Moment, dann

fragte er mit vorwurfsvollem Unterton: »Woher weiß der überhaupt, wo genau ihr wohnt?«

Indra druckste herum. Sie schämte sich, es auszusprechen.

Alex ahnte, was gelaufen war, und empörte sich: »Du hast es ihm gesagt?!«

»Ja, was hätte ich denn tun sollen?«

Felicitas schob einen Löffel ins Nutella, drehte ihn zweimal um und leckte ihn dann ab. Amelie lachte hell. Felicitas verdrehte schmatzend die Augen. Ihre Lippen waren jetzt braun.

»Ich kann ihn freundlich begrüßen«, sagte Alex und betrachtete dabei seine Faust.

»Und dann?«

»Dann steigt er – wenn er klug ist – in seinen Wagen zurück und lässt uns in Ruhe.«

»Oder?«

»Oder er kann sich entscheiden, ob ich ihn erst zum Zahnarzt bringe und dann in die Ubbo-Emmius-Klinik oder umgekehrt. Ich werde ihm jedenfalls beide Arme brechen, und er hat danach sicherlich vorne keine Zähne mehr.«

Indra nahm einen Meter Abstand und taxierte ihn von oben bis unten, als stünde ein Fremder auf ihrer Terrasse und sie versuche, ihn einzuschätzen.

»Hör mit diesem Macho-Scheiß auf! Du willst dich doch nicht ernsthaft mit ihm prügeln?!«

»Nein, will ich nicht. Ich will ein schönes Leben mit dir führen. Ich will Spaß haben. Gut essen. Verreisen. Lust erleben. Aber … manch einer kapiert nur, wenn es richtig weh tut.« Er schlug mit der rechten Faust in die linke Handfläche.

»Wie du redest … «

Indra zog ihn ins Haus, weg von den Kindern. Sie sollten nichts mitbekommen. Drinnen umarmte sie ihn. »Bitte erspar

Amelie das. Es würde sie in einen riesigen Konflikt stürzen. Sie mag dich. Das ist echt. Aber er ist nun mal ihr Vater. Ich möchte nicht, dass sie sieht, wie ihr euch prügelt.«

»Okay«, sagte er. »Dann lass uns hier verschwinden. Ist sowieso besser.«

Sie staunte: »Wie – besser?«

»Nicht weit von hier«, er zeigte zum Deich, »ist heute Morgen eine Mädchenleiche gefunden worden. Ich glaube, es ist die Kleine, die wir in der Seehundstation getroffen haben – also, eine von denen. Das Netz ist voll damit.«

Indra hielt sich erschrocken die linke Hand vor den offenen Mund.

»Es ist jetzt das vierte Mal hier im Umkreis, dass ein kapitales Verbrechen geschieht. Vielleicht sollten wir Amelie aus dieser Atmosphäre herausbringen. Da rennen bestimmt jede Menge Polizisten am Deich und am Spielplatz rum.«

Indra deutete auf ihre lachende Tochter am Frühstückstisch: »Aber es geht ihr gut. Sie gewinnt Freunde. Sie ist hier ungewohnt frei und ungezwungen. Sie bekommt von alldem überhaupt nichts mit.«

»Die Fähre nach Norderney geht stündlich. Wir könnten mit ihr einen Ausflug dahin machen und dann erst einmal dortbleiben, und du verrätst deinem Exmacker nicht, wo wir sind, und sperrst einfach seine Nummer ... oder besser noch, wenn er anruft, gibst du mir einfach das Handy, und ich regle das mit ihm, so von Mann zu Mann.«

Ann Kathrin Klaasen ärgerte sich, dass sie es immer noch nicht geschafft hatte, sich die Wohnungen von Valentina und Silke

Humann anzusehen. Eine Fahrt ins Ruhrgebiet war bei der Dynamik, die der Fall entwickelte, einfach nicht drin.

Weller und ein Mobiles Einsatzkommando aus Aurich holten sich die zwei Biker. Sie campten wild in einem Zelt in der Krummhörn, knapp einen Kilometer südlich von Greetsiel. Ihre Motorräder standen zwischen zwei Pappeln. Vor dem Zelt lagen leere Bierdosen und ihre Motorradstiefel. In einer illegalen Feuerstelle glomm noch Glut, die durch den leichten Nordwestwind wieder angefacht wurde.

Das MEK wäre nicht nötig gewesen. Mit zwei verkaterten Halbstarken wäre Weller gut alleine klargekommen, aber bei ihnen entdeckte er auch noch eine zugedröhnte Minderjährige. Weller schätzte sie auf höchstens sechzehn oder siebzehn. Sie hatte, nur mit einem zerknitterten T-Shirt bekleidet, zwischen den beiden genächtigt. Sie trug Socken, aber sonst vom Bauchnabel an abwärts nichts.

Es war nicht leicht, sie zu wecken, und Weller, der selbst zwei Töchter hatte, wurde in solchen Momenten schmerzhaft daran erinnert, dass die Welt voller Gefahren war.

Er sah ihr an, wie verwirrt sie war. Wahrscheinlich hatten die Beamten sie dabei unterbrochen, den Rausch ihres Lebens auszuschlafen.

Sie erinnerte sich nicht genau, ob sie mit einem der beiden geschlafen hatte und wenn ja, mit wem. Oder vielleicht gar mit beiden? Die Angst, geschwängert worden zu sein, stand ihr ins Gesicht geschrieben.

Sie stolperte vor dem Zelt durchs Gras. Weller glaubte, sie suche etwas zum Anziehen und wollte ihr seine Jacke reichen, doch sie hielt nur nach einem Ort Ausschau, wo sie ihre Notdurft verrichten und sich übergeben konnte. Auf dem freien Feld boten sich da nur die zwei Pappeln an oder der Schutz der beiden Polizeiwagen. Dafür entschied sie sich. Sie hockte sich zwischen den beiden Wagen auf den Boden.

»Mir kommen die Tränen, wenn ich mir vorstelle, das wäre meine Tochter …«, brummte Weller und sah zum Himmel. Sylvia Hoppe stand bei ihm. Sie kannte solche Exzesse aus ihrer Jugendzeit in Köln. Nach Partys am Rheinufer hatte sie damals in so manche Vorgärten gereihert. Inzwischen wusste sie, dass sie lesbisch war, und hatte, seit sie sich nicht mehr zwanghaft auf Männer einließ, endlich ihr Glück gefunden. Bei dem Geruch müsste eigentlich jedem Mädel die Lust auf Jungs sofort vergehen, dachte sie.

Sie holte für die junge Frau eine Decke aus dem Auto, die diese dankbar annahm. Sie war zwar noch nicht ganz klar in Zeit und Raum orientiert, wusste aber ihren Namen zu nennen: Naomi. Bäckereifachverkäuferin aus Hamburg-Eimsbüttel.

Angeblich war sie schon zwanzig Jahre alt, aber sie fand gerade weder ihren Slip noch ihre Jeans oder ihr Portemonnaie, in dem der Ausweis steckte. Sie kroch ins Zelt zurück und suchte dort.

Weller nahm sich die zwei Biker vor und befragte sie zum gestrigen Abend.

Die türkischstämmige Kollegin Leyla von der Polizeiinspektion Leer fand Naomis Wäsche bei einem Maulwurfshügel im Gras. In der Jeans steckte das Portemonnaie, und der Slip hing am rechten Hosenbein. Leyla konnte sich lebhaft vorstellen, was hier gelaufen war.

Um das Haschisch zu finden, brauchten die Polizisten keinen Drogenspürhund. Ein paar Brocken von dem gepressten Harz in Silberfolie lagen in den Tabakbeuteln beim Kingsize-Zigarettenpapier Gizeh. Auf dem Gauloises-Tabakbeutel stand groß: *Rauchen mindert Ihre Fruchtbarkeit.*

Hoffentlich, dachte Leyla und blickte zu Naomi. Die junge Frau tat ihr leid.

Auf dem anderen Beutel der Marke Winston prangte der Spruch: *Rauchen erhöht das Risiko, zu erblinden.*

Leyla schätzte, dass sich in beiden Beuteln zusammen keine zwanzig Gramm Haschisch befanden. Sie sagte es Weller, und der gab es gleich per Whatsapp an Ann Kathrin weiter.

Sie reagierte sofort mit einem Anruf: »Kiffer sind eher friedlich, Frank. Wenn wir nichts finden, das sie aufputscht oder aggressiv macht, spricht das eher gegen sie als Täter.«

Weller stimmte sofort zu. Ihm war in seiner ganzen Berufspraxis noch nie ein Mörder begegnet, der zugekifft zum Täter geworden war. Allerdings kannte er zwei Fälle, da hatten die Mörder nach dem Verbrechen einen durchgezogen, um zur Ruhe zu kommen.

Er roch am Stoff. Vielleicht war das Zeug ja heute auch anders, als er es als Jugendlicher kennengelernt hatte. Hochgezüchtet. Konzentrierter. Gepanscht.

Sylvia Hoppe und Weller vernahmen die Biker getrennt voneinander, im Gras sitzend. Wenige Meter weiter grasten Kühe. Das Rupfen der schwarz-weiß Gefleckten untermalte das Gespräch wie untalentiert gespielte Barmusik einen Flirt an der Theke.

Vielleicht, weil die Befragung im Gras stattfand und weil alles eher nach Picknick aussah, vielleicht aber auch, weil beide noch nicht nüchtern waren, verlangte keiner von ihnen einen Anwalt. Weder Weller noch Sylvia Hoppe drängten den beiden einen Rechtsanwalt auf. Noch waren sie ja keine Beschuldigten, sondern nur Zeugen, die die tote Zoe kurz vor ihrem Ableben gesehen hatten.

Sie wussten angeblich noch gar nicht, dass Zoe tot war.

Auch von einem unbekannten Flugobjekt, das abgeschossen worden war, hatten sie noch nichts mitbekommen.

Weller zeigte ein Foto von Zoe vor. Jason stöhnte und behauptete: »Boah, äi, das ist eine ganz versaute Bitch. Die steht drauf, Männer anzumachen und sie dann abblitzen zu lassen.«

»Und, hat sie das mit Ihnen gemacht?« Es fiel Weller schwer, sein Gegenüber zu siezen, aber er tat es, weil er wusste, dass Ann Kathrin es nicht mochte, wenn Verdächtige geduzt wurden. Das konnte als Kumpanei ausgelegt werden, und genau das gefiel ihr nicht.

»Ja, klar.« Jason zeigte auf Naomi. »Die Nina da, die ist ganz anders.«

»Gerade hat sie behauptet, sie heißt Naomi.«

»Ja, dann eben Naomi. Jedenfalls, die ist ne richtig Töfte.« Er griff sich an den Kopf: »Boah, äi, ich hab so Kopfschmerzen. Habt ihr vielleicht 'ne Aspirin dabei, oder was?«

»Diese junge Frau hier«, sagte Weller und zeigte noch mal auf dem Display ein Foto von Zoe Dorffmann, »haben wir heute Morgen tot aufgefunden.«

Wellers Gegenüber zuckte getroffen zusammen. »Nee, echt jetzt?« Er sah zu seinem Kumpel rüber, der gut zwanzig Meter entfernt im Gras saß und mit Sylvia Hoppe redete, während Leyla sich mit Naomi unterhielt.

»'ne Überdosis?«, fragte er Weller. »Von mir hat sie nix. Ich hab ihr nix verkauft! Alles, was wir haben, ist zum Eigengebrauch und an so'm bisschen Shit ist noch keiner gestorben! Aber von uns hat sie nichts, gar nichts!«

»Überdosis ...«, sagte Weller nachdenklich. »Ja, vielleicht kann man es auch so nennen. Eine Überdosis Stahl in ihrem Körper.«

»Sie wurde ermordet?«

Weller nickte.

»Wie dieser Opa im Strandkorb?«

»Ja«, wiederholte Weller, »wie dieser Opa im Strandkorb.«

Jason hob seine Arme und schüttelte entsetzt den Kopf: »Damit habe ich nichts zu tun, Herr Kommissar, das müssen Sie mir glauben!«

»Es gibt einige Handyvideos, darauf beschimpfen Sie sie ziemlich heftig.«

»Ja, klar, aber ... Bitte, Sie müssen mir glauben, damit habe ich nichts zu tun!«

Ruhig stellte Weller klar: »Ich glaube erst mal gar nichts. Die Aufgabe der Kriminalpolizei ist es nicht, irgendetwas zu glauben, sondern etwas zu beweisen. Und beweisen kann ich, dass Sie einer der Letzten in der Nähe von Zoe Dorffmann waren. Sie sind ihr sogar nachgelaufen, haben sie beschimpft, und jetzt ist sie tot.«

Die Unterlippe des Motorradfahrers zitterte. Tränen liefen über sein Gesicht. Er riss die Grasbüschel neben sich aus. Weller nahm aber nicht an, dass er es bewusst tat. Wahrscheinlich kriegte er nicht mal genau mit, was geschah.

»Wir ...«, stammelte er, »wir waren die ganze Zeit zusammen. Wir haben Natascha ... «

»Sie heißt Naomi«, ermahnte Weller ihn.

»Ja. Also, wir haben sie vor *Meta* aufgegabelt. Sie ist hintendrauf ein paar Meter mitgefahren. Sie wollte eigentlich trampen, nach Amsterdam oder was, ich weiß nicht mehr genau.«

»Und ihr habt sie natürlich ohne Helm mitgenommen.«

»Na klar. Meinen Sie, die steht mit Helm an der Straße und trampt?«

»Und weil sie nicht wusste, wo sie schlafen sollte«, erzählte Weller die Geschichte weiter, »wart ihr dann so nett, ihr euer

Zelt anzubieten und ein bisschen was von eurem Stoff zum Hausgebrauch, stimmt's?«

»Ja, verdammt, so ähnlich ist es gewesen. Aber das ist doch alles nicht strafbar! Herrjeh, wir sind doch keine Mörder!«

Weller wollte nicht mit dem Finger auf Naomi deuten. Er guckte nur in die Richtung und schob sein Kinn vor: »Hast du mit ihr geschlafen?«, fragte er und wunderte sich selbst über den aggressiven Grundton in seiner Stimme.

Jason zuckte mit den Schultern: »Ja ... Nein ... Keine Ahnung ... Vielleicht ... Vermutlich ... Was geht Sie das überhaupt an?«

Weller wiederholte alles ganz langsam: »Ja? Nein? Keine Ahnung? Vielleicht? Vermutlich? – Schämst du dich, es zu sagen, oder traust du dich nicht?«

Jason machte Bewegungen mit dem Kiefer, als würde er etwas Großes, Hartes kauen, das kaum in seinen Mund passte. Er spuckte es aus: »Mann, äi, Sie nerven!«

Durch die Überprüfung der Papiere wusste Weller, dass er Jonathan Dunkels hieß, sich aber Jason Dark nannte. Sein Freund hieß Kilian Duda. Es existierte kein Haftbefehl gegen die beiden, und sie hätten jederzeit ein astreines polizeiliches Führungszeugnis bekommen. Trotzdem hatte Weller eine Stinkwut auf sie, konnte sich aber nicht vorstellen, dass sie für vier Morde verantwortlich waren. Und eins war für ihn ganz klar: Wer Zoe Dorffmann getötet hatte, war auch der Mörder von Valentina und Silke Humann und von Günther Steinhauer.

Leyla sprang auf, ging zweimal um Naomi herum und lief dann zu Weller und Jonathan Dunkels. Sie sah verzweifelt aus und wütend. Die Coolness, die Weller an ihr kannte, war vollständig verflogen.

Sie blaffte Jonathan Dunkels an: »Die Kleine kann sich nicht mal daran erinnern, mit wem von euch sie Sex hatte! Bitte sag mir jetzt, dass ihr Gummis benutzt habt!«

Sie stand vor ihnen und vibrierte vor Zorn. Für Weller befand es sich durchaus im Rahmen des Möglichen, dass sie kurz davor war, Fußtritte auszuteilen.

Weller gönnte es diesem Jason Jonathan Dunkels, von einer Frau verprügelt zu werden. Er überlegte sich Ausreden, warum er nicht eingreifen würde.

Jason rollte sich auf dem Boden ein Stückchen von ihr weg, um aus der Gefahrenzone zu kommen. Dann rieb er sich die Wangen und stöhnte: »Nimmt sie denn die Pille nicht?«

Weller mischte sich ein. Er brüllte ihn an: »Hast du verhütet oder nicht?«

Jason zuckte mit den Schultern.

Weller rief fassungslos: »Ich glaub es nicht! Er weiß es nicht!«

Jason wurde die Sache zu heiß. Seine Fluchtreflexe erwachten. Er raffte sich auf und versuchte, zu seinem Motorrad zu kommen.

Leyla schlug ihm die Beine weg. Hart krachte er ins Gras. Schon stand sie über ihm und hinderte ihn daran, in die Tasche zu greifen, indem sie mit ihrem rechten Fuß seine Hand in die Grasnarbe drückte.

»Ihr habt euch an einer komatös zugedröhnten Frau vergangen! Das kann man nicht mehr einvernehmlichen Sex nennen! Ich hoffe von Herzen, dass sie bereit ist, euch anzuzeigen!«

Indra wollte mit Amelie und ihrer neuen Freundin Felicitas ins Waloseum fahren oder auch in den Schlosspark nach Lütetsburg. Es war ihr egal. Hauptsache, schnell weg, bevor ihr Ex hier ankam.

Aber wie so oft im Leben hatte er sie mal wieder reingelegt. Er hatte keineswegs aus Oldenburg angerufen, sondern befand sich mit dem Auto bereits an der Straßenecke und beobachtete ihre Ferienwohnung.

Sie hatte die Kinder reingeholt. Die Möwen machten sich auf der Terrasse über den Frühstückstisch her. Amelie stand mit offenem Mund am Fenster und betrachtete das Schauspiel vom Wohnzimmer aus. Eine Möwe verschlang ein ganzes Brötchen. Sie konnte sehen, wie sie es durch den Hals würgte.

Als es an der Tür klingelte, zog Indra Amelie zu sich und drückte das Kind fest an sich. Sie verschwand mit Amelie im Schlafzimmer.

Die Kleine begriff noch nicht, was los war. Felicitas stand herum und fragte sich, was sie jetzt tun sollte.

Alex ging zur Tür. Vor ihm stand ein Mann Mitte vierzig mit vollem Haar und breitem Grinsen. »Bist du ihr neuer Stecher?«, fragte er.

Bevor er die Antwort hören konnte, platzte seine Nase auf und er lag bäuchlings auf dem Boden. Alex kniete auf seinem Rücken und sagte: »Ja, genau der bin ich.«

Felicitas rannte zur Terrassentür und floh in den Garten. So etwas hatte sie noch nie in echt gesehen, sie kannte es nur aus Filmen.

Draußen fühlten sich die Möwen von ihr gestört und kreischten. Ein Möwenflügel klatschte in ihr Gesicht. Federn stoben durch die Luft.

»Du wirst«, flüsterte Alex in das rechte Ohr seines Gegners,

»uns ab sofort in Ruhe lassen und nie wiederkommen. Oder möchtest du gerne eine ostfriesische Krankenschwester kennenlernen? Ich kann dich noch heute mit einer bekanntmachen.«

Indras Ex schien wenig erschrocken, sondern er versuchte, Alex abzuwerfen, um sich zu befreien.

»Okay«, drohte Alex, »ich wette, in der Ubbo-Emmius-Klinik ist noch ein Zimmer frei.« Zweimal schlug er gegen den Hals seines Konkurrenten.

Im Schlafzimmer tat Indra so, als ob sie ihrer Tochter etwas vorlesen wollte, doch Amelie war nicht blöd. Sie stieß ihre Mutter zurück und schrie. Sie begriff genau, dass etwas nicht stimmte. Sie floh aus dem Bett zur Tür. Indra hinterher.

Amelie sah zunächst Felicitas und die Möwen, dann draußen vor der Wohnung die beiden Männer. Ihr Kreischen verjagte sogar die Möwen. Es entstand Durchzug, und die Terrassentür knallte zu.

Schon war Amelie bei Alex und ihrem Vater. Sie riss an Alex herum und hörte nicht auf zu kreischen.

Alex ließ den am Boden liegenden Mann los und wollte Amelie auf den Arm nehmen, um sie ins Haus zu tragen.

Amelie kratzte, biss und trat.

Indra erschien im Türrahmen und versuchte, Amelie zu beruhigen. Dabei traf sie Amelies Fuß am Kinn.

Indras Exmann griff sich einen der großen weißen Ziersteine, die den Weg zur Tür säumten, und schlug damit gegen Alex' Hinterkopf. Alex brach ohnmächtig zusammen. Amelie fiel mit ihm auf den Boden.

Indra schrie: »Lass uns in Ruhe, Huggi!«

Er zerrte an Amelies rechtem Arm, Indra am linken.

Wenn es stimmte, dass der Elternteil loslässt, der am meisten liebt, dann war Indra nicht viel besser als ihr Ex. Sie rissen an dem Kind herum, das nicht aufhörte zu brüllen.

Indra hielt mit links weiterhin ihre Tochter fest und griff mit rechts in Huggis Haare, um ihn zu Boden zu zwingen. Er verpasste ihr – nicht zum ersten Mal im Leben – mit einem Faustschlag ein blaues Auge.

Sie taumelte und wäre fast über Alex gestolpert. Der war noch nicht wieder auf den Beinen, als Huggi mit Amelie in seinem weißen Honda verschwand.

Alex machte zwei, drei Schritte durch den Vorgarten, versuchte, sich zu orientieren. Er griff an seinen Hinterkopf, sah das Blut an seinen Fingern und brach ein zweites Mal zusammen.

Als er wieder zu Bewusstsein kam, stand bereits ein Rettungswagen vor der Tür. Eine Sanitäterin versorgte seinen Hinterkopf notdürftig.

Hauptkommissar Rupert unterhielt sich mit Indra, denn sie hatte die Polizei gerufen und einen Mordversuch und eine Entführung gemeldet.

Rupert hatte Jessi bei sich, die eigentlich immer noch kündigen wollte, aber er hatte ihr auf seine ureigene Art klargemacht, dass »wir jetzt für so einen Scheiß keine Zeit haben«.

Alex brauchte eine Weile, um zu realisieren, dass die Mordkommission nicht gekommen war, um ihn einzukassieren. Er galt hier nicht als Täter, sondern als Opfer.

»Huggi?«, fragte Rupert. »So heißt doch kein Mensch richtig.«

»Sein richtiger Name ist Hubertus Kroll. Er hat den Vornamen von seinem Großvater. Alle sagen Huggi zu ihm. Und das passt auch irgendwie besser. Hubertus klingt so seriös.«

»Haben Sie sich die Autonummer aufgeschrieben?«

»Nein, ich habe mir in der Hektik das Nummernschild nicht gemerkt. Aber es war so ein weißes japanisches Auto. Ein Nissan, Mazda, Mitsubishi – irgend so was. Vielleicht auch ein Toyota oder Honda.«

»Na, klasse«, sagte Rupert, »das ist doch mal konkret.«

Jessi sah Rupert um Verständnis für die Frau heischend an und raunte: »Herrjeh, sie ist durcheinander.«

»Ich will meine Tochter zurück!«

»Haben Sie denn Angst, dass Ihr Ex ihr was antut?«

Alex fuhr dazwischen: »Das ist vielleicht eine bescheuerte Frage! Gucken Sie mal, wie ich aussehe! Der hat mir von hinten eins über den Schädel gezogen! Ein Familienbesuch sieht anders aus, oder?«

Indra strich sich die Haare aus dem Gesicht, holte tief Luft und stellte klar: »Das war eine Entführung! Ich habe das alleinige Erziehungsrecht. Er hat darauf verzichtet. Bis vor kurzem hat er sich für die Kleine ja überhaupt nicht interessiert.«

»Das bedeutet«, sagte Jessi und warf einen Blick zu Rupert, »Sie haben das alleinige Aufenthaltsbestimmungsrecht für das Kind?«

Indra nickte.

Die Sanitäterin schlug vor, Alex ins Krankenhaus zu bringen. Seine Wunde am Hinterkopf müsse geklammert werden. Aber er weigerte sich. Ein Pflaster würde reichen, er hätte gutes Heilfleisch und würde jetzt hier gebraucht. Für eine Klinik habe er keine Zeit.

»Sei froh, dass er nicht auf dich geschossen hat«, sagte Indra.

Rupert hakte sofort nach: »Heißt das, Ihr Mann ...«

»Mein Exmann«, korrigierte Indra angriffslustig.

»Ja. Also heißt das, Ihr Exmann ist im Besitz einer scharfen Waffe?«

»Keine Ahnung, ob das eine Gaspistole ist oder eine echte. Ich verstehe nichts von Waffen. Aber er hatte sie immer im Auto. Vor mir hat er damit angegeben. Ich hatte immer Angst, dass meine Kleine die Waffe findet und dann irgendein Mist damit passiert. Man liest ja oft so was ... Es hat manchmal Krach deswegen gegeben, aber die Pistole ist sein Heiligtum.«

»Wissen Sie, was für eine Marke es ist?«, fragte Rupert.

Indra zuckte mit den Schultern: »So eine schwarze mit einer Trommel. Ich glaube, sechs Schuss.«

»Also ein Revolver«, kombinierte Jessi.

Rupert ging auf die Terrasse und informierte von dort aus Ann Kathrin. »Wenn du mich fragst, Süße ... «

»Wenn du noch einmal Süße zu mir sagst, kannst du dein Dienstfrei am Wochenende vergessen.«

»Mein Gott, was bist du nur für eine Zicke!«

»Rupert, was wolltest du mir sagen?«

»Wir haben es hier mit einer Kindesentziehung zu tun. Papa entführt seine Tochter. Ist ziemlich gewalttätig abgelaufen. Scheint ein verstörter Typ zu sein. Bei der Häufung der Verbrechen hier könnte ich mir gut vorstellen ... «

»Willst du mir durch die Blume sagen, Rupert, dass er unser Mann ist?«

Rupert kratzte sich am Kopf und zählte auf: »Unberechenbar. Gewalttätig. Probleme mit Frauen. Wenn das nicht in unser Profil passt, weiß ich nicht, wen wir suchen ... «

Ann Kathrin summte ein paar Sekunden vor sich hin. Manchmal machte sie das beim Nachdenken, um nicht von Worten anderer oder Geräuschkulissen gestört zu werden. Sie kannte solche Situationen sehr gut. Der Druck auf die Kollegen bei einer Mordserie, den Täter so rasch wie möglich zu ergreifen, wuchs. Da war dann manchmal der Wunsch der Vater des Gedankens, und irgendjemand, der auffällig wurde, geriet in den Verdacht, der Täter zu sein, nur weil man sich so sehr danach sehnte, ihn endlich zu fangen.

Ann Kathrin hatte darüber sogar einmal einen Vortrag gehalten. Überengagierte Kollegen verhafteten manchmal auffällige Leute ohne triftigen Grund. Das machte am Ende nur sehr viel Arbeit.

Sie versuchte, die Sache auf das zurückzuführen, was es ihrer Meinung nach war: »Rupert, er hat kein Messer gezogen, er hat niemanden niedergestochen und auch keine Garotte benutzt. Ich denke, es sind zwei voneinander getrennte Fälle.«

»Du glaubst doch nicht, dass ich das jetzt abgebe, weil ich bei der Mordkommission bin und nicht für Familienstreitereien zuständig? Ich lasse doch unseren Killer nicht entkommen!«

»Das sollst du auch nicht. Nimm alles auf, kümmere dich darum, dass das Kind zu seiner Mutter zurückkommt. Vielleicht kannst du den Vater ja auch telefonisch erreichen und überreden, das Kind zurückzubringen und die Sache friedlich zu regeln. Eigentlich ist das eine Aufgabe fürs Jugendamt, nicht für uns.«

Rupert guckte sich Alex an, der immer noch verarztet wurde und grummelte: »Friedlich regeln. Schon klar … «

Er verabschiedete sich von Ann Kathrin und fragte Indra nach der Telefonnummer. Sie gab ihm ihr Handy. Damit rief Rupert an.

Schon nach dem zweiten Klingeln meldete sich Hubertus Kroll, aber nicht mit seinem Namen, sondern er brüllte nur ins Handy: »Lass mich in Ruhe, du blöde Kuh!« Dann brach das Gespräch wieder ab.

»Na super«, knurrte Rupert und gab Indra das Handy zurück.

Jessi fragte Indra: »Haben Sie ein Foto von Amelie?«

Indra öffnete die Foto-Galerie, und Jessi ließ sich ein Bild der Kleinen auf ihr Handy schicken.

Amelie beruhigte sich nicht. Hubertus Kroll schaffte es nicht, ihr seine neue Freundin Donna Cattaneo vorzustellen. Ihr Vater stammte aus Süditalien und ihre Mutter aus Norddeutschland. Ihre Augen waren dunkelbraun, fast schwarz, und ihr Haar hellblond. Vermutlich ein bisschen nachgefärbt, was der dunkle Haaransatz verriet.

Sie war eine ausgesprochen schöne, anmutige Frau, und das wusste sie auch.

Ihr Auftritt hatte etwas Würdevolles.

Sie sprach englisch, italienisch und deutsch, mit einem zauberhaften Akzent. Da war ein charmantes Lispeln zu hören. Männer fanden ihre Stimme hocherotisch. Aber das half ihr nicht dabei, Amelie für sich zu gewinnen.

Sie wäre sowieso viel lieber mit Huggi alleine gewesen. Doch er hatte ja darauf bestanden, ihr seine Tochter vorzustellen. Hatte davon geschwärmt, gemeinsam eine schöne, kleine Familie zu werden.

Sie hatte nur ein einziges Mal erwähnt, dass er der erste Mann sei, mit dem sie sich ein Kind vorstellen könnte, und gleich war er mit seinen Plänen herausgeplatzt, hatte von seiner Tochter geschwärmt und erzählt, wie sehr er darunter litt, sie so selten zu sehen, weil die Mutter sie abschottete.

»Mal ist sie krank, wenn ich sie holen will, mal passt es

nicht. Mal versäumt sie die Übergabe ... Es ist ein einziges Drama.«

Donna selbst stand noch unter Schock, weil der Besuch derart eskaliert war. Sie gestand es sich nicht gerne ein, aber Huggis brutales Vorgehen hatte sie mehr als erschreckt. Da war so viel Hass im Spiel gewesen. Die unterdrückte Wut, die plötzlich explodiert war, machte ihr Angst. Sie galt eher als harmonie- und anlehnungsbedürftig.

Amelie hatte sich eingenässt, leugnete das aber und behauptete, sie sei in eine Pfütze gefallen.

Huggi versprach, sie sowieso völlig neu einkleiden zu wollen: »Dieser ganze billige alte Mist, bei Mamikreisel oder wie diese Scheiß-Secondhand-Onlineläden heißen, gekauft.«

Amelie weinte. Für sie hörte es sich an, als ginge das alles gegen sie und mit ihr sei irgendetwas nicht in Ordnung.

Huggi sagte nun auch noch viel zu barsch: »Jetzt hör auf zu flennen! Das ist doch schön, wenn dein Papa dich neu einkleidet, und es ist bestimmt kein Grund zum Heulen! Andere Kinder würden sich freuen, wenn sie so einen großzügigen Papa hätten.«

Donna stand auf dominante Männer. Boxer. Stierkämpfer. Manager. Mit verweiblichten Weicheiern, die ihre feminine Seite in sich entdecken wollten, konnte sie nichts anfangen. Aber so, wie sie ihn heute erlebt hatte, war Huggi ihr doch viel zu extrem. Sie bekam dieses Bild nicht aus dem Kopf, wie er mit dem Stein zugeschlagen hatte. Okay, der andere hatte angefangen, aber trotzdem ...

Sie selbst wäre gar nicht in der Lage gewesen, jemanden so sehr zu verletzen – glaubte sie, für sie gab es so etwas wie eine natürliche Hemmung. Eine innere Bremse. Sie konnte Ohrfeigen austeilen, kratzen oder beißen, aber niemals, so dachte sie von sich, hätte sie jemandem mit einem Stein von hinten auf den Kopf schlagen können.

Was, wenn er starb oder für immer einen Schaden davontrug? Mit so einer Last fürchtete sie, nicht leben zu können.

Sie schielte zu Huggi rüber, der den Wagen steuerte, als würde er ein Wildpferd zureiten. Undenkbar, dass er einen Wagen mit Automatikgetriebe fahren würde. Er brauchte einen Schaltwagen. Er musste kuppeln und den Schaltknauf wie einen Colt in der Hand halten.

Was gerade geschehen war, schien ihn mit Energie zu befeuern. Es war mehr als ein Adrenalinschub. Er sah aus, als habe er zu seiner eigentlichen Bestimmung gefunden.

Donna fühlte sich abgestoßen und angezogen zugleich. Er roch anders als vorher. Es war nicht die Ausdünstung von Angst. Angst stank. Er duftete nach Sieg. Eine Parfümwolke des Triumphes umgab ihn.

Wenn man das in Flaschen füllen könnte, dachte sie, das würde der Renner. Der Duft der Gewinner! Damit könnte man reich werden.

Er wischte sich mit dem Handrücken Blut unter der Nase und von der Oberlippe ab. Es verschmierte in seinem Gesicht und zog lange Bahnen von links nach rechts.

»Und wenn er stirbt?«, gab Donna leise zu bedenken.

»Dann ist er tot«, sagte Huggi trocken.

Donna drehte sich zu Amelie, die unangeschnallt auf dem Rücksitz herumkletterte. Sie bot ihr einen Kopfhörer an und fragte, ob sie nicht Lust hätte, sich ein Hörspiel reinzuziehen.

Amelie lehnte vehement ab und trat gegen den Sitz. »Ich will zu meiner Mama!«

»Halt den Mund! Wir machen jetzt schön zusammen Ferien.

Wenn du lieb bist, gibt es heute Pommes und zum Nachtisch ein großes Eis.«

Amelie griff in seine Haare und zerrte daran: »Ich will zu meiner Mama!«

Donna versuchte, Amelies Hände zu lösen. Es gelang ihr nicht. Huggis Kopf wurde von Amelie fest nach hinten gegen die Nackenstütze gedrückt. Seine Augen weiteten sich. Er lenkte mit ausgestreckten Armen. Der Wagen fuhr über den Mittelstreifen. Jemand hupte. Ein Radfahrer brüllte: »Pass doch auf, du Idiot!«

Huggi zeigte ihm den Stinkefinger und fuhr Amelie an: »Lass mich los! Das tut mir weh! Was soll das denn?«

Donna schlug mehrfach auf Amelies rechte Hand. Dabei verpasste sie Huggi zwei Ohrfeigen.

Er fuhr rechts ran und parkte mit zwei Reifen auf dem Radweg.

Amelie ließ sofort los.

Er stieg aus, öffnete den Kofferraum und kramte in seiner Sporttasche.

Amelie versuchte, den Wagen zu verlassen. Donna und die Kindersicherung hinderten sie daran.

»Nun gib doch mal Ruhe und hör auf, hier so einen Punk abzuziehen!«, brüllte die überforderte Donna.

Mit roten Hektikflecken im Gesicht, die durch verschmierte Blutstreifen verbunden waren wie Inseln durch Priele bei ablaufendem Wasser, stieg Huggi hinten bei Amelie ein.

Ja, Donna fand, dass sein Gesicht aussah wie eine Landkarte. Die Augen wie Vulkane kurz vor dem Ausbruch.

Er hielt eine Flasche in der Hand. Marillenbrand.

Sie liebte diesen Schnaps und trank gern abends ein Gläschen vor dem Schlafengehen. Es roch im Wagen sofort nach Rosen und frischen Marillen, als er die Flasche öffnete. Er hielt sie Amelie vor den Mund. Das Kind presste die Lippen fest aufeinander und riss die Augen angstweit auf.

»Mach den Mund auf! Das ist Medizin! Danach wird es dir besser gehen. Donna nimmt das auch immer!«

Donna schluckte trocken und nickte verhalten.

Er drehte den Flaschenhals zwischen Amelies Lippen. Das Glas stieß gegen ihre Zähne. Er drückte ihren Kopf nach hinten. Sie schluckte, spuckte und hustete. Sie trat wild um sich und traf Donnas Gesicht.

Nach einer Weile gab Amelie auf, keuchte nur noch und würgte.

»Nicht so viel«, warnte Donna ihn. »Sie ist doch noch ein kleines Kind.«

»Ach, der hat höchstens 38 Prozent«, konterte Huggi. »Uns hat meine Mutter abends oft ein Glas Bier oder einen Klaren gegeben, damit wir besser schlafen konnten. Das hat uns auch nicht geschadet.«

Er wollte Amelie noch mehr einflößen. Er versuchte, ihren Mund mit den Fingern zu öffnen. Marillenschnaps schwappte aus der Flasche auf Amelies Kleidung und den Sitz.

Eine Radfahrerin klopfte empört gegen die Scheibe. »Sind Sie wahnsinnig? Was machen Sie denn da mit dem Kind?«

Als die Frau in Huggis Gesicht sah, nahm sie Abstand vom Auto und versuchte mit ihrem Handy, die Polizei zu rufen. Schon sprang Huggi aus dem Wagen und nahm ihr das Handy ab. Er warf es im hohen Bogen quer über die Straße. Auf der anderen Seite fiel es in einen Graben.

In seiner Wut griff er sich auch das Rad und schleuderte es über den Zaun auf die Kuhweide. Dann drohte er der Frau: »Kümmere dich um deinen eigenen Scheiß, du alte Hure!«

Er schlug nach ihr, aber sie wich ihm geschickt aus. Er quetschte sich hinters Lenkrad und startete, ohne sich umzusehen oder zu blinken. Fast hätte er einen BMW gerammt.

Die Radfahrerin lief über die Straße und suchte ihr Handy. Sie fand es im Graben. Zum Glück war es nicht im Wasser gelandet, sondern an einer Grasnarbe hängengeblieben. Eine Dohle saß davor und pickte daran herum, als hätte sie vor, eine Nummer zu wählen, um ihre Freunde anzurufen.

Marion Wolters befand sich am Telefon in der Einsatzzentrale am Deich, der eine Sturmflut daran hinderte, die Verkehrswege der Stadt unter Wasser zu setzen. Die Morde in Norddeich alarmierten Einwohner und Touristen gleichermaßen. Mehr als achthundert Hinweise aus der Bevölkerung waren bisher eingegangen, gut hundert davon anonym. Da schwärzten Leute ihre Nachbarn an, oder Schüler versuchten, die Polizei zu einem verhassten Lehrer zu schicken. Die Polizei sollte benutzt werden, um alte Rechnungen zu begleichen.

Marion versuchte, solche fadenscheinigen Hinweise auszusortieren, damit ihren Kollegen nicht wertvolle Arbeitszeit gestohlen wurde. Einige Wichtigtuer, die zu jedem öffentlichkeitswirksamen Fall eine bedeutsame Aussage machen wollten, aber leider nichts gesehen und gehört hatten, reimten sich gern etwas zusammen oder erzählten von Dingen, die sie aus dem Fernsehen kannten. Die meisten Namen waren Marion geläufig. Es waren gut ein Dutzend. Sie hatte dafür in ihrem Computer einen extra Ordner. Er hieß *Harmlose Spinner*.

Marion hatte viel Erfahrung mit Erstgesprächen. In ihr blieb immer die Angst, mal jemanden nicht ernst zu nehmen oder auf die lange Bank zu schieben, der einen wirklich wichtigen Hinweis hatte. Manchmal wurde sie nachts wach, weil sie davon geträumt hatte, einen wichtigen Zeugen ausgebremst und falsch eingeschätzt zu haben.

Sie wusste sofort, dass die Frau die Wahrheit sagte und es sich nicht um einen Scherz handelte. Die Anruferin konnte vor Aufregung kaum sprechen. Mit vorsichtigen Fragen filterte Marion zunächst das Wichtigste heraus.

Die Frau befand sich auf der Schoonorter Landstraße zwischen Grimersum und Norden, Richtung Emden. Sie hieß Claudia Lütte und war eine alleinerziehende Grundschullehrerin aus Marienhafe.

Marion wunderte sich. Es musste ihr wohl entgangen sein, dass es den Radweg inzwischen gab. Jahrelang hatten die Anwohner für einen Radweg gekämpft. Orange gefärbte Fahrräder hatten sie aus Protest gegen die katastrophale Situation für Radfahrer von Süderneuland bis Grimersum im Westen der Gemeinde Krummhörn am Straßenrand aufgestellt. Die Räder sollten ein Mahnmal für den fehlenden Radweg sein.

Viele Touristen glaubten, es handele sich um Kunst und fotografierten die orangefarbenen Räder. Sie waren längst zu einer Touristenattraktion geworden.

Claudia Lütte keuchte zwar vor Aufregung, aber es sprudelte alles nur so aus ihr heraus: »Da haben wir endlich den langersehnten Radweg, und der parkt den kackfrech zu! Ich dachte, na dem werde ich mal ordentlich Bescheid geben. Und da guck ich ins Auto und sehe, der flößt einem kleinen Kind Schnaps ein! Zwangsweise! Die Kleine hat sich gewehrt. Herzzerreißend, das Ganze. Und eine Frau sitzt auf dem Beifahrersitz und guckt zu. Das war bestimmt nicht die Mutter. Keine

Mutter würde so etwas zulassen! Ich habe natürlich sofort versucht, ihn aufzuhalten. Er hat mich geschlagen, mein Handy weggeworfen und mein Fahrrad. Dann ist er mit Vollgas abgehauen, Richtung Emden.«

Die Aussage wurde mitgeschnitten. Marion Wolters fragte nach dem Wagen und dem Kennzeichen. Frau Lütte erinnerte sich daran, dass es ein schmutzig-weißes Auto gewesen war, wahrscheinlich ein japanisches. Sie fügte aber gleich hinzu, sie hätte keine Ahnung von Autos. Es sei ihr nur japanisch vorgekommen. Das Kennzeichen hatte sie sich nicht gemerkt. Sie bat um Entschuldigung, sie sei einfach viel zu aufgeregt gewesen, ja hätte sogar Angst um ihr Leben gehabt, weil der Mann so aggressiv gewesen war. Das Kind sei vermutlich vier, höchstens fünf Jahre alt gewesen, ein Mädchen. Ihrer Einschätzung nach garantiert noch nicht eingeschult.

»Bitte kommen Sie ganz schnell! Das ist eine Entführung. Ich glaube auch nicht, dass es ihr Vater war. Wir haben es mit einem brutalen, skrupellosen Pärchen zu tun«, behauptete Claudia Lütte.

Marion glaubte ihr jedes Wort und rief Ann Kathrin an. Die sah Ruperts Meinung nun bestätigt. Die Sache war wohl doch schlimmer als angenommen. Der Zusammenhang zu den Morden drängte sich für sie noch nicht auf, aber um eine Entführung schien es sich tatsächlich zu handeln. Und das Kindeswohl war gefährdet.

Ann Kathrin ordnete eine Ringfahndung an. Es dauerte keine zwanzig Minuten, und der Ring stand. Im Umkreis von dreißig Kilometern wurden alle weißen Fahrzeuge kontrolliert und Pärchen mit kleinem Kind, die bei fast jeder Fahndung als unverdächtig galten, plötzlich gesucht. Die Einsatzkräfte wurden zur Vorsicht aufgefordert, weil der Mann als zu al-

lem entschlossen beschrieben wurde und laut Exehefrau eine
Schusswaffe besaß.

Rupert bat Jessi, den Wagen zu fahren. Sonst breitete er bei
Autotouren seine Abenteuer vor ihr aus, versuchte, sie zu
beeindrucken oder gar zu belehren. Alle Geschichten, die er
erzählte, hatten eins gemeinsam: Er war darin zunächst der
unterschätzte kleine Idiot und hinterher der große Held.

Jetzt schwieg er und machte die ganze Zeit mit seinem
Handy herum. Es nervte sie. Solche Situationen hatte sie mit
ihrem letzten Freund erlebt, der sich auch mehr mit seinem
Handy beschäftigt hatte als mit ihr.

»Ist was?«, fragte sie.

Rupert brummte nur. Er wirkte aber durchaus sehr ange-
spannt und gleichzeitig amüsiert, in einer hohen Erwartung.

»Pflegst du da gerade deine Facebook-Seite? Oder lädst du
Fotos auf Instagram hoch oder was machst du? Sprich doch
mit mir, verdammt!«, forderte Jessi.

Er, der immer so sehr darauf bedacht war, vor ihr gut da-
zustehen, reagierte nicht auf sie. Was immer er da am Handy
machte, es nahm ihn vollständig gefangen.

Sie schwieg jetzt eine Weile und fragte sich, ob sie irgendetwas falsch gemacht hatte. Sie war es gewöhnt, von Rupert
unterstützt zu werden. Er achtete immer auf sie, nahm sie ernst
und verteidigte sie sogar gegen sich selbst, wenn sie zu streng
mit sich ins Gericht ging.

Ihre harten Worte taten ihr leid. Sie hoffte, ihn nicht beleidigt zu haben. Sie versuchte es sanfter: »Hast du eine neue
Affäre am Start oder was?«

Sie standen schon auf dem Parkplatz der Polizeiinspektion. Sie hatte den Motor des Wagens ausgeschaltet. Sie wusste nicht, ob Rupert das bemerkt hatte. Er war immer noch ganz mit seinem Handy beschäftigt.

Sie räusperte sich und sagte: »Ja, wir sind dann jetzt wieder da.«

Er beachtete sie gar nicht, aber sie sah ein breites Grinsen auf seinem Gesicht. Dann rief er: »Bingo!«, klemmte sein Handy zwischen seine Knie und trommelte mit beiden Händen einen Takt gegen das Autodach. Es hallte im Innenraum blechern nach.

»Was ist denn?«, fragte Jessi. »Lass mich doch teilhaben.«

»Ich hab ihn!«, jubelte Rupert. »Ich wusste, da kann er nicht widerstehen!«

»Wen hast du? Diesen Hubertus Kroll, der die kleine Amelie entführt hat?«

»Nee«, grinste Rupert. »Meyerhoff, die Drecksau!«

Allein durch die Nennung des Namens brachte Rupert ihre Laune auf einen Tiefpunkt. Sie wurde das Gefühl nicht los, alles vergeigt zu haben, und dieser Typ lief nur wegen ihr noch frei herum.

»Ich habe ihn als Kim angeschrieben. Ich bin zwölf Jahre alt«, lachte Rupert, »und habe von meinen Freundinnen erfahren, dass er getragene Unterwäsche und Nacktfotos sammelt. Ich hab ihm welche von mir und meiner Schwester angeboten.«

»Ist nicht dein Ernst?!«, staunte Jessi.

Rupert zeigte ihr den Chatverlauf. Er kombinierte: »Er hat also wieder einen Internetzugang zur Verfügung und betreibt sein Hobby weiter. Er will mich treffen. Ich habe ihm auch Fotos meiner vietnamesischen Mutter angeboten. Er will auf keinen Fall, dass meine Eltern etwas davon erfahren. Die Sache muss unter uns bleiben. Unser süßes kleines Geheimnis.«

Jessi sagte anerkennend: »Was bist du für ein gerissener Hund!«

Rupert winkte ab. »Ach, das ist eigentlich ganz einfach. Wenn die Typen so schräg drauf sind und so horny, dann schalten sie den Verstand aus. Mit ein bisschen Glück hat er Kim sogar vom Computer seines Anwalts aus geantwortet. Seine Geräte haben wir ja noch.«

»Und was bedeutet das jetzt?«, fragte Jessi.

»Das bedeutet für uns, dass wir diesen Chatverlauf an die Sitte weiterleiten und die werden ihn sich zur Brust nehmen. Nicht wegen Mord, aber das hier ist eindeutig illegal.« Er zeigte auf Jessi: »Und du hältst dich da raus. Jetzt gerät er zwischen unsere Mühlen.«

Jessi führte seinen Satz zu Ende: »Ich weiß. Die mahlen langsam, aber gründlich.«

»Am Ende«, sagte Rupert, »landen solche Typen immer im Knast. Aber manchmal ist der Weg dahin echt holprig und schwierig. Da kann man schon mal die Geduld verlieren.«

Jessi spürte, wie sehr er versuchte, sie mit seinen Worten zu entlasten. »Trotzdem. Was ich gemacht habe, ist unverzeihlich.«

»Fang jetzt bloß nicht wieder damit an, du willst den Dienst quittieren. Gerade Menschen wie dich brauchen wir, Jessi.«

»Aber ich bau nur Mist, Rupi.«

»Ja, das denken viele von mir auch. Aber wir scheitern uns so langsam hoch, weißt du, von Erfolg zu Erfolg. Es ist nicht schlimm, Fehler zu machen und auf die Schnauze zu fallen. So übt man wenigstens das Aufstehen.«

Jessi konnte nicht anders. Sie umarmte ihn und küsste ihn auf die Wange.

Am Haupteingang standen drei uniformierte Kollegen, die amüsiert zusahen. Bei ihnen Marion Wolters. Marion wollte etwas für ihre Gesundheit tun und hatte gerade angefangen, im maX-Sportzentrum zu trainieren. Jetzt stand sie, unter Stress gesetzt wegen der Morde und der Entführung, vor der Wahl, eine Nuss-Nougat-Schokolade zu essen, eine Apfeltasche, einen Marzipan-Seehund oder stattdessen eine Zigarette zu rauchen. Sie entschied sich für die Zigarette. Die enthielt zwar weniger Glückshormone als die erlesenen Süßigkeiten, dafür aber auch weniger Kalorien.

Als Rupert und Jessi ausstiegen, wurden sie mit Freudenpfiffen empfangen und dem hämischen Satz: »Was seid ihr für ein wunderschönes Pärchen! Ihr macht ja Ann Kathrin und Weller als Traumpaar Konkurrenz!«

Alex nutzte die Gunst der Stunde. Indra kannte jetzt seinen vollständigen Namen, da er genötigt worden war, seinen Ausweis vorzuzeigen. Das spielte für sie aber überhaupt keine Rolle.

Die Fahndung nach ihrem Ex lief. Die Polizisten hatten versprochen, ihr Amelie zurückzubringen, aber Indra war aufgebracht, lief durch die Wohnung, weinte, schrie und wünschte diesem Huggi die Pest an den Hals.

»Er ist«, sagte Alex so sachlich wie möglich, »ein Alien.«

Sie hielt inne, blieb stehen und glotzte ihren Liebhaber an. »Was?«

»Ich beschäftige mich seit Jahrzehnten damit. Er ist nicht

das erste außerirdische Wesen, das ich kennengelernt habe. Aber glaub mir, er ist eins. Ich kann es riechen, ich kann es spüren. Sie haben eine Aura der Zerrissenheit, und so verhalten sie sich auch. Mal hüh, mal hott, mal hat das Menschliche in ihnen die Oberhand, dann wieder das Alienhafte. Bei denen ist es nicht so wie bei Goethe: *Zwei Seelen wohnen, ach, in meiner Brust*. Nein, da kämpfen zwei Seelen in ihm um die Vorherrschaft. Sie führen Krieg gegeneinander.«

»Ja«, sagte sie nachdenklich, »so habe ich ihn immer erlebt. Eine liebenswerte Seite und eine, die mir Angst machte und hassenswert war. Ich dachte, das käme vom Saufen.«

Alex dozierte jetzt: »Viele trinken nur, um das Monster in sich zu unterdrücken oder mit der Zerrissenheit fertig zu werden. Sie wollen sich einen klaren Kopf antrinken. Sie versuchen, sich nüchtern zu saufen. Sie verstehen doch nicht, was mit ihnen los ist. Und dem Alien in ihnen ist egal, ob sie sich zugrunde richten oder nicht. Die Hälfte aller Typen, die in der Drogenklinik sitzen und an denen die Therapeuten scheitern, sind in Wirklichkeit gute Menschen, könnten Mitglieder der Gemeinschaft sein wie du und ich. Aber es funktioniert nicht, weil sie Mischlingswesen sind. Halb Alien, halb Mensch. An ihrer Zeugung waren Außerirdische beteiligt, die vor Jahrtausenden hier gelandet sind und sich mit uns vermischt haben. Es sind leidende, arme Kreaturen.« Er zeigte nach oben, als ob durch die Decke ein Raumschiff zu sehen sei. »Sie werden von Raumschiffen aus gesteuert, zumindest versucht man das, um sie in den großen Kampf zu führen. In die Entscheidungsschlacht. Aber das Menschliche in ihnen wehrt sich natürlich. Viele wissen keinen anderen Ausweg und begehen Selbstmord, bevor sie etwas Schlimmes anrichten. Andere laufen Amok, richten Massaker an. Und dann gibt es noch die ganz Schlimmen, die, die nicht zur Hälfte Aliens sind, sondern weit mehr. Manchmal ist nur noch der Körper an ihnen menschlich. Aber im Geist«, er schlug sich gegen den Kopf, »und hier«, er klopfte gegen sein Herz, »da gehören sie einer anderen Spezies an. Sie sind uns an machtvollem Wissen überlegen. Alles Wissen, das an unseren Universitäten gelehrt wird, haben sie im Kopf, wie auf einer großen Festplatte. Das ist so, als hättest du Google im Gehirn, das gesamte Wissen immer zur Verfügung und nicht nur von dieser Welt, sondern auch von der anderen. Von uns weit überlegenen Techniken. Die lachen über uns! Diese Gestalten versuchen, Karriere zu machen, und glaub mir, es gelingt ihnen. Die stechen jeden anderen aus. Am Ende landen sie ganz oben, an den Schalthebeln der Macht, werden die Manager großer Konzerne, übernehmen Regierungen, manipulieren uns mit ihren Fernsehsendern. Zu ihnen gehören nicht nur Regierungschefs, Rockstars, deren unfassbare Popularität kaum zu erklären ist, Filmschauspieler, die jeder auf der Welt kennt – das alles ist eine große Allianz ... «

»Und du glaubst, Huggi gehört dazu?«

»Du hast ihn doch selbst erlebt. Ich weiß nicht, mit wie viel Prozent er zur anderen Seite gehört, aber der Teil, den wir hier gerade erlebt haben, der ist nicht menschlich.«

Indra schüttelte sich. »Das macht der einzig und allein wegen dieser Frau, weil er ihr beweisen will, dass er Kinder zeugen kann. Ich kenne den! Amelie ist so etwas wie ein Potenzbeweis für ihn, mehr nicht.«

Alex ließ das erst mal sacken. Sein Kopf schmerzte immer noch heftig. Er neigte schon fast dazu, dem Rat der Rettungssanitäterin zu folgen und in die Ubbo-Emmius-Klinik zu fahren. Sie hatte ihm eingeschärft, auf keinen Fall Aspirin gegen die Kopfschmerzen zu nehmen, sondern Novalgin-Tropfen.

Die hatte Indra sowieso immer bei sich, weil sie alle paar Monate Gallenkoliken bekam, aber noch nicht bereit war, sich den Stein entfernen zu lassen.

Er bat sie um ein paar Tropfen. Sie sagte, er solle nicht mehr als vierzig nehmen. Er fand, achtzig sei für ihn genau die richtige Dosis.

»Und was machen wir jetzt mit deiner Erkenntnis?«, fragte sie und breitete ratlos die Arme aus.

Er freute sich, denn ihre Frage bedeutete, dass sie seinen Ausführungen Glauben schenkte. Sie war kurz davor, eine Soldatin zu werden. Eine Kämpferin für den Erhalt der Menschheit.

Ich werde es riskieren, dachte er, und ihr die Wahrheit sagen. Wenn sie damit nicht fertig wird und völlig durchdreht, werde ich nicht drum herum kommen, sie noch hier in der Ferienwohnung zu töten. Und dann haue ich ab und erledige den Rest. Keine falschen Sentimentalitäten. Ich muss das hier durchziehen. Mit ihr oder gegen sie.

»Ich bin«, sagte er ruhig, »ein Menschheitskrieger.«

»Ja, äh, und was heißt das?«

»Ich töte Aliens. Ich erlöse besessene Menschen. Glaub mir, sie erleben es wie eine Befreiung.«

Den Rest reimte sie sich selbst zusammen. Sie öffnete den Mund, wollte es formulieren, bekam aber keine Worte heraus.

Sie ging zum Spülbecken, hielt den Mund unter den Wasserhahn und trank ein paar Schluck, um nicht ohnmächtig zu werden. Dann wandte sie sich dem Mann, in den sie so verliebt war, wieder zu. Sie weigerte sich noch, es zu glauben, doch sie wusste bereits, dass es wahr war. Sie hoffte, er würde es leugnen und ihr eine andere schlüssige Erklärung liefern. Doch sie sprach es aus: »Du warst das? Die Morde hier um uns herum?«

Als Antwort holte er seine Ledertasche aus dem Schlafzimmer, öffnete sie und zeigte ihr seine Mordwerkzeuge. »Damit erlöse ich sie von ihren Plagen.«

Das war zu viel für Indra. Ihre Knie wurden weich. Sie sackte zusammen.

Er fing die ohnmächtige Frau auf, bevor sie auf dem Boden aufschlagen konnte. Er legte sie aufs Sofa und schob ihr ein Kissen unter den Kopf. Obwohl es im Raum warm war, deckte er sie zu. Sie lag da, als sei sie nach einer Operation rekonvaleszent.

Er ließ zwei Gläser voll Leitungswasser laufen, eins für sich selbst und eins stellte er neben sie. Er wollte es ihr, sobald sie wach wurde, einflößen.

Kurz bevor der Fahndungsring sich schloss, kamen sie in Emden-Larrelt an. Hubertus Kroll fuhr nicht auf die Autobahn, weil er befürchtete, dort von der Kripo empfangen zu werden. Er unterdrückte den Impuls, zu fliehen. Eigentlich wollte er nur weg! Und zwar so weit wie möglich. Stattdessen war er entschlossen, sich im Haus von Donnas zweiundachtzigjähriger Oma Tadea, nicht weit vom Larrelter Tief entfernt, einzuigeln. Als sie zu ihr fuhren, konnten sie Angler sehen.

Ein Mann mit roter Piratenmütze und dem Wahnsinn in den Augen tanzte mit seinem Fang Walzer. Einem Neun-Kilo-Hecht. Er hielt ihn so verliebt im Arm, dass seine Freundin, die zum ersten Mal beim Angeln dabei war, eifersüchtig wurde.

Kroll parkte den Wagen in Oma Tadeas Garage. Die gute alte Dame hatte viel Lebenserfahrung. Alle bisherigen Männer, die ihr von Donna vorgestellt worden waren, hatte sie abgelehnt, weil sie fast jeden für einen Luftikus, einen Taugenichts oder einen Windhund gehalten hatte.

Huggi eroberte ihr Herz im Flug. Vielleicht lag es daran, dass er seine schlafende Tochter hereintrug und sich zunächst darum kümmerte, das Kind oben im Schlafzimmer zur Ruhe zu legen. Während er mit der Kleinen nach oben verschwand, zwinkerte Oma Tadea ihrer Enkelin zu und flüsterte: »Das ist ein Guter! Wenn ich jünger wäre, Mädchen, ich würde mich an ihn ranschmeißen. Ich glaube, das ist diesmal der Richtige.«

Donna fragte sich, wie Huggi so etwas hinbekam. Seine Vorgänger waren von der Oma äußerst streng geprüft worden. Der momentan ausgeübte Beruf spielte eine große Rolle, sie fragte die Schulbildung ab, und weil ihr verstorbener Mann lange zur See gefahren war, wollte sie von jedem wissen, welche Länder er schon bereist hatte. Einen lehnte sie ab, weil er zugab, schnell seekrank zu werden und das Geschaukel an Bord nicht auszuhalten. Damit war er für sie vom *echten Mann* zur *einfachen Landratte* geworden und folglich nicht mehr standesgemäß.

Über Huggi wusste sie gar nichts, außer dass er gerade ein Kind hereingetragen hatte und mit strahlendem Lächeln den treusorgenden Vater spielte.

»Amelie ist ein bisschen krank«, sagte er. »Sie hat Magenprobleme. Wahrscheinlich zu viele Bonbons. Während der Fahrt hat sie sich erbrochen. Ich bin froh, dass sie jetzt schläft.«

Oma Tadea bereitete für alle Tee zu und entschuldigte sich: »Ich bin ja gar nicht auf euren Besuch vorbereitet, sonst hätte ich uns etwas Leckeres gekocht.«

Donna schwärmte: »Oma Tadeas Grünkohl ist berühmt. Ich habe mich immer gefreut, wenn wir sie im Januar, Februar besucht haben, dann gab es Grünkohl mit Pinkel.«

»Ein Rezept, das ich von meiner Mutter habe«, lachte Tadea. »Ein bisschen habe ich noch eingefroren. Ich koche ja immer viel zu viel«, tadelte sie sich selbst. »Ich war auf einen Besuch vorbereitet, der dann nicht kam – das passiert ja immer öfter. Wenn man in meinem Alter ist, hat man Freunde, die nicht immer fit sind, und die Familie lebt weit verstreut.«

Sie sagte das ohne jeden Vorwurf, mehr zur Erklärung, warum sie ihren Grünkohl nicht jahreszeitgemäß aufgegessen hatte.

»Ich liebe Grünkohl«, behauptete Huggi mit solcher Überzeugungskraft, dass selbst Donna sich fragte, ob er das jetzt aus Höflichkeit sagte oder ob es stimmte. Irgendwie passte Grünkohl mit Pinkel gar nicht zu ihm. Eher ein Filetsteak medium oder ein Caesar-Salat. Vielleicht ein bisschen Sushi.

Oma Tadea fragte: »Ja, wollt ihr wirklich Grünkohl? Soll ich ihn aufwärmen?«

»Ich wäre begeistert«, freute Huggi sich, hielt die Nase über die Teekanne und wedelte sich Luft zu: »Hmm, wenn der Grünkohl so gut ist, wie der Tee duftet, dann könnte ich mir nichts Schöneres denken.«

»Um die Jahreszeit?«, fragte Donna, die sich überhaupt nicht vorstellen konnte, jetzt Grünkohl zu essen.

»Ach«, lachte Huggi, »was ist schon eine Jahreszeit? Man muss die Feste feiern, wie sie fallen, und wenn ich hier das beste Grünkohlessen nördlich von Leer bekommen kann, dann bin ich dabei.«

Oma Tadea rieb sich vor Vergnügen die Hände. Das war ein Mann nach ihrem Geschmack. Ihr Ehemann, der nie Kapitän geworden war, aber von ihr immer *Käpt'n* genannt wurde, war auch aus solchem Holz gewesen. Er konnte mitten in der Augusthitze Grünkohl essen. Sobald er von Bord kam, war das sein erster Wunsch. Es war wie ein Liebesakt oder ein

Vorspiel darauf. Er genoss ihren Grünkohl mit der gleichen Leidenschaft, die er auch im Bett entwickelte, wenn er nach monatelangen Seereisen nach Hause kam.

Sie pflegte noch immer das 280-Liter-Aquarium. Es war wie ein Andenken an ihren *Käpt'n*. Solange darin noch Fische schwammen, war auch er in ihrer Nähe.

Sie war daran gewöhnt, lange allein zu sein und in der Zeit auch weiterhin mit ihm zu reden. Die Zeit vor der Seebestattung war für sie die schlimmste gewesen. Danach konnte sie jederzeit ans Meer gehen, um ihm nahe zu sein. Sie hörte den Wellen zu, als würde er mit ihr flüstern. Es gab überall für sie Verbindungen zu ihm. Selbst wenn sie die Fische fütterte oder das Aquarium säuberte, redete sie mit ihm. Er hatte sie nie wirklich verlassen, und bald würden sie sich wiedertreffen. In der Tiefe der Nordsee. Wo denn sonst?

Huggi spürte etwas von dieser Verbindung und fragte sie nach ihrem Mann. Ein paar Sätze von Oma Tadea reichten aus, und Huggi wusste Bescheid. »Das«, sagte er, »muss die ganz große Liebe gewesen sein. Ich sehe es am Glanz in Ihren Augen. Das Glück haben nicht viele Menschen: der wirklich großen Liebe zu begegnen.«

Oma Tadea hatte sofort Tränen in den Augen.

Huggi wendete sich an Donna, nahm sie in den Arm und lachte: »Vielleicht habe ich es endlich gefunden.«

Donna war es ein bisschen peinlich. Sie überlegte doch gerade, ob sie nicht lieber Reißaus nehmen sollte. Gleichzeitig war sie fasziniert von diesem Mann.

Er ist sehr verletzt worden, dachte sie, und er wurde schlimm erniedrigt und beleidigt. Er hat eine Rechnung mit der Welt offen, das hat ihn stark gemacht. Vielleicht kann ich ihm geben, was er sucht. Und dann wird alles gut … Wollen nicht alle

Menschen einfach nur geliebt werden? Er hatte es sich von seiner Frau erhofft und auch von seiner Tochter. Er versucht, zu erzwingen, was man nicht erzwingen kann, sondern nur geschenkt bekommt: Liebe.

Wenn sie sah, wie er mit ihrer Oma umging, rührte sie das. Sie wusste nicht, ob hier sein wahres Ich zutage trat oder ob er einfach nur ein Blender war und schwer manipulativ.

Als Oma Tadea den gefrorenen Grünkohl auf der Arbeitsplatte aus dem Plastiktopf klopfte, hörte es sich an, als hätte sich ein Backstein aus der Decke über ihnen gelöst und wäre nach unten gefallen.

»Ich könnte uns natürlich auch«, sagte sie, »einen Matjessalat machen.« Erst jetzt sah sie im Kühlschrank nach, was es sonst noch so gab. Doch die Entscheidung war längst gefallen. Grünkohl mit Pinkel.

Donna war sich sicher, selbst wenn Huggi es widerlich fand, würde er mit Begeisterung speisen und bescheiden um einen Nachschlag bitten. So war er. Er wusste, wie man Menschen für sich gewann.

Huggi drehte den gefrorenen Grünkohl auf der Arbeitsplatte, als hätte er selten etwas Schöneres gesehen. Er betastete die Form und sagte: »Wenn etwas die Menschheit weitergebracht hat, dann Tiefkühlschränke. Ist das nicht toll? Vor Monaten mit Liebe zubereitet, können wir den Grünkohl jetzt praktisch frisch essen. Er muss nur warmgemacht werden.«

Oma Tadea besaß zwar eine Mikrowelle, mochte sie aber nicht besonders gern. Sie machte den Grünkohl lieber im Backofen heiß, ganz langsam, bei hundert Grad.

Eine halbe Stunde später saßen sie zusammen, tranken die dritte Tasse Tee und sahen sich Fotoalben an.

Huggi schwärmte regelrecht: »Sie wohnen ja hier ganz wunderbar. Das Larrelter Tief ist wahrlich ein tolles Fischgewässer. Dort soll es große Hechte geben. Da war Ihr Mann bestimmt oft angeln.«

»O ja. Er hat«, sie zeigte auf ein Foto und deutete es mit den Händen an, »solche Hechte rausgeholt.«

Dann schlug sie die Seiten mit den Hochzeitsfotos auf.

»Was war Ihr Mann für ein fescher Kerl«, lobte Huggi, »und mein Gott, was waren Sie für eine wunderbare Braut! Zum Verlieben!« Mit Blick auf Donna fügte er hinzu: »Da sieht man, von wem du die Schönheit hast. Es liegt einfach in deinen Genen.«

Wahrscheinlich hatte Meta Jessen noch nie einen Haftbefehl so schnell ausgestellt wie in diesem Fall. Schon vierzig Minuten später holten die Oldenburger Kollegen Meyerhoff in einer Ferienwohnung ab, die seinem Anwalt Krokolowski gehörte. Diese Wohnung wurde nur selten an Feriengäste vermietet. In Wirklichkeit galt sie als Unterschlupf für seine Klienten, die bei öffentlichkeitswirksamen Prozessen nicht in ihre Häuser zurückwollten oder -konnten.

In Kripokreisen wurde die Wohnung *Zur letzten Instanz* oder *Zur letzten Hoffnung* genannt. Es waren vier durchaus luxuriös eingerichtete Räume. Hier konnten Gäste empfangen werden, die Bar war immer gefüllt. Der große Fernsehbildschirm hätte so manchem kommunalen Kino Konkurrenz machen können. In der Mitte des Wohnzimmers gab es eine silberne Stange, die vom Boden bis zur Decke reichte. Wer noch nie eine Stripteasebar besucht hatte, wusste vermutlich nicht, wozu die da war.

Krokolowski sagte dazu: »Damit die Mädels nicht aus der Übung kommen, wenn sie hier Ferien machen.«

Die Wohnung hatte etwas Frauenverachtendes an sich, und das lag nicht an der Stange, sondern egal, wo man hinguckte, wurde Frauen zu Objekten gemacht, als seien sie für männliche Benutzer entworfene Gegenstände.

Ann Kathrin kannte die Räumlichkeiten. Sie hatte dort mal an einer Hausdurchsuchung teilgenommen und erinnerte sich noch genau an dieses Gefühl. Sie war damals vor sich selbst erschrocken, weil sie Lust in sich aufsteigen spürte, das ganze Ding einfach abzufackeln. Sie erwischte sich bei diesen Gedanken, die für eine Kommissarin völlig inakzeptabel waren.

Sie hatte Übelkeit vorgetäuscht und war aus der Wohnung an die frische Luft gegangen. Alle glaubten ihr, denn sie hatte diese Absteige leichenblass verlassen. Sie war mehr erschrocken über sich selbst als über das, was sie gesehen hatte.

Sie war froh, dass sich die Sitte um Meyerhoff kümmerte. Sie glaubte nicht, dass er der gesuchte Mörder war. Aber sie fühlte sich besser, wenn ihm jemand heftig auf die Finger klopfte. Dafür war Meta Jessen genau die richtige Staatsanwältin.

In der Whatsapp-Gruppe der Kommissarinnen wurde schon zu einem Mädelsabend bei Wolbergs eingeladen, um die Verhaftung zu feiern.

Da Ruperts Frau Beate mit ihrem Reikikurs für vier Tage nach Langeoog fahren wollte, um dort mit den Teilnehmerinnen die Mitte zu suchen und sich wieder neu zu erden, wenn Rupert das richtig verstanden hatte, plante er, mit seinen alten Kumpels einen Grillabend. Das war mit der vegan lebenden Beate ja gar nicht so einfach. Sie akzeptierte es zwar, sah ihn aber immer an, als würde der Geruch des Aasfressers an ihm kleben.

Sie hatten sich einen extra Kühlschrank zugelegt, in dem er sein Fleisch aufbewahrte. Für ihn war es ein Stück Freiheit, ja Autonomie. In diesem Kühlschrank konnte er alles verstecken, denn Beate öffnete ihn niemals.

Jetzt lagerte darin ein marmoriertes Stück Rinderbrust. Er wollte damit Pastrami zubereiten. Im Moment pökelte das Fleisch im Vakuum. Es lag dort schon seit ein paar Tagen im Pökel-Rub. Er hatte nicht nur Pökelsalz genommen, sondern auch braunen Zucker, schwarzen Pfeffer, gemahlene Koriandersaat, Knoblauchpulver und Ingwerpulver.

Er hatte sich extra seinen Wecker im Handy gestellt, damit er nicht vergaß, seinen Fleisch-Schatz jeden Tag einmal zu wenden.

Bald sollte die gepökelte Rinderbrust aus dem Vakuumbeutel auf den Grillrost. Vorher würde er das Fleisch abwaschen und richtig wässern. Dann kam Pastrami-Rub drauf. Natürlich salzfrei.

Für das Smoken hatte er bereits Buche besorgt, damit das Räucheraroma das Fleisch adeln konnte.

Er freute sich darauf wie ein Kind auf den Geburtstag. So etwas machte er am besten ohne Beate. Da lud er zum Essen gern richtige Kerle ein. Vielleicht konnte er mit seinem Pastrami-Sandwich sogar den Feinschmecker Frank Weller überzeugen. Das wäre für Rupert ein großer Sieg gewesen.

Die Ringfahndung war nach drei Stunden ergebnislos abgebrochen worden. Als Rupert sah, dass die Kollegen Meyerhoff brachten, überlegte er nicht lange. Er ging zur Toilette, zog seine Feinripp-Unterhose aus und besuchte die Kollegen von der Sitte im Verhörraum, wo Meyerhoff gerade groß aufdrehte: »Ich werde euch kein Wort sagen. Ich rede überhaupt nicht mit euch, bevor nicht mein Anwalt hier aufgekreuzt ist. Der macht euch fertig! Der tütet euch ein, ihr Pappnasen. Zum zweiten Mal heute!«

Sie waren zwar irritiert, als Rupert auftauchte, aber im Grunde auch erleichtert. Er knallte seine Unterhose vor Meyerhoff auf den Tisch und sagte: »Hier, Süßer, die wolltest du doch so gerne haben. Zumindest, als du noch dachtest, dass ich Kim heiße. Möchtest du mal dran riechen? Du kannst auch ein paar Nacktfotos von mir haben. Und jetzt rück mal das Taschengeld raus, bevor ich alles meiner Mama erzähle.«

Meyerhoff kapierte sofort. Er zeigte auf Rupert und schrie: »Der hat mich reingelegt! Reingelegt hat der mich! Ich bin in eine Falle gelaufen! Es ist verboten, Fallen zu stellen! Wenn ich gewusst hätte, dass der von der Polizei ist, hätte ich doch niemals geantwortet!«

Rupert grinste die Kollegen an und verbeugte sich übertrieben vor ihnen, wie ein Butler, der sich nach getaner Arbeit vor den Herrschaften, die ihn bezahlen, verabschiedet. »Damit hat der Gentleman zugegeben, dass er mit mir gechattet hat und nicht irgendjemand anders. Ich hoffe, das war hilfreich für euch, Kollegen.«

Beide nickten mit offenem Mund.

Rupert nahm seine Unterhose und verließ wortlos, mit triumphalem Gang, den Verhörraum. Er stolzierte zur Toilette und zog sich wieder korrekt an.

Als Indra zu sich kam, spürte sie zuerst ein Kribbeln im Körper, das von den Beinen hochzog. Bei ihr auf dem Sofa saß Alex und massierte ihr die Füße.

So hatte sie sich eine glückliche Beziehung vorgestellt. Krank sein dürfen und der Partner kümmert sich liebevoll …

Dann sah sie den Verband an seinem Kopf. Die Schreckensbilder holten sie ein. Sie wollte sich abrupt aufrichten und stieß dabei das Wasserglas neben sich um.

»Amelie«, rief sie.

Ihr wurde sofort wieder schwindlig.

»Die Polizei wird sie zu uns zurückbringen«, sagte er ruhig, stand auf, deckte ihre Füße zu, holte eine Küchenrolle und saugte damit das Wasser auf, das sie verschüttet hatte.

Ohne jeden Vorwurf füllte er das Glas erneut und stellte es wieder in ihre Reichweite.

»Er fährt Auto wie eine gesengte Sau, besonders wenn er sich ein paar hinter die Binde gekippt hat oder auf Koks ist.«

»Die Polizei hat eine Ringfahndung gemacht, so richtig mit Großaufgebot. Die nehmen das wenigstens ernst. Aber er ist ihnen entwischt.«

Sie verzog spöttisch den Mund: »Ja, das kann er. Weglaufen, sich verdünnisieren, sich in Luft auflösen … darin ist er Weltmeister. Ich wusste oft tage-, ja wochenlang nicht, wo er war. Und dann stand er plötzlich wieder vor der Tür, hatte Ansprüche und nörgelte an mir und Amelie herum.«

»Weißt du, ob er hier in der Gegend Freunde hat? Alte Kumpels, Bekannte, eine Verflossene? Ich wette, er ist innerhalb des Rings untergekrochen.«

»Wie kommst du denn da drauf?«

»So hätte ich es gemacht. Man kann keine Straßensperren durchbrechen. Man meidet sie, in dem man sich innerhalb des

Rings versteckt und wartet, bis er aufgelöst wird. Die Polizei hat nicht genug Kräfte, um einen Fahndungsring zwei Wochen aufrechtzuerhalten. Meist reicht es nur für ein paar Stunden.«

Sie hatte das Gefühl, dass er aus Erfahrung sprach. Hatte er einen kriminellen Hintergrund? War er wirklich der Alienjäger?

»Ich weiß nichts über Freunde oder Freundinnen in Ostfriesland. Er hat hier bestimmt welche. Er hat überall welche. Der hat alles gebumst, was nicht bei drei auf dem Baum war.«

Sie erschrak über ihre eigene Ausdrucksweise.

»Ich habe versucht, ihn mit deinem Handy anzurufen«, gestand Alex und zeigte auf ihr Smartphone. »Er geht nicht ran. Wenn er kein Idiot ist, hat er seins sogar weggeworfen, damit sie ihn nicht orten können.«

Sie ergänzte seine Sätze so, wie sie glaubte, dass er fortfahren würde: »So hättest du es gemacht.«

Er nickte.

»Wie heißt du wirklich, Alex?«, fragte sie. »Der Ausweis, den du der Polizei gezeigt hast, war der echt?«

Als Antwort sang er:

»I have changed my name so often.

I've lost my wife and children.

But I have many friends.«

Es gab eine Zeit, da hatte sie *The Partisan* von Leonard Cohen sehr gern gehört. Es war in ihrer Pubertät gewesen, als sie traurig war und voller Weltschmerz. Jetzt war sie wieder nah dran an genau diesen Gefühlen. Sie war innerlich mit dem jungen Mädchen verbunden, das sie einst gewesen war.

»Ich bin«, sagte er, »aus meiner bürgerlichen Existenz vollständig ausgestiegen. Eine Weile habe ich ein Doppelleben geführt. Der brave Nachbar, der einen ordentlichen Job hat, alten Damen die Einkaufstüten raufträgt und nachts auf Alienjagd geht. Aber dann habe ich alle Spuren verwischt.«

Er ging zu seinem Jackett, zog eine Brieftasche heraus und zeigte ihr vier verschiedene Ausweise und dazugehörige Kreditkarten. Er packte alles wieder weg. Für ihn war das belangloser bürokratischer Kram. Darauf kam es nicht an. Es gab nur eine Unterscheidung: War jemand ein Mensch oder gehörte er zu den Außerirdischen? War er Teil einer Invasion oder nicht?

»Du bist sicher, dass sie uns Amelie zurückbringen?«, fragte sie.

»Natürlich. Das ist die Polizei. Es ist ihre Aufgabe. Kindesentziehung oder -entführung, das nehmen die ernst. Da setzen die alle Kräfte ein. Eine Alien-Invasion dagegen ...« Er winkte ab, als sei die Polizei eh zu dämlich, um das zu begreifen.

»Woher nimmst du die Sicherheit, dass das alles stimmt, was du erzählst? Du musst doch sehr sicher sein, sonst würdest du nicht Menschen töten.«

»Ich töte keine Menschen«, empörte er sich. »Ich schalte Aliens aus!«

Sie beharrte darauf: »Ja, da musst du aber doch total sicher sein ... «

»Bin ich auch. Ich habe nicht an ihre Existenz geglaubt, bis sie mich entführt haben.«

»Entführt?«

»Ich spreche nicht gern darüber. Sie holen sich immer wieder Menschen für wissenschaftliche Experimente. Sie machen keine Aliens aus ihnen. Sie verstehen noch nicht genau, wie wir funktionieren. Ich glaube, sie wollen uns klonen ... «

»Du warst auf einem Raumschiff?«

»Ja. Sie haben mich hochgebeamt. Auf Borkum. Abends, am Strand. Sie sind immer in der Nähe des Meeres. Keine Ahnung, warum.«

Bis jetzt hatte er ihr in so ziemlich allen Punkten die Wahrheit gesagt. Die Entführung mit dem Raumschiff war eine reine Erfindung. Aber er kannte viele solcher Erzählungen. Er war fast ein bisschen beleidigt, dass sie ihn nie geholt hatten. Doch er wusste alles über solche Aktionen. Er hatte viele Bücher gelesen und Filmberichte gesehen. Alle schilderten die Aliens gleich: Mit langen Köpfen, dünnen Hälsen und großen Augen. Er wusste, dass sie ihre Form jederzeit verändern konnten. Sie konnten zu Riesenkraken werden, zu Dinosauriern, zu Hornissen, größer als ein Kampfjet. Sie konnten alles nachbilden und nach Belieben vergrößern oder verkleinern.

Indra nahm seine Hand und drückte sie ganz fest. »Was werden wir tun, wenn sie uns Amelie wiederbringen? Sie bringen uns Amelie doch wieder, oder?«

Er behauptete fest: »Sie wird noch heute zu uns zurückkommen.«

Es tat ihr gut, dass er daran nicht den geringsten Zweifel hatte. »... und dann«, flüsterte sie, »werden wir dann eine richtige Familie?«

Sie kuschelte ihren Kopf an ihn. Er streichelte über ihre Haare und kämmte sie mit seinen Fingern. »Ja, das werden wir. Eine bessere Tarnung gibt es gar nicht.«

»Tarnung? Hast du vor, weiterzumachen?«

»Das muss ich. Willst du, dass Amelie in einer Welt lebt, die von Aliens beherrscht wird? Willst du, dass sie aus ihr eine Sklavin machen? Willst du, dass sie eine von ihnen wird?«

Er war so überzeugt von dem, was er sagte. Sie konnte sich

gegen diese Kraft gar nicht zur Wehr setzen. Sie wollte einfach nur ihre Tochter zurück.

Mit sanfter Stimme, als würde er ihr einen Urlaubsort vorschlagen oder einen gemeinsamen Filmabend, sagte er: »Sobald wir sie wiederhaben, werde ich deinen Ex töten.«

»Huggi?«, entfuhr es ihr, als hätte sie noch einen anderen Ex, der umgebracht werden sollte.

»Natürlich. Wen denn sonst? Huggi ist ein Alien.«

»Du willst ihn wirklich … «

Er nickte bedächtig und ersparte es ihr, den Satz vollständig auszusprechen: »Damit du und Amelie und der Rest der Menschheit Ruhe vor ihm haben.«

»Aber … «

»Es gibt kein Aber. So, wie ich spüre, wer er ist, spürt das Monster in ihm, wer ich bin. Das Duell findet sowieso statt. Die Frage ist nur, wer schneller ist.«

Er legte seine Mordutensilien auf den Tisch, als sei es edler Schmuck, den er ihr schenken wollte.

»Oder«, fragte er und machte eine lange Pause, »willst du es tun?«

Sie erstarrte.

Er versuchte, es ihr leichtzumachen: »Hast du nicht manchmal daran gedacht, ihn umzubringen oder es im Traum sogar gemacht?«

»O ja«, gab sie zu, »mehr als einmal. Aber nicht, weil er ein Alien ist, sondern weil er so ein beschissener Ehemann und Vater war.«

»Tief in dir drin hast du gespürt, dass mit ihm etwas nicht stimmt.«

Sie nickte. »Ja. Und ich bin trotzdem auf ihn reingefallen. Bei Männern neige ich zum Griff ins Klo.«

Er bemühte sich, das jetzt nicht auf sich selbst zu beziehen. Es fiel ihm nicht leicht. Aber über solche Kleinigkeiten musste er hinwegsehen. Schließlich ging es hier nicht um eine Liebesgeschichte oder gar ein reales Eheversprechen. Das alles war nur Fassade. Er brauchte sie als Komplizin, als Soldatin im Kampf. Wenn sie Hubertus töten würde, gäbe es für sie kein Zurück mehr. Dann hätte er sie ganz.

Sie leerte das Glas Wasser jetzt mit einem Zug. Sie trank es, so wie Huggi manchmal nach einem Streit ein Bier heruntergestürzt hatte, und genauso stöhnte sie auch danach.

Sie setzte das Glas hart ab. »Willst du eine Mörderin aus mir machen?«

»Nein«, lachte er mit dem charmantesten Strahlen, das sie je gesehen hatte, »eine Befreierin. Erlöse ihn von seinen Qualen. Glaub mir, schön ist das nicht, was er erlebt.«

Sie hob die Hände, wedelte damit herum, so dass sie gegen die Lampe stieß und rief: »Herrgott, was soll ich machen? Was soll ich machen?«

»Tu das Richtige«, sagte er. »Lass dich von deinem Herzen leiten.«

Es klopfte an der Terrassentür. Die beiden erschraken. Dann sahen sie Felicitas mit ihrer Mutter.

Indra öffnete ihnen die Tür.

Frau Schneider hielt ihre Tochter an den Schultern und schob sie gleichzeitig wie einen Schutzschild vor sich her. »Wir wollten uns nur erkundigen, ob Amelie wieder da ist. Felicitas ist ganz durcheinander.«

»Amelie geht es gut«, behauptete Indra, um die neue Freundin ihrer Tochter zu beruhigen.

»Na, siehst du«, freute sich Elke Schneider und versuchte, Felicitas aufzumuntern: »Ist alles in Ordnung.«

Felicitas fragte jetzt ungläubig: »Kommt Amelie denn bald wieder?«

»Na klar«, sagte Indra. »Dann meldet sie sich sofort bei dir. Ihr habt bestimmt noch eine schöne Zeit zusammen.«

»Wir bleiben eine Woche«, sagte Frau Schneider, »da habt ihr noch viel Zeit zum Spielen.«

Sie kam nicht rein, sondern blieb mit ihrer Tochter auf der Terrasse stehen und verschwand dann schnell wieder.

»Vielleicht«, argwöhnte Alex, »hat sie die Waffen auf dem Tisch liegen sehen.«

Der Gedanke gefiel ihm überhaupt nicht.

Ihre Haushaltshilfe Gudrun Garthoff hatte seit zwei Wochen Urlaub. So sah es im Distelkamp jetzt auch aus.

Weller suchte ein frisches Hemd, weil seins mit Currysoße bekleckert war. Dabei hatte er keine Currywurst gegessen, sondern Rupert. Eins der bunten Freizeithemden wollte er bei der Polizei aber nicht tragen. Sie mussten entweder blau sein, weiß oder blau-weiß gestreift.

Seine Töchter schenkten ihm praktisch zu jedem Geburtstag ein originelles knallbuntes Hemd. Er sollte wohl jung darin aussehen. Manchmal fühlte er sich wie ein Papagei, aber es machte ihm Spaß, fröhlich-bunte Hemden zu tragen, und wenn er komisch angesehen wurde, sagte er immer: »Das haben meine Töchter mir geschenkt.«

Wenn man in einem Mordfall ermittelte und ernst genommen werden wollte, schied so ein Hemd aber aus.

Ann Kathrin hatte die Füße hochgelegt. So konnte sie besser nachdenken und eine Entscheidung fällen.

Eigentlich hatten Ann Kathrin und Weller geplant, mit Rita und Peter Grendel im *Smutje* essen zu gehen. Sie hatten es schon vor Wochen mit ihren Nachbarn so ausgemacht. Ann Kathrin bat Rita um Verständnis. Die sagte nur knapp: »Fang den Mörder, Ann, und dann ist immer noch Zeit für einen schönen Abend zu viert.«

Wie gut, dass sie verständnisvolle Freunde hatte. Auch aus dem Spieleabend würde in dieser Woche sicherlich nichts werden.

Sie schwankte zwischen drei verschiedenen Wichtigkeiten. Nach Jules Besuch hatte sie eigentlich vor, nach Bremerhaven zu fahren, um ein bisschen Familie zu leben und Sabrina und Finn-Henrik zu erleben. Sie wollte im Ruhrgebiet die Wohnungen von Silke und Valentina Humann anschauen, um mehr über die ersten Opfer zu erfahren. Und es schien ihr wichtig, Indra Kroll zu besuchen, die Mutter, deren Kind entführt worden war. So etwas konnte man gar nicht ernst genug nehmen.

Auch fragte sie sich, ob es zwischen den Fällen einen Zusammenhang gab. Alles, was in ihrem Einzugsbereich an Verbrechen geschah, empfand sie im Grunde als persönlichen Angriff.

Ihr war in letzter Zeit klargeworden, dass ihr das, was andere Menschen so machten, zwischen dem Privaten und dem Beruflichen zu unterscheiden, nie wirklich gelungen war.

Sie war so sehr, was sie tat: eine Ermittlerin, die Verbrechen aufklärte. Obwohl sie für ihre hundertprozentige Aufklärungsquote bewundert und verehrt wurde, kam sie sich als Versagerin vor, denn als Familienmensch und als Freundin, als Mutter und Stiefmutter war sie monströs gescheitert. Sie wäre auch nicht gern mit sich selbst befreundet gewesen, dachte sie.

Die Verbrecherjagd ging immer vor. Da musste sich doch jeder andere Mensch zurückgesetzt fühlen. Die, die es gut mit ihr meinten, standen immer hinter den Bösewichten in der Schlange an.

Wie, fragte sie sich, ist der Entführer durch den Ring entkommen? Hatten sie schlecht gearbeitet oder hatte er Helfer? Komplizen? Einen Unterschlupf?

Sie sah ihren Mann Frank Weller an und schlug ihm vor: »Vielleicht solltest du nach Bremerhaven fahren, wo heute Abend die Veranstaltung ist. Dann kannst du möglicherweise einiges mit deiner Tochter und deinem zukünftigen Schwiegersohn ins Reine bringen.«

»Und du?«, fragte er zurück.

»Ich muss mir ein Bild von der Entführung machen. Ich habe das alles nur am Telefon mitbekommen. Ich war doch damit beschäftigt, die Zeugen im Fall Zoe Dorffmann zu befragen.«

»Wir bräuchten noch zehn Leute«, sagte Weller, »und dann wären wir immer noch unterbesetzt.« Er stand vor seinem Schrank und stöhnte: »Mir würde es schon reichen, wenn wir mal wieder Zeit fänden, Wäsche zu waschen.«

Ann Kathrin verließ das Haus und stieg in ihren froschgrünen Twingo. Weller kam raus und brachte ihr einen Thermobecher Kaffee. »Hier, Ann, du brauchst was … «

Aber sie hatte andere Sorgen. Der Twingo sprang nicht an.

Weller bot ihr den Citroën Picasso an, doch sie streichelte ihren Twingo und bat ihn: »Bitte lass mich jetzt nicht im Stich. Komm, Schätzchen, ich brauch dich.«

Weller stand vor dem Wagen, beide Hände aufs Dach gestützt. »Ann! Irgendwann brauchst du ein neues Auto. Man kann ein Leben lang verheiratet sein, Silberne Hochzeit feiern, Goldene Hochzeit und … Aber Autos, weißt du, die halten einfach nicht ewig. Der Twingo gehört in die Schrottpresse. Du kannst ihn ja dann als Hocker ins Wohnzimmer stellen. Für Leute, die sich nicht trennen können, machen die so viereckige Würfel daraus.«

Ann flüsterte ihrem Auto zu: »Der meint das nicht so ... Der ist eigentlich ganz nett.«

Wie, um Weller zu verhöhnen, sprang der Twingo an. Ann grinste ihren Mann an, nahm einen Schluck aus dem Thermobecher und fuhr los.

Ann Kathrin parkte den Twingo direkt vor der Ferienwohnung und ging auf das Haus zu. Sie verstand, warum die Menschen Norddeich so liebten. Die Naturgewalten waren so nah. Es gab Gäste, die suchten den Sturm, mochten es, wenn der Regen peitschte und die Nordsee versuchte, die Deiche zu durchbrechen, als wolle sie beweisen, dass sie stärker war als alle menschlichen Bemühungen, sie zu bändigen. Aber heute war eher ein windstiller Sonnenbrandtag.

Schon nach dem ersten Klingeln wurde ihr geöffnet. Auf den ersten Blick hin war die Ferienwohnung viel ordentlicher und aufgeräumter als Ann Kathrins Zuhause.

Ann sah sich wie immer nach Büchern um, und im Sessel fand sie, auf dem Cover liegend, das Buch: *Sie sind längst gelandet* von Finn-Henrik und YoLo2.

Ann Kathrin wurde ganz anders, so als würde sich plötzlich Privates und Berufliches vermischen.

Es kam ihr unangemessen vor, jetzt nach dem Buch zu fragen, immerhin war ein Kind entführt worden. Sie stellte sich vor, verschwieg aber, dass sie von der Mordkommission war, denn das erschreckte die Menschen manchmal zu sehr. Die Mutter sollte ja nicht denken, ihre Tochter sei getötet worden.

Sie fragte, ob die Mutter eine Vermutung hätte, wo sich ihr Mann mit der Kleinen aufhalten würde.

»Nein«, sagte Indra, »das hätte ich doch auch Ihren Kollegen schon gesagt.«

Ann Kathrin erklärte: »Vielleicht versucht der Vater, seine Tochter für sich zu gewinnen. Das geschieht bei einer Kindesentziehung oft. Möglicherweise denkt er, dass er keine Chance hat, eine gute Beziehung zu dem Kind aufzubauen, bemüht sich aber jetzt darum. Wenn er Amelie fragt, was sie gerne tun möchte, was wird Ihre Tochter sich dann von ihm wünschen? Einen Besuch im Zoo oder im Aquarium? Spielt sie gerne Minigolf? Ach nein, dafür ist sie wohl noch zu klein ... Aber es gibt hier einige Indoor-Spielplätze für Kinder. Meinen Sie, da könnte er mit ihr ... «

Alex ging hart dazwischen: »Ich glaube, er interessiert sich einen Scheiß dafür, was Amelie gerne möchte. Der ist nicht der Typ, der sich für Anderleuts Meinungen interessiert. Der zieht sein eigenes Ding durch.«

»Was glauben Sie denn, warum er Amelie mitgenommen hat?«

Alex zeigte auf Indra: »Um ihr zu schaden. Um ihr weh zu tun. Deshalb! Er erträgt es nicht, dass sie eine neue, glückliche Beziehung hat und dass Amelie mich vielleicht als Vater akzeptieren würde.«

Alex entschied sich plötzlich, dass es gar nicht so schlecht sei, ein gutes Verhältnis zur Polizei aufzubauen. Er fragte, ob er einen Tee anbieten könne. Er sei zwar nicht perfekt im Aufbrühen von ostfriesischem Tee, würde sich aber Mühe geben.

Ann Kathrin bedankte sich, lehnte ab, nahm aber trotzdem Platz. Sie suchte sich den Sessel aus, in dem das Buch lag. Sie nahm es heraus, drehte es um, tat überrascht und fragte: »Oh, das lesen Sie? Wie gefällt es Ihnen?«

Sie rechnete mit einer kurzen Antwort, wie: »Ja, ganz gut.« »Nette Theorie.« Oder: »Hab ich geschenkt bekommen und noch nicht reingeguckt.«

Aber stattdessen schienen beide wie elektrisiert. Sie sahen sich an, als müssten sie sich erst darüber abstimmen, wer von ihnen antworten würde.

Ann Kathrin blätterte neugierig in dem Buch. Sie sah, dass es signiert war: »Oh, mit einer persönlichen Widmung … «

»Ja«, sagte Alex, »ich war bei einer Veranstaltung der beiden. Das heißt, YoLo2 war nicht dabei. Finn-Henrik Bohlens hat den ganzen Abend alleine bestritten. Mit vielen Filmausschnitten, fast ein bisschen Retro, wie früher die Dia-Abende bei meinen Eltern.«

»Glauben Sie daran?«, fragte Ann Kathrin und ärgerte sich eigentlich darüber, weil das Ganze doch sehr weit von ihrem Fall wegführte. Aber manchmal kam man über Smalltalk ja in ein gutes Gespräch, das am Ende für den Fall nützlich war. Menschen mussten immer erst aufgelockert werden, und das ging oft über etwas, wofür sie sich interessierten. Ein Buch, einen Film, einen Urlaubsort.

»O ja«, bestätigte Alex. »Was erleben wir denn gerade? Die amerikanische und die kanadische Regierung schießen unbekannte Flugobjekte ab, und jetzt wollen sie uns weismachen, dass sie die Teile nicht finden? Aber zur selben Zeit wissen sie schon ganz genau, dass es keine Aliens waren. Doch es gibt auch keinen Staat, der sagt: Das war meins. Und wenn die Flugobjekte von Privatleuten gewesen wären – einer Firma oder so – dann würden die doch jetzt die Staaten auf Schadensersatz verklagen, oder?«

Ann Kathrin registrierte, dass sie es mit einem überzeugten UFO-Gläubigen zu tun hatte.

»Ist es nicht,« fragte Indra, »auch merkwürdig überheblich, davon auszugehen, dass wir alleine im Universum sind und es außer uns keine anderen Lebewesen mehr gibt?«

»Ja«, sagte Ann Kathrin, »da haben Sie wohl recht.«

Damit war für sie das Thema erledigt. Dieser Alexander Sigmann sprach sehr ruhig, war freundlich, zugewandt, ja, ein aufmerksamer Gastgeber. Er bot Kekse an und Getränke. Es machte ihm nichts aus, die beiden Frauen zu bedienen, obwohl er am Hinterkopf eine heftige Verletzung davongetragen hatte. Trotzdem wurde ihr in seiner Nähe kalt. Manchmal, wenn sie bei Verhören mit etwas abgrundtief Bösem oder Verrücktem in Berührung gekommen war, hatte sich das so ähnlich angefühlt.

Niemals hätte sie es in ein Protokoll oder einen Bericht geschrieben. Jedes Gericht würde ihr das um die Ohren hauen, und solche Aussagen konnten sie zu einer voreingenommenen Kommissarin machen. Aber es gab so etwas trotzdem. Zumindest für sie selbst.

Wenn er näher als zwei Meter an sie herankam, ging in ihrem Körper ein Alarm los. So erlebte sie es auch, wenn sich ihr plötzlich jemand auf einer dunklen Straße von hinten näherte. Wenn sie allein in ihrem Zimmer war und plötzlich einen Atem vernahm, ein Geräusch hörte, das dort nicht hingehörte.

Vielleicht, dachte sie, nehme ich etwas von seiner Wut auf den Vater wahr, der Amelie geholt hat und ihnen beiden damit gehörig den Urlaub verdorben hat.

Sie spürte in seiner Nähe, wie dünn die zivilisatorische Haut war, die bestehend aus Bildung und Anstandsregeln den wilden, archaischen Krieger in ihm bändigte. Jeden Moment konnte diese dünne Schicht reißen.

Aber war das nicht bei allen so? Ihr Frank konnte auch zum Tier werden, wenn es um seine Töchter ging.

Ein bisschen verwirrt, ja verunsichert, verließ Ann Kathrin das Ferienhaus. Sie wünschte den beiden noch einen schönen Urlaub und versprach, dass Amelie bald zu ihnen zurückkommen würde.

Sie saß noch eine Weile nachdenklich im Auto, bevor sie losfuhr. Finn-Henrik schien ja wirklich viele Leser zu haben. Vorne im Buch hatte sie gesehen, dass es bereits die vierte Auflage war.

Sie suchte die Podcast-App, um sich anzuhören, was Finn-Henrik und sein Kumpel YoLo2 so verbreiteten. Die beiden hatten soeben einen neuen Podcast hochgeladen.

YoLo2 stand ganz vorne. Er war der eigentliche Macher. Aber Finn-Henrik wurde auch genannt. Angeblich hatten die zwei ein Interview mit einem Alien gemacht.

Ann Kathrin musste lachen. Dann hörte sie sich das Gespräch an.

Sie fuhr nach Hause zurück. Der Twingo bereitete ihr keinerlei Schwierigkeiten. Lediglich auf der Norddeicher Straße knallte es einmal ganz laut. Da stimmte wohl irgendetwas mit dem Auspuff nicht.

Ann Kathrin sah, dass der Podcast *Gespräch mit einer Außerirdischen* bereits 154 000 Mal angehört worden war. Welche Radiosendung erreichte solche Zahlen? Dabei war das Ding ganz neu.

Weller stand vor dem Citroën. Irgendjemand hatte versucht, mit einem Nagel das Wort *Bullenauto* quer über die Fahrerseite zu ritzen. Es ist immer schön, dachte Weller, wenn man weiß, wie sehr man gemocht wird.

Er wollte sich jetzt nicht damit beschäftigen und nicht darüber ärgern. Er fragte sich, ob es wirklich richtig war, die privaten Geschichten nun in den Vordergrund zu schieben, zweieinhalb Stunden bis Bremerhaven zu fahren, um einem Vortrag zu lauschen und ein paar Worte mit seiner Tochter zu wechseln. Er wusste nicht mal, ob er das für Sabrina tat oder aus Interesse an seinem Schwiegersohn oder nur, um Ann Kathrin zu gefallen, die ihn dazu drängte. Oder um Jule zu zeigen, dass ihr Papa sich kümmerte und ihre Bedenken ernst nahm.

Ann Kathrin bog mit ihrem Twingo in den Distelkamp ein, stellte den Wagen direkt hinter Weller ab und parkte ihn somit in der Einfahrt zu.

Er kannte dieses nachdenkliche Gesicht. Diese Entschlossenheit, die noch kein Ziel hatte. Dieser Wille, etwas verändern zu wollen, ohne zu wissen, wie.

Er sah sie nur fragend an.

»Ich fahre mit nach Bremerhaven«, sagte sie.

Er zeigte sich erstaunt, aber erfreut. Trotzdem fragte er: »Warum? Ich schaffe es schon alleine, das Verhältnis zu meiner Tochter und meinem Schwiegersohn ins Lot zu bringen.«

Ann Kathrin lächelte und hauchte einen flüchtigen Kuss auf sein Kinn. »Darum geht's nicht.«

»Sondern?«

Sie relativierte sofort: »Also, ich meine, darum geht's nicht nur.«

Er wiederholte: »Sondern?«

»Wir haben Finn-Henriks Buch bei der toten Valentina Humann gefunden, und als ich Frau Kroll besucht habe, die Mutter, deren Kind gerade entführt wurde, da ...«

Weller führte ihren Satz zu Ende: »... hatte die es auch gelesen?«

»Es lag im Sessel.«

Weller hob die Arme: »Ann! Daraus konstruierst du doch jetzt nicht irgendeinen Zusammenhang? Bitte!! Es gibt einfach einen ziemlichen Hype um den Jungen, um UFOs und ... Es gab eine Zeit, da hat jeder Castaneda oder *Per Anhalter durch die Galaxis* von Douglas Adams gelesen, oder auch Däniken.«

»Dein Schwiegersohn in spe und sein Kumpel, YoLo2, haben Kontakt zu Außerirdischen. Ich höre gerade ihren Podcast. Lass uns nach Bremerhaven fahren. Wir hören es uns im Auto gemeinsam an.«

Weller war einverstanden. Ann Kathrin stieg aber nicht in den Citroën, sondern ging noch einmal ins Haus. Sie füllte zwei Flaschen mit kühlem ostfriesischem Leitungswasser. Sie hatte das Gefühl, sie brauche jetzt die reinigende Wirkung von klarem Wasser.

Im Citroën gab es zwischen Beifahrer- und Fahrersitz ein Fach. Darin verstaute Ann Kathrin normalerweise Trinkflaschen, um sie immer gleich zur Hand zu haben. Doch jetzt war es voll mit Marzipanseehunden und Baumkuchenspitzen in Zartbitterschokolade. Dazu Deichgrafkugeln.

Sie stellte die Wasserflaschen in den Fußbereich zwischen ihre Beine, um die Leckereien aus dem *Café ten Cate* nicht zu zerquetschen. Weller wusste das sehr zu schätzen. Er packte, bevor er den Wagen startete, einen Marzipanseehund aus und machte Ann Kathrin das Angebot, hineinzubeißen, indem er damit vor ihren Lippen herumwedelte. Sie schnappte zu. Den Rest, bis auf den Kopf, biss dann Weller ab.

»Manchmal«, stöhnte er, »brauche ich das einfach.«

»Ich fürchte«, sagte Ann, »wenn du dir erst den Podcast ganz anhörst, wirst du noch mehr davon brauchen.«

Er lachte und legte seine Hand zwischen die Sitze auf die Naschereien: »Ich habe ja vorgesorgt. Nervennahrung!«

Ann Kathrin spielte den Podcast noch mal von Anfang an ab. Das Gespräch mit einer Außerirdischen nahm Weller völlig gefangen. Er hatte Mühe, auf den Verkehr zu achten. Bei den orangen Fahrrädern hielt er sogar einmal an. Hier ungefähr musste die Stelle gewesen sein, an der die Radfahrerin Claudia Lütte gesehen hatte, dass Hubertus Kroll seiner kleinen Tochter zwangsweise Schnaps einflößte.

Weller packte eine Deichgrafkugel und eine Deichgräfin aus. Er aß erst die Deichgräfin und dann den Deichgrafen. Ann Kathrin hielt ihm Wasser hin, und er nahm es gerne.

»Das«, sagte er, »ist ganz schön starker Tobak. Entweder, die beiden haben eine super Marketingidee für ihr Buch – es kurbelt den Verkauf bestimmt irre an, sie sind immerhin die Ersten, die sich mit Außerirdischen unterhalten«, lachte Weller. »Als Werbeidee einfach großartig. Du siehst ja, das Buch von ihnen verkauft sich rasend.«

»Ja«, gab Ann Kathrin zu bedenken, »oder es sind Außerirdische gelandet und haben sich gedacht, wem geben wir denn als Erstes ein Interview? Wenden wir uns an ARD, ZDF, n-tv? Gehen wir in eine große amerikanische Talkshow? Schauen wir mal, ob wir bei 3nach9 eingeladen werden können? Sprechen wir vor der UNO? Offenbaren wir uns Staatspräsidenten? Oder ist das nicht alles Blödsinn, und wir wenden uns lieber an zwei erfolgversprechende Autoren, Finn-Henrik Bohlens und einen, der sich YoLo2 nennt?«

Weller wiegte seinen Kopf hin und her und grinste: »Ja,

dann hätte ich mich als Außerirdischer auch für die beiden Nachwuchsautoren entschieden. Das hat doch eine ganz andere Durchschlagskraft.«

Ann Kathrins Stirn kräuselte sich. Sie sah unzufrieden aus. Es passte ihr nicht, dass er versuchte, daraus einen Witz zu machen.

»Ach komm, Ann«, beschwichtigte Weller, »das sind einfach zwei clevere Jungs mit einer super Geschäftsidee.«

»Für dich«, fragte Ann, »fällt das alles unter Unterhaltung, oder? So wie ein Fußballspiel, ein Tennismatch, ein Autorennen, ein spannender Film ... «

»Oder ein guter Roman«, ergänzte Weller.

Er fuhr jetzt bis Emden durch. Eigentlich war er zu schnell, bremste aber ab, bevor er geblitzt werden konnte. Er kommentierte noch: »Mit diesem Fotoapparat verdient die Stadt Emden ein Schweinegeld.«

»Ja«, grinste Ann Kathrin, »aber diesmal nicht an uns.«

Weller tankte noch an der Score-Tankstelle, bevor er auf die Autobahn fuhr.

»Du liest das alles wie deine Kriminalromane, Frank«, gab Ann zu bedenken. »Aber es kommt so wissenschaftlich daher. Sie meinen das wirklich ernst. Erinnere dich daran, als er bei uns am Tisch saß, stellte Sabrina ihn als UFO-Forscher vor.«

»Ja«, lachte Weller, »wir haben in Deutschland freie Berufswahl. Das ist auch gut so. Wir suchen Kriminelle. Der sucht Beweise dafür, dass UFOs gelandet sind. Ich finde das völlig in Ordnung, Ann. Aber im Gegensatz zu dir glaube ich nicht, dass das irgendetwas mit unserem Fall – mit den Morden in Ostfriesland – zu tun hat. Da konstruierst du einen Zusammenhang, den es so nicht gibt.«

Sie wehrte sich: »Ich halte nur Fakten fest. Wir haben zwei Mal Bücher gefunden.«

Er hob lachend die Hände, ließ sie aufs Lenkrad fallen und kramte mit rechts in der Ablage nach den Baumkuchenspitzen. »Ja, die Bücher findest du aber auch in vielen Schaufenstern von Buchhandlungen. Du nimmst zwei Fakten und stellst sie in einen willkürlichen Zusammenhang. Du machst es nicht anders als die beiden Jungs. Wir konstruieren uns alle unsere Welt selbst, Ann. Wir nehmen selektiv wahr und setzen daraus etwas zusammen, das wir für schlüssig halten.«

Ann gab ihm recht. Sie musste aufpassen, jetzt nicht zu sehr zu dozieren. Sie versuchte, sich selbst zu bremsen: »In der Ermittlungsarbeit nennen wir das ›Spekulationen zulassen‹, um keine Schere im Gehirn zu haben, die uns die Wirklichkeit nicht sehen lässt.«

»Siehst du«, sagte Weller, »und genau das machen die Jungs auch.«

Amelie kam leise die Treppe runter und stand plötzlich strubbelig, mit weitaufgerissenen Augen, im Zimmer und versuchte, sich zu orientieren.

Huggi gab ganz den liebevollen Vater. Er sprach mit einer Stimme, als würde er als Erzieherin im Kindergarten arbeiten. Sofort schien es nichts Wichtigeres für ihn zu geben als seine Tochter. Sie war der absolute Mittelpunkt, und er orientierte sich offensichtlich ganz an ihren Bedürfnissen. Er stellte ihr Oma Tadea vor, die völlig begeistert von der Kleinen war, sie Prinzessin nannte und sofort eine Verkleidungskiste holte, in der Spielsachen waren, bunte Röcke, selbstgestrickte Pullover, aus denen Donna vor dreißig Jahren herausgewachsen war und die Oma Tadea aufbewahrt hatte in der Hoffnung darauf,

Uroma zu werden. Sogar das Kleid, das sie für Donnas Einschulung genäht hatte, gab es noch.

Amelie wollte keinen Grünkohl essen und auch die Kleider nicht anprobieren. Sie machte einen kranken, ja verstörten Eindruck. Eingehüllt in die liebevolle Zugewandtheit der Erwachsenen, taute sie langsam auf.

Donna sah es ihr an: Das Mädchen wusste nicht, ob sie alles nur geträumt oder wirklich erlebt hatte.

Amelie fragte nicht nach ihrer Mutter und auch nicht nach Alex. Sie befand sich hier in einer Parallelwelt, in der es die beiden nicht gab, und sie spürte genau, dass es klug war, sie nicht zu erwähnen, denn damit setzte sie das Wohlwollen aller Erwachsenen aufs Spiel.

Oma Tadea hatte Zwieback, den sie für die Kleine mit Honig bestrich, und bot an, für sie Milchreis zuzubereiten. »Ich hab ihn immer besonders gerne mit Zimt und Zucker. Und du?«

Da ihre Mutter sie so zuckerfrei wie möglich ernährte, war auch dies für Amelie ein Zeichen, dass sie sich jetzt in einer ganz anderen Welt befand. Hier kam Milch noch von der Kuh und wurde nicht aus Mandeln oder Hafer gewonnen. Chia-Samen, Mikroalgen, Tofu oder Seitan gab es hier nicht. Sie vermutete, dass hier auch Cola, Fanta oder ein Rieseneis mit Sahne nicht als Problem gesehen wurden.

Sie fühlte sich gefangen und doch irgendwie frei. Sie hatte Angst vor ihrem Vater, und sie liebte ihn. Seine neue Frau war nicht so eine dumme Tussi wie Mama behauptet hatte. Für sie war jede eine bemitleidenswerte Schlampe oder eine blöde Bitch, wenn sie sich mit ihm einließ. Manchmal fragte Amelie sich, ob ihre Mama dann auch so eine *dumme Tussi* gewesen war, denn sie hatte sich ja schließlich irgendwann auch mal für Huggi entschieden.

Von allen gefiel ihr Oma Tadea am besten. In ihrer Nähe fühlte sie sich sicher. Die, so glaubte Amelie, würde sie notfalls beschützen, wenn es sein musste, auch gegen ihren Vater.

Der schlug jetzt vor, ein Spiel zu spielen. Jeder solle etwas darstellen, und die anderen müssten es dann raten. Um vorzumachen, wie das Spiel funktionierte, hüpfte er durchs Wohnzimmer und hielt dabei die ausgestreckten Hände nebeneinander. Amelie wusste es sofort: »Ein Känguru«, rief sie, »ein Känguru!«

Er hob sie hoch, küsste sie und jubelte: »Du bist die Klügste!«

Dann war Oma Tadea dran. Sie klemmte sich einen Besen zwischen die Beine und rief: »Hui, hui!«

»Eine fliegende Hexe!«, rief Amelie und hatte wieder gewonnen. Gleichzeitig sorgte sie sich darum, ob Oma vielleicht beleidigt wäre, denn sie hatte sie eine Hexe genannt. Die war damit aber völlig einverstanden, schließlich hatte sie ja auch eine Hexe gespielt.

Nach Zwieback und Milchreis ging es Amelie schon viel besser. Oma Tadea behauptete: »Das Kind trinkt einfach zu wenig, kein Wunder, dass der Kleinen schlecht wird.« Sie fragte: »Was möchtest du denn am liebsten trinken?«

»Limo?«, fragte Amelie vorsichtig und fügte dann hinzu: »Oder gibt es auch Cola?«

Oma Tadea hatte so etwas nicht im Haus, schickte aber Huggi mit der Bitte los, doch rasch im Supermarkt etwas für die Kleine zu besorgen und am besten auch ein paar Tüten Chips und Salzstangen. Cola und Salzstangen seien besonders gut, wenn Kinder Magenprobleme hätten.

Bevor Huggi aufstehen konnte, war Donna bereit, den Einkauf zu erledigen. Huggi und Donna sahen sich wissend an.

»Und morgen fahren wir in die Stadt und kaufen ein, und

du darfst dir aussuchen, was immer du möchtest. Ihr könnt ja auch so einen Mädels-Vormittag machen. Donna und Oma Tadea, was meinst du? Ihr habt Spaß, und Papa bezahlt«, lachte er.

Inzwischen waren Oma Tadea und Huggi beim Du angekommen. Sie fragte ihn: »Hast du den Koffer mit ihren Sachen zuhause vergessen?«

»Nein«, lachte Huggi, »viel schlimmer.« Er klopfte sich auf die Schenkel, als hätte er etwas wahnsinnig Witziges zu erzählen, und genauso hörte es sich dann auch an: »Ich hatte einen Koffer mit ihren Lieblingssachen gepackt und den aufs Autodach gelegt. Aber dann, du weißt ja, wie das ist, guckt man noch mal nach, hat man dies vergessen, das vergessen, rennt zurück zum Auto, das Ladekabel fürs Handy ist nicht da … Ach ja, und in dem ganzen Trubel bin ich am Ende losgefahren und der Koffer war noch oben auf dem Auto.«

Tadea konnte sich das lebhaft vorstellen und lachte schon.

»Ich hörte dann auch irgendwann etwas knallen und rumpeln, aber da waren wir schon auf der Autobahn. Der Koffer krachte hinter uns auf die Straße. Die Sachen flogen durch die Gegend, und auf der Autobahn sollte man besser nicht anhalten oder wenden. Ich war schuld, ich ganz alleine.« Er klopfte sich auf die Brust. »Ihr dürft auch alle Idiot zu mir sagen. Aber bitte nur bis morgen früh, dann lasst uns das vergessen und für unsere kleine Prinzessin etwas Neues kaufen.«

Amelie konnte sich nicht daran erinnern, so etwas erlebt zu haben. Sie staunte ihren Vater an. Seine Geschichte war viel schöner als die, die sie zu erzählen hatte. In seiner Erzählung gab es keinen Riesenstreit, keine Schlägerei und kein Geschrei, sondern einfach nur eine Schusseligkeit. Seine Geschichte gefiel ihr besser als ihre eigene.

Oma Tadea versprach: »Na, Kind, dann werden wir morgen den Papi ganz schön schädigen. Ich kenne ein paar gute Geschäfte in Emden, die haben sooo schicke Klamotten für Kinder.« Sie küsste ihre Finger.

Oma Tadea spürte, dass es einen Grund für Huggi gab, hier mit seiner Tochter bei ihr unterzukriechen. Der wollte nicht gesehen werden, das war ihr klar. Aber sie legte es nicht gegen ihn aus, sondern empfand es geradezu als Ehre, ihm und seinem Kind Schutz gewähren zu können, wovor auch immer.

Indra ließ nichts unversucht. Sie rief alte Bekannte an. Gemeinsame Freunde – sofern sie überhaupt jemals so etwas gehabt hatten – und seine Saufkumpane. Bei einigen wusste sie nicht einmal die Nachnamen, sondern kannte nur ihre Spitznamen, aber viele seiner Kontakte waren durch einen glücklichen Zufall bei ihr gespeichert, denn als sie noch verheiratet waren, aber beide schon wussten, dass ihre Ehe gescheitert war, hatte er sein Handy auf der Toilette verloren. Sie hatte es mit dem Satz: »Scheiße zu Scheiße« kommentiert und sich dafür zwei heftige Ohrfeigen eingefangen. Er hatte ein paar Tage ihr Handy mitbenutzt, bis er endlich ein neues bekam, das seinen Ansprüchen genügte.

Der Kauf des neuen war kein Problem gewesen, es einzurichten, aber schon. Sie hatte ihm damals dabei geholfen. Er, der dauernd damit hantierte und sich ein Leben ohne digitale Welt gar nicht mehr vorstellen konnte, beherrschte im Grunde die Technik nicht.

Rudi, einer seiner alten »Freunde«, hatte sie damals angegraben, ihr eindeutige Angebote gemacht und sie gern besucht, wenn er wusste, dass Huggi nicht da war. Es gab eine Zeit, da hatte sie von ihm wesentlich mehr Komplimente bekommen als von ihrem Mann, und eine Weile hatte ihr das sogar gutgetan und ihr Selbstbewusstsein gestärkt.

Einmal hatte sie sich auf eine kurze Knutscherei mit ihm eingelassen, mehr aber nicht, ihn dann aber zurückgewiesen. Sie wollte ihre Ehe retten, obwohl sie doch wusste, dass da nicht mehr viel zu retten war. Aber sich von einer Beziehung in die nächste zu stürzen war auch keine Lösung, und Rudi hatte, bei all seinem Charme, etwas Schmieriges an sich, fand sie. Er war einer, der versuchte, Frauen zu betören und dann ins Bett zu kriegen, als würde er dafür begehrte Punkte in seinem Sammelalbum für Vorstadtplayboys bekommen.

Rudi freute sich riesig über ihren Anruf, beglückwünschte sie zur Scheidung und wusste auch gleich von Huggis zauberhafter Neuer zu berichten, die auf den vielversprechenden Namen Donna hörte. Donna Cattaneo. Die beiden seien ja wohl ganz glücklich miteinander, jedenfalls mache Donna einen sehr verliebten Eindruck.

Indra bekam das Gefühl, er wolle sie eifersüchtig machen, und schon hakte er mit der Frage nach, ob sie denn auch ein neues Glück gefunden habe. Für ihn, so sagte er, sei sie immer noch die Traumfrau: »Ein Wort von dir, und ich stehe mit Blumen vor der Tür.«

Alex beobachtete Indras fleißige Telefoniererei mit Freude.

Sie beendete das Gespräch mit einem hoffnungsvollen Blick. »Immerhin wissen wir jetzt den Namen seiner Neuen. Das arme Mädchen heißt Donna Cattaneo. Sie hat wohl einen italienischen Vater, und ihre Mutter stammt aus Norddeutschland. Sie scheint wohl eine ganz«, sie zitierte, »scharfe Schnitte zu sein. Ich muss noch mehr rausfinden. Die haben bestimmt irgendwo Freunde innerhalb des Fahndungsrings und sich dort verkrochen.«

Während sie redeten, spielte er mit der Garotte und zog die Stahlschlinge ein paarmal ganz straff. Es machte ein surrendes Geräusch. Für ihn war es eine süße, tödliche Melodie. Indra ließ es einen Schauer über den Rücken laufen.

»Du bist also«, sagte er voller Freude, »entschlossen, ihn von seinen Leiden zu befreien? Asche zu Asche, Staub zu Staub.« Noch einmal zog er die Stahlschlinge straff, als hätte er sie bereits um einen Hals gelegt.

Sie schluckte und suchte nach der richtigen Antwort. Dann vertraute sie ihrem Mutterinstinkt: »Ich will mein Kind zurück«, sagte sie und war stolz auf ihre feste Stimme.

Hart erwiderte er: »Dann wirst du sie töten müssen, sonst gehört sie dir nie wirklich. Er wird sie sich immer wieder holen. Die monströse Hälfte in ihm kann gar nicht akzeptieren, dass seine Brut woanders aufwächst. Er will aus ihr eine von ihnen machen.«

»Eine Außerirdische?«, entfuhr es der erschrockenen Indra.

Er nickte vorsichtig, tat, als sei es ihm unangenehm, es überhaupt erwähnt zu haben. Dann flüsterte er: »Falls es ihm nicht schon längst gelungen ist ... «

»Hör auf«, rief sie, »du machst mir Angst!«

Er schüttelte den Kopf. »O nein, Indra. Ich mache dir keine Angst. Es ist die Wirklichkeit, die dir Angst macht. Weil du sie endlich ohne rosarote Brille siehst. Das alles wäre auch da, wenn du von nichts eine Ahnung hättest und mir nie begegnet wärst. Es kommt darauf an, zu sehen, was Wirklichkeit ist. Und dann daraus die entsprechenden Schlüsse zu ziehen und zu handeln. Sonst sind wir nur ferngesteuerte Marionetten, die durch den Nebel tapsen, eingelullt vom Medienrummel, von Schlagerparaden und Dschungelcamps. Brot und Spiele fürs Volk«, lachte er spöttisch und machte eine Bewegung, als würde ein Karnevalsprinz Kamelle vom Wagen zu den Jecken auf der Straße werfen.

Vor dem Theater im Fischereihafen stand eine lange Schlange. Einige Menschen waren ziemlich aufgebracht. Sie hatten eine lange Fahrt auf sich genommen, um dabei zu sein, aber die Veranstaltung war ausverkauft. Es gab keine freien Plätze mehr.

Auf der Hinfahrt hatten Ann Kathrin und Weller den Podcast gehört und sich danach darüber unterhalten, ob es sinnvoll sei, sich ein Zimmer zu buchen. Weller hatte wenig Lust, nachts noch nach Hause zurückzufahren. Ann wollte morgen bei der Dienstbesprechung dabei sein, für elf Uhr war eine Pressekonferenz angesetzt. Weller glaubte, das alles könnten sie ruhig schwänzen: »Schließlich sind wir beide nicht die ostfriesische Kripo, sondern arbeiten nur dort. Wir haben vierhundertzwanzig Kolleginnen und Kollegen und einundzwanzig Dienststellen.«

Auf sein Drängen hin hatten sie im Hotel *Haverkamp* ein Doppelzimmer gebucht. Dort hatte man ihnen das letzte freie gegeben. Die Frau an der Rezeption äußerte sich überrascht darüber, in den letzten Stunden hätte es plötzlich Buchungen für Übernachtungen gehagelt.

Ann Kathrin brachte das zunächst nicht mit dem Vortrag von Finn-Henrik und YoLo2 in Zusammenhang, doch jetzt sah sie, wie viele Menschen die beiden angelockt hatten. Schon auf dem Parkplatz waren ihr Nummernschilder aus Düsseldorf, Köln, Dortmund, Hamburg und Oldenburg aufgefallen, doch selbst da hatte sie noch keinen Zusammenhang mit der Veranstaltung gesehen.

»Wir unterschätzen das Ganze«, sagte sie jetzt.

Weller sah alles mit einer Mischung aus Stolz und Unglauben.

Sie formulierte die Frage noch nicht, doch sie sah es seinem Gesicht an. »Wir haben gar keine Karten?«, fragte sie dann doch vorsichtig.

Weller zuckte mit den Schultern. »Ja, verdammt, muss ich mir jetzt Eintrittskarten kaufen, um meine Tochter und meinen Schwiegersohn zu sehen?«

»Besser wäre es gewesen, Frank ...«

YoLo2 kam nach draußen, wurde von einigen erkannt und mit Beifall begrüßt, von anderen mit Missmut. Er hob die Arme, und sofort waren die Menschen in der Schlange still.

»Es tut uns leid«, rief YoLo2. »Wir können da wirklich nichts machen. Wir haben schon drei Stuhlreihen zusätzlich reingestellt. Mehr geht einfach nicht.«

Die Menschen äußerten ihren Unmut mit lautem Stöhnen und Rufen.

YoLo2 legte seine Hände zur Sprachverstärkung an die Lippen und tönte: »Dies ist ja nicht die letzte Veranstaltung. Ich kann verstehen, dass Sie ein großes Interesse daran haben, über die Wahrheit informiert zu werden. Noch verarschen uns die Medien ja nur. Unsere nächsten Auftritte sind in Wennigsen, Harpstedt, Bassum, dann kommen, Bremervörde, Soltau und Filsum. Wir werden uns dort natürlich um größere Räume bemühen. Vielleicht lädt uns ja auch das Fernsehen mal zu einer Talkshow ein. Schreibt an eure Radiosender! Schreibt ans Fernsehen! Die Öffentlich-Rechtlichen haben den staatlichen Auftrag, uns zu informieren! Wir fordern Sendezeit für die Wahrheit!«

Er erhielt erstaunlich viel Beifall.

»Wenn Sie uns helfen wollen«, rief YoLo2, »damit wir unsere Arbeit fortsetzen können, auf meinem Youtube-Kanal und unserer Homepage finden Sie eine Kontonummer für Spenden! Wir sind gezwungen, unsere wissenschaftliche Arbeit selbst zu finanzieren. Und ja, es stimmt, ein außerirdisches Wesen hat sich uns offenbart. Wir stehen in ständigem Kontakt, und über unseren Youtube-Kanal werden wir Sie auf dem Laufenden halten und wahrheitsgemäß informieren, das verspreche ich Ihnen!«

»Ja, fahren wir jetzt wieder nach Hause, oder was?«, fragte Ann Kathrin und wollte schon das Zimmer im *Haverkamp* wieder freigeben. Doch Weller wehrte ab. Er drängte sich durch zu YoLo2, der Selfies mit Fans machte, und fragte ihn: »Kann ich mal Finn-Henrik sprechen?«

»Nein«, wehrte YoLo2 ab, »der macht drinnen die Tonprobe. Der Saal ist schon voll. Es tut mir leid, wie ich bereits gesagt habe ... «

Weller unterbrach ihn hart: »Ich bin der Vater von Sabrina.«

YoLo2 s Haltung veränderte sich sofort: »Ah«, rief er und breitete seine Arme aus, »sozusagen Finn-Henriks zukünftiger Schwiegervater?«

Weller nickte, und vor allen Leuten umarmte YoLo2 ihn. »Kommen Sie rein, kommen Sie rein! Wir kriegen das schon irgendwie hin.«

»Hey, hey, hey!«, riefen UFOlogen aus dem Hintergrund. »Das kann ja jeder behaupten!«

»Ich bin Finn-Henriks Oma!«, behauptete eine Frau, die aussah, als sei sie noch keine dreißig.

Eine andere lachte hysterisch: »Und ich bin seine Mutter!«

Weller sprang auf und ab. Er versuchte, so hoch zu hüpfen, dass er über die Menge hin Ann Kathrin sehen konnte. Er winkte und versuchte, sich bemerkbar zu machen: »Ann! Komm hierher! Ann, komm hierher!«

Ann Kathrin arbeitete sich zu Weller durch, doch noch konnten sie nicht mit YoLo2 ins Theater, denn die Menschen ließen ihn nicht so einfach gehen. Es ging nicht nur um Selfies, sondern vor allen Dingen um die Frage: Ist das außerirdische Wesen auch im Theater? Die Wartenden wollten es sehen.

Auch im Vorraum gab es großes Gedränge. Die Idee, mit YoLo2 leichteren Zugang zu haben, erwies sich schnell als falsch. Er hatte zwar die Autorität, sie mit reinzunehmen, kam aber selber nicht vorwärts, weil so viele Leute etwas von ihm wollten.

Ein Mann mit wirren Haaren beschimpfte ihn als Scharlatan und Schwarzmagier.

Die Leute lachten ihn für seine Worte aus. Niemand nahm ihn ernst. Er brüllte: »Das ist ein Schwarzmagier, der uns alle verhext! Ihr lauft da alle einem neuen Hitler hinterher!«

Eine Frau hielt sich an seiner Kleidung fest, zerrte an ihm herum und versprach: »Wenn ihr Hilfe braucht, ich mache gerne mit. Ich will kein Geld, ich mache das alles ehrenamtlich!«

»Ein neues Zeitalter bricht an!«, verkündete YoLo2, erntete dafür Beifall und beruhigte die Menschen gleichzeitig. »Nichts wird so bleiben, wie es war. Wir stehen vor einem Paradigmenwechsel sämtlicher Wissenschaften.«

»Das wurde auch Zeit!«, kreischte die Frau mit der hysterischen Stimme, die vorher behauptet hatte, seine Mutter zu sein. »Öffnet die Psychiatrien! Die wahren Irren sitzen nicht da, sondern in der Regierung und in der Verwaltung!«

Sie wurde für ihre Aussage beklatscht.

Die Frau, die unbedingt ehrenamtlich mitarbeiten wollte, hielt sich mit rechts weiterhin an YoLo2 fest, mit links packte sie Wellers Arm, als sei sie bereits als Personenschützerin engagiert worden. Weller ließ es geschehen, denn die Frau drängte tatsächlich so energisch vorwärts, dass sie der eigentlichen Tür, dem Einlass in das Theater, näher kamen.

Weller hatte Angst, in dem Gewühl Ann Kathrin zu verlieren. Aber die kämpfte sich tapfer alleine vorwärts.

Minuten später waren sie backstage hinter einem schwarzen Vorhang. Dort gab es eine Toilette, eine Dusche für Künstler und einen Raum, in dem ein kleines Catering aufgebaut war: Bananen, Schokoriegel, Weingummi, Bier und Mineralwasser.

Vor lauter Nervosität griff Weller in den Topf, öffnete einen Kinderschokoladen-Riegel und wusste gleich wieder, warum er so gerne Sachen von *ten Cate* aß. Doch er brauchte jetzt einfach Zucker.

Ann Kathrin geriet in Versuchung, auch zuzugreifen. Die Bananen lockten sie allerdings mehr. Sie beherrschte sich und ordnete ihre Kleidung.

Sabrina kam von der Toilette. »Papa, du?«, staunte sie.

»Ich hab ihn reingeschleust und deine Mutter auch«, kommentierte YoLo2 stolz. Weder Sabrina noch Ann Kathrin gingen darauf ein, dass sie nicht die leibliche Mutter war. Anderes war jetzt viel wichtiger.

Sabrina hatte sofort ein schlechtes Gewissen ihrem Vater gegenüber. Sie befürchtete, er sei gekommen, um ihr eine Standpauke zu halten, weil sie wieder mal einen Job geschmissen hatte. In Wirklichkeit hatte er das noch nie getan, sondern immer Verständnis gehabt und sogar Gründe dafür gefunden, warum ihre Entscheidung, etwas nicht weiterzumachen, genau die richtige gewesen sei.

Sie umarmte ihn flüchtig, hauchte einen Kuss auf sein rechtes Ohr und raunte: »Das kommt dir bestimmt alles ganz komisch vor, aber hier geschieht etwas Großes, Papa, und ich bin ein Teil davon.«

»Wir sind gekommen, um dabei zu sein. Es tut uns leid, dass es beim letzten Mal so schiefgegangen ist. Aber in Ostfriesland ist die Hölle los. Ich will dich jetzt nicht mit meinem beruflichen Alltagskram zulabern, aber ihr habt ja bestimmt mitgekriegt, dass ein Killer in Norddeich …«

Sabrina unterbrach ihn hart: »Ja, Papa, das haben wir *mitgekriegt*. Aber darum geht es heute nicht. Hier und heute spielen eure Gangster mal nicht die Hauptrolle!«

Um auf seine Tochter einzugehen, fragte Weller: »Ist das außerirdische Wesen hier? Hast du auch Kontakt damit gehabt?«

Sie spürte aus seinen Worten, dass er zwar die Möglichkeit in Betracht zog, aber das Ganze doch nicht so richtig ernst nahm. Sie fürchtete, von ihm ausgelacht zu werden, und sie wusste, dass das ihre Beziehung auf lange Zeit beschädigen, ja vielleicht gar unmöglich machen würde.

Sie konnte ihm jetzt schlecht die ganze Wahrheit erzählen und wahrscheinlich würde sie das niemals tun. Sie sagte einfach nur: »Ja, ich war dabei. Ich kenne das Wesen. Ich habe es gesehen.«

»Und in welcher Sprache unterhaltet ihr euch?«, fragte Weller.

»Das geht«, sagte sie, »ohne Dolmetscher. Es ist eine Art Gedankenübertragung.« Als sei er zu dumm, das zu verstehen, fügte sie hinzu: »So, wie man heute auch keine Briefe mehr schreibt, eine Marke anleckt und draufklebt und das Ganze dann in den Postkasten wirft und ein paar Tage auf Antwort wartet. Man schickt eine E-Mail oder eine Whatsapp.« Sie machte mit der Hand eine schwirrende Bewegung. »Das geht dann so durch die Luft, und, zack, ist es da. Praktisch in der gleichen Sekunde. Über Tausende Kilometer. Schwer zu verstehen, aber wahr.«

»Ich bin nicht von gestern«, behauptete Weller.

»O doch, das sind wir alle«, konterte sie.

Es fiel ihr schwerer, ihren Vater zu belügen, als den Rest der Welt. Trotzdem fühlte sie sich an ihr Wort Gundula Frisch gegenüber gebunden. Jetzt, da sie sah, wie viele Menschen der Podcast bewegt hatte, erst recht.

Wir kommen, dachte sie, da nie wieder raus. Wir haben es angefangen, und nun müssen wir dabei bleiben. Wir können nicht einfach erzählen, es war alles nur ein Scherz, oder in Gundulas Fall der Versuch, endlich mal die Traumfrau für jemanden zu werden.

Ann Kathrin griff sich jetzt doch eine Banane, schälte sie und biss hinein.

»Ja, greif ruhig zu«, schlug YoLo2 vor. »Ich kann kurz vor einem Auftritt sowieso nichts essen. Und danach bleibt meist keine Zeit mehr, weil die Restaurants schon geschlossen haben. So nimmt man ab.« Er klatschte gegen seinen Bauch und lachte.

»Wo ist Finn-Henrik?«, fragte Ann Kathrin kauend.

»Auf der Bühne. Wir zeigen ja immer auch Filme. Ausschnitte von UFO-Sichtungen und so. Das muss vorbereitet werden. Wir sind eigentlich schon viel zu spät, aber ... «

In dem Moment schlüpfte Finn-Henrik durch den schwarzen Vorhang. Er erfasste die Situation mit einem Blick und lief direkt auf Ann Kathrin und Weller zu. Er umarmte Weller: »Schön, dass ihr gekommen seid«, und entschuldigte sich dann gleich bei Ann Kathrin: »Verzeihung, Ladies first, ich weiß, aber ich bin ein bisschen aufgeregt.« Er umarmte auch sie. Fast hätten sie dabei den Rest der Banane zwischen sich zerquetscht. Ein weißer Abdruck blieb auf seinem Hemd.

Sabrina sah das sofort und wischte mit der Hand darüber. »Warte, warte, so kannst du nicht auf die Bühne! Wie siehst du denn aus?!«

Er zeigte stolz auf sie und sagte in Richtung Weller: »Unsere Managerin. Hat alles im Auge, hat alles im Griff. Die Hütte ist voll. Was wollen wir mehr?«

Als sei Sabrina seine Chefin, fragte er jetzt übertrieben: »Alles o. k., junge Frau? Kann ich so auf die Bühne?«

Sie zeigte ihm den erhobenen Daumen.

»Also, noch mehr Stühle kriegen wir jetzt wirklich nicht rein. Das ist feuerpolizeilich auch überhaupt nicht erlaubt. Aber ihr könnt hinter der Bühne sitzen, also praktisch daneben. Nehmt euch von hier einfach zwei Stühle mit und stellt euch die dorthin.«

Das Gefühl, einerseits erwünscht, andererseits aber ein Zaungast zu sein, beschlich Ann Kathrin. Trotzdem empfand sie es jetzt als richtig, hierhergekommen zu sein.

Je länger Wolf Eich in Gelsenkirchen war, mit Reinhard Fleurus durch Kneipen zog und Musikveranstaltungen besuchte, umso deutlicher wurde ihm, dass Fleurus sowohl Silke als auch Valentina umgebracht hatte. Die anderen Morde gingen vermutlich nicht auf sein Konto, sondern waren Nachahmer-Morde, mit denen jemand seine Rechnungen beglich und sie dem Vorgänger in die Schuhe schob.

So würde er es im Drehbuch machen. Der Fall zerfiel also in zwei völlig unterschiedliche Fälle, die gar nichts miteinander zu tun hatten.

Er wusste, dass er damit ein, zwei Fernsehredakteure begeistern konnte. Vielleicht wäre das Ganze sogar Stoff für einen Kinofilm. Er musste nur aufpassen, selbst dabei nicht als Hauptfigur verlorenzugehen. Gerade noch hatte er als unschuldig Verdächtigter begonnen, Beweise zu sammeln, um sich zu entlasten, war dabei dann aber auf ein Riesengeheimnis gestoßen, das jetzt leider größer war als er selbst. Er kämpfte darum, in seinem eigenen Film die Hauptfigur zu bleiben. Doch je länger er daran herumstrickte, umso mehr wurde der Nachahmer-Mörder zur wichtigsten Gestalt. Ein Typ also, den er real noch gar nicht kennengelernt hatte.

Geschah es deshalb? Verlor all das, was man kannte, an Bedeutung? War das Unbekannte, Geheimnisvolle immer wichtiger als das, was sich beweisen ließ?

An der Theke, mit einem kühlen Hellen in der Hand, wischte Reinhard Fleurus sich den Schaum von den Lippen und sagte: »Ja klar, was denkst du denn?« Und er hatte auch gleich seine eigene Erklärung dafür parat: »Das Geheimnis ist immer dem schnöden Wissen überlegen. Wieso kriegst du am FKK-Strand keinen Ständer?« Er wartete eine Weile, als müsse Wolf jetzt die Antwort geben. Der guckte aber nur auf sein Bier.

»Also«, fuhr Fleurus fort, »um dich rum sind alles Nackte, genauso wie inner Sauna. Da is kein Geheimnis mehr. Aber wenn du auf der Straße eine schöne Frau siehst – die dir gefällt – die muss noch nicht mal besonders scharf angezogen sein, dann kriegst du doch gleich Kino im Kopf. Du denkst dir, wie mag sie drunter aussehen? Das Geheimnis ist es, Alter, das Geheimnis. Deswegen guckt keiner mehr nach zwanzig Jahren Ehe hin, wenn seine Frau sich umzieht. Aber alle, die sie nicht schon so lange kennen, würden was dafür hinblättern, ihr abends beim Umziehen zuzusehen.«

Wolf Eich zog seinen Block und machte sich ein paar Notizen. Wie herrlich einfach die Welt doch durch die Augen von Reinhard Fleurus war. Auch das würde er in sein Drehbuch aufnehmen. Nicht die großen Philosophien, sondern die simplen Lebensweisheiten der einfachen Leute, die ihm hier in der Kneipe plötzlich viel intelligenter vorkamen als all die Pseudo-Intellektuellen und Typen aus der Medienbranche, mit denen er es sonst zu tun hatte.

»Darauf«, sagte Reinhard Fleurus, »trinken wir jetzt aber mal einen.«

»Machen wir doch schon«, bestätigte Wolf Eich und zeigte auf sein Bier.

»Ich mein, was Richtiges.«

Ohne noch auf Wolf Eichs Antwort zu warten, bestellte Fleurus zwei doppelte Klare. Er hatte längst kapiert, dass Eich die ganze Sause hier bezahlen würde.

»Gleich«, versprach Fleurus, »gehen wir so richtig schön essen. Wir haben hier 'n Spanier, da fliegt dir das Blech weg. Oder magst du es türkisch? Türkisch haben wir auch echt 'n paar astreine Lokale. Im Grunde«, lachte er und breitete die Arme aus, »gibt's hier alles. Für Leute, die die Welt zu nehmen wissen, ist Gelsenkirchen ein Paradies.«

Die Pressesprecherin der Kriminalpolizei, Rieke Gersema, litt seit Jahren darunter, dass sie in den Augen vieler nicht mehr war als eine Polizistin, die zu dämlich war zu ermitteln und deswegen lieber Meldungen tippte wie: *Kleiner Hund von Polizei aus Dachrinne gerettet.*

Ja, es war ihre Aufgabe, die Polizei in gutem Licht erscheinen zu lassen und die Ermittlungsarbeiten so darzustellen, dass eben diese Arbeiten nicht dadurch behindert, sondern unterstützt wurden. Das war oftmals ein Tanz auf einem dünnen Seil. Einerseits baute sie ein Vertrauensverhältnis zur Presse auf, andererseits durfte sie nie zu viel verraten und musste sich immer wieder abstimmen.

Bei den wirklich großen, interessanten Fällen gaben sich Journalisten, gerade vom Radio oder Fernsehen, nur ungern mit offiziellen Stellungnahmen zufrieden. Sie wollten nicht mit der Pressesprecherin reden, sondern mit der Ersten Kommissarin Elisabeth Schwarz oder am allerliebsten mit der im ganzen Land bekannten Ann Kathrin Klaasen. Die berühmte Kommissarin zog sich aber lieber zurück, überließ ihr die Pressearbeit und sprach, wenn überhaupt, dann mit befreundeten Journalisten wie Holger Bloem, Lasse Deppe oder Rebecca Kresse.

Doch die Ringfahndung hatte im Internet weite Kreise gezogen. Wenn es um ein Kind ging, reagierten die Menschen sehr emotional, auch Polizisten und deren Freunde und Verwandte.

Gerüchte kursierten im Internet. Ein Team der Redaktion RTL Nord tauchte vor der Polizeiinspektion auf. Weder Frank Weller noch Ann Kathrin Klaasen waren zu greifen. Polizeichefin Schwarz war damit beschäftigt, Kollegen aus dem Urlaub zurückzuholen und Unterstützung herbeizutelefonieren.

Jetzt blieb der Pressekontakt ganz an Rieke hängen. Einerseits war das ein kleiner Triumph für sie, andererseits jagten sie Gedankenketten, was sie alles falsch gemacht hatte: Sie trug den falschen Pullover. Sie war seit zwei Monaten nicht mehr beim Friseur gewesen. Sie fand, dass sie zugenommen hatte und die Hose spack saß. Sie musste sich ganz gerade machen, den Rücken durchdrücken und dann den Bauch einziehen. Das ging noch. Aber die Hüften wurden dadurch nicht schmaler.

Gestern hatte sie sich noch die Augenbrauen zupfen wollen, doch sie war nicht dazu gekommen. Ihre ausgetrockneten Lippen hatte sie eingefettet, aber dadurch sah sie kränklich aus.

Sie einigte sich mit dem RTL-Team darauf, ein Gespräch direkt vor der Polizeiinspektion zu führen, so dass im Hintergrund das blau-weiße Schild *Polizei* zu sehen war und die Eingangsstufen zur Inspektion.

Sie vermutete, dass die Mutter bei RTL und einigen Zeitungen angerufen hatte. Jedenfalls wussten die schon viel mehr, als sie wissen sollten.

Vom ehemaligen Kripochef Ubbo Heide hatte sie gelernt, dass es manchmal die beste Art war, sich zu verteidigen, wenn man einfach nach vorne preschte. Genau das tat sie jetzt.

Sie bedankte sich beim Fernsehteam fürs Erscheinen und zeigte ein Foto von Amelie vor. »Wir vermissen die fünfjährige Amelie Kroll. Noch ist nicht klar, ob es sich um eine Entführung handelt. Sie ist in ein weißes Fahrzeug, möglicherweise ein japanisches, eingestiegen. Darin befand sich ein Pärchen. Wir wissen noch nicht, ob es sich um ein Verbrechen handelt. Wir suchen nach Amelie. Eine Zeugin hat beobachtet, dass dem Kind Alkohol eingeflößt wurde. Wir fordern die erwachsenen Personen auf, in deren Hand Amelie sich befindet, sofort mit uns Verbindung aufzunehmen. Die Mutter macht sich selbstverständlich große Sorgen.«

Rieke Gersema war sehr nervös. Sie fragte, ob sie alles noch einmal wiederholen dürfe, sie habe sich verhaspelt. Das RTL-Team war freundlich zu ihr. Nein, sie habe das alles ganz gut gemacht, sagte die Reporterin. Der Kameramann nickte.

Trotzdem bat Rieke, noch einmal ansetzen zu dürfen, und ordnete ihre Haare.

Ich mache das schon so lange, dachte sie. Warum habe ich immer Angst, zu hyperventilieren? Alle werden das sehen, und ich werde als Idiotin dastehen. Man kann es nicht allen recht machen. Irgendwer wird bestimmt etwas daran rumzumeckern haben. Aber jetzt, in der Situation, lassen mich alle im Stich, und ich habe kein vorbereitetes Papier, das ich vorlesen kann.

»Was«, fragte die Reporterin, »wird die Polizei als Nächstes unternehmen?«

Rieke reckte ihr Kinn vor und sagte: »Wir hoffen natürlich, dass alles gut ausgeht. Die Fahndung läuft auf Hochtouren. Wir haben Amelies Foto an alle Polizeistationen übermittelt. Im letzten Jahr hat es sechs vergleichbare Fälle gegeben, die alle ein glückliches Ende nahmen.«

»Was meinen Sie mit *vergleichbaren Fällen*? Dem Kind wurde angeblich mit Gewalt Alkohol eingeflößt. Das zumindest hat die Zeugin Claudia L. berichtet.«

Rieke ahnte, dass Claudia Lütte auch schon interviewt worden war. Im Grunde, dachte sie, kommen sie zu mir zuletzt. Vermutlich waren sie auch schon bei der Mutter.

Rieke fragte nach, doch die Reporterin sagte: »Natürlich suchen wir so viele Informationen wie möglich zusammen. Eine Kindesentführung steht immer unter dem besonderen Interesse der Öffentlichkeit. Die Mutter hat uns gesagt, dass der Vater das Kind gegen ihren Willen abgeholt hat. Kann man in dem Fall eigentlich von Entführung sprechen?«

»Das Aufenthaltsbestimmungsrecht liegt vollständig bei der Mutter«, erklärte Rieke und wusste nicht, ob sie sich damit datenschutzrechtlich noch auf sicherem Boden befand. Ich sollte, dachte sie, keine Interviews geben, sondern nur vorbereitete Erklärungen vorlesen ...

Huggi befand sich mit seiner Tochter oben im Schlafzimmer und las ihr aus einem alten Märchenbuch vor. Amelie schlief aber nicht ein, sondern bekam Angst. Das hatte weniger mit dem Märchen zu tun als mit der Tatsache, dass sie mit ihm allein war. Sie begann zu weinen und traute sich jetzt doch, nach ihrer Mutter zu fragen.

Barsch fuhr er sie an: »Die ist jetzt nicht da. Die hat keinen Bock auf dich.«

Unten, eine Etage tiefer, saß Oma Tadea neben Donna und schaute die Regionalnachrichten. Sie sah sie sich gern auf RTL und im NDR an, dann verglich sie, was wo Erwähnung fand und wo nicht. Sie wollte wissen, was in Niedersachsen los war. Für sie war Niedersachsen immer noch das schönste Bundesland der Welt, und da wollte sie nichts verpassen.

Sie hatte das Gefühl, in Niedersachsen noch Dinge beeinflussen zu können. Sie traf sehr bewusst ihre Wahlentscheidungen und wollte gut informiert sein. Fernsehfilme interessierten sie nicht so sehr, da las sie lieber. Sie fand, die Literatur hatte ihr einfach mehr zu bieten als Autoverfolgungsjagden und Explosionen.

Als sie Amelies Bild im Fernsehen sah, griff sie sich ans Herz. Es war, als hätte ihr jemand eine Nadel hineingetrieben. Noch nie war sie bei irgendetwas, das im Fernsehen gezeigt wurde, so sehr betroffen.

Plötzlich ergab alles einen Sinn. Warum sie ohne genügend Kleidung für das Kind gekommen waren, einfach so ohne Vor-

anmeldung hier auftauchten. Warum er überhaupt nicht raus-
wollte.

Nein, damit wollte sie nichts zu tun haben. Sie federte vom
Sofa hoch und versuchte, zu ihrem Telefon zu kommen.

Donna war schneller. Sie stellte sich vor das Telefon und
bat: »Bitte, tu's nicht, Oma. Zieh jetzt keine falschen Schlüsse!
Nicht er hat ihr das Kind entzogen, sondern sie ihm. Er ist
ein ganz liebevoller Vater. Er hat sich reinlegen lassen. Sie versucht, ihm das Kind zu entfremden. So was darf man nicht.
Ein Kind hat ein Recht auf seinen Vater.«

»Aber die Kleine wird überall gesucht! Ihr Bild war im Fernsehen. Ihr könnt doch hier nicht einfach so … Warum habt ihr
mir denn nicht die Wahrheit gesagt?«

»Oma, weil wir dich nicht erschrecken wollten. Bitte ge-
währe uns noch eine Weile Unterschlupf, und sei es nur für
heute Nacht. Wir können ihm das nicht antun! Du siehst doch,
wie glücklich er mit der Kleinen ist und sie mit ihm. Die wollen
auch zusammen sein.«

Oma Tadea nahm ihre Enkelin in den Arm. Sie kuschelten
miteinander wie lange nicht mehr, und Tadea sagte: »Hoffentlich ist das alles richtig so, Kind. Hoffentlich stürzt er dich
nicht ins Unglück.«

»Wenn man einen Menschen liebt«, sagte Donna, »dann
muss man mit ihm auch schwere Sachen durchstehen. Er hat
es nicht leicht. Die Trennung von seinem Kind setzt ihm richtig
zu. Er liebt seine Tochter abgöttisch … und sie ihn auch!«

»Das müsste die Mutter doch verstehen. Kann man mit ihr
nicht reden?«, fragte Tadea.

»Sie ist voller Hass. Wahrscheinlich kommt es durch den
neuen Mann, den sie hat. Der hetzt sie gegen Huggi auf, lässt
kein gutes Haar an ihm.«

Sie schalteten das Fernsehen aus und setzten sich wieder. Sie hatten ein langes, gutes Gespräch. Sie redeten darüber, wie es war, als Donna ein kleines Mädchen gewesen war.

»Du hast manchmal geweint«, erinnerte Oma Tadea sich, »wenn dein Papa zur Arbeit gegangen ist. Du hast nicht verstanden, warum er ging. Und wenn er wiederkam, hast du dich manchmal sogar vor ihm versteckt.«

»Wie alt war ich damals?«, fragte Donna.

»Ich weiß nicht ... vielleicht drei ... vier ... fünf ... Ein bisschen jünger noch als Amelie.«

Donna schlug vor, den Abend jetzt mit einem Glas Rotwein einzuläuten. Sie wusste, dass Oma Tadea immer ein gutes Fläschchen für Besuch aufbewahrte.

»Ist es«, fragte Oma, »zwischen dir und Huggi etwas Ernstes?«

Donna schob die Lippen vor und dachte einen Moment nach. »Ja, ich glaube, das könnte wirklich etwas Ernstes werden.«

Rupert liebte seine Beate wirklich. Er mochte ihre Nähe. Sie hatte so etwas Erfrischendes an sich. Eine Sicht auf die Welt, die ihm völlig fremd war. Und das gefiel ihm.

Aber dann war es auch wieder schön, das Haus für sich allein zu haben. Jetzt zum Beispiel. Sie war mit ihrer Reikigruppe abgereist und hatte einen Zettel für ihn dagelassen:

Liebe Grüße von allen! Wir sind auf Langeoog.

Ich denk an dich und umarme dich.

Mach nichts, was du nicht tun würdest, wenn ich zu Hause wäre ...

Darunter waren ihre Lippen zu sehen. So etwas fand er klasse. Sie, die nur selten oder wenig Lippenstift benutzte, färbte ihre Lippen aber gerne rot, um dann einen Kuss für ihn aufs Papier zu drücken.

Er hatte einen guten schottischen Whisky bereitstehen, dazu zwei Literflaschen Ostfriesenbräu. Einmal dunkel und ein Landbier hell. Heute Abend wollte er abwechselnd mal ein Gläschen hell, dann ein Gläschen dunkel trinken und sich danach den Mund mit Scotch ausspülen, denn die Rinderbrust war so weit und konnte jetzt im Kugelgrill bei hundertzwanzig Grad Celsius *smoken*. Es musste eine Kerntemperatur von achtundsechzig Grad erreicht werden. Bei der Größe des Fleischstücks rechnete er mit sechs bis sieben Stunden.

Die ganze Prozedur würde gut zwölf Stunden dauern. Danach war das Fleisch so weit. Es konnte noch ein bisschen ruhen, um am nächsten Abend gemeinsam mit den Freunden zu saftigen Pastrami-Sandwiches gebaut zu werden.

Rupert hatte eine richtige Bau-Anleitung für ein Pastrami-Sandwich. Da gehörte nicht irgendein Senf drauf und nicht irgendeine Gurke. Es sollte schon alles stimmen.

Auch dafür hatte er bereits alles besorgt. Von den dänischen Salatgurkenscheiben über den charakterstarken Cheddarkäse bis zum Zwiebel-Chutney. Es würde ein Festessen werden! Dazu große Toastbrotscheiben, damit richtige Fleischportionen draufpassten.

Der Duft machte ihn bereits jetzt ganz jeck. In dem Moment fiel ihm ein, dass er eins vergessen hatte. Er bereitete hier zwar gerade ein Kilo Fleisch zu, das dauerte aber noch, und in der Zwischenzeit hatte er nichts zu essen, sofern er nicht Cheddarkäse mit dänischen Gurken auf Weißbrot essen wollte.

Nein, jetzt brauchte er etwas Richtiges. Fleisch!

Er überlegte, ob er das Pastrami sich selbst überlassen sollte, um schnell zu Gittis Grill zu fahren und sich eine Currywurst reinzuschrauben.

Sein Nachbar rief: »Hmm, das duftet aber köstlich!«

Rupert konnte den Typ nicht leiden. Er hatte das Gefühl, dass der es auf seine Frau abgesehen hatte, und immer, wenn Rupert in der Hängematte lag und die Stones hörte, brüllte er von drüben: »Geht das nicht ein bisschen leiser?«

Die Stones ... Leiser ... Genauso gut hätte er die Nordsee anschreien können, sie solle nicht so viele Wellen machen.

»Ist vegan!«, rief Rupert über die Hecke zurück.

»Echt?«

»Ja, Tofu mit Petersilie!«

»Das riecht aber ganz anders!«

»Das Geheimnis ist, man muss ein bisschen Scotch drübergießen und dann noch die Asche einer guten, aber nicht gefilterten Zigarette!«

Rupert entschied sich, jetzt doch nicht zu Gitti zu fahren, denn er fürchtete, sein Nachbar könne vielleicht der Versuchung nicht widerstehen und in seinen Garten kommen, um nachzusehen, was hier so gut duftete. Er traute ihm nicht zu, das Fleischstück zu stehlen oder anzuschneiden, doch die Rinderbrust musste jetzt unter konstanter Temperatur gehalten werden, und die konnte zusammenbrechen, wenn jemand den Kugelgrill unsachgemäß öffnete.

Also holte Rupert sich eine Fleischwurst mit Knoblauch aus seinem eigenen Kühlschrank, schnitt sie in dicke Scheiben und überlegte, ob er die Fleischwurststücke mit zu dem Pastrami schummeln sollte, entschied sich aber dagegen und holte stattdessen seinen zweiten Grill heraus, den alten, den er vorsichtshalber immer in Reserve hielt. Er hatte in Beates Auftrag das Grillrost so blank geschrubbt, als gehöre es an eine Wagenkarosserie. Wenn sie gemeinsam Gäste einluden, wollte Beate nämlich nicht, dass ihr Gemüse und ihre Maiskolben neben seinem Fleisch lagen. Darum hatten sie nicht nur zwei Kühlschränke, sondern auch einen Gasgrill und einen Holzkohlegrill.

Kaum glühte die Holzkohle und die Fleischwurstscheiben wurden angeröstet, da machte ihm das in die heißen Kohlen zischende Fett klar, dass Beate nicht begeistert von dieser Aktion wäre, denn das hier war ihr veganer Gemüsegrill. Er nahm sich vor, ihn wieder zu reinigen, schließlich wollte er keinen Ehekrach wegen ein paar Fleischwurstscheiben.

Der Nachbar rief mit Neid in der Stimme: »Das ist aber jetzt kein Tofu mehr!«

»Nein«, konterte Rupert, »das sind Pastinaken mit Broccoliröschen an Balsamico-Essig von Biobauern aus der Provence!«

Rupert prostete seinem Nachbarn zu, ohne ihn dabei sehen zu müssen. Die hochgewachsene Hecke war Rupert auch lieber als dessen miesepetriges Gesicht.

Nachdem es Huggi gelungen war, seine Tochter in den Schlaf zu lesen, ging er hinunter zu Donna und Oma Tadea. Sie tranken noch einen Rotwein, und dann hatte es das junge Paar auch eilig, im Bett zu verschwinden. Es sei ein anstrengender Tag gewesen, sagten beide.

Oma Tadea zwinkerte Donna zu und kicherte: »Ich war auch mal jung. Und wenn mein Käpt'n nach großer Fahrt Heimurlaub hatte, kamen wir manchmal tagelang nicht aus den Betten.«

»So genau wollten wir es gar nicht wissen, Oma«, tadelte Donna.

Huggi sagte: »Deine Oma ist echt cool. Amelie findet sie auch super.«

Nachdem die beiden sich in ihr Zimmer zurückgezogen hatten, nahm Oma Tadea ihr Telefon und schloss sich damit auf der Toilette ein. Sie rief die Telefonnummer an, die speziell für diesen Fall genannt worden war, und sagte: »Das gesuchte Mädchen befindet sich bei mir.«

Es war dann viel komplizierter, als sie dachte. Sie musste nicht nur ihre Adresse durchgeben, ihren Namen buchstabieren und erklären, warum sie sich so sicher war, sondern sie wurde auch darauf hingewiesen, dass eine Falschaussage Konsequenzen haben könnte. Sie sei nämlich bereits die fünfte Anruferin, die behauptete, genau zu wissen, wo sich Amelie Kroll aufhielt. Esens, Hage, Oldenburg, ja, sogar Mannheim seien unter den angegebenen Orten gewesen. Emden-Larrelt war noch nicht darunter.

Fast wäre Oma Tadea laut geworden. Nur mühsam behielt sie Ruhe und bemühte sich, ihre Stimme nicht zu heben. »Junger Mann«, sagte sie, »ich gucke sonntags gerne *Tatort*. Da handeln die Polizisten immer sofort und tun das Richtige. Nehmen Sie sich ein Beispiel an denen! Denn wenn Sie jetzt nicht das Richtige tun, werden Sie es bereuen. Ich rufe kein zweites Mal an. Wenn Sie kommen, dann sagen Sie bitte auf keinen Fall, dass Sie den Hinweis von mir haben. Das könnte mein Familienleben extrem stören und beeinflussen. Ich habe ein gutes Verhältnis zu meiner Enkelin, und das will ich nicht trüben. Und bringen Sie eine Kinderärztin mit. Ich glaube, der Kleinen geht es nicht gut. Sie hat erbrochen und Magenprobleme.«

Sie wurde gefragt, wie Huggis richtiger Name sei und ob er bewaffnet sei.

»Guter Mann, ich arbeite nicht bei der Kriminalpolizei. Ich bin zweiundachtzig Jahre alt, und ich habe Ihnen alles gesagt, was Sie wissen müssen. Jetzt sind Sie an der Reihe.«

Sie drückte das Gespräch weg und ging zurück ins Wohnzimmer. Sie goss sich noch ein Glas Rotwein ein. Als sie das Glas zum Mund führte, merkte sie, dass ihre Hand zitterte.

Marion Wolters hatte Hauke Gerdes, dem jungen Kollegen, der zur Unterstützung aus Leer gekommen war, ihren schwierigen Job überlassen. Er sollte alle Hinweise aus der Bevölkerung aufnehmen und das Entsprechende veranlassen. Nach ihrem Sporttraining im maX-Sportzentrum kam sie noch einmal in die Polizeiinspektion zurück, weil sie ihre Einkaufstüte in der Hektik dort vergessen hatte. Ihr Abendessen sollte aus Flohsamenschalen, Haferflocken, Nüssen und fettreduziertem Joghurt bestehen.

Vielleicht, dachte sie, habe ich das alles auch nur vergessen, um eine Entschuldigung dafür zu haben, mir schnell noch ein halbes Hähnchen oder einen Burger zu kaufen.

Manchmal trickste sie sich selber so aus, legte gerne Trainingszeiten so, dass sie eigentlich gar nicht konnte, weil eine wichtige Besprechung anstand, oder sie kaufte angeblich gesunde Sachen ein und vergaß sie dann irgendwo. Obst wurde bei ihr zu Hause des Öfteren schlecht, Gemüse auch. Die Zeit, um zu kochen, war knapp.

Das sollte sich ändern. Als sie die Tüte hochhob, die neben dem Leeraner Kollegen am Schreibtisch auf dem Boden stand, erzählte der ihr von den Telefongesprächen, die er bisher bearbeitet hatte.

Sie reagierte sofort auf Oma Tadeas Anruf. »Da sollte jemand von uns hinfahren. Das ist eine ganz sensible Geschichte. Wenn es wirklich der Vater ist, der das Kind mitgenommen hat, dann muss man da mit Feingefühl rangehen. Das Kind soll ja nicht traumatisiert werden, indem die Polizei es vom Vater holt und zur Mutter zurückbringt und so ... «

»Meinst du denn, da ist was dran?«

»Fühlt sich für mich genauso an.« Marion griff sich an den rechten Oberbauch. Manchmal spürte sie es hier ganz genau. Ihre Galle reagierte, wenn etwas brenzlig wurde. Das sagte sie aber nicht, weil sie von den Kollegen – außer von Ann Kathrin – nur mit Kopfschütteln rechnete. Ann Kathrin hatte für so etwas Verständnis. Sie nahm Körperreaktionen, auch bei sich selbst, ernst.

»Aber wenn der Typ dem Kind wirklich zwangsweise Alkohol eingeflößt hat, dann ... «

»Vorsicht«, bat Marion, »Vorsicht. Das ist alles nicht bewiesen. Wir wissen nicht, was in der Flasche war. Das hat die Zeugin behauptet. Sie hat ja weder daran gerochen noch davon probiert. Vielleicht hatte das Kind auch aus Protest den ganzen Tag noch nichts getrunken, und der Papa hatte Angst, dass seine Tochter dehydriert. Vielleicht war ja Wasser in der Flasche oder irgendeine Medizin. Ich habe als Kind auch immer ein Riesentheater gemacht, wenn ich Hustensaft nehmen sollte oder Lebertran.« Sie schüttelte sich jetzt noch. »Lebertran«, wiederholte sie und musste aufpassen, nicht allein durch das Wort in ihre Kindheit zurückkatapultiert zu werden. »Da können«, sagte sie, »Kinder schon mal trotzig werden.«

Sie gähnte. Vom Training auf dem Laufband und mit den Gewichten brannte ihre Muskulatur.

»Keine Sorge«, sagte Hauke, »ich kümmere mich.«

Er war Anfang dreißig und mochte Rubensfrauen, wie Marion eine war. Am liebsten hätte er sie auf einen Drink eingeladen. Aber er traute sich nicht. Sie hatte auch etwas an sich, das ihm Respekt einflößte. Ein bisschen war sie wie seine Mutter: leicht übergewichtig, lebensfroh und resolut.

Hauke sah ihr nach, als sie mit der Tüte verschwand. Okay, dachte er sich, sensibel rangehen. Wir wollen die gute Marion ja nicht verärgern.

Er versuchte zunächst, Ann Kathrin Klaasen zu erreichen, dann Weller, doch sie hatten beide ihre Handys lautlos gestellt und befanden sich in einer Veranstaltung in Bremerhaven, die ihre volle Aufmerksamkeit forderte. Sie kamen beide nicht auf die Idee, auf ihre Handys zu gucken. Sie lauschten Finn-Henrik Bohlens und YoLo2 bei ihren Ausführungen.

Rupert bewachte seine Rinderbrust und hörte dabei nacheinander Joe Cocker und Tom Waits.

Endlich bekam Hauke die junge Polizeikommissarin Jessi Jaminski ans Telefon. Er erklärte ihr kurz die Situation.

»Man muss sensibel vorgehen«, wiederholte sie. »Du meinst, sensibel im Sinne von einfühlsam? Und da rufst du Rupert an?«

»Ja, war das falsch?«

»Nein, alles in Ordnung. Ich fahre hin. Er ist zu Hause. Wir kümmern uns.«

Dieser familiäre Ton, dieses merkwürdig vertraute Miteinander, so als seien sie nicht einfach Polizisten in einer Dienststelle, sondern eine Art Familie. Freundeskreis. Manchmal wirkten sie gar wie eine Kommune auf ihn. Hier gab es mehr

Gemeinsamkeiten als in der WG, in der er zwei Jahre verbracht hatte, bis er gehen musste, weil sie einen Polizisten in der Wohngemeinschaft nicht mehr haben wollten.

Damals hatte er verstanden, dass die gesellschaftliche Akzeptanz der Polizei auf einem Tiefpunkt war. Eine Freundin hatte mit ihm Schluss gemacht, weil es ihr in ihrem Bekanntenkreis peinlich war, ihn mit seinem Beruf vorzustellen.

»Was hast du denn für Freunde?«, hatte er sie gefragt. »Drogendealer? Zuhälter, oder was?«

Hier in Ostfriesland war das irgendwie anders. Er fühlte sich als Teil von etwas. In Norden noch mehr als in Leer.

Für ihn war die Mordkommission die Königsdisziplin, und wie viele junge Kripobeamte wünschte er sich dorthin, wollte Todesermittler werden, wie er es nannte. Aber je näher er dieser Truppe kam, umso mehr begriff er, was das bedeutete. So ein großer Fall zerschoss einem jede Freizeitplanung. Von einer Work-Life-Balance konnte bei Leuten wie Ann Kathrin Klaasen nicht mehr die Rede sein.

Diese Menschen hier waren alle so sehr, was sie taten, definierten sich über ihre Arbeit und verloren dabei manchmal jedes Zeitgefühl. Das schreckte ihn ab.

Da Weller in Bremerhaven war, Peter Grendel auf einer Baustelle auf Norderney, Jörg Tapper als Obermeister der Konditoren bei einem Treffen in Hannover und Holger Bloem über dem neuen *Ostfriesland Magazin* in der Endredaktion saß, wollte Rupert den Männerabend auf morgen oder übermorgen verschieben und heute den Abend ganz allein mit seinem Whisky und seiner Pastrami-Zubereitung verbringen.

Rupert war ein bisschen sauer auf Holger Bloem. Einerseits mochte er diesen Chefredakteur inzwischen, ja, vertraute ihm sogar. Aber er war auch neidisch auf ihn. Wie war dieser Bloem an den tollen Spitznamen Earl of Greystoke oder Tarzan gekommen? Rupert fand, dass ihm so etwas zustand. Wer schlug sich denn hier tapfer im Dschungel zwischen Gesetzen, Justiz und Kriminellen? Wer, wenn nicht er?

Beim Grillen konnte er gut nachdenken. Seine Frau Beate meditierte, um in einen solchen Zustand zu kommen. Rupert reichte ein Grill aus.

Er war noch ganz in Gedanken versunken, da stand Jessi vor der Tür. Er ließ sie herein und führte sie zur Terrasse durch, wo sein Kugelgrill stand und die Fleischwurst jetzt so weit war.

»Das sollte«, grinste Rupert, »eigentlich ein Männerabend werden. Den mache ich aber auch gerne mit dir zusammen, Jessi.«

»Ich fürchte«, sagte sie, »so ein richtig entspannter Abend wird das nicht. Wir müssen nach Emden. Dort ist die kleine Amelie.«

Rupert schaltete sofort um, und der Polizist in ihm verdrängte den Freizeitmenschen und Rock 'n' Roller. Er versuchte nur noch, ein bisschen Zeit zu schinden: »So ne Fleischwurst ist doch wohl noch drin, und eigentlich kann ich auch mein Pastrami hier nicht alleine lassen … Peter Grendel würde sich vielleicht drum kümmern, aber der ist auf Norderney.«

»Was machst du denn da? Es duftet wirklich köstlich.«

Solche Worte von einer Frau taten ihm gut. Beate belächelte seine Fleischfixiertheit ja nur. Für sie kam das alles aus der Steinzeit, genau wie er.

»Weißt du«, dozierte er, »das kommt eigentlich aus Amerika. Es ist eine richtige Kunst, Pastrami gut zuzubereiten.

Es ist überall anerkannt, sowohl in der jüdischen Küche, ich glaube sogar, daher kommt es eigentlich, es verstößt auch nicht gegen islamische Speisevorschriften. Pastrami ist sozusagen«, er versuchte, das Wort richtig auszusprechen: »Halāl. Nur für Veganer ist das nix und für Vegetarier natürlich auch nicht.«

Er aß ein Stück heiße Fleischwurst. Jessi nahm sich auch etwas vom Grill.

Sie sahen in die glühende Holzkohle, und Rupert stöhnte schmatzend: »Jetzt will ich mir einmal einen schönen Abend machen, und das wird auch wieder nix.«

»Wir könnten die Kollegen aus Emden hinschicken, aber wir beide haben diese Geschichte angefangen, und wir sollten sie auch zu Ende bringen. Stell dir mal vor, was das für ein tolles Gefühl sein muss, wenn wir der Frau das Kind zurückbringen. Das sind doch Momente, die vergisst man nie.«

»Stimmt«, freute Rupert sich, nahm eine Serviette, packte die restlichen Wurstscheiben darauf, und mit Blick auf die zwei Flaschen Ostfriesenbräu schlug er vor: »Du fährst.«

»Klar.«

Er sah noch einmal nach seinem Pastrami und hoffte, nicht zu lange wegzubleiben.

»Können wir das alles so stehen lassen?«, fragte Jessi.

Rupert zuckte mit den Schultern: »Was soll schon passieren?« Dann sagte er laut: »Außer, dass mein Nachbar hierherkommt und nascht.«

Er hoffte, gehört zu werden, und fügte hinzu: »Aber das würde unsere Videoanlage ja aufnehmen.«

Draußen im Auto erkundigte Jessi sich: »Ich dachte, deine Videoanlage funktioniert überhaupt nicht?«

»Ja, stimmt, aber das weiß ja keiner. Die Kameras haben trotzdem eine abschreckende Wirkung, nur der Computer ist kaputtgegangen, und ich wollte keine großen Investitionen machen, nur um die Maulwürfe zu filmen, wenn sie über die Terrasse laufen. Denn eins kann ich dir sagen, Jessi: Auch nach zwanzig Jahren Schwerstarbeit verdienst du als Hauptkommissarin nicht die Welt. Da lachen dich alle in der freien Wirtschaft aus. Egal, wie viele Fälle du gelöst hast oder wie oft du gescheitert bist. Erfolgszulagen gibt's ja bei uns leider nicht.«

Im Polizeiwagen roch es sofort nach gebratener Fleischwurst mit Knoblauch. Am Rückspiegel baumelte ein Duft-Tannenbaum, der eigentlich nach Grüner Apfel riechen sollte – das zumindest stand auf der Verpackung. Aber irgendetwas musste schiefgelaufen sein. Das Tannenbäumchen verströmte einen Duft, der Rupert mehr an den Stand des Metbrauers beim Wikingerfest erinnerte als an grüne Äpfel.

Es war schon der dritte Duftbaum, mit dem sie den Gestank loswerden wollten, den ein Besoffener mit seinen Exkrementen hinterlassen hatte. Was die Bäumchen nicht schafften, das erledigte die Fleischwurst im Nu, zumindest vorübergehend.

Jessi sagte: »Ann Kathrin findet es bestimmt nicht gut, wenn wir jetzt mit dem Polizeiwagen vorfahren.«

Rupert kaute und sah sie fragend an.

»Weil der Wagen den Täter warnt. Sie will doch auch nie, dass wir mit Blaulicht kommen.«

Rupert lachte: »Ja, genau. Deswegen fährt sie am liebsten mit ihrem Twingo vor, da schöpft kein Mensch Verdacht. Aber wenn einer flieht, dann ist sie bei einer Verfolgungsjagd auch echt im Nachteil. Wir dagegen haben hier genug PS unterm Hintern, um ...«

»Und wenn er sich mit dem Kind im Haus verschanzt?«

Rupert kratzte sich am Kopf. »Ja, du hast schon recht. Im Grunde sind Ann Kathrins Gedanken ja gar nicht so dumm.

Besser, wir pirschen uns an. Wir klingeln, als wären wir von den Zeugen Jehovas, und sobald der Drecksack die Tür aufmacht, semmel ich ihm eine rein.«

»Ja, so nun auch wieder nicht«, kommentierte Jessi, die aber genau wusste, dass Rupert es nicht ernst meinte, sondern sie mit seinen Machosprüchen beeindrucken wollte. Er hatte immer noch nicht bemerkt, dass er sie damit auf die Palme brachte.

Sie parkten knapp hundertfünfzig Meter von Oma Tadeas Haus entfernt. Dort bot sich gerade eine Parklücke.

Als Jessi und Rupert aus dem Wagen stiegen, wurden sie mit Beifall begrüßt. Während Rupert eine Geste machte, als sei er der englische Thronfolger und es würde ihm von seinem Volk gehuldigt, staunte Jessi nur. Eigentlich wollten sie sich so unauffällig wie möglich dem Haus nähern, und jetzt das hier! Drei Fenster waren geöffnet, und darin zeigten sich Leute, die Beifall klatschten. In der Tür stand auch jemand und brüllte: »Ein Glück, dass Sie endlich kommen! Das ist ja nicht mehr zum Aushalten!«

Im Haus gegenüber stieg eine Party. Da wurde wohl jemand achtzehn, und seine Eltern waren nicht zu Hause.

Rupert wehrte ab: »Das ist ruhestörender Lärm, dafür sind wir nicht zuständig. Obwohl ich diese Musik auch ganz grässlich finde.«

Das rhythmische Gewummere war jetzt so laut, dass Rupert nicht verstanden wurde. Vom Fenster rief eine weißhaarige Frau um die siebzig: »Was haben Sie gesagt, Herr Wachtmeister?«

Ihr Mann stand in der Tür. Er hatte Filzpantoffeln an und eine Jogginghose.

Rupert brüllte, so laut er konnte: »Das ist nicht unser Ding! Mit ruhestörendem Lärm haben wir nichts zu tun! Aber die Kollegen kommen bestimmt gleich!«

Der Mann mit den Pantoffeln zeigte zum Haus und behauptete: »Da laufen nackte junge Mädchen durch den Garten. Ja, wo gibt's denn so was?«

Vom anderen Fenster kam der Kommentar: »Die feiern da Orchideen ... «

Der Mann korrigierte: »Das heißt Orgien, Herta! Orchideen sind Blumen!«

Irgendetwas an den Worten überzeugte Rupert, sich vielleicht doch mal einzumischen. Er wollte schon zum Haus rüberlaufen, doch Jessi stoppte ihn und zitierte wieder einen Ann-Kathrin-Klaasen-Satz: »First things first.«

»Du kannst ruhig deutsch mit mir reden«, konterte Rupert.

Er ging mit Jessi auf Oma Tadeas Haus zu. Hinter ihm riefen die aufgebrachten Bewohner her:

»Das kann doch nicht Ihr Ernst sein!«

»Sie können doch jetzt nicht so einfach abhauen!«

»Die Polizei lässt uns im Stich!«

»Wofür zahle ich eigentlich Steuern? Im Grunde seid ihr meine Angestellten!«

Die Musik wummerte durch die ganze Straße. Rupert drehte sich noch einmal um und rief: »Die Kollegen kommen gleich!«

Weil man jungen Frauen lieber öffnete, stellte sich Jessi so vor die Eingangstür, dass sie als Erstes gesehen wurde. Sie klingelte auch. Rupert versteckte sich noch.

Zunächst öffnete niemand.

Oma Tadea hielt sich zurück. Um hinterher keine Vorwürfe zu bekommen, wollte sie die Polizei nicht hereinlassen. Sie ging zum Schlafzimmer, klopfte kurz an die Tür, öffnete sie einen Spalt und flüsterte: »Da ist jemand vor der Tür. Kenne ich nicht. Ist vielleicht für euch. Eine junge Frau ... «

»Für uns?«, fragte Donna und richtete sich im Bett auf.

Huggi wischte sich die Haare aus der Stirn und stand auf. Das Bett quietschte.

»Wer soll uns denn hier suchen?«, fragte er mit vorwurfsvoll aggressivem Unterton.

»Ich dachte nur, wenn die noch ein paarmal klingeln, wecken sie Amelie.«

»Polizei?«, fragte Donna vorsichtig.

Huggi warf ihr einen zornigen Blick zu. Ihre Frage fühlte sich für ihn schon fast nach Verrat an.

Huggi begann, sich anzuziehen, und bemühte sich jetzt um Freundlichkeit. Er bat Oma Tadea, an seiner Stelle zu öffnen. »Wie sieht das denn aus, wenn ich die Tür aufmache? Vielleicht sind es Nachbarn, die irgendwas wollen. Was ist das überhaupt für ein Lärm da draußen?«

»Ach, am Ende der Straße feiern Jugendliche Geburtstag. Ich kenne die schon, seit sie«, Oma zeigte in die Nähe ihres rechten Knies, »so klein waren.«

Donna schloss sich Huggis Argumenten an: »Bitte mach du auf, bevor sie noch mal klingeln.«

Oma Tadea öffnete die Haustür und blickte in Jessis Gesicht. Sie war froh, dass die junge Frau keine Uniform trug. »Ja? Sie wünschen?«

»Ich suche ein kleines Kind. Amelie Kroll.«

»Ja, sind Sie vom Jugendamt?«, fragte Oma Tadea extra laut, so dass Donna und Huggi ihre Frage hören konnten. Sie würden es als Warnung auffassen, und gleichzeitig hoffte sie, dass sie damit unschuldig wirkte.

Hinter ihr erschien jetzt Donna, die ihren Körper in eine Bettdecke gehüllt hatte.

»Nein, hier ist kein kleines Mädchen namens Amelie. Mein Name ist Donna Cattaneo. Ich bin bei meiner Oma zu Besuch.

Ich bin zwar ihr Enkelkind, aber nicht mehr wirklich klein, wie Sie sehen, sondern eher eine erwachsene Frau.«

Donna hoffte, einen Scherz gemacht zu haben, doch Jessi ließ sich nicht abwimmeln. »Darf ich vielleicht mal reinkommen und mich umschauen?«

»Reinkommen?«, fragte Oma Tadea, als hätte sie nicht richtig verstanden.

»Ja, ich möchte mir gerne ein Bild von der Situation machen.« Jessi schob ihre Hand mit dem Ausweis durch die Tür, und schon stand sie im Flur.

Huggi schloss die Schlafzimmertür, um nicht gefunden zu werden. Jessi sah gerade noch, wie die Tür zuklappte.

»Machen Sie uns bitte keine Schwierigkeiten. Wir haben einen Hinweis aus der Bevölkerung erhalten, dass sich die kleine Amelie hier aufhält. Sie haben doch sicherlich Verständnis dafür, dass ich das jetzt überprüfen muss.«

»Ja, haben Sie denn überhaupt eine Genehmigung, unser Haus zu durchsuchen?«, fragte Donna.

»Bei Gefahr im Verzug brauche ich so etwas nicht. Es geht hier ums Kindeswohl. Das müsste eigentlich jeder Mensch verstehen. Wir suchen ein Kind, das der Mutter entzogen wurde. Da will doch jeder Bürger hilfreich sein, oder? Stellen Sie sich mal vor, Ihr Kind wäre entführt worden.«

»Ich habe kein Kind«, konterte Donna.

»Ich habe drei Kinder und vier Enkelkinder«, freute Oma Tadea sich. »Bald werde ich Uroma ... «

Rupert betrat jetzt den Flur. »Das ist ja alles ganz wunderbar. Aber nun würden wir uns gerne alle Räume angucken. Gibt es draußen noch irgendeinen Schuppen oder so etwas? Hat das Haus einen Keller?«

»Ich schaue mal oben nach«, sagte Jessi und wollte zur

Treppe, da öffnete sich die Schlafzimmertür, und Hubertus Kroll stand breitbeinig vor ihr und sagte: »Das ist meine Tochter. Ich bin ihr Vater. Es ist das Recht eines Vaters, sein Kind zu sehen. Diese Gesellschaft spricht immer Müttern sofort das alleinige Sorge- und Erziehungsrecht zu, aber das ist nicht in Ordnung. Wir Männer sind da einfach benachteiligt.« Er versuchte, Rupert anzusprechen, um ihn auf seine Seite zu ziehen: »Von wegen Patriarchat! Dass ich nicht lache! Wir sind eine frauendominierte Gesellschaft, die aus uns Männern Arbeitssklaven macht ...«

Solche Worte hatte Donna noch nie von ihm gehört, und sie erschrak ein wenig darüber. Sie war vollständig anderer Meinung, doch das behielt sie erst einmal für sich.

»Ob Sie Ihr Kind sehen dürfen, wann und wie oft, das entscheiden Gerichte, wenn Sie sich mit Ihrer Frau nicht einig werden. Wir möchten jetzt gerne das Kind sehen«, stellte Jessi klar.

Von dem Lärm geweckt, stand Amelie oben an den Treppenstufen und rieb sich die Augen. Sie hatte rote Wangen.

»Da ist sie ja schon«, freute Jessi sich.

»Bitte erschrecken Sie das Kind nicht. Machen Sie ihr keine Angst. Die Kleine weiß ja gar nicht, was sie denken soll«, flehte Oma Tadea.

Jessi öffnete die Arme: »Komm, komm zu mir. Wir bringen dich zu deiner Mama.«

Aus Ruperts Sicht machte Huggi eine falsche Bewegung in Jessis Richtung. Er berührte sie am Oberarm. Dabei musste er an Rupert vorbeigreifen. Rupert stoppte ihn mit einem Leberhaken. Huggi ging sofort in die Knie. Er hielt sich die Rippen, keuchte und lehnte sich gegen die Wand.

»Oh«, fragte Rupert heuchlerisch, »sind Sie gestolpert?«

»Packen Sie der Kleinen bitte ein paar Sachen zusammen«, verlangte Jessi. »Wir fahren jetzt zu ihrer Mutter.«

Donna half ihrem Geliebten, sich zu erheben.

»Das wird ein juristisches Nachspiel haben«, drohte er Rupert.

Rupert nickte: »Ja, das fürchte ich auch. Bei Entführung kennt der Staatsanwalt wenig Pardon.«

Jessi sprach mit Amelie. »Wir fahren jetzt zu deiner Mama. Die macht sich Sorgen und fragt sich, wo du bleibst. Sollen wir sie mal anrufen und ihr sagen, dass wir dich gefunden haben?«

Amelie hielt sich die Augen zu, nickte aber.

Oma Tadea fand es herzzerreißend. Sie hatte Tränen in den Augen, und sie ahnte, dass dieser Huggi vielleicht doch nicht der Richtige für ihre Donna war.

Dem war es eigentlich ganz recht, dass die Kripo Amelie jetzt mitnahm. Irgendwie genoss er sogar Ruperts Schlag. Er stand jetzt prima als Opfer da. Frauen fanden so etwas klasse. Sie versuchten dann gern, einen Ausgleich zu schaffen.

Er liebte es, sich bemuttern zu lassen. Seine Potenz und Zeugungsfähigkeit hatte er durch Amelie genügend unter Beweis gestellt. Ab jetzt wurde das Kind sowieso nur noch lästig, fand er. Nun sollten Donna und Oma Tadea ihn ein bisschen bedauern, weil die Welt so ungerecht zu ihm war und er sein Kind nicht sehen durfte. Gleichzeitig würde er die Freiheit eines Junggesellen genießen.

Donna stand jetzt unter dem Druck, eine bessere Frau zu sein als seine Ex. Auch davon versprach er sich einiges.

Als sie das Haus verließen, begann es zu regnen. Rupert nahm Amelie auf den Arm. Sie klammerte sich fest an ihn.

Am Auto angekommen, waren sie bereits ganz schön nass. Rupert nannte den Regen *eine willkommene Erfrischung*.

Vor ihrem parkenden Wagen liefen zwei nur spärlich bekleidete junge Frauen herum. Aus dem Polizeiauto auf der gegenüberliegenden Seite stiegen zwei Kollegen, die Rupert in diesem Moment um ihren Job beneidete. Es gab auch schöne Einsätze, dachte er und winkte ihnen.

Jessi saß mit Amelie auf der Rückbank und sprach beruhigend auf das Kind ein. Rupert lenkte den Wagen.

Er sah einen Touristen auf dem Fahrrad. Der Mann war gut sechzig Jahre jung, trug ein T-Shirt, auf dem stand: *Emden sehen und sterben*, knielange Hosen und navyblaue Plastiklatschen. Rechts am Lenker hatte er die Hundeleine befestigt, mit der linken Hand hielt er einen Regenschirm.

Rupert sagte nur: »Oha, … ob das gutgeht?«

Ging es nicht.

Der Nordwestwind fühlte sich vom Schirm des Touristen beleidigt und klappte ihn um. Er wurde zum Trichter, in den es hineinregnete und die Stäbe des Stahlfiberglas-Gestells – mit zwei Jahren Produktgarantie – knickten ab. Eine Stange riss ihm knapp unter dem rechten Auge die Haut auf.

Vielleicht wäre der Urlauber damit noch fertiggeworden, aber in diesem Augenblick entdeckte sein Schäferhund eine läufige Hundedame und zerrte an der Leine.

Der Mann klatschte samt Fahrrad vor den Polizeiwagen.

Rupert bremste. Er versuchte, nicht blöd zu grinsen, sondern spielte ganz den Freund und Helfer. »Als ich noch im Zirkus gearbeitet habe«, sagte er und half dem Mann auf die Beine, »habe ich das auch immer so gemacht. Die Kinder kreischten schon vor Freude, wenn ich mit dem Regenschirm und dem Fahrrad reingefahren kam.«

Amelie bekam das alles mit und fragte Jessi: »War der früher mal Clown?«

»Im Grunde ist er das immer noch«, antwortete Jessi. »Weißt du, Clown wird man nicht dadurch, dass man sich eine Pappnase aufsetzt. Clown ist man hier.« Sie zeigte auf ihr Herz. »Und der da ist wirklich ein Spaßvogel.«

»Geht es Ihnen gut? Soll ich einen Krankenwagen für Sie rufen?«

Der Mann wehrte ab. Er hatte sich die Knie aufgeschürft, sein Schirm war kaputt und sein Hund weg, aber sonst ging es ihm eigentlich ganz gut.

Rupert war sich nicht sicher, ob er den Mann einfach so am Straßenrand zurücklassen konnte. Er sah ihn genau an.

»Ist noch was?«, fragte der norddeichverrückte Tourist.

»Nee«, erwiderte Rupert.

»Und warum gucken Sie dann so, als wollten Sie ein Selfie mit mir machen?«

Rupert winkte ab und setzte sich wieder in den Wagen.

Amelie kreischte, denn Jessi hatte endlich ihre Mutter erreicht. Amelie versprach ihr: »Mama, Mama, ich komm nach Hause zurück! Mich bringt die Polizei und ein Clown. Der ist total witzig!«

Während der Veranstaltung begann Ann Kathrin sich zunehmend unwohl zu fühlen. Sie saß mit Weller in einem abgedunkelten Raum neben der Bühne. Sie konnten YoLo2 und Finn-Henrik sehen und Teile des Publikums.

Bei allen Film- und Bildbeweisen, die auf eine Leinwand geworfen wurden, entstand für Ann Kathrin und Weller ein verzerrtes Bild. Sie fand das geradezu symbolhaft.

Gerade sprach ein amerikanischer General, der nach Begegnungen mit Außerirdischen zum UFO-Forscher mutiert war. Aus Ann Kathrins Perspektive hatte er einen langgezogenen Kopf und ein riesiges rechtes Ohr. Den Zuschauern im Theater im Fischereihafen bot sich dagegen ein völlig normales Bild.

Alles lief auf die Frage hinaus: Glauben wir, dass schon vor vielen hundert, wenn nicht gar tausend Jahren, UFOs auf der Erde gelandet sind und seitdem unser Schicksal beeinflussen, oder nicht?

Für die einen waren die UFOs Heilsbringer, die die Menschheit retten wollten, für die anderen eine aggressive Besatzungsmacht.

Sorgen machte Ann Kathrin etwas anderes. Sie spürte, mit welchem Charisma YoLo2 und Finn-Henrik auf der Bühne standen. Ja, sie waren Menschenfänger. Sie wirkten absolut überzeugend, vermutlich, weil sie selbst überzeugt waren. Man wollte ihnen glauben, hoffte, dass sie recht hatten. Sie kamen so sympathisch rüber. Etwas von der Legende David gegen Goliath lebte auf. Zwei Unangepasste, die nicht einfach glauben wollten, was ihnen vorgekaut wurde. Zwei, die lange geglaubte Lehrsätze hinterfragten. Sie verkauften sich als witzig, frech und unbestechlich.

Ann Kathrin sah in den Augen zahlreicher Gäste etwas, das sie bedenklich stimmte: Ein fast fanatisches Flackern.

Die beiden, dachte sie, könnten Bausparverträge oder Lebensversicherungen an Achtzigjährige verkaufen. Die würden auch Kühlschränke an die Inuit an den Mann bringen. Sie könnten Staubsauger von Tür zu Tür verkaufen oder Zeitungsabonnements. Sie hatten etwas, das sie dazu befähigte, Menschen zu verführen. So stellte sie sich Sektengründer vor, Revolutionäre, Aufrührer, Umstürzler oder Parteiengründer.

Sie konnte sich gut vorstellen, dass Sabrina verknallt in Finn-Henrik war. Vermutlich war sie nicht die einzige. Solchen Menschen, dachte Ann Kathrin, kann man verfallen. Und das ist die Gefahr.

Jetzt berichteten sie von ihrer Begegnung mit der Außerirdischen, und das gab ihrem Auftritt noch mehr Glanz. Wenn man sie auf der Bühne erlebte, wurde einem klar, warum die Außerirdische genau sie auserwählt hatte und nicht irgendeinen farblosen Wissenschaftler, der im mausgrauen Anzug ausgewogene Formulierungen suchte.

Das hier, dachte Ann Kathrin, ist noch lange nicht vorbei. Es ist nicht einmal der Höhepunkt. Es beginnt gerade erst.

Die Frage, die wohl alle Zuhörer umtrieb, war keineswegs, ob es tatsächlich UFOs gab oder nicht, sondern lediglich, ob die Außerirdischen uns Menschen wohlgesonnen waren oder ob sie als Eroberer kamen. Freund oder Feind, das war hier die Frage.

Die einen waren voller Panik, sahen eine Katastrophe auf sich zu kommen und die Regierung unternahm nichts dagegen, die anderen erwarteten einen neuen Messias und ein goldenes Zeitalter.

Aussagen, die sie schon im Podcast gehört hatte, wiederholten sich jetzt. Ann Kathrin stand auf und ging nach hinten in den Backstageraum, um die Nachrichten auf ihrem Handy zu durchforsten. Sie hoffte, ein Angebot von Sabrina zu finden, danach gemeinsam essen zu gehen oder so. Doch nichts dergleichen war inzwischen bei ihr eingegangen, sondern lediglich Ruperts jubilierende Sprachnachricht: »Wir haben die kleine Amelie und bringen sie zu ihrer Mama zurück!«

Leise, um nicht zu stören, pirschte Ann Kathrin sich zu Weller zurück. Er bemerkte gar nicht, dass sie sich wieder neben ihn setzte. Er machte einen fast beglückten Eindruck, klatschte von seinem Sitz aus Beifall, und Ann Kathrin spürte: Weller war mit seinem neuen Schwiegersohn sehr glücklich und wünschte ihm den großen Durchbruch.

Diese ganze Veranstaltung machte auf Ann Kathrin den Eindruck, als könne die Welt danach nicht mehr die gleiche sein wie vorher. Sie hatte die Kraft, jeden und alles zu verändern. Davon fühlte sie sich ein bisschen ausgeschlossen. In ihr blieb ein kritisches *Ja, aber*.

Rupert war schon lange nicht mehr so fröhlich begrüßt worden. Indra Kroll fiel ihm um den Hals, küsste ihn auf die Wange und auf den Mund – vielleicht überspielte sie damit ein wenig die Situation, dass Amelie nicht zu ihr, womit wahrscheinlich jeder gerechnet hatte, sondern zu Alex rannte. Amelie sprang an ihm hoch, drückte ihn und wollte wissen, ob er noch Kopfschmerzen hatte.

Jessi beobachtete die Szene und fand das alles sehr lehrreich. Es gibt Kinder, dachte sie, die stehen mehr auf Männer, und es gibt die anderen, die mögen Frauen lieber. Sie selbst hatte als Kind immer die Nähe von Jungen gesucht. Vielleicht war sie deshalb auch beim Box-Club Norden gelandet. Mädelsabende hatten ihr nie viel gegeben. Sie war schon als kleines Kind auf das andere Geschlecht fixiert gewesen, ja fühlte sich ihm teilweise zugehörig. Vielleicht war es bei Amelie ähnlich.

Was, dachte Jessi sich, wenn ich irgendwann doch den richtigen Kerl finde und versuche, mit dem eine Familie zu gründen? Was, wenn ich dann eine Tochter bekomme und die empfindet mich höchstens als Konkurrentin, weil sie nur auf ihren Papa abfährt und mich links liegen lässt? Da ist ja jede alleinerziehende Mutter zu beneiden.

Um aus ihrem eigenen Gedankenkarussell auszusteigen, tippte Jessi Rupert an und erinnerte ihn daran: »Eigentlich hast du längst Feierabend.«

Indras stürmische Umarmung hatte ihn so sehr verwirrt, dass er nicht mal an sein Pastrami im Smoker dachte. Sie war ihm so nahe gekommen, dass er jetzt ihren Geruch nicht mehr loswurde. Er wusste, dass er von ihr träumen würde. Von der elektrisierenden Berührung ihrer Lippen und von diesem Geruch nach Maiglöckchen und Weihrauch. Was war das für ein merkwürdiges Parfüm? Geheimnisvoll und fröhlich zugleich. Es hatte etwas von Frühling auf einer Blumenwiese und gleichzeitig einem abgedunkeltem Séparée in einer verruchten Bar.

»Darf ich Sie«, fragte Alex, »noch auf einen Drink reinbitten?«

Als Jessi abwehrend die Arme hob, beschwichtigte er sofort: »Es muss ja kein Alkohol sein. Wir sind ja schließlich in Ostfriesland, hier gibt es auch guten Tee, oder?«

Rupert wandte ein: »Also, wie meine Kollegin schon sagte, eigentlich habe ich jetzt Feierabend. Ich war gerade dabei, mir ein Bier aufzumachen, ich wollte mir einen Drink genehmigen und ein Pastrami zubereiten.«

Alex reagierte sofort: »Pastrami?« Er leckte sich demonstrativ über die Lippen. »Das letzte gute habe ich in New York gegessen.«

Alex ging voraus ins Haus. Er trug Amelie. Die sah sich zu Rupert um, zwinkerte ihm zu und winkte ihn herein. »Der«, behauptete sie, »ist ein Witze-Clown. Ein ganz lustiger!«

»Na, kommen Sie doch«, bat Indra und lud Jessi mit einer Geste ins Haus ein.

»Im Grunde«, sagte Jessi, »müssen wir sowieso noch ein Protokoll machen und ... «

»Na bitte. Kommen Sie doch.«

In der Ferienwohnung verstanden Rupert und Alex sich prächtig. Alex behauptete, mal in einer Kölner Bar gearbeitet zu haben. Cocktails seien damals seine Spezialität gewesen. Er schlug vor, für die *Mädchen*, damit meinte er sowohl Amelie als auch Jessi und Indra, einen alkoholfreien Drink zu machen, und »für uns beide etwas Richtiges«. Er knuffte Rupert in die Seite, zwinkerte ihm zu und sagte: »Bei uns in der Bar gab es immer einen Schlüpferstürmer ... Der hieß *Sex on the Beach*.«

»Kenn ich«, sagte Rupert. »Bei uns nennen sie den *Geschlechtsverkehr im Wattenmeer*. Dafür tut man bei uns ein bisschen mehr Alk rein.«

»Aber«, lachte Alex, »ich habe auch alles da, um uns einen *Gin Fizz* zu machen oder eine *Bloody Mary*.«

Rupert packte sein James-Bond-Wissen aus und grinste: »Aber geschüttelt, nicht gerührt.«

»Wo haben Sie«, fragte Alex, »die Kleine denn aufgabelt?«

Rupert spuckte die Adresse in Emden-Larrelt aus und verschluckte sich fast dabei, weil Jessi ihm einen Blick zuwarf, wie er ihn sonst nur von Ann Kathrin Klaasen kannte, wenn sie ihn wortlos tadelte, weil er mal wieder zu viel verriet oder Blödsinn redete. Jessi ging in seine Nähe, versuchte, sich zwischen ihn und Alex zu drängen. Sie raunte ihm zu: »Jetzt ist aber gut, alte Plaudertasche!«

Rupert räusperte sich. Er streckte sich und versuchte eine

offizielle Ansprache: »Natürlich wäre es gut, wenn die kleine Amelie psychologische Betreuung bekäme und ein Arzt müsste sie auch mal anschauen. Immerhin hat er ihr angeblich irgendwas eingeflößt ... «

Indra fuhr mit ihren Fingern durch Amelies Haare, bückte sich zu ihr runter und herzte ihr Kind. »Ach«, sagte sie, »meine Süße muss nur mal wieder eine Nacht richtig durchschlafen. Die darf heute in Mamis Bett, dann kuscheln wir uns ganz fest aneinander, und morgen ist alles schon wieder gut.«

»Ich bin aber gar nicht müde«, behauptete Amelie und gähnte mit weitaufgerissenem Mund.

»Ich mache dir«, versprach Alex, »einen vitaminreichen Schlummertrunk.«

Da Alex verstanden hatte, dass Rupert ein James-Bond-Fan war, mischte er ihm einen Bond-Martini aus Gin, Wodka und Lillet. Er warf noch einen Schnitz Limette hinein. Rupert half ihm, Eiswürfel zu zerstoßen. Die beiden arbeiteten Hand in Hand.

Indra dachte: Sieh an, das kann er also auch.

Rupert probierte den James-Bond-Drink. Er schmeckte ihm eigentlich nicht. Gemischtes Zeug mochte Rupert überhaupt nicht. Er hatte es lieber pur: Brandy, Whisky oder auf einen harten Tag auch mal einen doppelten Klaren. Doch irgendwie gehörte es jetzt dazu, das Leben zu feiern und Spaß zu haben.

Er war immer noch stolz auf sich, wie er Meyerhoff reingelegt hatte. Der Rest war Sache der Staatsanwaltschaft.

Unvermittelt sagte Rupert, als sie sich zuprosteten: »Solange wir hier wohnen, sollen es die bösen Jungs in Ostfriesland schwer haben.« Er zwinkerte Jessi zu. »Am Ende kriegen wir sie alle.«

»Na, darauf trinken wir jetzt aber mal einen«, lachte Alex, und Jessi fragte: »Sagen Sie mal, Sie machen doch hier Ferien, oder?«

»Ja«, bestätigte Indra.

»Und da haben Sie so eine prallgefüllte Bar, um Cocktails zu mischen?«

An Indras Stelle antwortete Alex mit einem Lachen. »Als Sie angerufen haben, bin ich sofort los. Ich dachte, das müssen wir feiern. Ich bin rasch zum Combi, hab Obst gekauft und ein paar gute Tröpfchen.« Jetzt begann er zu dozieren: »Eigentlich hat Ian Fleming sich mit dem James-Bond-Drink ja einen richtigen Kalauer erlaubt. Entweder hatte er keine Ahnung von Drinks, oder er wollte sich einen Scherz mit uns machen. Der Bond-Martini ist bestimmt der bekannteste Drink der Welt. Eigentlich geht das überhaupt nicht. Entweder man nimmt Gin oder Wodka. Aber beides zusammen? No way!«

Rupert hielt sofort dagegen: »Fleming, so hieß doch der Typ, der Bond geschrieben hat, oder?«

»Ja.«

»Der hat das gemacht, um zu zeigen, dass er sich nicht an Regeln hält, sondern Neues ausprobieren will. Er nannte den Drink dann nach seiner geliebten Vesper. Sie war eine Doppelagentin.«

Alex wollte sich von Ruperts Wissen nicht übertrumpfen lassen und fuhr fort: »Heute gerät jeder Barkeeper gleich in Schwierigkeiten, wenn ein Kunde kommt und einen Martini verlangt. Die einen meinen einfach den Wermut der gleichnamigen Firma, kippen da auch noch Wodka rein, eine Olive oder eine Zwiebel.« Er schüttelte sich. »Grässlich!«

Rupert nippte noch einmal und nahm dann einen großen

Schluck: »Schön«, sagte er, »mit Leuten zusammen zu arbeiten, die etwas von Essen und Trinken verstehen.«

Er war kurz davor, Alex zum Pastrami-Essen einzuladen.

Ann Kathrin und Weller zogen sich nach dem Rummel im TiF, wie das Theater im Fischereihafen liebevoll genannt wurde, in eine gemütliche Kneipe, *Alt Bremerhaven*, gegenüber vom Hotel *Haverkamp*, zurück. Sie saßen in einer Ecke nahe der Theke am Fenster. Sie brauchten beide Zeit, das Erlebte zu verarbeiten.

Weller, der Weintrinker, hatte sich ein alkoholfreies Weizenbier bestellt und einen Aquavit. Ann Kathrin sah ihn fragend an. »Eigenartige Getränkeauswahl.«

Weller hob das Weizenbierglas, auf dem groß *Alkoholfrei* stand, und prostete ihr zu: »Das brauche ich, um einen klaren Kopf zu behalten. Und der Schnaps ist für den Magen.«

Ann Kathrin nahm für sich eine große Flasche Mineralwasser und einen Pfefferminztee. Sie deutete lächelnd auf ihre Getränke. »Für mich ist es ähnlich.«

Weller kippte den Schnaps und stöhnte.

»Glaubst du, sie kommt?«, fragte Ann Kathrin.

Weller nickte. »Sobald sie diese Menschenmassen, die an ihnen kleben, los sind, kommen die zwei hierher.« Er relativierte: »Na ja, wenigstens Sabrina.«

Wie zum Beweis hielt er Ann Kathrin das Handy hin und zitierte die Whatsapp seiner Tochter auswendig: »Wir kommen später ins Pub *Alt Bremerhaven* in der Prager Straße.« Er fügte hinzu: »Heute nennt man die Kneipen Pubs. Ich finde es hier ganz urig. Ein Raum, in dem ich mich wohl fühlen kann.«

»Später kann auch ›viel später‹ heißen«, sagte Ann und pustete in ihr Teeglas. Das heiße Wasser kräuselte sich. Die Fahne am Teebeutel flatterte.

»Vielleicht hat sie die Kneipe gewählt, weil hier bis zwei Uhr offen ist«, stichelte Ann.

Weller winkte dem Wirt und hielt sein Schnapsglas hoch: »Ich glaube, ich brauche noch einen.«

»So kenne ich dich gar nicht, Frank«, sagte Ann kopfschüttelnd.

Er nahm einen tiefen Schluck vom alkoholfreien Weizenbier: »Ich mich auch nicht. Aber mein Schwiegersohn ist ein UFO-Forscher und eine Art Volksheld. Er hat Kontakt zu Aliens. Das passiert einem Vater nicht alle Tage. Und glaub mir, ich hab schon die seltsamsten Typen kennengelernt, in die meine Töchter sich verliebt haben. Im Laufe der Zeit wird man da weit und gelassen ... denkt man.«

Ann blickte auf ihre Uhr. »Sei mir nicht böse, wenn ich nicht bis zwei Uhr durchhalte. Ich muss ja nur über die Straße, um ins Bett zu kommen.«

Er fragte sich, ob sie müde war oder ob es nur ihre Art war, ihm ein ungestörtes Gespräch mit seiner Tochter zu ermöglichen. Sie konnte in solchen Fragen sehr feinfühlig sein.

Er sah, dass der Tee ihr guttat. Weller kippte fast trotzig sein alkoholfreies Weizenbier und orderte sich noch ein neues.

Ann fühlte sich wie ausgetrocknet. Sie goss zwei große Gläser Wasser in sich hinein.

Weller saß so, dass er die Tür im Blick hatte. Er hoffte sehr, seine Tochter heute Abend noch zu sehen.

Der Wirt brachte die neuen Getränke und ein paar Nüsse. Die Musik war angenehm. Ann Kathrin streckte ihre Füße unter dem Tisch aus und reckte sich. Das Wasser war wie eine innere Dusche für sie gewesen. Erst kalt, dann warm, dann wieder kalt. So duschte sie ja auch manchmal im Distelkamp.

Sie schlürfte den Tee und schmunzelte: »Während wir unsere familiären Sachen in Bremerhaven regeln, räumt unser Rupi in Ostfriesland ganz schön auf. Er hat Meyerhoff zu einem Geständnis provoziert und die kleine Amelie zu ihrer Mutter zurückgebracht.«

»Ja«, sinnierte Weller, »läuft. Man muss ihn nur machen lassen. Rupert braucht eine lange Leine. Eine sehr lange. Der hat jetzt bestimmt einen Höhenflug.« Weller trank einen Schluck und fügte hinzu: »Er fühlt sich bestimmt als neuer Chef.«

»Der heimliche Chef war er ja seiner Meinung nach schon immer«, grinste Ann Kathrin. Ihre Augen fielen schon fast zu.

Weller hatte wie meist einen Roman dabei. *Frozen – Tod im Eis* von Jens Schumacher. Während einer Forschungsexpedition entdecken Anthropologen eine gigantische Ruinenstadt im Eis. Sie muss älter sein als jede menschliche Zivilisation.

Seit der Begegnung mit Finn-Henrik stieß Weller überall auf solche Bücher und Hinweise. Selbst in seinem eigenen Buchregal fand er Berichte über die Landung von Außerirdischen. Er kaufte ja immer mehr, als er zu lesen in der Lage war. Er brauchte Bücher um sich herum als Zeichen, dass es mehr gab als den Alltag, der sich hier gerade so wichtigmachte.

Ann schwieg und sah aus, als könne sie jeden Moment auf dem Stuhl einschlafen. Er hätte nichts dagegen gehabt. Er war sehr gut in der Lage, sich allein zu beschäftigen. Er brauchte dazu weder Handy noch WLAN. Er hatte ja einen Roman in der Tasche. Aber er empfand es Ann gegenüber als unhöflich, jetzt sein Buch aufzuklappen und mit dem Lesen zu beginnen. Stattdessen sagte er: »Süße, du bist geschafft. Hau dich doch einfach hin. Ich warte hier noch auf Sabrina.«

Ann Kathrin nippte noch mal an ihrem Tee und stand auf. In dem Moment betrat Sabrina die Gaststätte. Sie wirkte wie unter Strom, als könnte sie jeden Moment Funken sprühen oder gar von innen zu leuchten beginnen. Einige Haare standen elektrisch ab.

Weller erhob sich und umarmte seine Tochter. Sie presste sich mehrfach fest an ihn, als wäre sie am liebsten in seine Jacke gekrochen. Das hatte sie als Vorschulkind gern getan. Sie zog seine Hemden und Jacken an, schlüpfte in seine Schuhe und spielte Papa oder Polizist. Daran fühlte Weller sich jetzt erinnert.

Ann Kathrin wurde ebenfalls von Sabrina fest gedrückt. Sie setzten sich alle drei wie eine Verschwörergruppe um den Tisch. Sabrina bestellte sich einen Kaffee. Selbst der Wirt guckte irritiert.

»Echt jetzt?«, fragte Weller. »Um die Zeit?«

Sabrina sah ihn tadelnd an: »Ich bin erwachsen, Papa.«

»... und von wem sie das wohl hat? Abends noch Kaffee zu trinken«, frotzelte Ann.

Weller hob beschwichtigend die Hände: »Ist ja gut, ist ja gut.« Dann nickte er dem Wirt zu, der schon wieder hinter der Theke stand, als sei seine Bestätigung für Sabrinas Bestellung notwendig.

Der Wirt sah Weller fragend an, verstand nicht ganz und hielt die Aquavit-Flasche hoch. Weller winkte ab: »Nein. Das ist ein Missverständnis. Bringen Sie ihr den Kaffee.«

Sabrina guckte wenig erfreut. Weller kapierte: »Damit habe ich es jetzt nur noch schlimmer gemacht, oder?«, fragte er und hoffte auf Entlastung.

»Schwamm drüber«, versprach Sabrina, die ihrerseits für ihre eigenen Anliegen Wohlwollen und Verständnis erhoffte.

»Dein Freund hat also Kontakt zu Außerirdischen?« Ann Kathrin bemühte sich um eine sachliche Stimme. Sie musste aufpassen, nicht in einen Verhörton zu verfallen. Im privaten Bereich machte das Menschen rasend. Ihr Exmann Hero war jedes Mal ausgeflippt, wenn sie, wie er es nannte, ihre Gäste behandelte wie Angeklagte. Für Sabrina klang sie aber eher wie ihre alte Mathelehrerin, die eine Sachfrage stellte und eine Formel erklärt haben wollte.

Sabrina wusste, dass sie bei ihrer Geschichte bleiben musste. Es fiel ihr nicht besonders schwer, Ann Kathrin zu belügen oder den Rest der Welt, aber ihrem Vater gegenüber fühlte sie sich schäbig, vielleicht, weil sie wusste, dass er ihren Worten bedingungslos Glauben schenken würde. Er traute ihr gar nicht zu, dass sie ihn belügen würde. Sie konnte sich irren, na klar. Aber bewusst die Unwahrheit sagen, nein, daran glaubte er nicht. So etwas taten die Kriminellen, hinter denen er den ganzen Tag her war. Innerhalb der Familie wollte er mit so etwas nichts zu tun haben.

Deswegen hatte seine Frau Renate ihn jahrelang hinters Licht führen und betrügen können. Seine Töchter hatten es lange vor ihm mitgekriegt. Er hatte sich damals geweigert, die Wirklichkeit zu sehen.

Sabrina war wütend auf ihre Mutter gewesen, weil sie spürte, wie sehr ihr Vater verletzt wurde. Sie hatte gewusst, dass die Familie irgendwann auseinanderbrechen würde. Sie hatte zu ihrem Daddy gehalten und wollte jetzt keinen Verrat an ihm begehen.

Die Frage, ob sie selbst das außerirdische Wesen gesehen hatte, waberte unausgesprochen wie eine Seenebelwand im Watt vor Spiekeroog durch den Raum. Sabrina flüsterte: »Ich war bei dem Kontakt dabei.«

»Es stimmt also?«, fragte Weller. »Es ist mehr als eine Verkaufsshow für ein spannendes Buch?«

Sabrina bekam ihren Kaffee. Sie starrte die Tasse an, als hätte sie noch nie in ihrem Leben Kaffee gesehen, und nickte stumm.

»Keine Zweifel?«, fragte Ann Kathrin.

»Keine«, entgegnete Sabrina und rührte in ihrem Kaffee herum, ohne vorher Milch oder Zucker hineingeschüttet zu haben. Der Löffel klirrte in der Tasse. Dann trank sie den Kaffee schwarz, wie Weller seinen auch gerne nahm.

Sabrina sah nacheinander in zwei ungläubige Gesichter. Sie schwieg ein paar Sekunden, ließ allen Zeit, die Information sacken zu lassen. Es war ja auch verdammt starker Tobak.

Sie fuhr sich mit der Hand durchs Gesicht, als seien da Haare oder Spinnweben. Ann Kathrin kannte solche Reaktionen von übernächtigten Menschen am Rande ihrer Kräfte. Bei langen Verhören hatte sie immer wieder Menschen erlebt, die sich ständig durchs Gesicht fuhren und auch immer wieder die Hand vor den Mund hielten, so als wollten sie sich selbst daran hindern, etwas zu sagen.

Sabrina verschwieg etwas, das spürte Ann Kathrin genau. Einerseits schämte sie sich fast dafür, denn sie reagierte professionell, als Kommissarin auf der Suche nach der Wahrheit. Sie betrachtete Sabrina wie eine Verdächtige. Das wollte sie nicht. Andererseits hatte es ihr im Leben oft bei der Wahrheitsfindung geholfen, die Körperreaktionen von Menschen zu analysieren, ja ihre Körper zu lesen.

Weller war da viel unkritischer und neigte dazu, seinen Töchtern einfach alles zu glauben. Ann Kathrin nahm ihm das nicht übel. Liebe, das hatte sie gelernt, war bedingungslos und hoffte immer auf ein gutes Ende.

Sabrina spürte die vibrierende Unsicherheit und sagte: »Ihr habt bestimmt tausend Fragen. Ihr könnt ja gleich mit Finn selber sprechen.«

»Ach«, tat Weller erfreut, »kommt er auch noch?«

»Klar. Er hat mich nur schnell rausgelassen und sucht draußen einen Parkplatz.«

Ann Kathrin setzte sich anders hin. Sie fühlte sich wieder frisch. Fit für die nächsten Stunden. So war es oft. Sie hatte einen tiefen Punkt – manchmal nannte sie ihn scherzhaft *Dead Point* –, und wenn sie darüber hinweg war, dann konnte sie noch ein paar Stunden hellwach durchhalten.

Alex ging zur Toilette, zog sein Hemd aus und hielt seinen linken Arm über die Badewanne. Dann ritzte er sich mit dem Erlösermesser. Er genoss es, sein Blut in die weiße Wanne tropfen zu sehen. Ja, er war verletzlich. Er war immer noch ein Mensch.

Er spürte den Schmerz als Wohltat. Sein Gehirn wurde frei, wenn das Blut aus ihm herauslief. Es war ein Zeichen für den beginnenden Kampf. Ein Weckruf. Die eigentliche Schlacht stand bevor.

Der Schmerz gab ihm Klarheit. Die Kleine musste sterben!

Jetzt, da sie sich wieder in seiner Gewalt befand, war alles ganz einfach. Die Mutter war leider noch nicht so weit, es selbst zu tun. Sie würde ihm sogar Schwierigkeiten machen. Vermutlich wäre sie bereit, ihren Exmann zu töten oder zumindest bei seiner Liquidierung mitzuhelfen, aber für ihre Tochter würde sie kämpfen. Sie nahm das alles noch viel zu persönlich. Ihr fehlte die Weitsicht.

Wer ihr Ego gekränkt hatte, wie ihr Exmann, den konnte sie ausschalten. Denn dann stimmte das Persönliche mit dem Politischen überein. Das machte alles einfach. Aber sie war nicht in der Lage, zu abstrahieren. Ein Alien musste eben ausgemerzt werden, gleich, in welcher Form es auftrat: Als süßes kleines Kind, als netter Rentner mit Rollator, als übler Ehemann oder als Staatspräsidentin.

Es waren alles nur Täuschungen. Je beliebter Menschen waren, umso größer war die Wahrscheinlichkeit, dass es sich bei ihnen um außerirdische Lebensformen handelte, die gelernt hatten, mit den Mitteln der Gehirnmanipulation Menschen gefügig, ja abhängig zu machen. Warum gab es Schauspieler? Musiker und Schriftsteller, aus denen nie etwas wurde? Und andere wiederum, die hoch aufstiegen und als Idole Triumphe feierten? Was war es? Talent? Darüber konnte er nur lachen. Es waren die guten Beziehungen. Die Außerirdischen hatten ein Netz von sehr effektiven Seilschaften aufgebaut. Sie brachten ihre eigenen Leute nach oben. Sie entschieden längst, wer die Samstagabend-Fernsehshow bekam, wer den fetten Werbeetat und wer die großen Konzerthallen füllen sollte.

Wenn es nach ihm gegangen wäre, wenn er die Macht gehabt hätte, dann hätte er ganz Hollywood bombardieren lassen und die Oscar-Verleihungen mit taktischen Nuklearwaffen angegriffen. Aber leider hatte er die Befehlsgewalt nicht. Noch nicht. Ihm fehlte die Armee.

Doch hier, an seinem Kampfplatz, konnte er seine Mittel selbst wählen und reinen Tisch machen. Amelie musste sterben. Und natürlich auch ihr Vater.

Er hatte gelesen, dass gut neunzig Prozent aller Morde aufgeklärt wurden. Die Pressemeldung sollte wahrscheinlich Menschen abschrecken, einen geplanten Mord zu begehen.

Deswegen hielt die Kriminalpolizei diesen Mythos aufrecht. Aber das Ganze war natürlich eine dreiste Lüge. Die meisten Mörder kamen ungeschoren davon, denn nicht alle standen zu ihrer Tat, so wie er. Nicht alle benutzten ein Messer, eine Stahlklinge oder eine Pistole. Eine große Zahl von Tötungen blieb völlig unentdeckt und ging deshalb in keine Statistik ein, weil der Arzt eine natürliche Todesursache feststellte. Besonders Hausärzte standen da unter Druck. Sie kannten die Familien oft schon lange, behandelten alle in ihrer Praxis, und wenn nun nach langer Krankheit der Opa verstarb und mit seiner Lebensversicherung das dringend für die Hausreparatur benötigte Kapital hinterließ, sollte der Hausarzt dann am Totenbett – angesichts der trauernden Familie – wirklich eine Obduktion beantragen, weil der Verdacht nahelag, dass der Opa an einer Überdosis seiner eigentlich ganz sinnvollen Medikamente gestorben war?

In einem Artikel von Holger Bloem hatte er gelesen, dass in Deutschland bis zu elf- bis zwölftausend natürliche Todesursachen fälschlicherweise diagnostiziert wurden. Bloem bezog sich auf eine Studie der Universität Münster. Es handelte sich nicht nur um Morde, sondern auch um Suizide, Unfälle und ärztliche Kunstfehler.

Der Bericht von Holger Bloem hatte ihm gefallen, zeigte er doch die Schwachstellen im System. Er selbst hatte sie nie ausgenutzt, sondern immer knallhart zugeschlagen. Seine Hinrichtungen waren Erlösungen und sollten auch so gesehen werden. Er suchte Nachahmer für seine Taten. Er hielt nichts von verdeckten Exekutionen. Alienjäger wie er sollten stolz zu ihrer Sache stehen. Einst würde er dafür geehrt und gefeiert werden. Aber noch war es nicht so weit. Noch war er dem Fahndungsdruck menschlicher Ermittlungsbehörden ausgesetzt, weil diese verblendeten Idioten nicht erkannten, was um sie herum passierte.

Gleichzeitig war längst ein Kommando der Außerirdischen unterwegs, um ihn auszuschalten. Sie waren garantiert schon in Ostfriesland und zogen ihren Ring um Norden immer enger. Sie konnten nicht zulassen, dass da jemand ihre Leute killte. Er, der Jäger, wurde längst selbst gejagt. Doch er bewegte sich als Mensch unter Menschen wie ein Fisch im Wasser. Er gab den harmlosen Touristen. Jetzt sogar mit Freundin und Kind. Er würde es ihnen und der Polizei so schwer wie möglich machen.

Amelie würde er mit einer Mischung aus Schlaftabletten und Schmerzmitteln töten.

Er verband sich zunächst den Arm und machte dann die Badewanne sauber. Das Blut ließ sich leicht mit der Dusche wegspülen.

Er atmete schon freier. So ein Aderlass tat immer gut.

Die Polizei hatte Amelie zurückgebracht. Es war protokolliert worden, dass ihr Vater ihr gegen ihren Willen eine Flüssigkeit – wahrscheinlich Alkohol – eingeflößt hatte. Wenn man sie nun tot auffand, würde der Verdacht auf diesen Huggi fallen, und alle würden sich grässlich fühlen, weil sie versagt hatten. Sie hatten versäumt, Amelie zum Arzt zu bringen. Alle fanden es wichtiger, dass sie bei ihrer Mutter war und sich beruhigte.

Ich bin fein raus, dachte er. Ich werde sogar ein paar Rettungsversuche vortäuschen und persönlich den Notarzt rufen, wenn ich sicher sein kann, dass sie tot ist. Es wird so aussehen, als ob sie an den Folgen der Misshandlung ihres Vaters gestorben sei. An der Spätwirkung der Medikamente, die er ihr gegeben hat. Das rettet dem Monster Huggi sogar zunächst das Leben. Ich kann ihn ja schlecht in Polizeiobhut umbringen. Aber sobald er nach den Verhören durch Intervention seines Anwalts wieder auf freien Fuß gesetzt wird, muss er dran glauben. Garantiert paukt sein cleverer Anwalt ihn nach wenigen Stunden heraus. Darauf ist Verlass.

Das wird Indras Wut auf ihn ins Unermessliche steigern. Sie wird den Job dann erledigen, und wenn sie ihr Messer erst einmal in Blut gebadet hat, gibt es kein Zurück mehr.

Er atmete tief durch. Er konnte schnauben wie ein Pferd. Das gefiel ihm. Er kannte das. Es gab so eine innere Schwelle bei Menschen, die hinderte sie daran zu töten oder einen anderen schwer zu verletzen. Bei jedem Menschen war diese Hemmung woanders. Der eine konnte nicht mal einem anderen eine kleine Fleischwunde zufügen, der andere scheute nur vor einem Mord zurück. Frauen waren da oft besonders gehemmt, aber diese Grenze ließ sich leicht verschieben. Einmal eingerissen, gab es keine Hindernisse mehr. Die Haut aus Erziehung, Moral und Zivilisation, die Menschen umgab, war sehr dünn und ließ sich leicht zerfetzen. Prinzipien ließen sich schneller über Bord werfen als Plastikmüll, wenn es ungestraft blieb oder gar noch belohnt wurde.

Er würde Indra belohnen, sie zur Alienjägerin ernennen, zur heldenhaften Mutter, die ihr Kind gerächt hatte.

Er sah sie immer noch als zukünftige Kämpferin. Ja, sie würde später eine eigene Gruppe leiten. Er brauchte kleine, mobile Einheiten. Zu allem entschlossene Kriegerinnen, die Kollateralschäden schulterzuckend in Kauf nahmen, da sie für höhere Ziele kämpften. Noch vor kurzem hatte er geglaubt, er könnte vielleicht Finn-Henrik Bohlens und YoLo2 für sich gewinnen, aber die waren entweder zu blöd, das Intrigenspiel der Aliens zu durchschauen, oder sie waren Komplizen der Monster geworden – falls die Wesen sich nicht längst ihrer Körper bemächtigt hatten …

Die beiden verharmlosten die Invasion. Ihr Podcast war die reinste Werbung für außerirdische Invasoren. Sie führten Gespräche mit einem Alien, als könne man von denen lernen. Sie bewunderten das Vieh regelrecht. Immerhin leugneten sie nicht deren Existenz, das war ja schon mal ein Schritt. Aber sie machten sich zu Bütteln des Bösen, statt die Biester zu bekämpfen. Sie verkauften ihr Alien als schützenswertes Wesen. Was für ein Schwachsinn!

Finn-Henrik Bohlens und YoLo2 hatten offensichtlich die Aufgabe, das Propagandaministerium der Außerirdischen zu übernehmen und der Welt die Invasion als friedlichen Besuch zu verkaufen. Er war sich sicher: Jede Mengen Popstars und Schauspieler würden auf den fahrenden Zug aufspringen.

Alex hatte ein Betäubungsmittel bei sich: Liquid Ecstasy. Auch als Vergewaltigungsdroge bekannt. Das geschmacksneutrale Mittel wollte er aber bei Amelie nicht einsetzen. Er fand es sinnvoller, sie mit Alkohol oder rezeptfreien Schmerzmitteln zu töten, um so den Verdacht auf Indras Ex zu lenken.

Er zerstampfte vier Schlaftabletten. Reichte das für ein kleines Kind? Er durfte nicht vergessen, dass sie ja gar kein Kind war, sondern ein Monster. Diese Urviecher ließen sich nicht so leicht töten. Er musste die Dosis erhöhen und alles in einen Drink mischen. Er pulverisierte noch drei Ibuprofen 800. Mehr hatte er nicht in der Packung. Dieses Medikament hatte ihm mal sehr geholfen, als Rückenschmerzen kurz davor waren, ihn an seinen Aktionen zur Rettung der Menschheit zu hindern.

Amelie mochte frischgepresste Fruchtsäfte, oder sie tat zumindest ihrer Mutter zuliebe so, als ob ihr das Zeug schmecken würde. Sie wusste genau, was sie tun musste, um ihrer Mutter zu gefallen.

Er war ganz in seinen Gedanken und Plänen gefangen. Er überlegte, wie er Amelie zu sich holen konnte, ohne Indra zu wecken. Als er nach ihnen geguckt hatte, sah es fast so aus, als sei Amelie in ihre Mutter hineingekrochen. Sie schliefen in Stühlchenhaltung.

Doch inzwischen war Indra wach geworden. Sie hatte sich ganz leise, um Amelie nicht zu stören, aus dem Zimmer geschlichen. Ein bisschen fröstelnd stand sie barfuß, nur mit einem T-Shirt bekleidet, an den Türrahmen gelehnt da.

Alex rührte die zu Staub zerstoßenen Tabletten in den Mango-Melone-Orangensaft.

»Was machst du da?«, fragte sie. »Ist das für Amelie? Willst du mein Kind töten?«

Finn-Henrik war gut gelaunt und aufgeräumt. Er wirkte wie ein Mensch voller Tatendrang, bereit, Bäume auszureißen. Erfolgserlebnisse, das wusste Ann Kathrin Klaasen, konnten auf Menschen eine Wirkung haben, die stärker war als jede aufputschende Droge. Vielleicht waren es Glückshormone. Irgendetwas passierte im Körper. Die Menschen wurden stärker, leistungsfähiger, ja bekamen eine erstaunliche Strahlkraft, wuchsen förmlich über sich hinaus.

Finn-Henrik war ein Paradebeispiel dafür. Von ihrer ersten Begegnung auf der Terrasse im Distelkamp bis jetzt war aus einem ein bisschen schüchternen netten jungen Mann, der zum ersten Mal den Eltern seiner Freundin begegnet, jemand geworden, der ihnen die Welt erklärte, bereit war, geheimes Wissen mit ihnen zu teilen. Er wirkte wie ein Entdecker fremder Kontinente, der wusste, dass sie bald in Reichtum und Wohlstand baden würden. Hier stand ein junger Mann, der gerade ganz oben schwamm.

Er breitete die Arme aus und lachte: »Ja, ich bin so froh, dass Sabrinas Eltern mit dabei sind. Das sind historische Momente! Das sind große Tage. Wie schön, dass Sie sich die Zeit nehmen, uns ein bisschen zu begleiten.«

»Haben wir uns«, fragte Weller, »nicht schon mal geduzt?« Er wollte einen Scherz machen und fügte hinzu: »Unsere Beziehungen haben sich doch zwischenzeitlich nicht wesentlich verschlechtert, oder?«

Das gefiel Finn-Henrik. Er gab Weller demonstrativ quer über den Tisch die Hand. Weller nahm sie und schüttelte sie.

Sabrina freute sich darüber.

Finn-Henrik nahm es wie den letzten Ritterschlag, der ihm noch gefehlt hatte zur Krönung dieses großen Abends.

Als ob er es selbst nicht glauben könnte, nahm er noch mal sein Handy zur Hand und klickte auf den eigenen Podcast. »Es hört nicht auf«, lachte er. »Das ist exponentielles Wachstum. 1,6 Millionen Hörer!«

»Wir haben«, lächelte Sabrina, »Anfragen von vier Fernsehanstalten, die dich einladen wollen. Wir können entscheiden, welche Sendung dir die liebste ist.«

Finn-Henrik setzte sich neben sie, stupste sie an und lobte sie vor ihren Eltern. Er wusste, wie wichtig das für sie war: »Seitdem sie bei uns ist, läuft es! Sie managt uns weltweit.«

Weller bemühte sich um ein erfreutes Gesicht und gratulierte seiner Tochter. Auf Ann Kathrin wirkte es ein bisschen verkrampft. Er gibt sich solche Mühe, dachte sie, ihnen zu zeigen, dass er sie mag. Er lügt sich die Welt schön und galoppiert über jeden Zweifel hinweg, weil er so gerne möchte, dass es seiner Tochter gut geht.

Gleichzeitig fragte sie sich: Was ist, wenn das alles stimmt? Wenn wir nicht Teil einer verrückten Marketingidee sind, sondern hier wirklich gerade die Geschichte der Welt neu geschrieben wird, und wir sind dabei ... Hier in dieser urigen Kneipe *Alt Bremerhaven.*

Ohne dass sie den Gedanken ausgesprochen hatte, nahm Finn-Henrik ihn auf: »Durch Hollywoods Filmindustrie haben wir uns daran gewöhnt, dass alle großen Ereignisse dieser Welt in New York stattfinden. Meistens im Herz des Big Apple, in Manhattan. So verkaufen sie uns ihr Finanzzentrum als Kulturzentrum, ja als den Ort, wo Geschichte geschrieben wird. Wenn in irgendwelchen Blockbustern Aliens landen, dann sehen wir immer den Times Square vor uns, das Empire State Building oder andere Wahrzeichen. Sie machen sich damit zur Hauptstadt der Welt. Aber den Außerirdischen ist das egal. Die gucken kein Hollywood-Kino, die gehen ganz anders vor. Für die sind Orte wie Ostfriesland, das Ammerland, das Wurster Land oder eben Bremerhaven mindestens so wichtig wie New York. Sie wollen gar nicht in dem Rummel der Neonlichter untergehen. Sie entscheiden selbst, wo sie sich zeigen wollen. Sie lassen sich das nicht vorschreiben. Da, wo sie sind, ist die Action. Dahin wird sich alle Aufmerksamkeit richten.«

Seine Worte beeindruckten Weller.

Ann Kathrin fragte: »Wo habt ihr das außerirdische Wesen hingebracht? War es bei der Veranstaltung anwesend?«

Sabrina fuhr dazwischen: »Wir müssen es schützen.« Sabrina sprach diese Worte so aus, als würde dieses Wesen bereits angegriffen und sei größten Gefahren ausgesetzt. »Sie hat sich Finn und YoLo2 offenbart. Wir müssen das ernst nehmen. Die beiden sind ihr Sprachrohr zur Welt.«

Ann Kathrin versuchte, aus den Worten die Informationen herauszufiltern: »Eine Sie ... Es ist also ein eindeutig weibliches Wesen?«

Sabrina nickte: »Ja. Und wenn sie jetzt hier hereinkäme, könntet ihr sie nicht von den anderen Gästen unterscheiden. Sie könnte unerkannt da an der Theke sitzen und einen Kaffee trinken. Und genau so soll es auch bleiben. Sie muss sich frei bewegen können, deswegen müssen wir ihre Identität schützen.«

Das leuchtete Frank Weller sofort ein. Er machte ein Angebot: »Wir haben Zeugenschutzprogramme ...«

Finn-Henrik lehnte sich zurück und gaffte Weller an, als hätte er so etwas Ungeheuerliches noch nie gehört.

»Also, ich will mich nicht aufdrängen«, fuhr Weller fort, »aber natürlich muss eurem Wesen Schutz gewährt werden. Wir haben anonymisierte Wohnungen.«

Ann Kathrin fürchtete, dass er sich jetzt um Kopf und Kragen redete und sein Angebot ausweitete.

Genau so war es auch: »Wir könnten sie dort unterbringen, ihr neue Papiere besorgen und eine vollkommen unverdächtige neue Ersatzidentität. Bei besonders schwierigen Fällen, wenn jemand sehr gefährdet ist, zum Beispiel, weil er gegen ein Verbrecherkartell aussagen will und die Gefahr besteht, dass sie ihn noch vor dem Gerichtsprozess ausknipsen wollen, können wir auch einen erhöhten Personenschutz fahren. Bis zu fünfzehn Leute, die in drei Schichten täglich, also jeweils in Gruppen à fünf ...«

Ann Kathrin konnte es nicht fassen. »Frank! Bei unserer Personaldecke kriegen wir nicht einmal zwei Personen pro

Schicht hin. Es sei denn, die Kollegen machen das freiwillig oder wir ... «

»Natürlich geht das nicht von unserer Dienststelle aus. Aber wir könnten beim BKA um Verstärkung bitten. Dies ist doch eine Sache von überregionaler, von nationaler, ja internationaler Tragweite!«

»Das ist sehr nett von dir, Frank«, sagte Finn-Henrik und berührte den Unterarm seines Schwiegervaters in spe. »Aber genau das wollen wir nicht. Es würde sofort Kreise ziehen. Eure Leute müssten ihr Foto haben, mehr über sie wissen ... Die haben Familie, da erzählen sie wieder etwas, und so breitet sich alles aus. Solange sie unerkannt unter uns lebt, ist sie viel sicherer, als wenn wir versuchen, sie mit großem Aufwand zu beschützen.«

Sabrina stimmte ihm zu: »Das sehe ich auch so.«

Frank geriet in die Enge. Er hatte das Gefühl, seine eigenen Leute verteidigen zu müssen: »Unsere Personenschützer sind das gewöhnt. Die sind zu absolutem Stillschweigen verpflichtet. Die erzählen nicht mal ihren Familien zu Hause, in welche Stadt sie fahren, geschweige denn ... «

»Ach, komm«, wandte Sabrina ein und berührte ihren Vater ebenfalls. Sie nahm seine linke Hand. »Jeder Papa ist doch stolz darauf, in so einer Sache vor seinen Kindern zu glänzen. Du hättest uns garantiert erzählt, wenn du als Personenschützer für ein außerirdisches Wesen die Security gemacht hättest ... «

Ann Kathrin seufzte vielsagend.

Weller erinnerte sich daran, wie es war, als Sabrina und Jule noch klein waren. Als er noch glaubte, die Ehe mit seiner Frau Renate irgendwie hinzukriegen oder den Schmerz auf ein erträgliches Maß reduzieren zu können. Ohne die Kinder hätte er sie längst verlassen. Er war eigentlich nicht bei ihr geblieben, sondern bei seinen Töchtern. Erst als die Demütigungen, die Renate ihm mit ihren ständig wechselnden Liebhabern beibrachte, auch begannen, die Kinder zu belasten und er Angst hatte, in ihren Augen zur lächerlichen Figur zu werden, hatte er die Notbremse gezogen.

Aber es hatte eben auch schöne Zeiten gegeben mit ihm und seinen Töchtern. Das stieg jetzt in ihm auf. Sabrinas Berührung tat ihm gut und weckte Erinnerungen, als seien sie in seinem Körper gespeichert gewesen und sie könne sie per Knopfdruck auslösen.

»Ja«, sagte er, »wahrscheinlich hast du recht. Ich hätte euch gegenüber damit angegeben.«

»Und wir hätten dich gelöchert, ob wir nicht ein Foto von ihr haben können oder sie mal sehen dürfen«, ergänzte Sabrina. Sie hatte ihre Kaffeetasse leergetrunken, setzte sie mit einem klirrenden Geräusch auf der Untertasse ab und bestellte sich noch einen.

Der Wirt stand nicht weit von ihnen entfernt hinter der Theke und scherzte: »Ich habe die Kaffeemaschine schon saubergemacht.«

»Macht nichts, ich trinke gerne Kaffee aus einer sauberen Maschine«, konterte Sabrina.

Der Wirt lächelte und zwinkerte ihr zu. »Kommt gleich«, versprach er.

Sabrina wandte sich wieder ganz an ihren Vater: »Weißt du, Papa, ich kann jetzt nicht für Jule sprechen, aber ich wäre mit der Information in die Schule jubiliert und hätte da die ganz große Nummer abgezogen. Wer hat schon einen Papa, der auf Aliens aufpasst? Damit wäre ich die Tagessiegerin an Aufmerksamkeit geworden. Jede hätte versucht, meine Freundin zu werden, und ich glaube, ich hätte es sogar meiner Lehrerin erzählt und es im Aufsatz *Mein schönstes Ferienerlebnis* thematisiert: *Wie ich mit einer Außerirdischen Mensch-ärgere-dich-nicht gespielt habe.*«

»Ja, ja, ist ja gut«, gab Weller zu. »Aber wie wollt ihr sie dann schützen?«

»Das ist«, sagte Ann Kathrin in völliger Klarheit, obwohl sie wusste, dass sie damit die aufgekratzte Stimmung auf einen Tiefpunkt brachte, »das ist jetzt gar nicht mehr möglich, nach dem Hype, den ihr ausgelöst habt.« Sie deutete auf Finn-Henriks Handy. »Bald wird euer Podcast die Einschaltquoten vom ZDF-Samstagskrimi toppen. Wenn dann noch die Talkshows dazukommen ... Ihr unterschätzt das, liebe Leute. Es halten sich nicht alle an die Regeln. Ein Heer von Journalisten wird an euren Hacken kleben und zwar nicht, weil sie euch interviewen wollen, sondern weil sie davon ausgehen, dass ihr sie zu der Außerirdischen führt. Die einen wollen eine wissenschaftliche Sensation, und die anderen wollen euch als Lügner entlarven. Aber warum auch immer sie es tun – glaubt mir, die kleben an euch wie Kaugummi. Sie werden auch Detekteien beschäftigen. Geld spielt in dem Zusammenhang überhaupt keine Rolle. Was ihr hier macht, ist die Aufforderung zu investigativem Journalismus schlechthin. Alle werden sich berufen fühlen. Da hat Finn-Henrik schon recht: Die Musik spielt ab jetzt hier und nicht mehr in Manhattan.«

»Ja«, fragte Sabrina, »und was heißt das jetzt für uns?«

»Ihr könnt sie nur schützen, wenn ihr jeden Kontakt zu ihr abbrecht.«

»Das geht nicht!«, protestierte Finn-Henrik und machte eine Geste, als hätte er selten etwas so Blödes gehört. »Wir müssen jetzt die Chance nutzen! Wir müssen Interviews machen, so viel wie möglich in Erfahrung bringen! Es gilt, Welten und Jahrhunderte zu entdecken. Sie ist für uns wie ein Lexikon, wie ein Google, das auf anderen Planeten existiert. Mit einem Wissen, das wir alle nicht haben. Wir können doch jetzt nicht … «

Ann Kathrin und Sabrina sahen sich an, und Ann Kathrin spürte, dass sie sich noch nie so gut verstanden hatten wie in diesem Augenblick.

Sabrina ahnte, dass ein guter Journalist nicht lange brauchen würde, um die Lüge aufzudecken.

»Ann Kathrin hat recht«, sagte Sabrina. Sie klang wenig begeistert, aber sehr überzeugt. »Wir haben einen Schatz gehoben, und jetzt werden alle versuchen, ihn uns abzujagen. Oder zu beweisen, dass unsere Goldmünzen Fälschungen sind.«

Indra griff das Messer, mit dem Alex das Obst geschnitten hatte, und stürzte sich auf ihn. Es war ein energischer Angriff, aber seine Nahkampfausbildung reichte aus, um ihn zu stoppen.

Sie hielt das Messer so in der Hand, dass die Klinge – wenn ihr Arm nach unten hing – nach hinten zeigte. Also musste ihr Stich von oben kommen.

Als sie den Arm anhob, blockierte er ihn in der Luft, bog ihre Hand nach hinten und entwaffnete sie. Das Messer schepperte auf den Boden.

Er stieß Indra zurück. Sie torkelte und fiel in den Sessel.

»Das war gut«, sagte er, »das war schon sehr gut. Noch ein bisschen ungestüm und ungeübt, aber das schleift sich ab. Aus dir kann eine Kämpferin werden, wenn du deine Wut spürst. Die Wut gibt dir Kraft. Die Wut macht dich stark.«

Sie erhob sich, ging um den Sessel herum und brachte so etwas zwischen sich und ihn. Sie vermutete, dass er zu einem Gegenangriff ausholen würde. Sie rechnete damit, verprügelt zu werden. Huggi wäre in dieser Situation völlig ausgerastet.

Alex schien ruhig zu bleiben. Er zeigte seine offenen Handflächen, ging nicht auf sie los, sondern nahm Abstand. Er bückte sich nicht einmal, um das Messer aufzuheben.

Er wusste, dass dies der entscheidende Moment war. Wenn das hier schieflief, musste er sie töten. Sofort. Alle beide. Indra und Amelie.

Es war völlig still in der ganzen Straße. Die Menschen in den Ferienwohnungen schliefen. Ein Schrei würde sofort einen Riesenalarm auslösen. Nicht normalerweise, aber nach all den Morden in Norddeich und Umgebung würde jeder beim geringsten verdächtigen Geräusch zum Hörer greifen und die Polizei informieren. Er vermutete, dass dort Einsatzkräfte nur darauf warteten, den Menschen zu schnappen, den sie alle noch nicht als Erlöser erkannt hatten.

Er spürte ein Kribbeln auf der Haut. Es war, als würden sich seine Innereien vor lauter Anspannung zusammenziehen. Er brauchte eine Geschichte. Schnell. Menschen liebten Geschichten und glaubten sie nur zu gern.

Er musste improvisieren. Er hob das Glas an seine Lippen und sagte mit einem spöttischen Zug um den Mundwinkel: »Du glaubst, das ist für Amelie?«

Indra zählte auf: »Mango. Melone. Orangen. Amelies Lieblingsdrink. Fehlen nur die Erdbeeren.«

»Ja, sie hat einen guten Geschmack. Die Kleine weiß, was gut und gesund ist. Dies hier ist für mich.«

»Kannst du nicht schlafen?«

Er sah aus wie ein Mann, der mit sich rang, ob er es wirklich sagen sollte oder nicht. Sie half ihm mit einem aufmunternden Blick. Kritisch, aber liebevoll.

In ihrem Nacken war ein Kribbeln, als würden Tiere über ihren Rücken an ihrer Wirbelsäule entlang hochlaufen, in ihre Haare, um sich von dort ins Gehirn zu graben, wie Käfer mit langen Beinen und Scheren. Sie griff sich in die Haare, schüttelte den Kopf und kratzte sich die Kopfhaut. Auch ihren Rücken versuchte sie mit den Händen zu erreichen, so sehr juckte und kribbelte es.

»Du wolltest dich«, fragte sie, »umbringen?«

Er nickte stumm.

»Was«, fragte sie und riss die Arme weit auseinander, »mache ich falsch?« Sie zeigte auf sich selbst. »Was stimmt nicht mit mir? Warum wird alles, was ich anfasse, zu Scheiße? Jetzt dachte ich einmal, ich hätte einen tollen Kerl gefunden, der mich liebt und gut mit Amelie klarkommt, als sei sie seine eigene Tochter, und dann so was? Warum? Habe ich nicht ein bisschen Glück verdient? Bin ich mit einem so schlechten Karma auf die Welt gekommen, dass mir jetzt alles schieflaufen muss?«

»Es hat doch nichts mit dir zu tun«, beruhigte er sie.

»Ach nein? Gerade habe ich noch geglaubt, du seist ein tapferer Alienjäger. Einer, der andere tötet, aber doch nicht sich selbst! Den Brocken musste ich erst mal schlucken. Und jetzt? Was soll das?«

»Meine Mission ist gescheitert. Ich habe keine Chance, Indra. Man muss wissen, wann man verloren hat.«

Er bewegte sich ein paar Meter durch den Raum und nahm von der Anrichte das Buch. Er warf es zu dem Messer, als sei es Abfall, der weggekehrt werden müsse.

»Ich dachte, sie könnten Verbündete sein. Ich bin auf sie

reingefallen. Ich habe Veranstaltungen von ihnen besucht. Aber sie sind die wahren Propagandisten der Aliens. Alle Welt läuft ihnen hinterher. Sie machen aus den Monstern Heilsbringer. Zuerst werden sie unser Energieproblem lösen, dann werden sie Krebs heilen, und wenn wir sie erst einmal alle anbeten, versklaven sie uns.«

Sie wollte sich für ihre Attacke entschuldigen. Sie kam sich jetzt so dämlich vor! Wie hatte sie glauben können, dass er Amelie etwas antun wollte?

»Aber«, sagte sie, »du bist doch ein Kämpfer! Du kannst doch jetzt nicht aufgeben. Du bist doch der, der Bescheid weiß. Mein Gott, was habe ich in den letzten Tagen von dir gelernt! Es tut mir leid, ich bin gerade einfach durchgedreht ... Jede Mutter flippt aus, wenn sie Angst um ihr Kind hat.«

Er winkte ab. »Geschenkt. Überleg mal. Du warst bereit, mich niederzustechen, weil du Angst um deine Tochter hattest. Aber jetzt ist die gesamte Menschheit bedroht. Deine Tochter ist Teil dieser Menschheit, und du auch.« Er zeigte auf die Wände, als würden da Menschen stehen. »Aber niemand, niemand unternimmt etwas! Und dieser Finn-Henrik Bohlens und dieser YoLo2, die werden jetzt als Propheten der Aliens dafür sorgen, dass wir unsere Schlächter auch noch anbeten ... «

Er griff zu dem Glas.

So, wie er ihr das Messer aus der Hand genommen hatte, versuchte sie jetzt, ihm das Glas abzuringen. Aber das war viel schwieriger. Sie hatte keine Technik drauf und wollte ihm das Glas abnehmen, ohne viel Schaden anzurichten. Sie wollte nicht alles verschütten, hatte keine Lust, den Boden zu wischen, geschweige denn, barfuß zwischen den Scherben herumzulaufen.

Sie scheiterte, und er schob sie weg. Er wusste genau, worum es ging. »Du willst mein Leben retten, aber du hast Angst, dass das Glas kaputtgeht, hm? Vielleicht auch noch vor ein paar Flecken auf dem Teppich? Wer ein Omelett machen will, muss ein paar Eier in die Pfanne hauen. Und die Eier gehen dabei leider kaputt. Ohne die Schale zu zerbrechen, funktioniert es nicht.«

Er hob das Glas hoch bis über seinen Kopf und ließ es dann auf die Fliesen fallen. Es zerkrachte.

»Du weckst Amelie«, rief sie.

»Wäre es dir lieber, die Monster wecken sie?«

Indra versuchte den Impuls in sich zu unterdrücken, mit Haushaltstüchern alles aufzusaugen und die Scherben aufzukehren. Er hatte das Glas bewusst auf die Fliesen, neben den Teppich, fallen lassen. Er wollte, dass es kaputtging.

Sie verstand, was er ihr damit demonstrieren wollte, und hoffte gleichzeitig, dass er den Plan aufgegeben hatte, sich umzubringen.

»Keine Angst«, sagte er, »ich werde Amelie den Anblick ersparen. Es war eine blöde Idee, sich hier zu vergiften. Ich werde es draußen erledigen. In der Nordsee.«

»Nein«, bestimmte sie, »das wirst du nicht. Wenn es jemanden gibt, der sie aufhalten kann, dann bist du das!«

»Indra, es ist schön, dass du an mich glaubst. Aber meine Mittel sind ausgeschöpft. Ich bräuchte eine Armee, um sie aufzuhalten. Die habe ich nicht. Nicht mal ein, zwei Kampfesgefährten. Ja, es gibt Trupps, die irgendwo da draußen autonom agieren. Aber ich habe keine Verbindung zu ihnen. Ich bin alleine. Abgeschnitten von allem.« Er klopfte sich gegen den Kopf: »Ich habe das Wissen, hier! Aber was nutzt es? Niemand glaubt mir.«

Sie versicherte ihm: »Ich kämpfe an deiner Seite!«

»Wenn ich das ernst nehmen soll, dann musst du mir einen Beweis bringen, dass das nicht nur Lippenbekenntnisse sind.«

»Wie kann ich das tun?«

»Erlöse deinen Ex. Aber nicht so, wie du mit dem Messer auf mich losgegangen bist.« Jetzt bückte er sich und hob es auf: »Das hier ist sowieso viel zu läppisch. Damit kann man Obst schälen und tief in die Haut ritzen. Aber wenn du es in den Körper stößt, bricht es, sobald es auf die erste Rippe trifft. Mit dem Messer musst du schon sehr genau wissen, wo du hinstechen musst. Wenn du das kannst, dann brauchst du nicht mal ein Obstmesser, um zu töten. Da reicht schon ein Stielkamm. Ich werde dich ausbilden, wenn du willst.«

Sie nickte entschlossen. »Ich will.«

»Wir werden«, sagte er, »unsere Sachen zusammenpacken und hier verschwinden. Wir holen uns diese beiden Propagandisten der Aliens, die versuchen, alles schönzureden. Sie werden uns zu dem außerirdischen Monster führen. Und dann kapern wir ihren Podcast. Wir zwingen sie, die Wahrheit zu sagen. Wir müssen die Menschheit aufrütteln! Die Millionen da draußen sollen erfahren, was wirklich los ist. Die rüsten noch Armeen aus, damit Nationen gegeneinander kämpfen können, um Grenzen zu verschieben oder Ölfelder zu erobern. Oder um ihren bescheuerten Glauben zu verbreiten. Wir werden die Welt einen und sie dazu bringen, die Waffen gegen den wirklichen Feind zu richten!«

Sie umarmte ihn und flüsterte: »Verzeih mir. Verzeih mir, dass ich so sehr gezweifelt habe. Ich wollte dich wirklich mit dem Messer …«

Er streichelte über ihren Kopf: »Schon gut. Ich mag deinen Kampfgeist. Wir müssen ihm jetzt nur die richtige Richtung geben. Ich habe ein Manifest geschrieben. Ich will es veröffentlichen. Du darfst der erste Mensch sein, der es liest.«

»Ein Manifest?«

»Ich muss doch irgendwie erklären, was ich tue, um die

Menschheit aufzurütteln. Und um Kampfesgefährten zu gewinnen, um eine Armee zu schmieden. Sag mir, was du davon hältst. Deine Meinung ist mir wichtig.«

Sie fühlte sich geehrt: »Wo ist dein Manifest?«

»Bis jetzt habe ich es nur aufgeschrieben. Ich kann es ja schlecht wie Martin Luther seine fünfundneunzig Thesen an die Tür der Wittenberger Schlosskirche nageln.«

»Die Schlosskirche von heute ist das Internet«, sagte sie und fühlte sich bereits als seine Komplizin. »Mach es wie die beiden UFO-Forscher.« Sie deutete auf das Buch: »Nutz das Internet. Du kannst eine Homepage machen. Eine Facebook-Seite.«

Ihr Eifer gefiel ihm. Er las ihr sein Manifest vor.

Oma Tadea sprach es beim Frühstück aus: »Die Luft ist hier zum Schneiden dick.«

Huggi bereitete seine Brötchenhälfte wie ein Kunstwerk vor. Er hatte es zunächst daumendick mit Quark bestrichen und träufelte jetzt selbstgemachte Himbeermarmelade darauf, die er mit einem Löffel aus dem Glas baggerte. Er arbeitete so konzentriert, als hätte er keine Zeit, auf Oma Tadeas Satz einzugehen.

Donna schwieg ebenfalls verbissen. Sie rührte in ihrem Joghurt herum.

»Kinder«, sagte Oma Tadea, »ich bin zu alt, um mich in Anderleuts Angelegenheiten einzumischen oder mich mit Problemen rumzuärgern, die nicht meine eigenen sind.«

Sie sah erst ihre Enkeltochter an, dann Huggi. Beide erwiderten ihren Blick nicht.

»Ich bin jetzt zweiundachtzig«, fuhr Oma Tadea fort.

»Wenn ich morgens wach werde und mir nichts weh tut, bin ich glücklich. Ich freue mich auf den Tag und hoffe, dass ich noch viele schöne Tage vor mir habe. Ihr beide steckt bis zum Hals in Schwierigkeiten. Aber das sind eure Schwierigkeiten, nicht meine. Ich habe inzwischen gelernt, mich vernünftig abzugrenzen. Seitdem geht es mir wesentlich besser.«

Donna hustete, als hätte sie sich verschluckt. Und wie früher, als sie noch ein kleines Kind gewesen war und manchmal mit Lutschbonbons nicht klarkam, hob Oma Tadea ihre Arme hoch in die Luft und sagte: »Arme hoch, damit die Luftröhre frei wird, feste husten und dann raus damit!«

Vielleicht war es dieser kleine Moment, der Donna in ihre Kindheit zurückbrachte. Sie rückte jetzt damit raus. Huggi ahnte es schon und wollte ihr mit Blicken zeigen, sie solle den Mund halten. Doch dafür war es schon zu spät.

»Er verdächtigt dich, die Polizei gerufen zu haben«, sagte Donna.

Oma Tadea lachte bemüht. »Ich? Warum sollte ich? Mir würde es gefallen, wenn die Kleine mit bei uns am Frühstückstisch säße. Die hat sich wenigstens mit mir unterhalten, und mit der konnte ich Spaß haben. Ihr hockt hier nur rum, als würdet ihr eine schwere Krankheit ausbrüten und giftet euch und mich an. Was soll das?«

Huggi ballte die Faust. Er donnerte damit nicht auf den Tisch, aber es fiel ihm schwer, sich unter Kontrolle zu halten.

Oma Tadea sprach es aus: »Schlägt er dich, Donna?«

Donna antwortete nicht.

»Nein, ich schlage keine Frauen«, knirschte Huggi schmallippig. »Auch wenn ich manchmal Lust dazu hätte. Meine Indra hat mich vorgeführt und fertiggemacht. Und das hier gestern war nur ein kleines Stück ihrer Abrechnung mit mir.

436

Aber diesmal werde ich es ihr heimzahlen. Ich lasse mich nicht von meinem Kind entfremden!«

»Sie meinen mit entfremden«, korrigierte Oma Tadea ihn, »Sie lassen sich Ihr Kind nicht wegnehmen! Für Sie ist Amelie wie ein Besitz.«

In dem plötzlichen *Sie* schwang so viel Ablehnung mit, dass Huggi aufstand. »Wir gehen. Hier halte ich es nicht länger aus. Das hier ist ein Verräterloch!«

»Die Polizei sucht euch jetzt vermutlich auch nicht mehr. Schließlich ist Amelie wieder bei ihrer Mutter. Also muss ich Ihnen auch kein Asyl mehr gewähren.« Oma Tadea deutete zur Tür, sah dabei aber nicht Huggi an, sondern ihre Enkelin. »Du kannst natürlich bleiben, solange du willst, Donna.«

Donna zögerte. Sie erhob sich schon ein bisschen vom Stuhl, setzte sich dann aber wieder, als wolle sie weiter frühstücken.

»Ich gebe dir fünf Minuten«, sagte er. »Dann steigst du zu mir ins Auto, oder wir sind geschiedene Leute.«

Er ging ins Schlafzimmer und suchte seinen Kram zusammen.

Huggi verließ das Haus alleine um 10 Uhr 41 an diesem wunderschönen Sommermorgen.

Vor der Tür atmete er tief durch. Er kam sich befreit vor. Am stahlblauen Himmel verfolgte er den Formationsflug von Schwarmvögeln, die in Richtung Borkum unterwegs waren. Er beneidete diese Tiere. Verglichen mit ihrem Leben erschien ihm das Menschsein geradezu mickrig. Die da oben gehörten zusammen, einigten sich auf eine Richtung und verfolgten einen gemeinsamen Plan. Das Wort *vogelfrei* bekam gerade eine ganz neue Bedeutung für ihn.

Er würde sich irgendwo eine alleinerziehende Mutter suchen. Vielleicht eine mit einer pubertierenden Tochter. Er stellte sich vor, die besser händeln zu können. Kleine Kinder waren zu kompliziert und viel zu anhänglich. Teenies dagegen waren froh, wenn man sie mal alleine ließ und ihnen Freiheiten gab.

Vielleicht würde er sich ein Hobby suchen, eins, das er spannend fand und das ihn interessant machte.

Er ärgerte sich darüber, dass er nicht wusste, was für Vögel dort über ihm flogen. Vielleicht, dachte er, gehe ich in den Vogelschutzbund oder so. Da lernt man bestimmt auch gute Frauen kennen. Ich will die Vögel an ihren Stimmen erkennen können und an ihrem Flug.

Er glaubte, mit seinen Plänen noch ein gutes Leben vor sich zu haben. Er wusste nicht, dass dies sein letzter Tag sein würde. Nie wieder würde er einen Vogelschwarm über sich erleben, und um zu lernen, Vogelstimmen voneinander zu unterscheiden, fehlte ihm die Zeit …

Sie konnten Amelie nicht mitnehmen. Es wäre Alex am liebsten gewesen, Indra hätte den Job ganz alleine gemacht. Er gab ihr die Adresse in Emden-Larrelt, doch sie fürchtete, im letzten Moment schwach zu werden. Ja, sie war bereit, es zu tun, doch sie brauchte dabei eine Begleitung.

Amelie war froh, dass sie wieder mit ihrer neuen Freundin Felicitas spielen konnte. Deren Eltern hatten eigentlich vorgehabt, ins Waloseum oder ins Teemuseum zu fahren, doch bei dem schönen Wetter lockte nicht einmal die Seehundstation. Jetzt war die Nordsee unwiderstehlich.

Der Vater versprach, die Kinder dürften ihn eingraben, und außerdem wüsste er, wo die beste Eisdiele der Stadt sei.

Indra und Alex fuhren Richtung Emden.

»Da sind wir Amelie mal für einen Tag los, und was machen wir ...«, fragte sie.

»Ja«, lachte er, »normalerweise wäre jetzt wilder, hemmungsloser Sex fällig, aber wir wollen ja die Welt retten! Dafür muss man sich schon mal ein bisschen Zeit nehmen.«

»Ich glaub es nicht«, sagte sie und lenkte den Wagen durch den Kreisverkehr. »Fahre ich wirklich nach Emden, um meinen Ex zu töten?«

»Nein«, korrigierte er sie, »du fährst nach Emden, um eine Kreatur von ihrem Leid zu befreien. Du bist eine Heldin. Du kämpfst einen Kampf für die Menschheit. Einst wird man dir ein Denkmal bauen, Schulen und Straßen nach dir benennen und ...«

»Hör auf«, winkte sie ab. Das war ihr nun wirklich zu viel.

Doch er beharrte darauf: »Natürlich! Wir sind die Ersten! Wie viele Geschwister-Scholl-Schulen gibt es, weil sie versucht haben, den großen Diktator zu ...«

»Das kann man doch nicht vergleichen, das hier ist doch ganz was anderes!«

»Ach ja? Ich kann das nicht sehen. Jede Zeit hat ihre eigenen Aufgaben. Ich glaube übrigens, dass er einer von ihnen war.«

»Wer?«

»Hitler.«

»Ein Alien?«

»Gibt es eine andere Erklärung für die Faszination und Macht, die er auf die Menschen ausübte? Heute tun alle so, als sei er nur mit Gewalt und Terror an die Macht gekommen und drangeblieben. Aber das ist nicht korrekt, meine Liebe. Sie haben ihn gewählt. Und dann hat er sich genau wie ein Monster verhalten. Während er den großen Verführer gab, dem alle zujubelten, begann das Schlachten bereits. Und natürlich lassen die sich zwar an die Macht wählen, aber dann nicht wieder abwählen. Das ist das Verhalten dieser Spezies. Sie liquidieren alles, was ihnen im Weg ist. Wir sind die Widerstandsgruppe. Wir sind die Attentäter. Wir riskieren unser Leben.«

Einerseits wehrte sie sich innerlich dagegen, andererseits drangen diese Worte in sie ein, nahmen Raum in ihr, gaben ihr das Gefühl, ein Teil von etwas Großem, etwas Besonderem zu sein. Sie fühlte sich fast erhaben.

Sie kannte so etwas nicht. Andere Männer, gerade Huggi, hatten versucht, sie zu erniedrigen, aus ihr ein Nichts zu machen. Dieser Alex, oder wie immer er hieß – was spielte es schon für eine Rolle? –, hob sie auf einen Thron, gab ihr das Gefühl, wertvoll zu sein. Ja, mit ihm bekam ihr Leben Bedeutung.

Ihr wurde klar, wie sehr sie sich über ihr Kind definiert hatte. Wie viel Selbstbewusstsein sie daraus gezogen hatte, Mutter zu sein. Doch jetzt kam noch etwas anderes dazu: Sie wurde zu einer Kämpferin.

Sie fand sein Manifest glänzend geschrieben. Es würde Menschen überzeugen. Vielleicht nicht alle, aber doch viele. Wenn sie es nur vorurteilsfrei lesen würden …

Er sagte es voller Überzeugung: »Auch wenn uns vielleicht morgen die Presse verurteilt und die Polizei hinter uns her ist – die Geschichte wird uns freisprechen. Der Tag ist nicht mehr weit, dann werden wir stolz sein auf unsere Taten. Und jeder, der uns mal unterstützt oder Unterschlupf gewährt hat, wird der Stolz seiner Familie werden, für Generationen.«

Er schwieg eine Weile und sah auf sein Handy. Er suchte Nachrichten über den Zustand der Welt.

Die abgeschossenen Flugobjekte über Nordamerika waren

immer noch nicht wiedergefunden worden, und keine Regierung der Welt erklärte: *Das waren unsere Ballons*. Sie kamen aus dem Nichts, und selbst ihre Trümmer verschwanden im Nichts. Wenn das kein Beweis war ...

»Wenn ich vor ihm stehe«, sagte Indra mit Zittern in der Stimme, »dann kann es mir passieren, dass ich plötzlich ... Also, dass alles wieder so ist wie früher. Dass ich Angst vor ihm habe oder versuche, ihn zu becircen. Mein Gott, was habe ich angestellt, um ihm zu gefallen?! Was mache ich denn, wenn er mich durchdringend anschaut und ich werde plötzlich wieder das kleine, willfährige Frauchen?«

»Das wird nicht passieren«, behauptete Alex.

Es tat ihr gut, dass er so sehr an sie glaubte. »Aber woher nimmst du diese Sicherheit?«, fragte sie.

»Weil du nicht mehr die bist, die du warst. Das alles ist Vergangenheit. Man kann seine Vergangenheit ablegen wie alte Kleider. Jetzt bist du eine andere. Eine Menschheitskriegerin.«

»Es würde mir leichter fallen, ihn zu erschießen als ihn zu erstechen. Ich muss ihm dann so verflucht nah kommen. Das fällt mir schwer.«

Er öffnete die Innenverkleidung der Autotür. Dahinter wartete zwischen Schaumstoff eine P-10-Luger 9 mm auf ihren Einsatz.

»Zwei Magazine und achtzig Schuss Munition sollten für den heutigen Tag ausreichen.« Wortlos schraubte er den Schalldämpfer auf die schwarze Waffe und wog sie in der Hand. »Jeder hat seine eigenen Vorlieben. Ich bevorzuge das Erlösermesser und die Garotte. Aber du darfst gerne eine Handfeuerwaffe benutzen. Darauf kommt es nicht an. Nimm das, was dir am meisten zusagt.«

Plötzlich wurde das alles für sie so real. Diese Waffe war

tatsächlich die ganze Zeit hinter der Autoverkleidung gewesen. Er hatte kein Wort darüber verloren.

»Ich habe«, sagte sie, »noch nie mit so etwas geschossen.«

»Es gibt für alles im Leben ein erstes Mal.«

»Müssen wir das nicht erst üben?«

Sie wusste selbst nicht, ob sie mit ihrer Frage nur versuchte, Zeit zu gewinnen.

»Im Kampf«, sagte er, »ist sowieso alles anders. Du nimmst sie in beide Hände, richtest den Lauf auf ihn und drückst ab. Mehrfach, damit du ihn wirklich erledigst. Ich drehe das Messer meist noch mal um, wenn ich es ihnen ins Herz gerammt habe, oder erdrossele sie noch. Diese Biester sind zäh. Du kannst das Magazin leerfeuern. Wir haben genug Munition.«

Sie parkten ziemlich genau dort, wo Rupert mit Jessi gestanden hatte. Inzwischen gab es keinen Partylärm mehr. Es war wieder eine ruhige Straße an einem herrlichen Morgen. Unter der Hecke saß eine Katze und beobachtete die beiden misstrauisch.

»Ja, aber soll ich jetzt einfach klingeln und reingehen?«

»Um keine Fehler zu machen, fragt man die Person, die man tötet, normalerweise nach dem Namen. Das ist in deinem Fall nicht nötig. Du wirst deinen Ex ja wohl erkennen.«

»Aber man wird mich sehen. Vielleicht hat man auch unser Auto gesehen. Vielleicht … «

»Wir müssen sie da schlagen, wo wir sie kriegen können. Egal, ob im Strandkorb oder im Wohnzimmersessel. Schlimm wird es erst, wenn sie bei uns an die Tür klopfen, um uns zu holen. Noch sind wir am Drücker.« Er zeigte nach vorne und lachte: »Guck dir das an! Das Schicksal meint es gut mit dir.«

Da stand Huggi vor der Tür und betrachtete den Vogelschwarm, der Richtung Borkum unterwegs war.

»Jetzt oder nie«, ermunterte Alex seine neue Komplizin.

Sie machte ein Gesicht, wie er es noch nie bei ihr gesehen hatte. Eine Entschlossenheit, auch ganz anders als bei dem Angriff auf ihn. All die Demütigungen der letzten Jahre spiegelten sich darin.

»Du musst näher ran«, sagte Alex, der Angst hatte, sie könne auf die Entfernung ihr Ziel verfehlen. Er selbst blieb beim Auto stehen. Sie rannte mit ausgestreckten Armen auf Huggi zu. Er hatte sie noch gar nicht bemerkt und wollte zur Garage gehen.

»Du Drecksack«, rief sie, »du Drecksack! Du Monster!«

Dann feuerte sie. Der Knall war längst nicht so laut, wie sie vermutet hatte. Es machte *Plopp,* und in ihrer Hand gab es einen heftigen Ruck. Sie roch Schwefel.

Ein Spatzenschwarm löste sich aus einer Baumkrone und floh aufs Dach.

Huggi sah sie an. Er taumelte ihr entgegen.

Indra war sich nicht sicher, ob sie ihn überhaupt getroffen hatte. Sie feuerte einfach immer weiter. Sie zog den Hebel durch, wieder und wieder.

Hinter einer Rosenhecke brach Huggi zusammen.

»Geh hin, gib ihm den Rest«, forderte Alex, der gut fünfzig Meter von ihr entfernt war. »Schieß ihm aus nächster Nähe in den Kopf!«

Doch sie erschrak plötzlich. Es war, als würde sie aus einem Traum erwachen. Fast hätte sie die Pistole weggeworfen.

Sie drehte um und rannte auf Alex und das Auto zu. »Ich hab's getan!«, rief sie, fassungslos über sich selbst. »Ich hab's getan!«

»Für den Anfang gar nicht so schlecht«, lobte er sie. »Aber wir müssen sicher sein, dass er tot ist.«

»Ich lauf doch jetzt nicht zurück! Ich bin doch nicht bescheuert!«, kreischte sie.

Schon saß sie wieder hinterm Steuer und ließ den Motor an. Alex konnte gerade noch in den Wagen springen.

Die Luger lag im Fußraum des Beifahrersitzes. Indra hatte sie einfach dorthin geworfen.

»Jetzt die Nerven behalten«, mahnte er.

Sie setzte rückwärts und touchierte mit dem Wagen leicht das hinter ihr stehende Fahrzeug.

»Ruhig Blut«, sagte er noch einmal. »Soll ich lieber fahren?«

Sie lenkte den Wagen aus der Parklücke, ohne sich nach hinten umzusehen. Ein dunkelblauer BMW fuhr mit Tempo 30 an ihnen vorbei. Fast hätte sie den Spiegel mitgenommen.

»Mein Gott, ich habe ihn umgebracht! Einfach so! Draußen … Alle konnten es sehen!«

»Quatsch«, sagte er. »Niemand hat es gesehen. Nicht mal ich habe es richtig mitgekriegt.«

Jetzt kamen ihr die Zweifel: »Was, wenn sich jemand das Nummernschild aufgeschrieben hat?«

Er lachte: »Sei stolz auf dich. Du hast es geschafft. Zurück ins bürgerliche Leben, das geht sowieso nicht mehr. Du brauchst einen neuen Namen. Du bekommst eine ganz neue Identität. Ab jetzt bist du eine Alienjägerin. Herzlichen Glückwunsch! Du kannst dir aussuchen, wie du heißen willst. Und sag doch mal ehrlich: War es nicht geil?«

Sie schlug auf das Lenkrad: »Nein, war es nicht, verdammt! War es nicht! Ich muss ja völlig verrückt sein! Ich habe gerade meinen Ex erschossen! Ich habe ihn in einem fremden Garten einfach abgeknallt!«

Er widersprach hart: »Nein, du hast die Welt von einem Alien befreit. Und eine gequälte Seele erlöst. Du musst lernen, zu dem zu stehen, was du tust. Trag die Nase hoch. Sei stolz auf dich!«

Sie fuhr rechts ran. Sie weinte und zitterte am ganzen Körper: »Ich kann nicht mehr«, sagte sie. »Ich kann nicht fahren. Bitte fahr du.«

»Das ist nur der erste Schock«, sagte er. »Das erste Mal vergisst man nie. Ist bei mir ganz genauso. Es war … «

»Ich will es nicht wissen!«, schrie sie. Sie presste beide Hände gegen ihre Schläfen: »Ich habe Angst, verrückt zu werden. Ist das alles wirklich passiert?«

»Ja«, sagte er, »ist es. Und du warst großartig! Eine Heldin! Ich werde dich schulen und eine unbezwingbare Kampfmaschine aus dir machen.«

»Ich will aber keine Maschine werden, ich bin eine Mutter, ich … «

»Ja, verzeih. Vielleicht war das der falsche Ausdruck. Ich meinte, ich will eine unbesiegbare Heldin aus dir machen. Die Heldin ist in dir! Sie ist nur begraben zwischen so viel Zivilisationsmüll, Lügen und falscher Erziehung. Tief in dir drin bist du eine richtige Heldin. Jetzt gerade hast du sie in dir erweckt. Sie war die ganze Zeit da. Nun spürst du endlich, wer du wirklich bist.«

Ann Kathrin und Weller hatten lange geschlafen und ließen sich jetzt das Frühstück im Hotel *Haverkamp* schmecken. Es gefiel Weller, dass es Honig aus Waben gab. Er fotografierte das Ganze sogar. Es kam ihm vor wie ein Kunstwerk und erinnerte ihn daran, dass Beuys auf der Documenta mal eine Honigpumpe vorgestellt hatte. Bei all den Kriminalfällen, den

Morden und den Diskussionen über Aliens und UFOs sehnte sich Weller wieder nach Kunst. Nach einem Besuch im Museum. Nach einer Ausstellung. Etwas Menschengemachtes.

Wann bin ich zum letzten Mal in Emden im Museum gewesen?, fragte er sich.

Es gab hier in Bremerhaven eine Kunsthalle und ein Kabinett für aktuelle Kunst. Hier gab es manchmal spannende Ausstellungen. Ein gutes Frühstück und anschließend Kunst, die den Geist beflügelte, das, so glaubte Weller, könnte ihn wieder neu mit der Welt verbinden.

Er äußerte den Wunsch, eine Ausstellung zu besuchen.

Ann Kathrin trank heißes Wasser, obwohl der Kaffee hier sehr gut war. Doch manchmal brauchte sie das für die Seele: einfach heißes Wasser.

Als sie zu ihrem Handy griff, hätte er sie am liebsten daran gehindert. Es gab, wenn man auf sein Handy schaute, immer irgendetwas, das sich gerade wichtigmachte und natürlich bedeutsamer war als jedes Kunstwerk, das im Museum hing.

Ann Kathrin wäre ein Spaziergang am Meer jetzt lieber gewesen als alles andere. Aber sie wusste, dass ihr Mann manchmal einen guten Roman brauchte, ein Matjesbrötchen, eine Kunstausstellung oder ein Konzert.

Kunst lud ihn auf, bereicherte sein Leben, genauso wie ein Matjesbrötchen mit frischen Zwiebeln.

»Rupert«, sagte sie und deutete Weller an, dass auf ihrem Handy gerade ein Anruf einging.

Weller winkte ab: »Geh bloß nicht ran. Nicht jetzt, Ann.«

Sie schaute, als würde sie Weller recht geben und nickte sogar, dann hielt sie sich aber das Handy ans Ohr und flüsterte: »Moin, Herr Hauptkommissar.«

Es war für Weller, als würde gerade Luft aus ihm gelassen. Er sah, noch bevor er wusste, worum es ging, seinen schönen Vormittag dahinsausen. Er musste froh sein, wenn sie hier zu Ende frühstücken konnten.

Wie oft schon war sein Kaffee kalt geworden, hatte er ein Essen stehen lassen oder eine Party versäumt, weil irgendwelche Kriminellen sich nicht an die Bürozeiten hielten?

Ann kam ihm merkwürdig kleinlaut vor. Vielleicht lag es auch nur daran, dass sie sehr leise sprach, um nicht im Frühstücksraum die anderen Gäste zu stören. Sie selbst empfand es immer als Zumutung, wenn andere Leute in ihrer Nähe in Restaurants oder Cafés laut telefonierten. Komischerweise machte es ihr viel weniger aus, wenn sich zwei Gäste am Nachbartisch unterhielten.

Weller holte sich noch schnell ein Croissant und tauchte die Spitze in seine Kaffeetasse.

Sein Handy spielte *Piraten Ahoi!* Er sah, dass Marion Wolters ihn erreichen wollte, und drückte den Anruf einfach weg. Für einen Moment verfluchte er das alles. Wieso konnten sie nicht Feierabend haben wie andere Leute auch? Warum kein ruhiges Wochenende?

Nach der langen Nacht gestern mit Sabrina und Finn-Henrik brummte ihm noch der Schädel. Er brauchte viel Wasser, Kaffee und ein gutes Frühstück. Und wenn er überhaupt mit jemandem telefonieren wollte, dann mit seiner Tochter Jule, um ihr zu erklären, was hier wirklich los war. Möglicherweise befand sich ihre Schwester – ja, ihre ganze Familie – im Zentrum von erstaunlichen Ereignissen, die Geschichte machen würden. Er wollte nicht, dass Jule sich ausgeschlossen fühlte und allein schon deswegen dagegen war.

Er ahnte, dass auf Sabrina und seinen zukünftigen Schwiegersohn schwierige, harte Zeiten zukamen. Noch befanden sie sich in einem emotionalen Höhenflug. Aber bald schon würde es Attacken auf sie regnen. Dann brauchten sie Nerven, eine Familie, die zu ihnen hielt, und ein paar gute Freunde.

Weller nahm sich fest vor, an ihrer Seite zu stehen. Er und Ann Kathrin waren mehr als einmal öffentlich unter Beschuss geraten. Er wusste, wie sich das anfühlte.

Ann Kathrin sagte: »Wir können in knapp zwei Stunden da sein.« Sie drückte das Gespräch weg, legte ihr Handy auf den Tisch und nahm einen Schluck heißes Wasser. Dann flüsterte sie in Wellers Richtung, so leise, dass er es kaum verstand und den Kopf ganz weit über den Tisch recken musste, um ihr besser zuhören zu können: »Ich war doch bei den Krolls, weil die kleine Tochter entführt worden war.«

»Ja, ich weiß. Du hast bei ihnen das Buch von unserem Schwiegersohn entdeckt. Was soll's? Ich denk, das Kind ist zurück?«

»Ja. Aber Rupert sagt, der Vater der Kleinen wurde heute Morgen in Emden-Larrelt in einem Vorgarten erschossen.«

Weller staunte: »In einem Vorgarten? Erschossen?«

»Rupert sagte erst erschossen und dann, dass Herr Kroll vier Kugeln im Körper hat. Mindestens«, korrigierte sie sich selbst. »Sie kämpfen im Hans-Susemihl-Klinikum um sein Leben. Seine Freundin behauptet, es sei seine Exfrau gewesen.«

Ann Kathrin stand auf. Sie mussten nicht lange darüber reden. Es war klar, dass sie jetzt zurückmussten. Nix Kunstmuseum, nix Spaziergang am Meer, einfach nur zurück von Bremerhaven nach Norden oder nach Emden an den Tatort, das würde sich während der Autofahrt klären.

Weller zahlte an der Rezeption noch die Rechnung und nahm sich eine *Nordseezeitung* mit. Sie gingen schweigend zum Auto. Weller hatte sich das Croissant mitgenommen und biss hinein, als er sich hinters Steuer setzte.

»Einen Profikiller hat sie ihm jedenfalls nicht auf den Hals gehetzt«, sagte Ann Kathrin. »Vier Schüsse, und er lebt noch ... «

»Hört sich schon ein bisschen nach einer wütenden Frau an«, maulte Weller mit vollem Mund.

»Sie hatte Angst um ihre Tochter. Jetzt ist die Kleine wieder bei ihr. Im Grunde ist es gut für sie gelaufen. Sie wird das nicht riskieren und alles aufs Spiel setzen. Warum denn? Das wäre doch völlig verrückt – eine Frau, die auf ihren Partner schießt, der entzieht man das Sorgerecht für ihr Kind. Dann kriegt er es.«

»Wenn er es überlebt«, fügte Weller hinzu.

»Da stimmt was nicht, Frank.«

»Scheiße«, fluchte er, »Scheiße, verdammte Scheiße!«

»Was ist denn?«

»Ja, wir sind einfach losgefahren, Ann! Mal wieder war alles andere wichtiger. Ich habe noch meine Klamotten auf dem Zimmer. Meinen Kulturbeutel, meine Wäsche ... Ich bin doch nur zum Frühstück runtergegangen, und ich dachte, vielleicht gehen wir noch ins Museum.«

»Mist«, sagte Ann Kathrin, »ich auch.«

»Drehen wir um?«, fragte Weller.

Ann Kathrin war entschieden dagegen: »Nein, das dauert zu lange. Ich rufe im *Haverkamp* an und frage, ob sie uns die Sachen nachschicken können. Die sind da sehr freundlich und hilfsbereit. Wenn ich ihnen erkläre, worum es geht, dann ... «

»Du willst denen doch jetzt nicht ernsthaft erzählen, wir sind losgefahren, weil gerade jemand in seinem Garten abgeknallt wurde?«

»Nein, ich werde andere Worte wählen.«

»Na, da bin ich aber mal gespannt.«

Weller versuchte, sich auf den Verkehr zu konzentrieren, und wartete, bis Ann Kathrin mit ihrem Anruf durchkam. Sie flötete geradezu vor Freundlichkeit, lobte das Hotel, betonte, wie wohl sie sich gefühlt hätten, dass sie gerne wiederkommen würden, weil sie noch eine Ausstellung besichtigen wollten, und dann rückte sie damit raus: »Uns ist etwas Blödes passiert. Wir mussten überstürzt abreisen. Wir haben eine Nachricht bekommen, wie sie niemand gerne erhält. Wären Sie so lieb, unsere Sachen in ein Paket zu packen und uns in den Distelkamp nachzuschicken? Wir zeigen uns auch gerne erkenntlich.«

»Biete denen jetzt bloß kein Geld an«, raunte Weller. »Das hört sich nach Bestechung an.«

»Zum Beispiel mit einem schönen Paket vom *Café ten Cate*. Baumkuchen. Deichgrafkugeln oder … « Ann Kathrin lauschte und bedankte sich dann. »Das ist wirklich sehr freundlich von Ihnen.« Sie drückte das Gespräch weg. »Überhaupt kein Problem. Das passiert denen wohl nicht zum ersten Mal.«

Weller verschlang den Rest von seinem Croissant und wischte sich den Mund ab. Ann Kathrin beherrschte sich, die Krümel auf seiner Brust nicht wegzuwischen. Sie wollte sich nicht vorkommen wie seine Mutter.

»Warum«, fragte sie, »werde ich das Gefühl nicht los, dass dieses Familiendrama etwas mit unseren Morden in Norddeich zu tun hat?«

»Ann«, widersprach Weller. So, wie er ihren Namen ausrief, hörte es sich für sie an wie ein Ordnungsruf, der sie zusammenzucken ließ. »Wir haben es mit einem Täter zu tun, der mit dem Messer arbeitet und mit einer Garotte. Er tötet lautlos, und bei keinem seiner Opfer gab es den Versuch, sie zu reanimieren. Der versteht sein Geschäft. In Emden-Larrelt wurde auf jemanden geschossen. Vier Mal. Und er lebt noch. Wo soll denn da bitteschön der Zusammenhang sein?«

»Das ist so wie mit der Liebe.«

»Häh?«

»Ja. Man sieht einen Menschen, man weiß noch nicht viel über ihn, und trotzdem verknallt man sich. Du zum Beispiel warst eigentlich gar nicht mein Typ, aber trotzdem ...«

»Na danke. Und was hat das jetzt alles mit unserem Mordfall zu tun? Du willst doch nicht die Liebesgeschichte zwischen uns beiden damit vergleichen ... hier legt einer Leute um, Ann!«

»Ich rede von Gefühlen. Ich habe doch in deinem Fall auch meinem Gefühl vertraut. Ich meine, jede Vernunft sprach dagegen. Wir sind Kollegen, wir kennen uns schon ewig. Wir sind manchmal hart zusammengerasselt. Im Grunde bin ich so was wie deine Chefin und ...«

Er stöhnte. »Der Kerl an deiner Seite braucht echt Selbstbewusstsein.«

»Na, davon hast du doch genug.«

Ann Kathrin sah auf ihr Handy. »Rupert und Jessi sind im Krankenhaus.«

»Wollen sie ihn beschützen, damit der Killer nicht kommt und ihm den Rest gibt?«

»Frank!«, tadelte sie ihn. »Rupert hofft auf ein paar Informationen. Vielleicht wird Kroll wach und kann uns den Namen des Täters nennen.«

»Du gehst von einem Mann aus?«, fragte Weller. »Ich denke, seine Freundin macht seine Ex dafür verantwortlich?«

»Daran kann ich irgendwie gar nicht glauben. Mir ist kein

Fall bekannt, wo jemals eine geschiedene Ehefrau ihren Exmann mit mehreren Schüssen niedergestreckt hätte. Wenn er ihrem Kind was angetan hätte, dann ja. Aber so? Das hat keine Logik.«

»Frauen handeln nicht immer logisch … «, sagte Weller und spürte, dass er jetzt über sehr dünnes Eis ging. Um nicht einzubrechen, fügte er gleich hinzu: »Ich meine, Männer auch nicht … also … Liebe ist ein starkes Motiv. Liebe und Eifersucht«, ergänzte er.

»Sie hat einen anderen, Frank, und ist froh, den Typen los zu sein.« Ann wischte auf dem Bildschirm ihres Handys herum und stockte. »Kroll ist«, sagte sie, »seinen Verletzungen im Krankenhaus erlegen.«

Weller nahm die Nachricht ohne große Betroffenheit auf. »Ja, und was heißt das jetzt? Fahren wir nach Bremerhaven zurück und machen uns doch noch einen schönen Tag oder … «

»Ich habe die Wohnungen von Silke und Valentina Humann noch nicht gesehen«, erwiderte Ann Kathrin. »Eigentlich wollte ich … «

Weller blies heftig aus. »Sollen wir jetzt echt noch ins Ruhrgebiet fahren?«

»Das war ein Scherz, Frank, natürlich müssen wir mit Indra Kroll reden.«

»Ein Scherz«, stöhnte Weller. »Ja, sehr lustig … «

Als Indra und Alex in Norddeich wieder ankamen, schwirrten eine Menge Mücken und Fliegen herum, die sich zwischen den Glasscherben am Obstsaft labten.

Alex war es gewöhnt, Wohnungen oder Hotelzimmer

manchmal verwüstet zu hinterlassen. Er kam selten zweimal an denselben Ort zurück.

Indra dagegen fand es unmöglich und wollte gründlich saubermachen, bevor Amelie zurückkam. Es knirschten immer noch ein paar Scherben unter ihren Fußsohlen. Sie erkannte daran, wie fertig sie gewesen sein musste, denn sie glaubte, morgens die Wohnung in gutem Zustand verlassen zu haben.

Hier sieht es aus wie in mir selbst, dachte sie. Ich denke, es ist in Ordnung, aber nichts ist wirklich in Ordnung.

Er spottete: »Du willst doch jetzt nicht anfangen, hier sauberzumachen? Wir packen ein paar Klamotten zusammen, wechseln das Fahrzeug, und dann greifen wir uns YoLo2 und diesen Finn-Henrik. Ich spüre es – mein Messer wird noch heute ein Monster erlösen!«

»Wir können jetzt nicht einfach losfahren. Amelie ist mit ihrer neuen Freundin am Meer. Wir müssen warten, bis sie zurück sind. Das Kind ist noch völlig durcheinander. Sie braucht mich. Außerdem«, sie ließ die Arme runterhängen, »ich kann nicht mehr! Es ist für mich undenkbar, mit dir jetzt loszufahren und den nächsten Mord zu begehen. Mensch, ich hab so was wirklich noch nie gemacht! Ich bin völlig erledigt. Meine Beine fühlen sich an, als würde ich auf Watte gehen. Mir ist schwindlig, meine Ohren sausen. Ich bin nicht die Kämpferin, die du in mir siehst!«

»Okay«, sagte er. »Du musst damit rechnen, dass die Kripo hier auftaucht und dir Fragen stellt. Außerdem hast du Schmauchspuren an den Händen. Du musst dich gründlich waschen. Nimm viel Seife und Shampoo.«

»Und dann?«

»Dann sagst du ihnen, dass ich mit dem Auto weggefahren sei. Du warst den ganzen Morgen hier alleine und hast«, er grinste, »saubergemacht. Dich ausgeruht, gelesen, was Frauen halt so machen, wenn sie nicht gerade ihre Ehemänner erschießen.«

Der Gedanke, gleich allein zu sein, gefiel ihr einerseits. Sie brauchte einfach eine Pause. Andererseits bekam sie auch Panik. Würde sie ihn jemals wiedersehen? War das jetzt hier der Abschied? Würde gleich die Polizei kommen und sie verhaften?

Er beruhigte sie: »Du bist nie mit irgendwelchen Straftaten in Verbindung gebracht worden. Du bist eine völlig unschuldige, nette, alleinerziehende Mutti. Keiner wird eine Waffe bei dir finden. Sie werden dich kurz befragen und dann zur Tagesordnung übergehen, während ich das Propagandaministerium übernehme.« Er rieb sich die Hände. »Früher«, sagte er, »haben Revolutionäre versucht, den Bahnhof unter ihre Kontrolle zu bringen und den Radiosender. Ich hole mir die Kontrolle über diesen Podcast und werde mein Manifest in der ganzen Welt verbreiten.«

»Und ich? Was wird aus mir? Bist du jetzt einfach weg? Sehen wir uns nie wieder?«

Er streichelte ihr Gesicht: »Ich liebe dich. Du bist eine wunderbare Frau. Wir sind jetzt mehr als Mann und Frau. Mehr als ein Ehepaar. Was uns verbindet, ist stärker als eine Hochzeit. Wir sind jetzt Komplizen.«

Ann Kathrin und Weller trennten sich in Norden. Er ging in die Polizeiinspektion, um die Kollegen zu unterstützen, sie fuhr zu Indra Kroll, um allein mit ihr zu reden. Sie glaubte, von Frau zu Frau sei das jetzt leichter.

Weller ermahnte sie zweimal. Es verstieß gegen klare Regeln. Zu ihrer eigenen Sicherheit sollten sie zu zweit sein. Außerdem brauchte man für eine Aussage Zeugen. Doch Ann Kathrin wiegelte ab. Wenn er diesen sturen Gesichtsausdruck sah, wusste er, dass es keinen Sinn hatte, dagegen zu protestieren. Sie hatte sich in den Kopf gesetzt, mit Frau Kroll alleine zu sprechen.

»Okay«, sagte Weller, »schieben wir es auf die Personalknappheit.«

In Norddeich traf Ann Kathrin auf eine Frau in einem desolaten Zustand. Sie hatte Indra Kroll offensichtlich aus einem ohnmachtsgleichen Schlaf geklingelt.

Indras Bewegungen wirkten fahrig. Sie hatte dunkle Ränder unter den Augen.

Ann Kathrin fragte sich, ob die immer schon da gewesen waren und ob sie die Schatten beim letzten Mal nur überschminkt hatte. Manche Frauen besaßen die Fähigkeit, sich so dezent zu schminken, dass sie ungeschminkt aussahen. Ann Kathrin vermutete, dass Indra genauso eine war.

Ann Kathrin selbst mochte es nicht, sich anzumalen. Sie kam sich dann manchmal falsch vor. Irgendwie von sich selbst entfremdet. Aber es gab auch Tage, da half es ihr. Sie hatte dann das Gefühl, mehr Sicherheit zu bekommen, weil es ihr gelang, eine Unsicherheit zu verbergen, und sie wollte auch nicht immer authentisch sie selbst sein. In einer Dienstbesprechung war sie nicht gern Mutter oder Ehefrau, sondern lieber ganz professionell Hauptkommissarin. Ein Lippenstift, ein Puderpinsel und Mascara halfen manchmal, von einer Rolle besser in eine andere zu wechseln.

Indra Kroll hatte frisch geföhnte Haare, an den Spitzen noch ein bisschen feucht. Sie trug einen Bademantel. Indra hatte diesen Blick, Marke *scheues Reh,* drauf, von dem Ann Kathrin wusste, dass er bei manchen Männern – zum Beispiel bei ihrem Frank – sofort einen Beschützerinstinkt aktivierte, aber bei vielen anderen Männern löste so ein Blick etwas ganz anderes aus. Sie sahen, dass jemand nicht bereit oder in der Lage war, sich zu wehren, sondern Schutz suchte. Sofort witterten sie das Opfer.

Das waren Männer auf der Suche nach wehrlosen Opfern. Nach leichter Beute. Deshalb fand Ann Kathrin diesen Blick für Frauen gefährlich und fragte sich, ob sie Indra genau das sagen sollte.

Stattdessen konfrontierte sie sie direkt: »Ihr Exmann wurde in Emden erschossen.«

Indra Kroll reagierte mit introvertierter Gelassenheit, als hätte sie mit so einer Nachricht gerechnet oder wüsste es schon. »Ist er tot?«, fragte sie, ohne Ann Kathrin anzusehen.

»Ja. Er wurde von mindestens vier Kugeln erwischt.«

Ann Kathrin überlegte kurz, ob sie fragen sollte: *Haben Sie etwas mit der Tat zu tun?* Aber sie befürchtete, dann könne der ohnehin dünne Gesprächsfaden reißen. Also ließ sie es und formulierte stattdessen Sätze ohne jede Unterstellung: »Ein Mensch wird nicht einfach so niedergeschossen. So etwas hat immer ein Vorspiel. Es war kein Raubüberfall. Es sieht fast wie eine Hinrichtung aus. Haben Sie einen Verdacht? Hat Herr Kroll vielleicht Ihnen gegenüber mal etwas geäußert?«

Indra ging zur Terrassentür und öffnete sie. Sie guckte nach draußen in den Nachbargarten. Dort fläzte sich eine Frau im Liegestuhl, genoss die Sonne und las in einem dicken Buch.

»Kann Amelie noch etwas länger bei Ihnen bleiben?«, rief Indra.

»Sicher«, antwortete Frau Schneider, »die sind am Meer. Mein Mann hat heute Kinderdienst, und ich habe meinen

Lesetag. Die kommen bestimmt erst zum Abendessen zurück. Pizza! Das kann mein Mann echt gut, und die Kinder haben einen Riesenspaß dabei. Falls Sie auch Lust haben ... Die machen immer viel mehr Pizza, als sie essen können.«

Indra bedankte sich und schloss die Tür wieder. Sie lehnte sich mit dem Rücken dagegen.

»Amelie weiß ja noch nichts ... Wie sagt man einem Kind so etwas?«, fragte sie Ann Kathrin.

»Wir können uns um psychologische Betreuung kümmern. Für Sie und auch für Ihre Tochter.«

Indra guckte auf ihre Füße. Sie stellte sich anders hin und rieb sich die Hände. Sie drückte unterhalb ihres rechten Handgelenks mit dem Daumen der linken Hand auf einen Punkt, wo Ann Kathrin die Sehne des Handbeugemuskels vermutete.

Ann Kathrin fragte: »Akupressur?«

Indra nickte und erläuterte: »Hilft mir bei Angstzuständen. Hatte ich während meiner Ehe öfter.«

Indra rieb die Stelle eine Weile und wechselte dann die Hand.

»Ob er Feinde hatte – wollen Sie wissen?«, fragte sie jetzt zurück, als seien Ann Kathrins Worte gerade jetzt erst zu ihr durchgedrungen. Indra lächelte bitter und beantwortete die Frage, während sie den Akupressurpunkt unterhalb des linken Handgelenks drückte: »Vielleicht die Freunde oder Ehemänner der Frauen, die er flachgelegt hat ... «

Sie arbeitete weiter an ihrem Handgelenk und sprach, als müsse sie die Worte erst tief in sich suchen, bevor sie über ihre Lippen kamen. Dann wieder guckte sie dabei, als würde sie sich wundern, so etwas zu hören, ja als sei ihr das, was sie sagte, selber neu. Es klang nicht auswendig gelernt. Eher nach erstaunlichen Entdeckungen: »Seine Geschäfte waren vermutlich auch nicht immer ganz legal, aber damit hatte ich nie etwas zu tun … «

Indra schwieg jetzt und betrachtete ihre Handinnenflächen, als würde sie neue Kontinente entdecken. Sie war auf der Suche nach einem anderen Druckpunkt. Das Ganze hatte für Ann Kathrin etwas rührend Unbeholfenes an sich, so als hätte jemand Indra in geheimes Wissen eingewiesen, aber eben nicht vollständig, sondern nur rasch und ungenau.

Der Verdacht gegen sie war nicht ausgesprochen, hing aber im Raum wie ein unangenehmer Güllegeruch. Vielleicht öffnete Indra deshalb ein Fenster.

Ann Kathrin rang mit sich, ob sie es sagen sollte. Sie schwieg und beobachtete nur. Es war deutlich, dass Indra etwas verheimlichte. Ihr Gesicht und ihr Körper sagten es Ann Kathrin, auch wenn Indras Lippen nichts preisgaben. Sie hielt etwas zurück.

Ann Kathrin wusste, dass sie nur geduldig warten musste. Am Ende siegte meist das Mitteilungsbedürfnis der Menschen über Scham oder andere Bedenken.

Indra schloss das Fenster rasch wieder, als müsse sie verhindern, belauscht zu werden. Sie trat näher an Ann Kathrin heran, sah sie aber nicht an, sondern widmete ihre Aufmerksamkeit wieder den Akupressurpunkten. Sie stöhnte, als täte es weh und gleichzeitig gut.

»Er hat sich manchmal benommen, als sei er nicht von dieser Welt … « Nach einer längeren Pause fuhr sie fort: »Wie ein Alien … «

Ann Kathrin dachte an das Buch von Finn-Henrik und YoLo2, das sie hier gesehen hatte. Sie suchte die Wohnung mit Blicken ab. Das Buch lag neben dem Sofa auf dem Boden, als sei es jemandem beim Lesen aus der Hand gerutscht.

Ann bückte sich nach dem Buch und hob es auf. Das reichte, um Indra zu der Aussage zu provozieren: »Sie sind nicht alle so gut und friedlich, wie Bohlens und YoLo2 das glauben. Ein paar sind wirklich böse.«

Indra schien in innere Welten zu verschwinden. Ihr Körper stand noch ruhig da, aber Seele und Verstand wollten den Raum verlassen oder hatten es bereits getan. Indra schloss die Augen und starrte ins Leere. Was sie dort sah, machte ihr Angst.

Ann Kathrin versuchte, Indra mit einer Frage zurück ins Hier und Jetzt zu holen: »Böse wie Ihr Ex?«

Indra warf Ann Kathrin einen kurzen, verhuschten Blick zu. »Ja, in ihm wohnte ein Monster. Man konnte es nicht immer sehen. Es kam nur manchmal hervor. Aber es war immer da.«

»Sie haben es gesehen?«

»O ja!«

Jetzt kam Ann Kathrin um die Frage nicht mehr herum: »Haben Sie ihn getötet?«

»Nein, ich habe nicht einmal daran gedacht. Ich kann so etwas nicht. Ich bin nicht so … «

»Aber Sie haben einen Verdacht?«

Indra hoffte von sich abzulenken, als sie sagte: »Er hat davon gesprochen, dass Alienjäger hinter ihm her seien.«

»Alienjäger?«

»Hm.«

Ann begann zu frösteln und rieb sich die Oberarme. »Was darf ich mir darunter vorstellen?«

Indra zeigte zum Fenster und flüsterte eindringlich: »Da draußen herrscht ein Krieg, Frau Klaasen. Die Aliens gegen die Menschen.«

Als sei damit alles gesagt, schwieg Indra jetzt und ging zum

Sofa. Dort gestikulierte sie, als würde sie mit jemandem reden, aber dort saß niemand.

»Wollen Sie mir sagen, Ihr Mann und die Toten in Norddeich seien Opfer von Außerirdischen?«

Indra drehte sich um und schüttelte den Kopf. »Vielleicht waren sie selbst Außerirdische, und Alienjäger haben sie umgebracht.«

Ann fragte sich, ob die Frau dringend in psychiatrische Behandlung gehörte und ob sie tätig werden musste. Am liebsten hätte sie ihre Freundin Rita Trettin, die Fachärztin für Neurologie und Psychiatrie, angerufen und um Hilfe gebeten.

Als würde Indra Kroll die Gedanken der Kommissarin erahnen, relativierte sie plötzlich ihre Aussage: »Aber was weiß ich denn schon?«

Ann Kathrin wusste, dass es schwierig, ja sinnlos war, gegen Wahngebilde zu argumentieren. Aber sie versuchte es mit ein paar Fakten: »Wer eines unnatürlichen Todes stirbt, wird bei uns in der Gerichtsmedizin in Oldenburg genau untersucht. Bei einer Obduktion wurde nichts Ungewöhnliches festgestellt. Wir hatten es mit menschlichen Leichen zu tun.«

Indra lachte bitter ein zur Schau gestelltes Lachen. »Sie sind wie wir, Frau Klaasen.« Indra tippte sich gegen die Stirn: »Die Monster sind hier! Sie dringen ins Gehirn ein und übernehmen dort die Herrschaft.«

»Wie kommen Sie darauf?«

Indra zuckte mit den Schultern und sah Ann Kathrin fast mitleidig an: »Das weiß doch jeder. Auch wenn die Regierung sich bemüht, es zurückzuhalten, damit keine Panik ausbricht. Der Kampf zwischen Aliens und Menschen findet seit langer Zeit statt. Im Augenblick genau hier, in Ostfriesland.«

Ann Kathrin fragte sich, ob es richtig sei, in das Wahngebilde hineinzugehen, oder ob sie hier die Befragung abbrechen müsste. Sie erschrak über sich selbst, denn sie sprach mit Frau Kroll nicht mehr nur über den in Emden erschossenen Exmann, sondern sie bezog die Toten in Norddeich mit ein, als würde alles zu einer Serie gehören. Sie hatte das Gefühl, am richtigen Ort zu sein, aber vor verschlossenen Türen zu stehen. Ihr fehlte noch der Code, um sie zu öffnen.

Sie hatte schon viel erlebt. Manch ein Verdächtiger hörte Stimmen und hielt die für real. Andere glaubten, von Gott gelenkt zu werden. Das mit den Außerirdischen war neu für sie. Aber sie wunderte sich nicht. Schließlich waren UFOs und Außerirdische gerade ein ganz großes Thema. Kein Wunder, dass manche Menschen in ihrem Welt- und Selbstbild erschüttert wurden.

Ann fühlte Wut in sich aufsteigen, auf Finn-Henrik und sogar auf Sabrina. Wussten die eigentlich, was sie mit dem, was sie taten, bei labilen Menschen anrichten konnten?

Gleichzeitig schimpfte sie mit sich selbst. Wie konnte sie die zwei für etwas verurteilen, was sie doch gar nicht getan hatten? Sie wurden einfach nur missverstanden. Es war eine allgemeine Diskussion in der Welt. Ann Kathrin wollte das jetzt nicht auf die beiden personalisieren. Eigentlich mochte sie die zwei, und sie war gerade dabei, eine gute Beziehung zu Wellers erwachsenen Töchtern aufzubauen.

Alles war so verwirrend … Sie griff sich an den Kopf. Sie brauchte dringend ein Glas Wasser.

Tammo Östling war fünfzehn Jahre alt und galt als Einzelgänger. Er hatte nicht nur alles gesehen, sondern auch noch gefilmt. Er hatte sich den Dachboden im Elternhaus zu einer Sternenbeobachtungsstation ausgebaut. Gemeinsam mit seinen Eltern hatte er Sternenparks in Brandenburg, Nordrhein-Westfalen, Bayern und im Dreiländereck Thüringen/Hessen/Bayern besucht. Dort war er zum Amateurastronomen geworden.

Besonders beeindruckt hatte ihn das Biosphärenreservat Rhön. Es war als internationaler Sternenpark anerkannt worden. Auch auf Spiekeroog hatte man durch Reduzierung der Lichtverschmutzung für immer mehr Einblick in den Sternenhimmel gesorgt. Tammo fand das faszinierend. Spiekeroog war damit zu seiner Lieblingsinsel geworden.

Sein erstes Teleskop hatte er mit dreizehn bekommen. Eine Brennweite von 400 mm und eine 70 mm große Öffnung. Für ein Reisefernrohr schnell und einfach aufzubauen. Mit seinem Handyadapter nahm er Bilder mit erstaunlicher Qualität auf.

Inzwischen besaß er bessere Teleskope, doch er nutzte sie nicht mehr so sehr, um Sterne zu beobachten. Am anderen Ende der Straße, von seiner Sternenstation aus sehr gut einzusehen, wohnte Tina Pflüger, die zwei Klassen über ihm war und ihn in der Schule keines Blickes würdigte. Aber mit ihren Freundinnen kiffte sie auf dem Balkon. Sie waren oft nackt dabei und knutschten. Sie suchten nicht einfach nur streifenfreie Bräune, sie tanzten auch nackt im Garten. Sie genossen es, zu provozieren. Sie wussten genau, dass die Nachbarn etwas von ihrem Treiben mitbekamen. Schließlich spielten sie ständig laute Musik. Manchmal kam auch die Polizei.

Er filmte und fotografierte.

In der Nachbarschaft wusste jeder, was dort lief, wenn Tinas Bude sturmfrei war. Ihre Eltern galten als alternde Hippies. Sie hatten es wohl mit einem Start-up-Unternehmen zu einigem

Vermögen gebracht und die Firma verkauft, als sie noch Geld abwarf. Jetzt trieben sie sich mehr in Indien herum, auf Bali oder in ihrem geliebten Afrika als in Emden-Larrelt. Ihre Tochter sollte natürlich Abitur machen und studieren.

Das Haus war *der* Partygeheimtipp überhaupt. Ihn ließ man nicht mitmachen, er war noch zu jung. Doch er dokumentierte alles.

An dem Morgen war echt was los gewesen. Er hatte bei einer Art Frühstücksorgie zugesehen, als seine Mutter hochkam, um ihm Brote zu bringen. Er hatte sie zigmal darum gebeten, ihn bei seinen Forschungen nicht zu stören, doch das leibliche Wohl ihres Kindes lag ihr sehr am Herzen. Sie war der Meinung, dass er immer länger und dünner wurde. Das schien sie als Mutter irgendwie zu beleidigen. Ständig drängte sie ihm Hausmannskost auf und Leberwurstbrote.

Als er die Treppenstufen knarren hörte, baute er schnell seine Beobachtungsstation um. Sie sollte schließlich nicht mitkriegen, was er hier oben in Wirklichkeit tat und als neues Hobby für sich entdeckt hatte.

Um sie rasch loszuwerden, versprach er sogar, alles aufzuessen, roch am selbstgemachten Labskaus und probierte sogar schon vom Spiegelei. Das war typisch seine Mutter … Labskaus mit Spiegelei zum Frühstück …

Dann wollte sie auch nicht länger stören und ließ ihn mit ein paar Ermahnungen, er solle auch mal ein bisschen an die frische Luft gehen und sich mehr mit seinesgleichen beschäftigen statt nur mit den Sternen, endlich in Ruhe.

Er wollte umbauen, um wieder bei der Orgie zuzuschauen, doch da sah er die Frau, die auf den Mann schoss.

Tammo kannte beide nicht. Er hielt mit dem Handy drauf und machte Aufnahmen. Es war verwackelt und nur drei oder vier Sekunden, dann war er selbst in Deckung gegangen, aus Angst, gesehen und beschossen zu werden.

Jetzt fragte er sich, was er tun sollte. Wenn er die Polizei rief, würde er dann in irgendeinen Mist verwickelt werden, aus dem er später nicht mehr herauskam? Würden sie in sein Reich hier oben eindringen, es durchsuchen, vielleicht Aufnahmen finden? Seinen Laptop beschlagnahmen oder sein Handy? Er wollte nicht gern all die tollen Bilder löschen, die er von Tina und ihren Freundinnen aufgenommen hatte. Ließ sich diese Schießerei überhaupt isolieren und von den restlichen Bildern trennen?

Er war verwirrt und wusste nicht, was richtig oder falsch, gut oder böse war. Einen Moment lang hatte er sogar darüber nachgedacht, seine kurze Videoaufnahme anonym an die Polizei zu schicken, aber erstens ließ sich zurückverfolgen, von wo der E-Mail-Anhang gekommen war, und außerdem musste man kein wirklicher Spezialist sein, um aus der Perspektive und den Blickwinkeln herauszubekommen, von wo die Aufnahmen gemacht worden waren. Sie würden über kurz oder lang bei ihm landen, hier oben in seiner Sternenbeobachtungsstation, wo er so viel über sich und das Leben gelernt hatte.

Der Mann war tot. Er brauchte dafür nicht die Nachrichten. Hier in der Straße gab es gar kein anderes Thema mehr. Ständig waren Polizisten und Journalisten da.

Eine junge Kommissarin, die Jessi Jaminski hieß, klingelte sogar und fragte, ob sie etwas gesehen oder gehört hätten. Seine entsetzten Eltern wussten natürlich nichts.

Tammo überlegte einen Moment, und vielleicht wäre er mit der Wahrheit herausgerückt, wenn Jessi ihn nicht viel zu sehr an Tina Pflüger erinnert hätte, von der er so viele Nacktaufnahmen gemacht hatte. Da vertraute er sich lieber einem Typen an, der sich ein bisschen bollerig benahm und mit lockeren Sprüchen zu glänzen versuchte. Sie nannten ihn alle Rupert, und Tammo wusste nicht, ob das sein Vor- oder sein Nachname war, aber irgendwie wirkte dieser Kommissar auf ihn, als könne man ihm alles anvertrauen. Er war der verschwiegene, kumpelhafte Typ, der ein Geheimnis für sich behalten konnte.

Er redete mit Oma Tadea, deren Grünkohl viel besser schmeckte als der, den Tammos Mutter so gern machte. Aber da Tammo es sich nicht mit ihr verderben wollte, verschwieg er ihr diese Kleinigkeit. Manchmal erledigte er kleine Einkäufe für Oma Tadea. Da er selbst keine Großeltern mehr hatte, war sie für ihn immer Oma Tadea gewesen. Ausgerechnet im Garten dieser netten alten Dame war jemand erschossen worden.

In dem Gewusele von Polizeikräften hatte Tammo neugierig staunend herumgestanden. Rupert sprach ihn sogar an: »Na, Kleiner, was hast du denn auf dem Herzen?«

»Nichts«, hatte Tammo behauptet.

»Und warum glotzt du dann so?«, fragte Rupert. »Musst du nicht in die Schule?«

Tammo hatte den Kopf geschüttelt und gesagt: »Sie sehen einem Schauspieler ähnlich, den ich aus Fernsehkrimis kenne.«

»Ja«, lächelte Rupert, »aber ich bin ein echter Polizist.« Er hatte ihm eine Visitenkarte gereicht, als sei es eine Autogrammkarte. »Wenn dir noch was einfällt, ruf mich an.«

Einige Stunden waren seither vergangen. Tammo sprach nicht zuerst mit seinen Eltern, sondern rief diesen Rupert an.

Ann Kathrin befand sich noch in Norddeich in der Ferienwohnung, wo Indra Kroll plötzlich behauptete, sie sei missverstanden worden. Sie hätte niemals gesagt, dass es um Aliens gegangen sei. Sie hätte lediglich eine Vermutung geäußert. Es sei ihr so vorgekommen, als sei ihr Mann ein Außerirdischer. Manchmal würde sie sich selbst so fühlen, als sei sie von einem anderen Planeten und nur von ihren eigenen Leuten vergessen worden. Sie ging plötzlich zum Angriff über, wollte von Ann Kathrin wissen, ob es ihr nicht schon mal genauso gegangen sei. Jeder fühlte sich doch mal fremd auf der Welt …

Das konnte Ann Kathrin nur bestätigen. Sie ergänzte aber: »Ich gehe dann meistens zum Meer. Das erdet mich und verbindet mich wieder mit mir selbst und den Naturgewalten.«

Ann Kathrin erhielt eine Whatsapp von Rupert, die sie nicht öffnete. Der Seehund in ihrem Handy jaulte. Sie ging kurz ran, als sie den Namen Rupert auf dem Display sah. Sie wollte ihn abwürgen und sagte: »Jetzt nicht, ich bin in einem … «

»Ich habe dir Aufnahmen vom Mord geschickt. Es sind nicht alle vier Schüsse drauf, aber doch zwei, und man kann Indra Kroll gut erkennen. Schau es dir an, Prinzessin.«

Immer wenn er irgendeinen Trumpf ausspielte und hoffte, dass sie keine Zeit oder Gelegenheit fand, ihm zu widersprechen, nannte er sie *Prinzessin*. Manchmal konterte sie, indem sie ihn *Froschkönig* nannte, aber das erschien ihr jetzt unangemessen. Außerdem wirkte es auf Außenstehende so, als habe sie mit Rupert eine intime Beziehung. Das wollte sie auf jeden Fall vermeiden.

Sie nahm Abstand von Indra und stellte sich so, dass sie auf ihrem Handy etwas anschauen konnte, ohne dass Indra den Bildschirm sah.

Die Bilder waren eindeutig.

Ann Kathrin steckte ihr Handy ein und suchte mit der rechten Hand den Griff ihrer Dienstwaffe. Sie öffnete den Druckknopf, der die Heckler & Koch im Holster hielt.

Die Bewegung reichte aus. Indra Kroll wusste sofort, worum es ging. Sie kippte den Tisch, der sich zwischen Ann Kathrin und ihr befand, stürmte in die Küche und griff dort nach ihrer Handtasche, in der sich ihr Geld befand. Gleichzeitig zog sie das Brotmesser aus dem Messerblock und drohte damit Ann Kathrin, die ihr gefolgt war.

»Machen Sie uns jetzt bitte keine Schwierigkeiten, Frau Kroll. Sie haben in Emden-Larrelt Hubertus Kroll erschossen. Es gibt Zeugen und sogar eindeutige Aufnahmen. Legen Sie das Messer weg. Sie machen es damit nur noch schlimmer.«

»Bleiben Sie mir vom Leib«, kreischte Indra und fuchtelte mit dem Brotmesser vor Ann Kathrin herum. »Ich habe nichts mehr zu verlieren!«

»Doch. Ihre Tochter. Was soll denn aus der werden?«

Die Frage saß. Es war, als würde Luft aus einer aufgeblasenen Puppe weichen. Ann Kathrin bildete sich sogar ein, ein Pfeifen zu hören.

Indra ließ die Hand mit dem Messer sinken. Ihre Schultern hingen nach vorn. Sie neigte ihren Kopf, als würde sie sich schämen, Ann Kathrin in die Augen zu sehen.

Ann war froh, ihre Waffe nicht ziehen zu müssen. Sie nahm Indra Kroll das Messer ab und legte ihr Handschellen an. Dabei hatte sie gar nicht mehr das Gefühl, dass dies überhaupt nötig sei.

»Aber«, fragte Indra und schüttelte sich, »wenn Sie mich jetzt so mitnehmen, was wird dann aus Amelie? Haben Sie Kinder?«

»Ja, einen Sohn«, sagte Ann Kathrin.

»Würden Sie wollen, dass er Sie so sieht? In Handschellen abgeführt?«

»Ihre Tochter kann uns nicht sehen. Sie ist noch mit den Nachbarn unterwegs. Aber … der Vater von der Mutter erschossen, das ist wohl für jedes Kind eine gruselige Situation. Wir werden uns selbstverständlich um psychologische Betreuung kümmern. Jemand vom Jugendamt wird noch heute Abend …«

»Kann ich mich von ihr verabschieden?«, fragte Indra.

Ann Kathrin wollte der Mutter das einerseits nicht verwehren, andererseits erschien es ihr völlig falsch. »Ich würde das an Ihrer Stelle nicht tun. Ich denke, die Kleine spielt draußen irgendwo am Strand. Das ist auch besser für sie. Wir fahren jetzt erst mal in die Polizeiinspektion und klären da ein paar Dinge. Ihre Tochter kann noch unbeschwert weiterspielen.«

»Aber die Leute sehen doch alle, wenn Sie mich in Handschellen hier abführen! Sie werden es ihr sofort erzählen und …«

»Als Sie geschossen haben, haben Sie sich da auch Gedanken darüber gemacht, dass das viele Leute sehen könnten?«

»Nein«, sagte sie, »nein. Es erschien mir irgendwie … richtig.«

»Richtig?«, hakte Ann Kathrin nach.

»Ja. Richtig.«

»Aber erwarten Sie jetzt bitte keinen Beifall von mir.«

Bevor Ann Kathrin die Frau aus dem Haus schob, warf sie ein Spültuch über die Handschellen, sodass sie nicht gleich für jeden sichtbar waren. Die Handtasche nahm Ann Kathrin an sich und schaute hinein. Sie fand nichts Gefährliches darin, jedenfalls keine Waffe, und fragte: »Soll ich das für Sie mitnehmen?«

Indra nickte.

»Wo befindet sich die Waffe?«, fragte Ann Kathrin.

Indra zuckte mit den Schultern und machte ein Gesicht, als würde sie diese Frage auf keinen Fall beantworten wollen. Sie presste ihre Lippen fest aufeinander.

»Ist sie noch hier im Haus?«

Indra antwortete nicht. Sie wollte Alex nicht verraten.

Seit sie das Management übernommen hatte, fühlte sich Sabrina plötzlich für alles verantwortlich. Vor allen Dingen für die Sicherheit der gesamten Gruppe. Worüber sich YoLo2 und Finn-Henrik noch freuten, weil die riesige Resonanz auf ihre Arbeit sie bestätigte, das machte Sabrina schon Angst. Und Gundula erst recht. Ihr wäre das alles eine Nummer kleiner viel lieber gewesen. Ein kleiner, verschworener Club, ein paar hundert Leute, die daran glaubten, ein paar tausend, die die Bücher kauften und ein Mann, der sie abgöttisch liebte. Das wäre es für Gundula gewesen! Mehr brauchte sie nicht. Aber stattdessen flog ihnen das ganze Ding im überbordenden Erfolg um die Ohren.

Sabrina formulierte es auf der Rückfahrt nach Wremen: »Viel zu viele Leute wissen längst, wo wir wohnen. Wir müssen ein völlig neues Konzept fahren. Die Veranstalter können auch nicht mehr für uns die Hotels buchen. Wir müssen es tun, und zwar unter anderem Namen. Wir müssen unsere Reisen so weit wie möglich anonymisieren. Am besten wechseln wir auch jeden Tag die Autos.«

»Wie Fluchtwagen?«, fragte Gundula.

»Ja, im Grunde sind wir ja auch auf der Flucht vor der Öffentlichkeit. Einerseits suchen wir sie, andererseits fürchten wir sie. Wenn wir unser Leben nicht restlos verlieren und nicht auffliegen wollen, dann brauchen wir genau das.«

Sie hatten die Männer allein gelassen und machten einen kleinen Spaziergang am Deich. Auf dem Rückweg sahen sie drei Autos. Eins aus Hamburg, eins mit einem Kennzeichen aus Hannover und eins aus Wiesbaden. Sie wussten nicht, ob das Fans waren, Kripoleute oder Journalisten, aber die Insassen der Autos schlichen durchs Dorf, als würden sie nicht dorthin gehören, und versuchten, durch jedes Fenster zu spähen.

»Sie wissen also nicht genau, in welchem Haus wir sind«, folgerte Sabrina. Forsch ging sie auf eine Gruppe zu. Eine Frau und zwei Männer. Einer der Männer trug eine Kamera, der andere ein Mikrophon mit einem großen Puschel obendrauf.

»Darf ich Sie fragen, wen Sie suchen?«

Eine Frau trat aus der Gruppe heraus, hielt Sabrina die Hand hin und stellte sich als Grit Gadow vor: »RTL. Ich habe mehrfach auf Ihre Mailbox gesprochen.«

»Sabrina Weller. Ich manage die beiden bekanntesten UFO-Forscher Mitteleuropas. Sie werden verstehen, dass ich nicht einfach so Interviewtermine vergeben kann. Es wird selbstverständlich wieder eine offizielle Pressekonferenz geben. Aber nicht jetzt.«

»Ich würde«, sagte Grit Gadow, »Ihnen gerne ein paar private Fragen stellen. Was ist das für ein Gefühl … «

Sabrina winkte ab. Die Frau war ihr durchaus sympathisch, und sie hatte nicht im Geringsten das Gefühl, sie könne von ihr reingelegt werden. Trotzdem waren jetzt andere Dinge wichtig. Sie mussten hier so schnell wie möglich die Koffer packen und woandershin verschwinden.

Da erschien YoLo2 in der Tür. Er hatte überhaupt kein

Verständnis dafür, dass Sabrina ein Fernsehteam loswerden wollte. Er kam sogar auf die Idee, die RTL-Leute ins Ferienhaus zu bitten.

Aber auch Gundula war dagegen. Ihr Blick reichte aus, und YoLo2 knickte ein.

Er ist ihr, dachte Sabrina, geradezu hörig. Er glaubt, die Massen zu beherrschen. Dabei ist er abhängig von der Zuneigung dieser Frau, die wiederum glaubt, dass er nur bei ihr bleibt, weil er denkt, sie sei eine Außerirdische. Wie verrückt ist diese Welt …

Sabrina machte einen Vorschlag zur Güte: »Wenn hier schon ein Interview stattfinden soll, gegen alle Absprachen und Regeln, dann aber bitte so, dass man nicht sieht, wo wir sind.«

Grit Gadow hatte sofort Vorschläge, wie man das organisieren könnte, und nun kam auch Finn-Henrik aus dem Haus. Er rieb sich die Augen. Sabrina vermutete, dass er in den letzten drei Tagen kaum mehr als zwei, drei Stunden pro Nacht geschlafen hatte – wenn überhaupt. Lange, dachte sie, hält man das nicht durch, dann beginnt man zu halluzinieren.

YoLo2 nutzte die Chance, die Grit Gadow ihm gab, um eine Welt zu beschreiben, die durch die Segnungen der Außerirdischen einer Sahnetorte glich, die, egal, wie viel man davon aß, nicht dick machte. Er sprach davon, dass Krankheiten der Schrecken genommen werden würde. »Natürlich werden sie weiterhin existieren«, sagte er, »aber Krebs wird sich auf so etwas wie Schnupfen reduzieren. Irgendwann«, lachte er, »muss man froh sein, wenn man dafür überhaupt noch einen Tag frei kriegt und nicht zur Arbeit muss.«

Beim RTL-Team löste er solches Gelächter aus, dass der Kameramann, der aus der Schulter drehte, die Szene fast verlacht hätte, weil er beim Giggeln mit der Kamera wackelte.

Die Insassen der anderen Fahrzeuge hielten sich zunächst sehr im Hintergrund. Die beiden aus Wiesbaden taten so, als seien sie ein schwules Liebespärchen, konnten sich aber ganz offensichtlich nicht leiden, und jeder fühlte sich unwohl, wenn der andere den Arm um ihn legte.

Sabrina wusste von ihrem Vater, dass in Wiesbaden so etwas wie die BKA-Zentrale war. Sie vermutete, dass die beiden hier den Staat vertraten.

Die beiden anderen gaben vor, vom Hamburger Abendblatt zu sein, und stellten sich einfach dazu.

Plötzlich, als sei sie aus einem der Ferienhäuser gekommen, war eine weitere Person da. Ein schlanker Mann, sehr aufmerksam, mit freundlichem Gesicht. Er stellte sich hinter den Tontechniker und den Kameramann, als sei er deren Assistent.

Er schwieg und hörte zu.

Er kam Sabrina bekannt vor. Sie wusste aber nicht, woher. Sie hatte, seitdem sie Finn-Henrik begleitete, sehr viele Menschen kennengelernt. Vielleicht war er einer von den Fans oder ein Journalist. Was spielte das jetzt für eine Rolle?

YoLo2 nickte ihm sogar einmal zu, als hätte er ihn auch erkannt.

Das Interview fand vor der Tür statt und wurde durch Möwen- und Krähenschreie unterbrochen. Vielleicht angestachelt durch die Tiere, verkündete YoLo2 nun, dass auch das schreckliche Artensterben auf der Erde ein Ende haben werde. Einerseits durch den klugen Rat der Außerirdischen, andererseits durch ihre Technologie.

»Aber«, so beendete er seine Ausführungen, »sie wollen erst sehen, ob wir überhaupt moralisch in der Lage sind, mit den neuen Technologien umzugehen. Wir haben eine große Chance und sind jetzt in der Bringschuld.«

»Wir brauchen eine gute Presse«, rief Finn-Henrik ihnen beim Abschied zu. »Ihr seid die entscheidenden Leute. Verbreitet ihr die Wahrheit oder die Lüge? Wir vertrauen auf euch!« Er zeigte ihnen den erhobenen Daumen.

Die beiden Männer glaubten, das alles sei ein Grund zu feiern. Sie wirkten aufgekratzt, als hätten sie sich Kokain durch die Nase gezogen. Doch Sabrina holte alle wieder runter.

»Als Nächstes werden wir in Wennigsen auftreten. Aber wir werden nicht nach Wremen zurückfahren, und wir werden auch nicht in Wennigsen übernachten, sondern ich besorge uns eine anonymisierte Ferienwohnung außerhalb.«

»Wie denn? Über deinen Papi im Zeugenschutzprogramm?«, lachte YoLo2.

Sabrina schüttelte den Kopf: »Nein. Ich habe einen Deal mit einem Journalisten gemacht. Mit Holger Bloem vom *Ostfriesland Magazin*.«

YoLo2 starrte sie an, als wäre sie nicht mehr ganz dicht: »*Ostfriesland Magazin*? Das ist doch diese kleine Illustrierte, die gern von Touristen gelesen wird, wenn sie von ihrem nächsten Urlaub träumen. Oder von Ostfriesen, die in der ganzen Welt verstreut wohnen. Die kriegen darüber ein bisschen Heimatgefühl. Willst du etwa eine Exklusivgeschichte mit denen machen? Mensch, wir können die *New York Times* haben! *Spiegel*, *Stern* oder *Zeit*! Da wirst du doch nicht … «

»Zunächst mal geht es um unsere Sicherheit. Ich kenne diesen Bloem durch meinen Vater. Ich weiß, dass die beiden sich vertrauen.«

»Ach«, stichelte YoLo2, »ist jetzt die Kripo mit im Boot?«

»Lass sie doch mal ausreden«, forderte Gundula, und sofort war er still.

»Bloem kennt jeden Quadratmeter in Ostfriesland, und ich kenne ihn gut. Ich habe ihm eine Story angeboten, wenn er uns dafür hilft, eine Ferienwohnung anzumieten und uns Autos besorgt.«

»Autos können wir uns selbst beschaffen. Autovermietungen gibt's wie Sand am Meer.«

»Ja klar. Und überall musst du einen Ausweis vorlegen oder den Führerschein. Aber Holger stellt uns ein SKN-Fahrzeug zur Verfügung.«

»Was bedeutet das?«

»SKN heißt der Verlag oder die Druckerei, in der das *Ostfriesland Magazin* erscheint.«

»Dann sehen wir aus wie Zeitungszusteller, die morgens die Tageszeitung in den Briefkasten stecken?«, fragte YoLo2.

»Nein«, fuhr Gundula dazwischen, »die kommen in Ostfriesland meist zu Fuß oder mit dem Fahrrad. Mit dem Bus sehen wir aus, als würden wir zur Redaktion gehören. Er ist auf eine auffällige Art unauffällig.«

»Aber wenn euch das nicht gefällt, es gibt noch eine Möglichkeit. Wir könnten auf die *Nordstern*«, schlug Sabrina vor.

Gundula wollte wissen: »Den Krabbenkutter aus Greetsiel?«

»Ja, genau. Kennst du den?«

»Ja, ich hab damit mal eine Tour gemacht. Ist schon lange her. Ich musste ja irgendwie das Leben an der Küste kennenlernen. Und die Krabbenfischerei gehört nun mal dazu. Damals durften sie noch Schleppnetze benutzen, um Krabben zu fangen. Wir haben sie direkt an Bord gepult und gegessen. War ziemlich klasse.«

Bevor sie ins Schwärmen geriet, sagte Sabrina streng:

»Jungs, so, wie es läuft, geht es nicht weiter. Wir brauchen eine gewisse Anonymität, sonst überrennt uns das alles, und wir können auch nicht ständig irgendwelche Interviews geben, nur weil gerade jemand vor der Tür steht. Vor allen Dingen geht es darum«, sie zeigte auf Gundula, »sie zu schützen.«

»Ja, heißt das, ich darf nicht mehr mitreisen?«, fragte Gundula. Eigentlich hatte sie doch das alles nur getan, um in der Nähe von YoLo2 zu sein. Und jetzt sollte genau das, was sie zusammenbrachte, dazu führen, dass sie getrennt wurden?

Es tat YoLo2 gut zu sehen, wie sehr Gundula darum kämpfte, in seiner Nähe bleiben zu können. Er legte triumphierend den Arm um sie und lachte allen ins Gesicht: »Sie ist einfach meine Freundin. Meine Geliebte. Mein Augenstern. So wie du, Finn-Henrik, deine Sabrina hast, so hab ich meine Gundula. Dass sie eine Außerirdische ist, muss eben unser gemeinsames Geheimnis bleiben.«

Sabrina war hocherfreut. »Genau. Und deshalb nehmen wir auch Bloems Angebot an. Er könnte uns auf Spiekeroog unterbringen, auf Langeoog oder … «

»Um Himmels willen!«, rief YoLo2, »Bloß keine Insel! Und dann noch eine autofreie! Bist du verrückt?«

Sabrina ließ sich nicht entmutigen. »Er hätte auch noch Möglichkeiten in Esens oder Norden.«

Gundula funkte dazwischen. Während sie sprach, fummelte sie an ihrem YoLo2 herum, als hätte sie Lust, ihn gleich hier an Ort und Stelle zu vernaschen. Sie genierte sich überhaupt nicht. Das gefiel Sabrina. Sie hatte vor, noch einiges von ihrer neuen Freundin zu lernen. Die Unverschämtheit, mit der sie sich holte, was sie begehrte, faszinierte Sabrina.

»Wenn wir schon irgendwo unterschlüpfen müssen, dann hätte ich eine Idee. Es ist ein alter Traum von mir.«

YoLo2 war sofort fasziniert: »Nämlich?«

»Wart ihr schon mal im *Lütetsburger Schlosspark*?«

Sabrina nickte, die anderen konnten nichts damit anfangen.

»Da gibt es Baumhäuser. Das sind wunderbare Orte für Verliebte. Wir könnten zwei Baumhäuser nebeneinander mieten. Jedes Pärchen eins. Morgens kann man auf der Terrasse des Baumhauses frühstücken und hat einen weiten Blick ins Land. Ich war einmal dort und habe auf dem nahen Golfplatz Rehe gesehen. Bestimmt zwanzig. Es waren zwei weiße dabei.«

»Albino-Rehe?«, fragte Finn-Henrik.

»Ja. Ich wusste gar nicht, dass es so was gibt. Als ich dort war, habe ich erst begriffen, wie schön die Welt wirklich ist … «

»Dann gehen wir dahin«, bestimmte YoLo2 und setzte sich damit bei seiner Freundin in ein besonders gutes Licht.

»Das ist gut«, freute Sabrina sich. »Sehr gut. Wir werden aussehen wie frisch Verheiratete auf Hochzeitsreise oder zumindest wie Liebespaare. Niemand wird vermuten, dass wir eine Außerirdische bei uns versteckt halten.«

»Und«, fügte Gundula lachend hinzu, »wir können das Leben dort genießen.«

»Und von da fahren wir jeden Tag zu den Veranstaltungen hin und wieder zurück?«, fragte Finn-Henrik.

»Das ist kein Ding, Mensch«, behauptete Sabrina. »Die nächsten Termine sind alle in Niedersachsen. Wir fahren halt zwei, drei Stunden. Wer Großes vollbringen will, muss schon mal was auf sich nehmen … «

»So«, schlug Gundula vor, »und jetzt packen wir. Und zwar sofort. Abflug, Freunde! Ich hatte schon Angst, ich müsste meine Leute bitten, uns zu holen und in ein Raumschiff hochzubeamen, wenn wir hier keinen Fluchtpunkt finden.«

»Ich wäre sofort dabei«, freute YoLo2 sich.

»Ich auch«, bekräftigte Finn-Henrik, als sei das eine reale Möglichkeit, die er in Betracht zog.

Sabrina würgte diesen Vorschlag sofort ab: »Ihr habt hier auf der Erde eine Aufgabe, Jungs. Und genau die nehmt ihr jetzt wahr!«

Spielerisch knallte Finn-Henrik die Hacken zusammen und legte eine Hand an die Stirn. »Aye, aye, Sir!«

Am liebsten hätte Alex sie während des Interviews vor laufender Kamera getötet. Die konnte man nicht mehr zu Komplizen machen. Das waren keine Leute mehr auf einer ehrlichen Suche nach der Wahrheit. O nein, die waren zu Propagandisten der Aliens geworden.

Sie stellten die Invasion dar, als sei das ein Glück für die Menschheit: *Wir sollten die Außerirdischen mit stehendem Applaus empfangen und ihnen sofort freiwillig die Herrschaft über die Welt übergeben.*

In jedem Krieg gab es Kollaborateure. Sie erwartete die Todesstrafe. Kollaborateure waren gefährlicher als der eigentliche Feind, denn sie weichten die Front auf. Sie verrieten die Stellungen. Sie verwirrten die Menschen.

Als er während des Interviews zwischen Kameramann und Tontechniker stand, wurde ihm die ganze Ungeheuerlichkeit erst wirklich klar. Er hatte mehrere Veranstaltungen von YoLo2 und Finn-Henrik Bohlens besucht. Er hatte gehofft, sie zu Komplizen machen zu können. Da hatten sie sich noch als UFO-Forscher präsentiert. Ein wenig zu gutgläubig, aber immerhin auf der Suche nach der Wahrheit.

Jetzt waren sie zu Propagandisten einer neuen Weltordnung

geworden. Einer, deren Opfer sie am Ende selbst werden würden, aber das kapierten sie noch nicht. Dazu waren sie zu dämlich.

Er blieb in der Nähe des Hauses, nachdem die Journalisten abgereist waren. Die beiden Männer benahmen sich recht zwanglos. Sie sonnten sich in der Aufmerksamkeit, die sie bekamen. Die beiden Frauen schienen wesentlich gefährlicher, ja klüger zu sein. Sie versuchten ständig, Fenster abzudunkeln und Rollläden zu schließen. Die Männer lebten lieber in einem offenen Haus.

Er vermutete, dass die Körper aller vier bereits von Alien-Energie durchwebt waren. Aber er spürte es nicht. Er ging logisch davon aus: Mindestens eine dieser vier Gestalten musste längst ein Monster sein. Die Aliens ließen doch nicht einfach ein paar Hanseln unkontrolliert herumlaufen, die für sie sprachen. Diese Viecher waren gierig nach Kontrolle.

Normalerweise spürte er ihre Anwesenheit sofort. Er konnte es riechen, erfühlen ... ja, er hatte diese Gabe. Aber bei diesen vier Propagandisten versagte sein Alien-Erkennungssinn.

War das eine neue Generation? Konnten die sich besser tarnen? Oder ließen seine Kräfte nach? Hatten die Invasoren inzwischen Möglichkeiten gefunden, den siebten Sinn bei Menschen zu blockieren? So, wie Handysignale blockiert werden konnten? Hatten sie eine Möglichkeit gefunden, ihre Ortung zu erschweren oder zu verunmöglichen?

Wie auch immer – sie mussten sterben!

Am besten noch heute. Alle vier.

Er sah auf sein Handy. Der Podcast war inzwischen 310 000 Mal angeklickt worden. Das Interesse war riesengroß.

Er fragte sich, wie es ihm gelingen könnte, den Podcast zu kapern. Ohne mindestens einen von ihnen ging es nicht. Er brauchte Zugangsdaten. Wenn er die hatte, dann konnte er dort die Wahrheit berichten. Noch schöner wäre natürlich ein Geständnis von einem der vier.

Ein Geständnis würde alles ändern. Dann könnte die euphorische Stimmung zugunsten der Aliens im Land kippen. Viele erwarteten sie ja inzwischen wie den Heiland persönlich, erhofften sich Erlösung von schrecklichen Krankheiten, dämlichen Regierungen und ignoranten Wissenschaftlern, die zu dumm waren, um die Welt und ihre Zusammenhänge wirklich zu erkennen.

Finn-Henrik stand am offenen Fenster und machte Kniebeugen. Er sah glücklich aus, wie ein Mensch, der darauf hoffte, noch ein langes Leben genießen zu dürfen. Hinter ihm sah Alex, dass Gundula Sachen packte. Die vier wollten abreisen. Das war ganz deutlich.

Sabrina zog Finn-Henrik vom Fenster weg, schloss es trotz seines Protests und zog die Vorhänge vor.

Rechnet sie schon damit, fragte Alex sich, dass von außen ein gezielter Schuss fallen könnte? Oder kämpft sie hier nur um ihre Privatsphäre?

Seitdem Sabrina Weller dabei war, hatten die zwei UFO-Forscher in der Öffentlichkeit eine ganz andere Präsenz. Erst mit ihrem Erscheinen waren sie damit herausgerückt, Kontakt zu Außerirdischen zu haben.

War Sabrina Weller die eigentliche Bedrohung? Hatte sie die Führung der Truppe übernommen? War sie das Alien, das die anderen an der langen Leine führte?

Diese Gundula konnte er überhaupt nicht einschätzen. Sie war eher schweigsam und blieb im Hintergrund. Aber an Blicken und Gesten hatte er mitbekommen, wie sehr YoLo2 auf diese Frau abfuhr.

Komisch, dachte er, sie sieht gar nicht so aus wie der Typ, um den Männer sich reißen. Sie muss wohl andere Qualitäten haben.

Hatten sich die Monster für ihre Aufgabe extra so eine unscheinbare Frau ausgesucht? Eine, die leicht in der Menge verschwand? Eine, an die man sich nicht erinnerte?

Diese Viecher waren klug. Er musste mit allem rechnen und für alles bereit sein.

Manchmal verrieten die Überreste der menschlichen Anteile im Tod noch mal etwas über sich.

Er war bereit, sie zu erlösen. Alle vier.

Es musste jetzt geschehen. Vor ihrer Abreise.

Vor der Sichtscheibe zum Verhörraum standen Rupert und Jessi, um Ann Kathrin zu beobachten. Jessi wollte von Ann Kathrin lernen, Rupert war gern bereit, ihr die Verhörmethode zu erklären, und kommentierte für Jessi alles, was Ann Kathrin tat. So fiel ein bisschen Glanz auf ihn ab. Doch nun kam auch Polizeidirektorin Elisabeth Schwarz hinzu.

»Bin ich zu spät?«, fragte sie.

Rupert schüttelte den Kopf und deutete auf Ann Kathrin: »Sie ist noch nicht im Verhörgang.«

Weller stand so, dass er bei einer möglichen Aggression von Indra Kroll gegen Ann Kathrin sofort in der Lage war, seine Frau zu schützen. Er wusste, dass sie darauf keinen Wert legte, ja, sich manchmal sogar von ihm eingeengt fühlte. Doch gingen seine Beschützerinstinkte jedes Mal mit ihm durch, wenn er befürchtete, dass seine Ehefrau sich in Gefahr befand. Sie schätzte manchmal eine Bedrohung nicht richtig ein und bewegte sich durch die Welt, als würde ihr sowieso keiner etwas zuleide tun.

Es war die tiefe innere Einstellung einer Frau, die in einem behüteten Elternhaus aufgewachsen war, mit einem liebevollen Vater und einer guten Mutter. Sie hatte ein merkwürdiges Urvertrauen in die Welt. Und obwohl sie inzwischen täglich andere Erfahrungen sammelte, bewegte sie sich immer noch so, als seien Ostfriesland und speziell diese Polizeiinspektion hier sichere, ja fast idyllische Orte.

Weller spürte Indra Krolls Anspannung in seinem Körper. Er stand an die Wand gelehnt da, und seine Muskeln verkrampften sich. Von Ann Kathrin hatte er gelernt, beim Kontakt mit Menschen auf seine eigenen Körperreaktionen zu achten, denn manchmal, so hatte Ann Kathrin gesagt, »weiß dein Körper mehr als dein Verstand. Die Seele reagiert immer schneller als der Kopf.«

Indra Kroll war eine gequälte, zerrissene Person. Weller schätzte sie als Angstbeißerin ein, eine, die – wenn sie getriggert wurde – völlig ausrasten konnte. Er glaubte, so etwas hauptsächlich an den Augen erkennen zu können. Manche Menschen waren so, als könnten sie nicht nur nach außen gucken, sondern auch nach innen in sich hinein. Sie sahen nicht unbedingt das, was um sie herum geschah, sondern Zerrbilder.

Ein Jugendlicher, der mal auf Weller losgegangen war, hatte später behauptet, er habe gar nicht Frank Weller gesehen, sondern nur seinen Vater. Und auf den hätte er eingeprügelt. Im wirklichen Leben hatte dieser junge Mann seinen Vater nie angefasst, sondern immer nur den braven, unterwürfigen Sohn gespielt.

War das hier so ähnlich? Sah Frau Kroll gar nicht Ann Kathrin Klaasen, sondern irgendeine andere Person? Ihr Blick fokussierte nicht wirklich. Manchmal sah es aus, als würde sie durch die Türen nach draußen gucken, als hätte sie einen Röntgenblick. Dann wieder, als würde sie etwas in sich selbst betrachten.

Als sie zum Spiegel an der Wand sah, zuckte Jessi dahinter unwillkürlich zusammen.

Rupert lachte: »Sie kann dich nicht sehen, Jessi. Wir sehen sie, aber sie uns nicht. Das ist das Prinzip.«

»Ja«, sagte Jessi, »natürlich, das weiß ich. Aber mir war, als würde sie mich anschauen. Und es ist mir durch und durch gegangen.«

Ann Kathrin hatte die Ausdrucke der Videoaufnahmen auf den Tisch gelegt. Insgesamt vier Großaufnahmen.

»Das sind eindeutig Sie, Frau Kroll«, sagte Ann Kathrin.

»Ja, das bin ich. Sie sollten mir dankbar sein ... «

Ann Kathrin hakte nach: »Ich Ihnen dankbar?«

Indra wandte sich an Weller: »Ich habe ihn erlöst. Er war ein Monster.«

Weller wusste, dass Ann Kathrin es nicht mochte, wenn sich irgendjemand in das Verhör, das sie *Gespräch* nannte, einmischte. Trotzdem sagte er es, wie unter Zwang. Er konnte die Worte einfach nicht für sich behalten: »Er war vielleicht ein schlimmer Ehemann und ein hundsmiserabler Vater. Aber er war ein Mensch aus Fleisch und Blut und kein Monster.«

Ann Kathrin warf Weller einen missbilligenden Blick zu. Er schluckte, ballte die Faust und sah zur Decke. Er liebte sie, aber es war nicht nur einfach mit ihr.

»Erklären Sie mir das«, bat Ann wie eine Schülerin im Biologieunterricht. »Ich würde es gerne verstehen.«

Vor dem Verhörraum erklärte Rupert Jessi: »Siehst du, das ist ihre Methode. Ein ganz kluger Trick. Wir haben gelernt, jemanden in die Enge zu treiben, so dass er nicht mehr rauskommt und unter dem Druck der Fakten und der Vorwürfe gesteht. Sie macht es ganz anders. Sie gibt der Frau Gelegenheit, etwas zu erklären, sich darzustellen. So öffnet sie sie, während alles andere eher dazu führt, dass sie zumachen.«

»Ja«, mischte Elisabeth Schwarz sich ein, »Frau Klaasen läuft allerdings Gefahr, sich mit Lügen zutexten zu lassen. Ich mag eher die konfrontative Methode. Mir selbst ist das PEACE-Modell wesentlich lieber. Frau Klaasen folgt hier der sehr fragwürdigen REID-Methode. Damit erhält man eine Menge falscher Geständnisse, und es ist sehr fragwürdig, ob ... «

»Nein«, verteidigte Rupert Ann Kathrin, »sie geht keineswegs nach der REID-Methode vor. Was sie da macht, was wir hier erleben können, das ist nicht irgendwo abgeguckt. Die hat keine Fragenkataloge auswendig gelernt. Die geht intuitiv vor.«

Frau Schwarz sprach das Wort mit leichtem Spott aus: »Intuitiv ... «

»Ja, was immer das heißen soll«, entgegnete Rupert. »Sie lässt sich jedenfalls ein auf ihr Gegenüber. Ich kenne niemanden, der so viel aus Leuten herausgelockt hat wie sie.«

Jessi passte es überhaupt nicht, dass die beiden die ganze Zeit redeten. Sie nahm sich heraus, den Zeigefinger über ihre Lippen zu legen und leise »Pssscht« zu flüstern.

Rupert und Frau Schwarz blickten sich an und schwiegen.

Indra Kroll sprach in Richtung Spiegel. Sie wusste genau, dass dahinter Leute standen, die sie beobachteten. Ja, die Welt sollte es erfahren, wer immer da war. Sie hatte auch nichts dagegen, von einer Kamera aufgenommen zu werden.

»Ihr habt«, rief sie, »echt keinen blassen Schimmer! Ihr lauft durch die Welt wie Kinder, die noch an den Weihnachtsmann und den Osterhasen glauben! Wie blind kann man eigentlich sein?«

»Was sehen wir nicht?«, fragte Ann Kathrin.

»Die Wahrheit! Glauben Sie auch, dass angeblich Ballons abgeschossen wurden? Und jetzt findet die keiner? Das waren Raumschiffe!«

Ann Kathrin gab der Frau Bestätigung. Sie glaubte, dass sie so mehr aus ihr herauslocken könnte: »Ja, mir kommt das auch komisch vor. Flugobjekte, die keinem gehören, werden abgeschossen und dann nicht mehr gefunden. Da macht man sich schon so seine Gedanken. Ich mir auch … «

Indra fuhr sich mit beiden Händen durch die Haare und strich sich mit den Fingern den Nacken aus. Dann hob sie zu einer Erklärung an: »Die Existenz von Außerirdischen leugnet ja wohl kein ernstzunehmender Mensch mehr. Was ist das auch für ein überheblicher Gedanke, dass wir ganz allein in diesem riesigen Universum sein sollten. Ich will jetzt gar nicht mit dem Bau der Pyramiden anfangen, den uns kein Mensch erklären kann. Däniken hat uns schon in den siebziger Jahren erklärt, dass die von uns verehrten Götter Astronauten waren. Er hat es bewiesen. Aber inzwischen sind wir viel weiter. Wir wissen, dass sie überall herumlaufen. Sie sind mitten unter uns. Michael Jackson war einer von ihnen. Aber auch Adolf Hitler, Josef Stalin. Glauben Sie, ein Mensch hätte so etwas aus eigener Kraft geschafft?«

Sie sah Ann Kathrin an, als würde sie sich eine Reaktion erhoffen.

»Bringen uns die Außerirdischen das Böse?«, fragte Ann Kathrin, damit sie weiterredete.

»Sie bringen uns Macht. Unfassbar große Macht. Und Macht ist böse.«

Wellers Rücken juckte plötzlich ganz erbärmlich, aber er fand es unangemessen, sich jetzt zu kratzen. Stattdessen rieb er ihn heimlich an der weiß verputzten Wand. Er ahnte, wie seine Jacke gleich aussehen würde.

»Sie haben doch auch das Buch von Finn-Henrik Bohlens und YoLo2 gelesen. Ich habe es bei Ihnen gesehen«, sagte Ann Kathrin. »Darin steht aber etwas anderes. Von bösen Monstern ist dort nicht die Rede, sondern von einer kulturell und wissenschaftlich sehr hochstehenden Zivilisation, die viel weiter ist als wir.«

Indra lachte bitter und winkte ab. »Na klar, die Guten gibt es auch. Das ist wie bei uns Menschen. Aber bei denen hat sich was getan da oben.« Sie zeigte zur Decke. »Die aggressiven Kräfte haben inzwischen die Oberhand. Sie kommen, um uns zu versklaven. Aus deren Sicht sind sie das Ende der Nahrungskette, nicht wir. Es hat ein Krieg begonnen, Frau Klaasen. Ein Heiliger Krieg!«

Während Indra sprach, breitete sie ihre Arme aus, so dass sie beide Seiten der Tischplatte umfassen konnte. Vielleicht würde sie gleich Bärenkräfte entwickeln, diesen schweren Tisch hochheben und gegen den Spiegel werfen oder gegen Ann Kathrin. Alles schien gerade möglich. Doch nichts dergleichen geschah.

Weller hielt das Jucken im Rücken kaum noch aus. Es war, als würden Indras Worte seine Haut reizen. Er presste die Lippen aufeinander, aber die Worte ließen sich nicht festhalten: »Dass Kriege immer heilig sein müssen«, zischte er.

»Und Ihr Mann ist ein Opfer in diesem Krieg?«, fragte Ann Kathrin.

Indra ließ die Tischplatte wieder los. Sie sank auf ihren Stuhl zurück und betrachtete ihre offenen Hände, als führe sie unsichtbare gefährliche Werkzeuge mit sich.

»Ja«, stöhnte sie, »wenn Sie so wollen, ist er ein Opfer in diesem Krieg.«

»Und die anderen?« Ann Kathrin zählte die Namen ganz langsam auf: »Silke Humann und ihre Schwester Valentina. Der Rentner Günther Steinhauer ... « Ann Kathrin tippte noch einmal auf die Fotos: »Haben Sie die alle getötet? So wie Ihren Exmann?«

Indra Kroll sagte nichts, sondern blickte Ann Kathrin nur durchdringend an. Ann Kathrin nahm das als Ankündigung eines Geständnisses.

Es war, als würde es kälter werden im Raum. Ann Kathrin wusste, dass die Frau sich in große Schwierigkeiten brachte. Ihr war nicht klar, was sie dringender brauchte: eine Rechtsanwältin oder eine Psychologin. Sie dachte an ihre Freunde. Wolfgang Weßling, der manchmal schwere Fälle übernahm, oder Rita Trettin, die Psychologin, die auch vor solchen Problemen nicht zurückschreckte.

Ann Kathrin durfte der Beschuldigten keine Namen nennen und Fachleute empfehlen. Trotzdem drängte sie jetzt: »Ich glaube, Frau Kroll, es wäre gut für Sie, wenn Sie sich Hilfe holen.« Auch in Richtung zum Spiegel, um später keine Vorwürfe zu hören, erklärte sie: »Ich weiß, dass Sie keinen Anwalt wollen und darauf bewusst verzichtet haben. Aber glauben Sie mir, Sie brauchen sowohl einen juristischen als auch einen seelischen Beistand.«

Indra schüttelte den Kopf. »Nein. Sie irren sich. Was wir

brauchen, sind Waffen, um uns zu verteidigen. Wir stehen kurz vor dem letzten Gefecht. Falls wir nicht schon mitten drin sind. Schlagen Sie sich auf die richtige Seite, Frau Klaasen.«

»Was müsste ich dann Ihrer Meinung nach tun?«

Hinter der Scheibe spottete Rupert: »Ihren Ex umbringen, vermutlich. Ein paar auf die Fresse und einen Tritt in den Arsch hätte der blöde Sack ja durchaus verdient. Aber sie muss ihn ja nicht gleich abknallen.«

»Wo befindet sich Ihr Lebenspartner, Alex Sigmann, jetzt? Weiß er von all dem? Nimmt er auch teil an diesem Krieg?«, wollte Ann Kathrin wissen.

»Er hat mir die Augen geöffnet. Ich war vorher blind, genauso wie Sie. Es war alles um mich herum. Die Kornkreise! Stonehenge! Die Zeichen sind überall … Sie wollten eine Massenpanik verhindern, deswegen gaben sie uns diese Zeichen. Doch nun ist eine aggressivere Spezies da. Bei uns wechseln doch auch Regierungen. Deutschland ist doch auch nicht mehr das, was es mal zwischen 33 und 45 war. Wir sind andere! Die Welt ändert sich, und das ist bei denen genauso.«

Indra sprach sehr eindringlich, als würde sie die Chance wittern, Ann Kathrin oder Weller auf ihre Seite zu ziehen.

Das Jucken zog sich jetzt Wellers gesamten Rücken hinunter. Er wäre am liebsten in kaltes Wasser gesprungen, um sich den ganzen Dreck und das Jucken vom Körper zu waschen.

»Und Ihr Exmann gehörte zu den Aliens? Habe ich das richtig verstanden?«, hakte Ann Kathrin nach.

»Wir alle stammen im Grunde von ihnen ab. Die ersten Außerirdischen haben sich auf der Erde mit Menschenaffen gepaart. So sind wir entstanden. Ja, Frau Klaasen, ist längst alles wissenschaftlich bewiesen. Man kann das überall nachlesen. Wir tragen praktisch Gene der Außerirdischen in uns. Und das ist ja auch alles gar nicht schlimm. Die haben einen großen Anteil an unserer Menschwerdung. Sonst wären wir doch gar nicht da. Und sie versuchten, uns auf eine höhere Ebene zu heben, uns Moral zu geben, Gesetze … Aber jetzt, jetzt sind bei denen sozusagen die Nazis an der Macht. Für die sind wir eine minderwertige Rasse. Etwas, wofür man sich schämen muss. Sie werden uns ausrotten.«

Ann Kathrin atmete heftig aus: »Aber Sie sind ihnen zuvorgekommen.«

»Ja, das bin ich, Frau Klaasen. Und der Tag ist nicht weit, da werde ich dafür gefeiert und belobigt werden.«

Weller hielt nicht mehr an sich: »Sie glauben echt, Sie sind eine Heldin, ja?«

»Ja. Wie die Widerstandskämpfer der Weißen Rose.«

Weller löste sich von der Wand, als sei er daran angeklebt gewesen. »Verzeihung«, stöhnte er, »ich halt's nicht mehr aus. Ich muss raus.«

Er verließ den Verhörraum und knallte die Tür hinter sich zu.

Alex stand vor der Tür und atmete noch einmal tief durch. Seine Füße standen hüftbreit fest auf dem Boden. Er hatte die Tasche mit dem Erlösermesser und der Garotte bei sich. Doch so konnte er nur einzelne Monster töten. Für alle vier musste er anders vorgehen. Sie durften keine Chance zur Gegenwehr haben.

Er hatte das Magazin aufgefüllt und den Schalldämpfer auf die P-10-Luger geschraubt. Die Pistole war in seiner Ledertasche, die um seine Schulter hing. Seine rechte Hand steckte ebenfalls in der Tasche. Von außen war nichts zu erkennen.

Er war sich noch nicht sicher, wen er zuerst ausschalten sollte. Er wollte drei erschießen, um dann das vierte Monster zu einer Aussage zu zwingen.

Sollte er YoLos Gespielin übriglassen? War sie das bestimmende Alien? Oder würde er hinterher nur vor einer Frau sitzen, in die YoLo2 sich verknallt hatte, weil sie seiner Mutter oder seiner geliebten Oma ähnlich sah? War sie ein harmloses Wesen, das von nichts eine Ahnung hatte? Gehörte sie noch der menschlichen Gemeinschaft an und war nur zufällig in diesen Mist geraten?

Er klingelte.

Den ersten, der öffnet, knalle ich nieder. Dann springe ich in den Raum und feuere auf die, die ich gerade erwische.

Sollte er es wirklich dem Zufall überlassen? Ein Alien musste übrigbleiben. Eines, das er befragen konnte. Auf hochnotpeinliche Art, wie es im Mittelalter hieß. Er musste herausfinden, was sie vorhatten. Ein Geständnis vor laufender Kamera wäre das Beste.

Er hörte Schritte. Es war eindeutig ein Mann.

Seine Hand am Griff der Luger wurde schwitzig. Er wischte die Hand an der gefütterten Innenseite der Ledertasche ab und griff gleich wieder nach der Pistole.

So, mit einer Hand in der Umhängetasche, stand er da und wartete.

Hinter der Tür stand bereits jemand. Wieso wurde ihm nicht geöffnet? Sollte er einfach durch die Tür feuern? Sie aufbrechen und dann …

Nein, das war kein guter Plan. Ein Monster könnte er so erwischen, aber die anderen wären vorbereitet.

Er hörte Sabrina Wellers Stimme: »Nein, verdammt, jetzt nicht! Wir haben keine Zeit mehr!«

YoLo2 antwortete: »Das ist ein Fan, Mensch!«

»Ich hab gesagt: nein! Später kannst du dich wieder deinen Fans widmen«, versuchte Sabrina zu bestimmen.

Doch YoLo2 reagierte abweisend: »Haben wir dich als Managerin engagiert oder als Domina?«

YoLo2 fand seinen Witz wohl gut und lachte laut darüber. Finn-Henrik stimmte ein. Er befand sich auf der Treppe und brachte gerade einen Koffer runter.

YoLo2 riss die Tür auf und sah das bekannte Gesicht, einen Mann, der eine Hand in seiner Tasche hatte, und vermutete, dass ein Fan ein Buch zum Signieren mitbrachte. Er begrüßte den Besuch überschwänglich: »Hallo! Dich kenn ich doch! Du warst ein paarmal bei unseren Veranstaltungen.«

Vielleicht war es die mit so viel Freundlichkeit aufgeladene Begrüßung, vielleicht das warme Licht in der Wohnung. Jedenfalls schaffte Alex es nicht, seine Waffe zu ziehen und seinem Gegenüber in die Brust oder Stirn zu schießen.

YoLo2 zog ihn in die Wohnung und verkündete stolz: »Das ist ein Fan der ersten Stunde, ihr Lieben!«

»Ja«, grinste Alex verlegen, »ich war bei einem deiner ersten Vorträge dabei.«

YoLo2 zeigte auf ihn: »Warte. Lass mich raten, Ich komm gleich drauf ... Es war im Ruhrgebiet, in Wanne-Eickel oder in Wattenscheid. Hinten in einer Gaststätte. Der Raum reichte aus für hundert Leute. Da wurden sonst Hochzeiten gefeiert und so. Aber es kamen nur ein paar zahlende Gäste, und du warst einer davon.«

»Stimmt«, gab Alex zu. »Damals warst du noch nicht so berühmt.«

YoLo2 gab auf: »Sei mir nicht böse«, sagte er. »Wir haben uns zwar schon öfter gesehen, aber bei den vielen Fans kann ich mich an deinen Namen nicht mehr erinnern.«

Alex nahm die Gelegenheit wahr, um sich vorzustellen: »Mein Name ist Heiner Taschen«, sagte er.

Sabrina drängelte sich mit einem Karton voller Plakate an den beiden vorbei. »Ja, das ist ja alles ganz nett«, sagte sie, »aber eigentlich haben wir überhaupt keine Zeit.«

»Ich weiß«, sagte Alex und zog seine Hand aus der ledernen Umhängetasche. Die Pistole ließ er drin. Spontan schien sich hier eine neue Möglichkeit zu ergeben. Er rutschte mehr hinein, als dass er sie selbst gestaltete, aber er ließ es zu.

»Ich bin nicht gekommen, weil ich ein Autogramm wollte. Ich habe bereits alle Bücher signiert. Ich wollte euch ... meine Mitarbeit anbieten.«

Finn-Henrik war oben auf der Treppe stehengeblieben. Jetzt setzte er sich auf die Stufen, so als hätte er von dort einen besseren Überblick. Er stöhnte: »Helfen ... plötzlich wollen uns alle helfen.«

»Was ihr macht, ist sicherheitstechnisch gesehen sehr bedenklich. Ihr habt keine Security dabei, gar nichts. Jeder kommt ganz nah an euch ran. Ihr seid gefährdet, und wenn ihr Kontakt zu einem außerirdischen Wesen habt, braucht sowohl ihr als auch unser Besucher eine ganz neue Sicherheitsstufe.«

Gundula hielt inne und sah ihn an: »Bist du ein Security-Mann?«

Alex nickte: »Ich habe eine hervorragende Nahkampfausbildung und gelte als äußerst präziser Schütze. Ich habe zwölf Jahre bei der Bundeswehr gedient, und anschließend war ich

491

vier Jahre lang bei einem Berliner Personenschutz-Service. Ich habe sie alle bewacht, wenn sie in der Hauptstadt waren: Boris Becker. Bruce Willis. Denzel Washington ... «

»Du kennst Bruce Willis?«, fragte Gundula.

»Klar. So ziemlich alle Popstars, die in der Zeit Berlin besucht haben. Die sind im Grunde alle ganz in Ordnung. Aber meist habe ich Wirtschaftsbosse beschützt. Da kann man schon mal auf arrogantere Typen treffen. Die sind ja nicht so sehr vom Publikum abhängig. Die haben Macht.«

Sabrina tippte sich gegen die Stirn: »Schütze! Wir brauchen keinen. Was sollen wir mit einem Schützen?«

Das sah Gundula anders: »Im Grunde«, sagte sie, »schickt ihn der Himmel. Wir brauchen jemanden, der sich zwischen uns und die Menge stellt. Jeder Politiker hat Bodyguards. Jeder dämliche Popstar, den kaum einer kennt, wertet sich mit Bodyguards auf. Bloß ihr lauft herum wie Schießbudenfiguren. Ihr bräuchtet zwei, drei – eine ganze Gruppe.«

»Ja, da können wir unsere Buchhonorare gleich verschenken«, rief Finn-Henrik von der Treppe. »Was glaubst du, was das kostet?«

»Ich will kein Geld«, betonte Alex. »Ich tue es aus Überzeugung.«

Finn-Henrik hakte nach: »Das heißt, du trägst eine Waffe?«

Alex zeigte seine Luger. Den Schalldämpfer hatte er vorher abgeschraubt.

Finn-Henrik pfiff anerkennend. »'ne echte Wumme! Die wirst du bei uns sicherlich nicht brauchen.«

»Ich hoffe, du hast eine Erlaubnis, so ein Ding zu tragen«, sagte Sabrina und zuckte sofort zurück, denn jetzt spielte sie wieder viel zu sehr die Polizistentochter, was ihr ein bisschen peinlich war.

Alex antwortete: »Ich habe zwei Jahre in den Vereinigten Staaten gearbeitet. Da ist es das Grundrecht eines jeden Bürgers, eine Schusswaffe zu tragen. Es steht in der Verfassung.«

Sabrina konnte es sich nicht verkneifen, zu kontern: »Ja, aber wir sind hier in Europa. Da sehen die Leute das ein bisschen anders.«

Alex steckte die Pistole wieder ein.

»Mit einer Knarre in meiner Nähe fühle ich mich wieder ein bisschen wie zu Hause«, besänftigte Sabrina die anderen. »Mein Papa hat seine Dienstwaffe auch immer mitgebracht. Wir Kinder durften die nicht mal anfassen. Er hat immer ein Riesen-Bohei darum gemacht, als wäre es ihm unangenehm, so ein Ding zu tragen.«

Gundula zeigte auf Alex und wiederholte den Namen, mit dem er sich vorgestellt hatte: »Heiner Taschen. Der Typ gefällt mir. Also, ich bin dafür.«

YoLo2 nickte: »Ich auch.« Gleich machte er eine einladende Geste: »Willkommen im Club!«

Polizeidirektorin Elisabeth Schwarz rief alle im Besprechungsraum zusammen. Sie hatte eine klare Ansage zu machen.

Rupert witzelte über die ostfriesische Reihe in der Sitzordnung. Möglicherweise war es nur ein Zufall: die Männer saßen alle in einer Reihe nebeneinander und die Frauen ihnen gegenüber.

Elisabeth Schwarz klopfte völlig sinnlos die Kanten eines Papierstapels zusammen. Es war ihre Geste, um zu zeigen, dass sie jetzt dran war und für Ordnung sorgen wollte. Sie legte die Papiere vor sich auf den Tisch und einen Kugelschreiber darüber.

Sie tippte mit dem rechten Zeigefinger auf den Tisch: »Bevor jetzt hier das große Gemecker losgeht, früher habe es bei solchen Besprechungen Marzipan oder andere Leckereien von *ten Cate* gegeben, will ich eins klarstellen.«

»Hat es aber«, warf Rupert ein, »und das waren nicht die schlechtesten Dienstbesprechungen.«

Frau Schwarz machte seine Bemerkung mit einer Handbewegung weg, als könne sie sie nicht nur vom Tisch wischen, sondern gleich durchs geschlossene Fenster nach draußen werfen. »Ich verhänge hiermit eine Nachrichtensperre«, verkündete sie.

Sie fixierte zunächst die Pressesprecherin Rieke Gersema, die sofort brav nickte, dann Ann Kathrin Klaasen. Die konterte: »Eine Nachrichtensperre bei einer Mordserie, die in allen Medien diskutiert wird. Das bedeutet, wir geben die Handlungsführung ab. Ab jetzt werden selbsternannte Fachleute, pensionierte Kripobeamte, Drehbuchautoren oder Kriminalschriftsteller die Sache in den Medien für uns deuten.«

»Wenn wir Glück haben«, fügte Weller hinzu. »Sonst kommen Leute, die gar keine Ahnung haben.«

»Ich muss verhindern«, betonte Frau Schwarz, »dass diese Polizeiinspektion wegen irgendwelcher unbekannten Flugobjekte, außerirdischen Lebewesen oder so etwas ins Gerede gerät. Wir machen uns lächerlich, und für die Polizei ist es am Schluss wichtig, ernst genommen zu werden. Nur so können wir den Menschen ein Sicherheitsgefühl geben.«

Rieke Gersema räusperte sich. Sie sprach mit einer Stimme, als hätte sie eine schwere Mandelentzündung nicht ausgeheilt. »Wenn wir gar nichts herausgeben, wirkt das, als hätten wir nichts. Wir brauchen zumindest eine Andeutung … Ich meine,

Leute, sie stellen mir die Fragen, und ich muss später wieder mit allen zusammenarbeiten.«

Ann Kathrin legte ihre offenen Handflächen auf den Tisch und fragte: »Was haben wir denn überhaupt? Es ist doch sowieso völlig klar, dass wir im Rahmen einer laufenden Ermittlung nichts rausgeben.« Gleich versuchte sie, ein paar Angebote zu machen: »Ja, wir haben mehrere Spuren. Wir verfolgen Hinweise aus der Bevölkerung und stehen kurz vor einem Durchbruch bei den Ermittlungen.«

Rieke Gersema verzog den Mund: »Ja, das übliche Blabla. Damit komme ich nicht durch, Leute. Die wollen was Konkretes.«

Marion Wolters hielt ihr Tablet in der Hand und wartete offensichtlich auf eine Nachricht, auf irgendetwas, das sie spannender fand als diese Sitzung hier. Allein das war für die Polizeidirektorin Elisabeth Schwarz eine Beleidigung.

Marion aß Chips, während sie das Display im Blick behielt. Wenn sie nervös wurde, musste sie sich immer irgendetwas in den Mund stecken. Jetzt ärgerte sie sich über sich selbst. Sie knüllte die Tüte zusammen, was aber ziemlichen Lärm machte. Rupert grinste breit. Marion ließ die Tüte unterm Tisch verschwinden und sagte: »Die Fahndung nach Alex Sigmann, dem Lebensgefährten von Indra Kroll, läuft. Allerdings haben wir nichts gegen ihn in der Hand ... außer der Aussage seiner durchgeknallten Freundin, dass er ihr die Welt erklärt hat und morgen UFOs bei uns auf dem Marktplatz landen.«

Die Polizeipsychologin Elke Sommer sah ihre große Stunde kommen. Sie hatte ein Gespräch mit Indra Kroll geführt, und sie kannte das Protokoll der Aussage. Obwohl Indra ihr sehr verstockt erschien, hatte Elke Sommer jetzt eine eigene Theorie: »Ich denke, die Frau wird nicht damit fertig, dass sie ihren Exmann erschossen hat. Innerseelisch baut sie jetzt Geschichten auf, um sich zu entlasten. Vermutlich stand sie unter Schock, als sie es getan hat, weil er immerhin ihr Kind entführt und der Kleinen Alkohol eingeflößt hat.«

»Zumindest wird das behauptet«, stellte Rupert klar.

Elke Sommer warf ihm einen zornigen Blick zu. Ihrer Meinung nach gehörte Rupert überhaupt nicht in den Polizeidienst, sondern hätte längst entlassen werden müssen. Zumindest bräuchte er eine gründliche Therapie, um mit sich selbst ins Reine zu kommen. Das hatte sie Frau Schwarz sehr klar gesagt.

»Sie hat versucht, ihre Tochter zu schützen und damit letztendlich die ganze Welt zu retten. Jetzt baut sie dieses Wahngebilde auf. Das lässt die Tat weniger erschreckend erscheinen. So kann sie damit leben. Ich bin mir auch nicht sicher, ob es so klug ist, sie ständig damit zu konfrontieren, dass es gar keine UFOs gibt und ihr Mann kein Außerirdischer war. Noch ist das alles ein Schutz für ihre Seele, und sie braucht es wirklich. Wenn dieser Schutz zusammenbricht, sehe ich sie als suizidgefährdet an. Diese Frau hat nie in ihrem Leben gegen irgendwelche Regeln verstoßen, zumindest ist das nirgendwo dokumentiert. Sie hat sich herumschubsen lassen und versucht, irgendwie durchzukommen. Erst als es um ihre Tochter ging, ist sie durchgedreht.«

Ann Kathrin erschien diese Theorie gar nicht so falsch. Sie bezog sie durchaus in ihr Denken ein. »Aber warum, frage ich mich«, sagte Ann Kathrin, »erwähnt sie immer wieder die anderen Morde, so als wisse sie etwas darüber … «

»Auch das macht ihre Schuld kleiner«, erklärte Elke Sommer. »Andere haben schließlich das Gleiche getan wie sie. So fühlt sie sich einer Gruppe zugehörig.«

»Der Alienjäger«, feixte Rupert.

Frau Schwarz setzte sich anders hin und straffte ihre Kleidung, als würde hoher Besuch erwartet und man dürfe nicht so lässig herumlaufen wie sonst. »Ich habe um großzügige Unterstützung gebeten, und die werden wir auch erhalten. Es sind zwei hervorragende Profiler unterwegs, Spezialisten für Verschwörungstheorien und ... «

»Heißt das«, fragte Ann Kathrin, »man nimmt uns den Fall ab?«

»Ich würde gar nicht von *dem Fall,* sondern von *den Fällen* sprechen. Nein, Frau Klaasen, man nimmt uns das nicht ab«, sie äffte Ann Kathrin nach, als sie die Worte sprach, »sondern man unterstützt uns. Dass wir allein damit nicht fertig werden, ist ja wohl deutlich.«

»Dass wir unterbesetzt sind, auch«, stichelte Weller.

»Heute Abend um neunzehn Uhr gibt es in diesem Raum eine Dienstbesprechung. Ich erwarte, dass Sie alle anwesend sind und sämtliche Fakten zusammentragen.«

Weller schob seinen Stuhl wütend vom Tisch zurück. »Och nö!«

»Was passt Ihnen nicht, Herr Weller?«

»Ich habe für heute Abend bei *da Sergio* einen Tisch für zwei bestellt. Immerhin sind Ann und ich noch ein Paar, und wir wollten uns mal wieder einen schönen Abend machen.«

Ann Kathrin sah erfreut und überrascht aus.

Er sprach jetzt zu ihr: »Ich wollte mit dir Pinsa essen.«

»Das heißt Pizza«, korrigierte Elisabeth Schwarz ihn spitz. »Lispeln Sie oder haben Sie jetzt Sprachstörungen, Herr Weller?«

»Nein, das heißt Pinsa. Es ist ähnlich wie Pizza, nur eben viel leichter. Der Teig besteht aus Salz, Mehl, Wasser, ganz wenig Hefe und viel Zeit. Der Teig ruht zweiundsiebzig Stunden und wird dann in knapp vier Minuten von außen schön knusprig gebacken und bleibt innen wunderbar fluffig. Er wirft richtige Blasen.« Weller führte Daumen und Mittelfinger zu seinen Lippen, küsste sie und schwärmte: »Dazu das richtige Olivenöl und … «

»Ja, ist das hier ein Kochkurs?«, fragte Frau Schwarz.

Rupert gefiel es, dass Weller die Chefin so lässig belehrt hatte. Er wollte sie nicht gern da rauslassen. Er zeigte auf Weller und sprach es jetzt noch mal ganz deutlich aus: »P i n s a, nicht etwa so eine popelige Pizza, sondern Pinsa. Mensch, gute Idee! Ich muss Beate auch unbedingt mal zu *da Sergio* einladen.«

Marion Wolters' Gesicht veränderte sich. Sie ließ das Tablet auf den Tisch fallen und erhob ihre Stimme: »Ich habe unsere Kollegen bei dem Sozialarbeiter Alex Sigmann aus Bochum-Langendreer zu Hause vorbeigeschickt. Ich dachte, vielleicht hat er ja ganz einfach den Urlaub mit seiner schrägen Tussi beendet und ist zurück in seinen Job.«

Rupert war das viel zu viel der Vorrede. Er trommelte mit den Fingern nervös auf den Tisch. Er und Marion waren nicht gerade ein Dreamteam. »Ja, und weiter?«, drängelte er. Er hasste es, wenn sie es so spannend machte und genoss, dass sie eine Information hatte, auf die die anderen warteten.

Marion kostete den Moment aus: »Der gute Mann ist seit drei Jahren tot. Ein ungeklärter Mordfall. Er wurde mit einem Messer niedergestochen und hatte Würgemale am Hals.«

Ann Kathrin stand auf. »Das ändert alles.«

»In der Tat«, stimmte Weller zu und erhob sich ebenfalls.

Marion grinste Rupert auffordernd an, als erwarte sie eine Entschuldigung. Er sagte: »Nicht schlecht, Mariönchen, nicht schlecht … Aus dir könnte noch mal eine richtig gute Kommissarin werden.«

»Die Serie«, behauptete Ann Kathrin mit einem Ton, der keinen Widerspruch zuließ, »ist also älter, als wir denken. Er nimmt die Identitäten seiner Opfer an. Wir brauchen alle ähnlich gelagerten unaufgeklärten Fälle.«

Frau Schwarz guckte, als könne sie nicht begreifen, warum.

Ann Kathrin erklärte es, ohne gefragt worden zu sein: »Er wird nicht als Alex Sigmann weitermachen, sondern andere Identitäten benutzen, um Wohnungen zu mieten, Autos oder ...«

Rupert versuchte, vor Jessi wieder den Wissenden zu spielen, und belehrte sie: »Weißt du, wenn man sich einfach irgendeine Identität fälscht, dann fliegt das schnell auf. Aber wenn man die Identität eines Toten nimmt und sich Papiere auf dessen Namen machen lässt, dann dauert es viel länger, bis eine Überprüfung über die Einwohnermeldeämter und ...«

Jessi stoppte ihn: »Ja, ich weiß.«

Diese jungen Leute hatten alles, was er sich wünschte. Die Welt schien ihnen zu Füßen zu liegen. Es fiel ihnen leicht, ihre Sicht in der Welt zu verbreiten. Sie wählten aus, wem sie Interviews gaben und wem nicht.

YoLo2 lehnte ein Interview mit der *Nordwestzeitung* vehement ab, weil er dort mal als *Pseudowissenschaftler* und *Möchtegern-Däniken* bezeichnet worden war.

Sie konnten sich aussuchen, in welche Talkshow sie gehen wollten, und stritten ernsthaft darüber, ob es nicht besser sei, die eigentlichen Auftritte auf ihren eigenen Podcast zu beschränken, um die Leute dorthin zu leiten.

»Es ist doch längst so«, tönte YoLo2, »dass wir die Medien nicht mehr brauchen, um uns aufzuwerten, sondern die brauchen uns, um ihr Blatt oder ihre Sendung im Gespräch zu halten.«

Mich fragt niemand, dachte Alex. Wenn ich deren Möglichkeiten hätte, um mein Manifest zu verbreiten, würden sich die Massen auch um mich scharen.

Er stellte sich vor, statt dieser neuen Alien-Propagandisten in Talkshows zu sitzen und dort die Wahrheit erzählen zu können. Das, was er zu berichten hatte, war unendlich viel brisanter, gefährlicher, furchteinflößender. Finn-Henrik und YoLo2 dagegen gaukelten den Menschen die Vision einer schönen neuen Welt vor. Klar lauschte man ihnen gern. Es war leicht, jemanden zu feiern, der kam, um Frieden und Wohlstand zu bringen. Aber wer hatte Lust, einem zuzuhören, der Krieg und Verderben prophezeite?

Wie viele von den Medienvertretern, die jetzt die beiden hier hochpushten, waren nur Marionetten der Außerirdischen oder gehörten selbst längst dieser Spezies an, fragte er sich.

Er sagte all das nicht. Es fand nur in ihm statt. Nach außen hin spielte er ganz den loyalen Fan und Freund.

Er saß mit ihnen im Bus, den Holger Bloem gebracht hatte. Ein *Ostfriesland Magazin* war groß darauf abgebildet. In diesem Fahrzeug waren sie so unverdächtig wie ein Krabbenkutter in Strandnähe.

Sabrina saß hinten. Einen Computer aufgeklappt auf den Knien und ein Headset am Kopf, telefonierte sie. Sie machte neue Termine aus, stellte Fragen wie: »Wie viele Sitzplätze haben Sie denn?« Sie verlangte größere Hallen und dreitausend Euro am Abend plus Fahrtkosten und einer Hotelpauschale von tausend Euro. Außerdem sollte der örtliche Veranstalter Securitykräfte stellen.

Holger Bloem steuerte den Wagen. Der Journalist hörte aufmerksam zu.

»Wir könnten«, warf er ein, »auch in Norden etwas organisieren. Zum Beispiel in der Schalterhalle der Sparkasse oder im ...«

»Wie viele Leute gehen denn da rein?«, fragte Sabrina.

»Für dreihundertfünfzig Stühle können wir dort schon sorgen«, versprach Holger.

Sabrina winkte ab: »Ja, das wäre vor ein paar Monaten ganz toll gewesen. Aber jetzt nicht mehr.«

»Im alten Möbelhaus Pflüger gibt es noch mehr Platz. Außerdem haben wir in Norden ein Theater in der Oberschule. Da sind auch manchmal Filmpremieren. Weil es in der Schule ist, hört es sich so nach Aula an, aber es ist wirklich ein ganz toller Raum, und da kriegen wir auch mehr Gäste rein.«

Die Gelegenheit müsste mir jemand mal bieten, dachte Alex. Ein volles Haus, ich könnte frei sprechen und bekäme sogar noch Geld dafür.

Vielleicht würde es eines Tages so werden. Diese Sabrina war auf jeden Fall ein großes Talent, ein Gewinn für diese Gruppe. Er sah in ihr fast so etwas wie den Motor des Ganzen. Sie hielt die Fäden der Organisation straff in der Hand, und obwohl Holger Bloem ihr mit dem Auto sofort geholfen hatte, lehnte sie sein Angebot jetzt ab: »Nein, wir müssen jetzt erst in die Großstädte. Hannover. Köln. Frankfurt. Hamburg. München. Stuttgart. Berlin. Dresden ...«

»Ja! Ja!«, rief Finn-Henrik und küsste seine Geliebte. »Ich mag die Art, wie du denkst! Die ganze Zeit sind wir nur durch die Provinz gezogen.«

»Am wichtigsten«, sagte Sabrina, »sind zunächst Hamburg, Frankfurt, Köln und Berlin.«

»Warum?«, fragte Alex.

»Weil das«, erklärte Sabrina ihm gern, »die Medienstädte sind. Mainz und München brauchen wir auch. Wir müssen da auftreten, wo die großen Blätter gemacht werden.«

Als hätte sie Holger beleidigt, beugte sie sich zu ihm vor und flüsterte: »Es ist nämlich ein Unterschied, ob etwas im *STERN* steht, im *SPIEGEL* oder im *Ostfriesischen Kurier.*«

»Ich kann euch den Wagen«, konterte Holger, »aber nur für zwei Tage lassen. Wir brauchen ihn in der Redaktion für ...«

»Kein Problem, Holger. Hauptsache, wir kommen erst mal nach Lütetsburg, ohne aufzufallen.«

Ich werde sie alle töten müssen, dachte Alex, wenn ich sie nicht für mich gewinnen kann. Aber diese Sabrina ist ein Goldstück.

Er stellte sich vor, wie es wäre, wenn sie für ihn arbeiten würde. So toll wäre Indra nie geworden. Undenkbar, dass sie sein Fortkommen und die Verbreitung seiner Ideen so pushen könnte wie Sabrina.

Jetzt hob sie die Hand und bat die anderen, ein bisschen leiser zu sein. Sie hatte gerade jemanden von der *Lanz*-Redaktion am Telefon.

Finn-Henrik freute sich schon: »Ja! Das ist eine vielgesehene Talkshow.«

Aber Sabrina reagierte verhalten und wollte wissen, welche Gäste denn sonst noch kämen, um dann erst zu entscheiden, ob die Sendung das Richtige sei.

»Das nenne ich Selbstbewusstsein«, sagte YoLo2 und bat Sabrina gleichzeitig: »Überzieh bloß nicht!«

»Ja«, kommentierte Gundula, »du pokerst ziemlich hoch, Schätzchen.«

In dem Wort *Schätzchen* lag der Hauch einer Abwertung,

fand Alex. Deutete sich hier ein Konflikt an? Fühlte sich die Freundin von YoLo2 durch die Kraft, die Sabrina entfaltete, an die Wand gedrängt?

Sie machte überhaupt nur sehr wenig, saß die meiste Zeit stumm da, aß ganz gern, schlürfte Drinks durch einen Strohhalm, hatte eine Vorliebe für Schokolade und einen großen Einfluss auf YoLo2. Er orientierte sich praktisch bei allem, was er sagte, an ihr. Er warf ihr einen Blick zu. Wenn sie lächelte oder ihm gestisch zu verstehen gab, dass sie seine Ausführungen gut fand, drehte er voll auf, aber ein kritischer Blick von ihr reichte aus, und er verstummte.

Nein, dachte Alex, das war keine Liebe. YoLo2 war nicht gerade der Typ, der sich von seiner Freundin oder Ehefrau unterbuttern ließ und für den wöchentlichen Gnadenfick ihren Büttel spielte. Dieser umjubelte und begehrte Mensch, der, so fand Alex, auch noch ziemlich gut aussah, hatte doch sicherlich bei der Partnerwahl keinen Mangel an Bewerberinnen. Warum unterwarf er sich dieser Gundula? Hatte er eine devote Ader? Mochte er genau die Dominanz, mit der sie ihn regierte? Gab das ihrer Beziehung das Prickeln? Oder war alles viel einfacher, und sie war hier das Muttermonster? Das Leittier?

Hatten die Aliens eine möglichst unscheinbare Frau eingesetzt, die auch nicht groß aufdrehte, sondern mehr auf Hausmütterchen machte, das zufällig in diese Situation geraten war und sich lieber im Hintergrund hielt, statt sich nach vorne zu drängen? War das ihr Schutz? Verbarg sich dahinter ein Führungsoffizier?

Wenn sie es ist, wieso spüre ich es nicht? Warum klingeln bei mir nicht alle Alarmglocken? Ich sitze mit dem Monster im Auto und merke es nicht? Kann das sein? Habe ich meine Fähigkeit verloren?

Kurz hinterm Wesertunnel erhielt Holger Bloem einen Anruf. »Entschuldigung«, sagte er, »ich muss das annehmen. Das ist meine Freundin Ann Kathrin Klaasen.«

Alex wurde es ganz anders. Die Nähe zur Presse und zur Polizei tat ihm einerseits gut, war im Grunde genau das, was er suchte: ein Bündnis mit den Medien und der Staatsmacht. Doch gleichzeitig machte es ihm auch Angst.

Holger fuhr an den Seitenstreifen und stieg aus.

»Ja, der kann doch jetzt nicht so einfach …«, protestierte Finn-Henrik.

»Doch«, sagte Sabrina, »der kann. Und jetzt sei mal ruhig, ich hab gleich ein Gespräch mit Lars Haider, dem Chefredakteur des *Hamburger Abendblatts*. Der hat einen eigenen Podcast.«

»Ja«, bestätigte Finn-Henrik, »den höre ich manchmal. Ziemlich gut gemacht. Er interviewt Prominente, Leute, die echt was zu sagen haben. Er redet mit Entscheidern. Will der etwa uns?«

Sabrina legte einen Finger quer über ihre Lippen, und Finn-Henrik schwieg.

Die beiden Jungs, dachte Alex, stehen beide unter weiblicher Fuchtel.

Alex stellte sich vor, wie es wäre, wenn er anstelle von YoLo2 oder Finn-Henrik bei Lars Haider erscheinen würde und dort seine Ausführungen vortragen könnte.

Ich wäre in der Lage, dachte er, die Welt zu retten, wenn ich die Möglichkeiten der beiden hätte. Und mit Sabrina an meiner Seite wäre es ein Kinderspiel. Dagegen ist Indra eine unsichere Kandidatin. Sie taugt höchstens zur Soldatin. Sie wird nicht mal in der Lage sein, ihre eigene Brut auszuschalten.

Holger Bloem ging im Gras auf und ab. Er wirkte für einen

Ostfriesen ziemlich aufgeregt, während er telefonierte. Als er dann die Fahrzeugtür öffnete, machte er schon wieder einen gelassenen Eindruck.

»Tut mir echt leid. Ich kann euch zwar noch nach Lütetsburg zu den Baumhäusern bringen, aber dann brauche ich das Fahrzeug wieder bei uns. Ist viel los im Moment. Ich will nicht gerade sagen, dass die Hütte brennt, aber … «

Sabrina versuchte, ihn zu überzeugen. Sie kannte ihn schon, als sie noch ein kleines Mädchen gewesen war. Manchmal hatte er mit ihr Tischtennis gespielt und an zwei Abenden auf sie aufgepasst, weil Papa Weller, der eigentlich Kinderdienst hatte, zu einem Einsatz gerufen worden war. Holger hatte sie damals getröstet und ihr gesagt: »Dein Papa erledigt einen bösen Buben, und wir beide spielen jetzt Mensch-ärgere-dich-nicht. Oder magst du lieber Malefiz?«

»Ach, Holger«, sagte sie, »du machst eine Illustrierte über die Schönheit Ostfrieslands. Wie kann da die Hütte brennen? Wir versuchen gerade, die Welt zu einem schöneren, sicheren Ort zu machen.«

»Ja«, lachte Holger, »das ist bestimmt auch prima für Ostfriesland, und ich werde darüber berichten. Aber, Freunde, es tut mir leid, die Pflicht ruft.«

Kleinlaut hakte Sabrina noch einmal nach, aber sie sah in seinem Gesicht schon, dass sein Entschluss feststand. »Was ist denn los?«, fragte sie.

»Der Mord in Emden scheint aufgeklärt zu sein. Die mutmaßliche Täterin ist die Mutter der kleinen Amelie.«

Die Information fuhr Alex direkt in die Knochen. Trotzdem reagierte er, als hätte er nichts mit all dem zu tun. »Wie so viele Morde heutzutage, ein Familiending. Da finden die eigentlichen Massaker statt.«

»Ja«, bestätigte Holger, »da sagst du was ... «

In Lütetsburg am Golfplatz beim Schloss stiegen alle aus und verabschiedeten sich von Holger. Sabrina bedankte sich sogar mit einem Küsschen auf seine rechte Wange.

»Du bist eine taffe Frau geworden«, sagte Holger, »und managst das hier faszinierend. Pass gut auf dich auf, Mädchen.«

In seinen Worten klang nicht nur Lob, sondern auch Sorge mit.

Um zu den Baumhäusern zu gelangen, bekamen sie zwei Golfcarts. Die kleinen Elektrofahrzeuge hatten jeweils vier Sitze und Platz für Golfgepäck.

Das Wetter war großartig. Es fand ein Golfturnier statt. Zwischen all der Geschäftigkeit und dem Herumgewusele fielen die Alienforscher gar nicht auf.

Gundula ließ es sich nicht nehmen, einen der Golfcarts zu lenken. Sie fand es wundervoll, damit über diesen ruckeligen Weg zu fahren. Links neben ihnen flog ein Schwarm schnatternder Wildgänse entlang, als wollten sie ihnen den Weg zeigen.

Als sie zum ersten Baumhaus hochgingen und den Blick in die weite Landschaft genießen konnten, sahen sie ein Dutzend Rehe. Es war auch ein Albino-Reh dabei. Weiß wie frisch gefallener Schnee stand es in der Herde.

»Welch märchenhafter Ort«, sagte Gundula und lehnte sich an YoLo2. »Lass uns eine Weile hierbleiben. Hier können Paare wirklich glücklich sein.«

YoLo2 grinste und glänzte mit seinem Wissen. Er hatte inzwischen bei Google nachgesehen, ob das mit den Rehen überhaupt stimmen konnte. Er wusste zu berichten, dass Rehe eigentlich Einzelgänger waren und sich normalerweise nur im Winter zu kleinen Gruppen zusammenschlossen.

»Die nennt man übrigens in der Jägersprache nicht Rudel, sondern Sprung«, belehrte er sie.

»Woher weißt du das?«, fragte sie. »Warst du mal Jäger?«

»Nein«, lachte er. »Google.«

»Ich denke«, stichelte Finn-Henrik, »man darf nicht alles glauben, was man bei Google liest ...«

Die Besprechung fand im Dienstzimmer der Polizeidirektorin statt. Niemand hätte sagen können, warum der offizielle Besprechungsraum im Moment gemieden wurde.

In Ann Kathrin Klaasens Büro traf man sich halt mal so auf einen Tee, um etwas zu besprechen. Oder man tauschte am Kaffeeautomaten informell ein paar Informationen aus. Zu Elisabeth Schwarz wurde man zitiert.

Alle saßen wie in einem Stühlchenkreis um den Schreibtisch herum, hinter dem sie im bequemen, ergonomischen Bürosessel thronte.

Frau Schwarz gefiel das durchaus, es hatte die Anmutung einer Audienz bei der Königin, und da die anderen auf unbequemen Stühlen saßen, würde es nicht zu lange dauern. Niemand erwartete, dass sie hier Marzipan-Seehunde oder Gebäck servierte. Dies war ihr funktional eingerichtetes Arbeitszimmer.

Das gerahmte Bild hinter ihr zeigte sie mit dem Bundespräsidenten und verlieh ihr eine gewisse Bedeutung.

Hier roch es nicht nach Ostfriesentee und Kuchen, sondern nach Arbeit. Zumindest empfand sie es so.

Am Fenster stand das Schachbrett mit der Uhr. Sie spielte eine berühmte Partie nach, weil sie glaubte, mit einem geschickten Zug hätte die Weltmeisterschaft von Schwarz gewonnen werden können. Sie konnte Stunden damit verbringen, verlorene Meisterpartien nachzustellen und danach zu forschen, ob es eine Möglichkeit gegeben hätte, die Situation noch mal zugunsten des Verlierers zu kippen.

In dieser Polizeiinspektion befand sie sich praktisch die ganze Zeit in der Klemme. Sie fühlte sich von Ann Kathrin Klaasen getrieben. Sie spürte sie als eine Kraft hinter sich, die ihr manchmal vorkam wie eine Schiedsrichterin. Wenn Ann Kathrin absegnete, was sie sagte, war das für alle in Ordnung, wenn ihre Ideen oder Anweisungen Ann Kathrin aber missfielen, musste sie mit breitem Protest, ja Widerstand rechnen.

Das alles machte so keinen Spaß mehr. Es gab im Schach nicht die Möglichkeit, sich mit dem Gegner zu verbünden. Da gab es nur Sieg, Niederlage oder eben ein Remis. Sie hoffte, hier in Norden vielleicht zu einer Übereinkunft mit Ann Kathrin Klaasen kommen zu können. Doch es widersprach allem, was sie über Schach wusste. Und das Leben war für sie wie Schach.

Ihr Problem war, dass Menschen sich nicht wie Schachfiguren bewegen und berechnen ließen. Sie wusste das durchaus. Sie las auch Fachbücher über Psychologie. Studierte Lebensratgeber und kannte sich mit Archetypen aus. Die Texte von den Vätern der Psychoanalyse gab es ja inzwischen schon kostenlos als E-Book. Aber letztendlich konnte sie mit all dem nur wenig anfangen.

Rupert verhielt sich für sie wie ein Pferd beim Schachspiel: sprunghaft, eins schräg, eins gerade, eins gerade, eins schräg. Unberechenbar und durchaus gefährlich. Weller dagegen war eher der Turm. Immer geradeaus, immer klare Linie. Er deckte die Dame: Ann Kathrin Klaasen. Die hingegen hatte alle Möglichkeiten, sich auf dem Brett zu bewegen.

Bauern oder Läufer wie Marion Wolters, Sylvia Hoppe oder Rieke Gersema erweckten den Eindruck, es sei geradezu eine Ehre für sie, für die Dame geopfert zu werden.

Eigentlich, dachte Elisabeth Schwarz, bin ich in diesem Spiel der König. Nur dass kein Mensch tut, was ich sage, und mein Bewegungsspielraum viel kleiner ist als der der Dame. Ich kann immer nur winzige, kleine Schritte tun, bin aber abhängig davon, dass die anderen mich schützen.

Sie wusste nicht, wie lange sie ihren Gedanken nachgehangen war.

Staatsanwältin Meta Jessen betrat den Raum. Sie sah aufgescheucht aus, als hätte sie beim Friseur, während ihre Haare toupiert wurden, den Laden verlassen, um hierher zu stürmen. Wenn Frau Schwarz sich nicht täuschte, weil das Licht im Raum so diffus war, hatte die Staatsanwältin nur die Wimpern des rechten Auges getuscht, die des linken noch nicht.

Meta Jessen sprach, ohne irgendjemanden zu begrüßen. Nicht mal für ein knappes »Moin« hatte sie Zeit, und das war in Ostfriesland eigentlich immer drin.

»Das ist«, rief sie, »das ganz dicke Ding! Er hat schon in Nordrhein-Westfalen, Rheinland-Pfalz und Hessen zugeschlagen. Meistens an Sonn- und Feiertagen. Die Kollegen nennen ihn dort den Urlaubsstecher, was wohl irgendwie doppeldeutig sein soll.« Sie machte eine abwehrende Handbewegung. »Und ich lehne solche sexistischen Ausdrucksweisen natürlich ab.«

»Hier«, verteidigte Ann Kathrin ihre Truppe, »spricht niemand so.«

Frau Schwarz verzog die Lippen. Das, dachte sie, wäre mein Satz gewesen, um mich bei den anderen in ein besseres Licht zu setzen.

Ann Kathrin Klaasen fasste die Situation zusammen: »Wir suchen einen hochgefährlichen Mann, dessen wahre Identität wir nicht kennen. Seine Komplizin, Indra Kroll, befindet sich in unserer Obhut. Sie redet allerdings wirres Zeug, und ich glaube kaum, dass sie uns helfen wird, ihn zu fassen.«

Rupert schlug wütend mit der Faust auf den Tisch. Er guckte Jessi an, als würde er nur mit ihr sprechen: »Wir standen dem Typen gegenüber. Wir wissen, wie der aussieht, haben aber kein Foto. Wir könnten ein Phantombild anfertigen lassen und dann ... «

Weller meldete sich zu Wort: »Das Kind! Es hat schon mal Ärger um die Kleine gegeben. Wir können die nicht einfach so im Schutz des Jugendamtes lassen. Damit gefährden wir auch die Sozialarbeiterin, die sich kümmert ... «

»Ja, willst du die Kleine in ein Zeugenschutzprogramm nehmen?«, fragte Rupert.

Ann Kathrin gab Weller recht: »Amelie ist von großer Bedeutung. Ohne sie wären wir gar nicht auf dieses merkwürdige Pärchen aufmerksam geworden.«

Rupert hielt es in dieser angespannten Situation überhaupt nicht aus, auf dem Stuhl zu sitzen und eine Dienstbesprechung durchzuführen, Pläne zu schmieden und Argumente abzuwägen. Er musste etwas tun. Er streckte sich durch und warf Jessi einen auffordernden Blick zu: »Wir beide übernehmen die Kleine.«

Polizeidirektorin Schwarz mischte sich ein. Sie verzog die Lippen: »Rupert?! Sie mit Ihrer äußerst einfühlsamen Art ... «

»Höre ich da«, fragte Rupert, »irgendwie Kritik raus?« Dann zeigte er auf Jessi: »Sie wird ja mit dabei sein. Sie hat im Norder Boxclub die Kindergruppe trainiert.«

Jessi nickte und freute sich über die anerkennenden Worte.

Elisabeth Schwarz fasste sich an den Kopf: »Die Kindergruppe im Norder Boxclub ... «

Rupert deutete an, dass seine Heckler & Koch im Holster saß und betonte: »Falls er kommt, um sich die Kleine zu holen, holen wir ihn uns. Erst mal ist Amelie ja noch mit ihrer Freundin und dem Papi von nebenan am Strand.«

»Scheiße«, entfuhr es Ann Kathrin. Sie sprang auf.

»Bleib du lieber hier, Ann, und nimm dir noch mal Indra Kroll vor. Jetzt ist alles wichtig, was sie uns über ihren Macker sagen kann«, tönte Weller.

Das sah Ann Kathrin sofort ein.

Rupert und Jessi gingen zur Tür. »Ja, dann schönes Wellness-Wochenende«, scherzte Rupert.

Polizeidirektorin Schwarz lehnte sich im Stuhl zurück und verschränkte die Arme vor der Brust. Hier lief praktisch alles ohne sie. Im Grunde saß sie nur da und sah dabei zu. Ihre Meinung zählte durchaus, aber nicht mehr als die von allen anderen hier.

»Man kann«, sagte sie mehr zu sich selbst, »diesen Laden hier überhaupt nicht richtig führen.«

»Führen vielleicht nicht«, erwiderte Ann Kathrin, »aber mit einer guten Idee überzeugen kann man hier immer. Haben Sie eine?«

Frau Schwarz funkelte Ann Kathrin an. »Diese Spitze geht dann ja wohl gegen mich«, kommentierte sie.

»Nein«, sagte Ann Kathrin, »das gilt für jeden hier im Raum.«

Marion Wolters gab Ann Kathrin gestisch recht.

Die Polizeidirektorin blickte auf die Uhr und schaute dann auf ihr Handy. »In zwei, drei Stunden wird kompetente Verstärkung für uns eintreffen. Ich habe Druck gemacht und an den richtigen Fäden gezogen. So etwas muss man nämlich auch können ... «

Weller bezweifelte das: »Von Wiesbaden nach Norden brauchen die fünf, sechs Stunden. Mit ein bisschen Pech sieben. Und dann haben sie noch keinen Tankstopp gemacht ... «

Frau Schwarz fuhr Weller an: »Was wollen Sie damit sagen, Herr Weller?« Sie betonte das *Herr.*

Weller sprach jetzt, als müsse er ihr Ostfriesland erklären: »Wenn es auf den Inseln brennt, dann warten die nicht, bis die Feuerwehr vom Festland mit der Fähre rübergefahren kommt, sondern dann helfen die sich selbst, um das Schlimmste zu verhindern. Deswegen gibt es auch auf den Inseln sehr gut organisierte Freiwillige Feuerwehren ... «

»Und wir sind hier so etwas wie die Freiwillige Feuerwehr, oder was?«, hakte Frau Schwarz bissig nach.

»Wir warten jedenfalls nicht, bis Hilfe aus der Ferne kommt. Wir löschen sofort«, kommentierte Ann Kathrin.

Marion wischte wieder auf ihrem Tablet herum und sprach, ohne sich vorher zu Wort gemeldet zu haben. Links neben ihr saß Rieke Gersema, die Pressesprecherin, rechts Sylvia Hoppe. Beide Frauen neigten ihre Köpfe so, dass es aussah, als würden sie sich an Marions Schultern anlehnen. In Wirklichkeit versuchten sie nur, mitzulesen.

»Es hat«, sagte Marion, »außer Alex Sigmann mindestens vier vergleichbare Fälle gegeben, die wir unserem Täter zuordnen könnten.« Sie zählte auf: »Heiner Taschen aus Bochum, Simon Lehjne aus Wissen im Westerwald, Christoph Hülsenbauer aus Dieburg und Günther Lohse aus Aachen. Da werden im Laufe des Tages bestimmt noch mehr Meldungen eingehen. Es sind immer Tötungen mit Messer oder Garotte, keine Raubüberfälle ... «

»Es ist nicht unwahrscheinlich«, folgerte Ann Kathrin, »dass er sich einer dieser Namen bedient.«

Elisabeth Schwarz setzte sich anders hin und versuchte noch einmal, als Chefin Punkte zu sammeln: »Ja, er könnte sich aber genauso gut Brad Pitt nennen oder irgendeinen anderen Phantasienamen zulegen. Wir wissen nicht einmal genau, ob diese Morde, die jetzt von allen Dienststellen gemeldet werden, wirklich in einem Zusammenhang mit unserer Serie stehen ...«

Ann Kathrin nickte sauer: »Ja, diese Denkweise kennen wir noch. Deshalb konnte der nationalsozialistische Untergrund, oder wie die Spinner sich nannten, immer weitermachen. Zehn Morde mit ein und derselben Waffe an ausländischen Mitbürgern. Und unsere Spezialisten«, sie sprach das Wort spöttisch aus, »haben keinen Zusammenhang gesehen.«

Frau Schwarz blies aus. Diese Runde ging ganz klar an Ann Kathrin Klaasen.

Die Polizeidirektorin konnte es sich jetzt nicht mehr verkneifen. Es platzte aus ihr raus: »Warum, Frau Klaasen, sitzen Sie eigentlich nicht auf meinem Stuhl? Warum haben Sie diesen Posten nicht?«

Ann Kathrin schluckte. »Weil ich frei von Zwängen arbeiten möchte. Weil ich mich um diesen ganzen Verwaltungsapparat nicht kümmern will. Weil ich lieber nah an den Menschen und am Fall bin. Ich beneide Sie nicht, Frau Schwarz.«

Das waren ehrliche Worte. Zwischen den beiden entstand bei allen Spannungen so etwas wie Verständnis.

Sabrina hatte keine Augen für die Schönheit der Landschaft. Sie war ganz konzentriert darauf, am Laptop die neuen Auftritte zu organisieren.

Gundula dagegen wollte das Leben genießen.

Finn-Henrik hatte Lust, im *Schatthuus* essen zu gehen. Dort gab es angeblich Wildbratwürstchen mit Steckrüben und Kartoffelstampf. Finn-Henrik hatte sogar mal damit geliebäugelt, Vegetarier zu werden. Er brauchte im Grunde kein Schweinefleisch und konnte auch auf Rind verzichten. Aber Wild ... Allein der Gedanke daran machte aus ihm einen Fleischliebhaber.

Sein Opa war Jäger gewesen, und manchmal hatte es bei ihm Wildfrikadellen gegeben oder frische Rehleber. Ähnliche geschmackliche Abenteuer wie als kleiner Junge mit seinem Opa hatte er nie wieder erlebt.

»Können wir uns nicht einfach was hierhin kommen lassen?«, fragte Sabrina und tippte eine Antwort an Martina Gilica vom *NDR1 Niedersachsen*, die YoLo2 in ihre Sendung *Kulturspiegel* einladen wollte.

Alex nahm seinen Job als Sicherheitsbeauftrager sehr ernst und mahnte: »Wir können nicht Wohnungen anonymisieren und unter fremdem Namen anmieten und dann einen Lieferservice rufen. Wenn ihr Hunger habt, besorge ich das. Ich kann ja zum *Schatthuus* gehen. Das sind ja nur hundertfünfzig Meter. Die Gefahr, dass ihr dort erkannt werdet, ist viel zu groß.«

Sabrina nahm das Angebot sehr gerne an und sagte, ohne vom Computerbildschirm hochzugucken: »Für mich irgendwas, Hauptsache vegetarisch.«

Gundula umarmte YoLo2 von hinten und rieb sich an ihm. Sie flüsterte in sein Ohr: »Lass uns ein bisschen Spaß haben. Kannst du dir was Schöneres vorstellen als Sex vor der Kulisse?« Sie zeigte zu den Teichen, über die gerade Wildgänse hinwegflogen.

»Mit dir«, antwortete er, »ist es immer göttlich. Sozusagen eine außerirdische Erfahrung.«

Die beiden lachten und genierten sich überhaupt nicht, dass alle mitbekamen, worüber sie redeten. Sie nahmen sich bei der Hand und liefen die Treppe runter, hinüber in das mittlere der drei Baumhäuser.

»Ja«, sagte Alex verständnisvoll, »dann überlassen wir die beiden wohl mal sich selbst, und ich besorge uns dreien was zu essen.«

Sabrina blickte von ihrem Laptop hoch. »Wo schläfst du eigentlich?«, fragte sie und schaute Alex an.

Der beruhigte sie: »Ich habe keineswegs vor, eure Zweisamkeit zu stören. Wir haben alle drei Baumhäuser gemietet. Ich könnte ganz außen ...«

»Ich dachte«, wandte Finn-Henrik ein, »ein Security-Mann ist immer in der Nähe der Leute, die er bewachen muss. Wenn du da ganz außen im letzten Baumhaus bist und wir hier, wie willst du dann auf uns aufpassen?«

Sabrina tadelte ihren Freund: »Er will halt dezent sein. Glaubst du, die beiden ...«, sie zeigte auf das Baumhaus, auf dessen Terrasse Gundula und YoLo2 gerade knutschten. Er nahm sie jetzt auf den Arm und trug sie die Treppen hoch. Es war nicht ganz einfach für ihn, denn seine Prinzessin war kein Leichtgewicht.

Für einen Moment wurde Sabrina neidisch. Dann setzte sie noch einmal an: »Glaubst du, die beiden wollen, dass neben ihnen einer im Bett schläft? Die genießen es jetzt und vögeln, bis der Arzt kommt.«

»Meinst du, alle Außerirdischen sind so scharf wie Gundula?«, fragte Finn-Henrik und bedauerte wohl ein bisschen, dass seine Sabrina gerade mit ganz anderen Dingen beschäftigt war und für Sex überhaupt kein Platz war.

Alex lief ein Schauer den Rücken runter. Sie war es also: Gundula!

Finn-Henrik hatte sich verplappert, mit einem blöden Scherz. Er würde sie ausschalten und dann den Podcast übernehmen, um sein Manifest zu verbreiten.

Er ging am Golfplatz vorbei, rüber zum *Schatthuus*. Dort saß der Präsident des Golfclubs, Karl-Heinz Hartig, mit dem Leiter einer privaten Norddeicher Kurklinik zusammen. Hartig aß eine Rinderroulade mit Apfelrotkohl und Kartoffelstampf, der Klinikleiter Ernest Simmel lobte die Greetsieler Krabbensuppe, die er soeben verspeist hatte, und freute sich auf sein rosa gebratenes Lammkarree. Es wurde ihm gerade aus der Küche gebracht und duftete nach Thymian.

Dr. Simmel wollte für seine Patienten Golf-Trainingsstunden buchen. Dadurch sollte ihre Körper-Geist-Koordination verbessert werden. Simmel sprach davon, dass das zentrale Nervensystem und der Bewegungsapparat beim Golfen zusammenspielen müssten. Dadurch würde die Verletzungsgefahr geringer und das Körpergefühl verbessert. Außerdem käme dadurch die Lebensfreude zurück.

Angeregt durch einen Blick auf Dr. Simmels Teller hätte Alex sich fast auch Lammkarree bestellt, doch wenn er mitten in einer Aktion war und alle Kräfte und Energien brauchte, versuchte er oft, vegetarisch zu leben. Er hatte das Gefühl, das würde seine Sinne schärfen. Gleichzeitig half ihm aber Fleisch – je blutiger, je besser – Kontakt zu seinen Urkräften zu bekommen. Zum Jäger in sich, der tötete, um selbst zu überleben.

Nein, einen schweren Magen konnte er sich jetzt nicht leisten. Vielleicht nach der Tat …

Er bestellte das Essen für Finn-Henrik und Sabrina. Während er darauf wartete, trank er einen Espresso und lauschte den Gesprächen am Nachbartisch.

Dr. Simmel sprach davon, sein Handicap verbessern zu wollen, aber keine Lust auf ein großes Turnier zu haben. Er betonte, Golf betreibe er als Ausgleichssport für sein stressiges Berufsleben.

Alex ließ sich das Essen einpacken, zahlte in bar, gab ein großzügiges Trinkgeld und verzog sich wieder.

Er kam an Golfspielern vorbei, von denen einer vor Freude quiekte, denn er behauptete, einen Birdie gespielt zu haben. Alex hatte keine Ahnung, was ein Birdie sein sollte, und es interessierte ihn auch nicht.

Die spielen Golf, dachte er voller Missgunst, beschäftigen sich mit so einem nebensächlichen Scheiß, als gäbe es keine Probleme auf der Welt. Die wollen ihr Handicap verbessern, Birdies schlagen oder an ihrer Schwungtechnik arbeiten, während Monster versuchen, die Welt zu versklaven … Darüber konnte er nur den Kopf schütteln. Für ihn bewegten sich diese Golfer auf dem Niveau von Insekten.

Er ging den Golfspielern aus dem Weg und schlug sich etwas abseits von ihnen in die Büsche.

Dort mischte er heimlich Tropfen unters Essen, die Sabrina und Finn-Henrik für ein paar Stunden ausschalten sollten. Er konnte sie nicht richtig portionieren. Er befürchtete, dass Sabrina zu den Frauen gehörte, die mal hier pickten und mal da probierten, und er hatte Angst, sie könne vielleicht nicht genug davon schlucken.

Finn-Henrik würde seine Wildwürste bestimmt sofort verschlingen. Bei dem Kartoffelstampf mit Steckrüben war er sich nicht so sicher. Da ließ sich das Betäubungsmittel aber besonders gut einrühren. Er hätte es gerne in die Würstchen gespritzt, träufelte aber zumindest etwas darauf.

Ich hätte eine Spritze gebraucht, um die Tropfen genau dosieren zu können, dachte er. Das wär's gewesen.

Aber jetzt musste er eben improvisieren. Seine Ausrüstung stimmte überhaupt noch nicht mit der Bedeutung der militärischen Aktion überein, die er hier durchzog.

Als er das Baumhaus betrat, staunte er, wie schnell es Finn-Henrik und Sabrina gelungen war, diese Räumlichkeiten in Besitz zu nehmen und völlig durcheinander zu bringen. Überall lag etwas herum. Sabrina schimpfte mit Finn-Henrik, weil sie ihn wohl dabei erwischt hatte, irgendwelche Aufputschmittel zu nehmen, die ihn aber nachts an einem gesunden Schlaf hinderten.

Alex mischte sich in diesen Streit lieber nicht ein. Er stellte das Essen auf den Tisch, wünschte den beiden einen guten Appetit und ließ sie allein.

Er ging rüber zu YoLo2 und Gundula.

Mit jeder Stufe, die er zu Gundulas und YoLos Baumhaus hochstieg, baute sich mehr Wut in ihm auf. Das war gut. Er brauchte jetzt den Zorn, um nicht weich zu werden, sondern sein Ding ganz hart durchzuziehen.

Er stand auf der Terrasse und konnte ins Wohnzimmer hochblicken. Die beiden trieben es vor dem großen vorhanglosen Fenster mit Blick auf den Golfplatz.

Die Rehe, vor allem das weiße, schienen Gundula besonders scharf zu machen. YoLo2 hatte, verglichen mit Gundula, Hemmungen. Er war leise. Sie hingegen schrie ihre Lust raus, als wären sie in diesem Schlosspark am Golfplatz ganz alleine.

Ob ihre Schreie anders klingen, wenn ich ihr das Messer in die Brust ramme, fragte Alex sich. Er war bereit, die Tür aufzubrechen, aber die beiden hatten nicht mal abgeschlossen. Vielleicht war es ein besonderer Reiz für sie, mit der Möglichkeit zu spielen, von den anderen überrascht zu werden.

Alex streichelte seine Ledertasche und führte die rechte Hand hinein. Dann schritt er über die Schwelle ins Baumhaus.

Gundula war ganz in ihrer Lust und nahm ihn überhaupt nicht wahr. Doch YoLo2 fühlte sich gestört. Er blickte Alex direkt ins Gesicht.

»Hey, Heiner, was ist? Spinnst du?«

Jetzt sah sich auch Gundula um. »Willst du noch mitmachen, oder was?«, lästerte sie und schüttelte den Kopf. »Da steh ich nicht so drauf.«

Er nahm die Pistole aus der Tasche und schraubte den Schalldämpfer auf. Er sprach langsam und deutlich: »Ich bin gekommen, um dich zu töten, Gundula. Ich weiß, wer du bist.«

Gundula wusste sofort, dass er es ernst meinte. YoLo2 brauchte noch einen Moment: »Soll das ein Scherz sein? Drehst du jetzt völlig am Rad? Ich finde das nicht lustig!«

YoLo2 schob Gundula von sich und stellte sich tapfer vor sie. »Mensch, sie ist eine Außerirdische! Sie bringt uns das Wissen aus anderen Welten. Die haben einen Jahrtausende weiten Vorsprung vor uns! Du musst keine Angst vor ihr haben.«

»Ich bin ein Alienjäger. Ich töte solche Viecher.« Alex richtete die Waffe auf YoLo2.

YoLo2 stand nackt vor Alex, hob die Hände und zeigte seine leeren Handflächen vor. Er glaubte, das hier friedlich lösen zu können, hielt alles für eine Überreaktion, ja, für ein Missverständnis. »Du bist doch ein Fan, oder …«

»Ein Fan?«, lachte Alex. »Ja, ein Fan der Menschheit. Ich will, dass sie weiter existiert.«

Gundula versteckte sich hinter YoLo2. Sie suchte dabei nach ihren Sachen und wollte sich anziehen.

»Kann ich irgendetwas tun, um dich zu beruhigen?«, fragte YoLo2.

»O ja. Es gibt etwas, das ich mir von euch wünsche. Oder sollte ich besser sagen, verlange? Ich will, dass ihr in eurem Podcast mein Manifest verlest.«

»Der meint das ernst«, flüsterte Gundula. »Der ist verrückt!«

YoLo2 versuchte, vor seiner Freundin den Helden zu spielen. Er fand es eine wunderbare Gelegenheit, ihr zu zeigen, wie sehr er sie liebte.

Er ging einen Schritt näher auf Alex zu und versuchte, ihm mit einem schnellen Griff die Pistole abzunehmen. Die beiden rangen um die Waffe.

Alex feuerte. Es machte zweimal hintereinander *Plopp*. Beim ersten Mal zuckte YoLos Körper zusammen, beim zweiten Mal warf die Wucht des Einschlags ihn um. Er lag auf dem Boden. Ein Streifschuss am rechten Oberschenkel und ein Einschuss in die Brust.

Alex nahm die Waffe in beide Hände und zielte auf YoLos Gesicht.

»Nicht!«, schrie Gundula mit heiserer Stimme. »Nicht! Das ist doch alles nur ein Missverständnis!«

Alex schoss. Er stieg über YoLo2 und sagte: »So. Und nun zu dir, du außerirdische Hexe.«

»O nein, nein, nein!«, schrie sie. »Ich bin kein außerirdisches Wesen! Ich habe das nur erzählt, um mich interessant zu machen! Ich wusste doch, wie sehr die Jungs darauf abfahren. Ich wollte von ihnen geliebt werden! Ich wollte einmal toller sein als alle anderen. Sie sind so leichtgläubig ... Es war ganz einfach. Aber ich bin kein böses Wesen! Es war nur ein Spiel! Meine Güte, du hast ihn erschossen!«

»Ja, und dich werde ich auch erschießen. Aber vorher liest du mein Manifest vor für euren Podcast. Du lädst das alles für mich hoch und ...«

»Aber das kann ich doch gar nicht, dafür fehlen mir die Zugangsdaten.«

»Und wer hat die?«

Sie zeigte auf YoLo2, doch der bewegte sich nicht mehr.

Indra Kroll weigerte sich, mit einem Anwalt zu sprechen, und verstummte auch sofort, wenn die Polizeipsychologin Elke Sommer im Raum erschien.

Ann Kathrin kannte solche Reaktionen. Manche Angeklagten verwandelten sich fast in Steine oder Wachsfiguren. Dieser fast katatonische Zustand konnte über Stunden anhalten. Aber es war eben nichts Endgültiges, sondern immer zeitlich begrenzt.

Bei Indra Kroll gab es einen klaren Auslöser: Das Erscheinen eines Menschen, dem sie misstraute. Sie ließ niemanden an sich heran und wollte auch unter keinen Umständen angefasst werden. Eine ärztliche Untersuchung schien, wenn überhaupt, nur unter Zwang möglich.

Komischerweise reagierte Indra Kroll auf Ann Kathrin anders als auf alle anderen. Vielleicht, weil sie Ann Kathrin als eine Frau kennengelernt hatte, die ihr helfen wollte, ihre Tochter zurückzubringen. Oder es war etwas in Ann Kathrin Klaasens Art. Indra reagierte Ann Kathrin gegenüber zwar auch steif und abweisend, aber sie blieb trotzdem erreichbar und zeigte Reaktionen.

Ann Kathrin hielt den im Raum größtmöglichen Abstand zu ihr. Allein das half schon ein wenig.

Ann Kathrin sprach leise und unaufgeregt. Sie bemühte sich, jeden vorwurfsvollen Ton aus ihrer Stimme wegzulassen. Es fiel ihr nicht ganz leicht.

Ann Kathrin stand in dem Ruf, alles, was Beine hatte, zum Sprechen zu bringen. Ein ostfriesischer Witz lautete: *Sie bringt selbst einen Tisch oder einen Stuhl zum Reden.* Rupert ging noch etwas weiter. Er behauptete: »Sogar ein Kasten Bier fängt an zu singen, wenn Ann Kathrin sich ihm nähert.«

Doch Indra Kroll schien fast unerreichbar unter einer Glocke zu sitzen. Wenn Ann Kathrin es nicht besser gewusst hätte, wäre sie davon ausgegangen, dass sie sich mit Tabletten zugedröhnt hatte.

»Sie müssen sich um Ihre Tochter keine Sorgen machen. Sie wird bestens betreut und selbstverständlich auch beschützt. Noch weiß sie nichts vom Tod ihres Vaters. Hubertus Kroll war doch ihr Vater, oder?«

Immerhin reagierte Indra mit einem kurzen Blick. Sie hatte die Frage also gehört.

Ann Kathrin schob sofort eine Frage nach: »Hatte Herr Kroll da Zweifel?«

Indra bleckte die Lippen, aber Ann Kathrin konnte keine Worte wahrnehmen. Sie ging nicht näher an Indra heran, aber sie legte sich eine Hand um ihre Ohrmuschel, um zu zeigen, dass sie bereit war, zu lauschen.

Indra sagte es noch einmal. Es klang nicht wie die Stimme einer erwachsenen Frau, sondern wie das Fiepsen eines kranken Igels: »Wir haben uns so sehr ein Kind gewünscht ...«

Eine lange Pause entstand. Indra saß in der Zimmerecke auf dem Boden, die Arme um ihre Knie gelegt, das Gesicht fast hinter den Knien versteckt. Als sie hochsah, hatte sie wieder diesen Rehblick drauf. Jetzt noch schlimmer, voller Angst, als würde sie befürchten, gleich geschlagen und getreten zu werden.

So verhielten sich nach Ann Kathrins Erfahrung nur Menschen, die in ihrer Kindheit schlimmen Gewaltexzessen ausgesetzt waren.

Mit Kleinmädchenstimme flüsterte Indra jetzt: »Wir sind zu einer Samenbank, zu einem Kinderwunschzentrum, gegangen.«

Plötzlich veränderte sie ihre Haltung, als wolle sie versuchen, wieder mehr Kontrolle über sich selbst zu bekommen. Sie setzte sich anders hin, streckte die Beine von sich und drückte den Rücken gerade gegen die Wand. Sie legte die Handflächen neben sich auf den Boden und sprach jetzt wie eine erwachsene Frau: »Was spielt das noch für eine Rolle? Ich habe ihn getötet. Ich musste es tun, um mein Kind zu schützen.«

»Es ist schwer für ein Kind, wenn die Mutter den Vater umbringt«, sagte Ann Kathrin und wurde scharf angefahren.

»Er ist nicht ihr richtiger Vater! Und das hat sie immer gespürt. Er hat sich auch nie wie ein Vater benommen. Er hat weder ihr noch mir verziehen, dass Spendersamen nötig war, um …« Sie verstummte.

Ann Kathrin versuchte, das Gespräch auf Alex zu bringen: »Ihr augenblicklicher Freund heißt nicht wirklich Alex Sigmann.«

Indra zeigte keine Reaktion. Ann Kathrin fürchtete schon, sie könne gleich wieder versteinern oder zum kleinen Mädchen werden.

»Geben Sie mir seinen richtigen Namen. Wir suchen ihn. Er hat möglicherweise mehrere Menschen getötet und plant weitere Morde.«

»Ja«, sagte Indra betont sachlich, »da haben Sie wohl recht. Er wird weitermachen. Den kriegt ihr nicht. Und das ist auch besser so. Ihr dürft ihn nicht daran hindern, die Welt zu säubern.«

»Haben Sie auch die Welt gesäubert, als Sie Ihren Exmann ...«

»Als ich ihn erlöst habe.«

»Gehören Sie«, fragte Ann Kathrin, »zu einer Art Sekte, oder was? Gibt es noch mehr? Ist das eine ganze Gruppe? Eine Gemeinschaft?«

»Wir sind kleine, autonome Einheiten. Untereinander nicht verbunden. Wenn Sie einen kriegen oder eine kleine Gruppe, arbeitet der Rest weiter.«

Ann Kathrin fühlte sich dem Wahnsinn sehr nah. Sie hatte manchmal das Gefühl, Wahnsinn riechen zu können. Bei einigen Gesprächen mit Serienkillern war dies so gewesen. Sie wusste nicht, ob das objektivierbar war, ob olfaktorische Wahrnehmungen wirklich eine messbare Rolle spielten oder ob es nur an ihr persönlich lag, dass sie glaubte, den Geruch von Angst und irrsinniger Wut wittern zu können. Weller hatte sie davor gewarnt, dergleichen in Berichte aufzunehmen. Vielleicht, dachte sie jetzt, hätte ich es doch tun sollen.

»Kommen Sie zu uns, Frau Klaasen. Kämpfen Sie auf der richtigen Seite!«

Ann Kathrin begab sich bewusst in das, was sie für ein Wahngebilde hielt. Es war gefährlich, aber sie tat es nicht zum ersten Mal. Wenn sie in die Logik des Bösen hinabstieg, in das konsequente Denken der Serienkiller, dann kam sie, egal, wie verrückt das alles war, ganz nah an einen Punkt, da schien ihr

Verhalten logisch, ja zwangsläufig oder richtig zu sein. Wenn sie diesen Punkt erreichte, konnte sie ihr Gegenüber jedes Mal knacken. Sie spürte, dass sie nicht weit davon entfernt war.

»Können Sie«, fragte Ann, »Aliens von Menschen einfach so unterscheiden? Gibt es auch Mischwesen?«

Indra antwortete ruhig, wie eine Mutter, die ihrem Kind einen Zusammenhang erklären will: »Es gibt viele, die halb Mensch, halb Alien sind. Einige wissen es gar nicht, andere wissen es genau, tun aber weiterhin so, als seien sie Menschen, um unter uns zu bleiben, um mächtige Positionen in der Gesellschaft einzunehmen. Sie werden Manager, Aufsichtsratsvorsitzende, Minister ... Sie übernehmen Regierungen. Sie wissen genau, wer sie sind, und sie handeln klar und logisch. Andere bringen sich um, weil sie nicht damit klarkommen, ein Zwitterwesen zu sein. Sie verstehen gar nicht, was mit ihnen los ist. So war es mit meinem Ex. Deshalb habe ich ihn erlöst. Andere werden ganz zum Alien.«

»Ich kann mir schon vorstellen, dass Sie recht haben«, sagte Ann Kathrin. »Viele Verhaltensweisen von komischen Menschen erklären sich mir dadurch.«

»Ja, vielleicht gehörten einige der Serienkiller, die Sie überführt haben, dazu, Frau Klaasen. Wahrscheinlich haben Sie in Ihrer Karriere«, Indra lächelte, »mehr Aliens aus dem Verkehr gezogen als Alex. Am Ende fallen sie dann doch immer auf, weil sie durchdrehen. Weil Menschenleben für sie nichts wert sind. Weil sie ihre Interessen mit Gewalt durchsetzen und töten. Weil sie voller Mordlust sind ...«

»Ja, solche Leute habe ich tatsächlich kennengelernt. Und manchmal hatte ich auch das Gefühl, dass sie nicht einfach nur menschliche Wesen sind, sondern von irgendwelchen Dämonen beherrscht werden.«

»Nach allem, was ich über Sie gelesen und gehört habe, Frau Klaasen, sind Sie wirklich eine berühmte Person, die, ohne es zu wissen, auf der richtigen Seite gekämpft hat. Kommen Sie zu uns! Verstärken Sie die menschlichen Truppen.«

Ann Kathrin gab sich nachdenklich. Sie fragte sich, ob das, was sie tat, jetzt noch legal war oder nicht. Vielleicht würde ihr die Staatsanwältin später die Leviten lesen. Aber jetzt hoffte sie einfach, einen Mörder zu stoppen, bevor er ein neues Opfer fand.

Sie fragte: »Und wenn ich mich Ihnen anschließen will, wie kann ich das tun?«

»Alex könnte Ihnen zeigen, was Sie zu tun haben. Er ist auch mein Lehrer.«

Staatsanwältin Meta Jessen stand hinter dem Spiegel und hörte zu. Neben ihr Polizeidirektorin Elisabeth Schwarz.

»Also, das höre ich mir nicht länger an«, kommentierte Staatsanwältin Jessen. »Ich gehe da jetzt rein und beende das. Sie redet sich um Kopf und Kragen.«

Elisabeth Schwarz hielt die Leitende Oberstaatsanwältin auf. Dabei riss fast deren Bluse ein. »Bitte! Wir wissen doch beide, was sie vorhat. Sie will den kürzesten Weg zum Täter!«

»Wenn das hier in irgendeinem Prozess zur Sprache kommt, dann … «

»Frau Jessen! Geben Sie ihr noch ein paar Minuten!«

»Das kann ich nicht, Frau Schwarz. Wir dürfen weder mit Drohungen noch mit Folter, Erpressung oder Täuschung arbeiten. Ja, unsere Mittel sind beschränkt, aber was uns von den Bösen unterscheidet, ist auch die Wahl unserer Mittel.«

Meta Jessen riss die Tür auf und unterbrach das Gespräch mit einem klaren Angebot: »Wenn Sie uns helfen, Ihren Liebhaber zu finden, wird das am Ende vor Gericht für Sie sprechen. Sie können ein wesentlich milderes Urteil bekommen, Frau Kroll. Sie haben im Affekt auf einen Mann geschossen, der Ihr Kind entführt hat und ihm Schlimmes angetan hat. Sie wollten eine Bedrohung von sich und Ihrer Tochter abwenden. Es gibt Möglichkeiten, Sie gut vor Gericht zu verteidigen. Wenn Sie uns jetzt helfen, einen weiteren Mord zu verhindern, dann ... «

Indras Gesicht veränderte sich. Sie bekam etwas Katzen-, ja Raubtierhaftes, und obwohl sie noch vier, fünf Meter von Meta Jessen entfernt war, biss sie so heftig zu, als könne sie in der Luft ein imaginäres Körperteil von ihr zu fassen bekommen und mit den Zähnen zerfetzen. Dann machte sie ein Geräusch, wie Ann Kathrin es von ihrem Kater Willi kannte, wenn er hinter einer Maus her war.

Wortlos verließ Ann Kathrin den Verhörraum. Draußen versuchte Elisabeth Schwarz, die Wogen zu glätten: »Ich habe wirklich versucht, sie daran zu hindern, Frau Klaasen. Ich ... «

Ann Kathrin deutete mit Daumen und Zeigefinger einen Zentimeter an und zischte: »Ich war so kurz davor! So kurz!«

Meta Jessen lief jetzt hinter Ann Kathrin her die Treppen hoch. Sie war sich nicht mehr ganz so sicher, ob das, was sie getan hatte, richtig war. Sie rief: »Es gibt Regeln!«

Ann Kathrin drehte sich um und blieb mit einer Körperhaltung stehen, als hätte sie vor, der Staatsanwältin eine Ohrfeige zu geben. Dabei hatten die zwei doch bis jetzt immer besonders gut zusammengearbeitet, ja ein geradezu freundschaftliches Verhältnis zueinander gehabt.

»Ja«, keifte Ann Kathrin, »und die Regel Nummer eins heißt: Wenn ihr ein Menschenleben retten könnt, dann tut es!« Sie zählte mit den Fingern auf: »Fragt nicht, was es kostet.

Fragt nicht, ob es euch Ärger einbringt. Verliert keine Zeit, indem ihr Formulare ausfüllt. Tut es einfach! Rettet das Menschenleben!«

»Wenn du mir die Zugangsdaten nicht geben kannst, bist du wertlos für mich. Du weißt genau, was ich jetzt tun werde.«

Alex richtete den Lauf der Luger auf Gundula.

Ihr wurde schwindlig. Sie fiel auf die Knie und flehte ihn an: »Bitte, tu das nicht! Lass mich leben! Ich bin kein Alien, wirklich nicht! Ich habe nur so getan als ob. Mein Gott, es war ein Spaß! Er war das große Glück meines Lebens … Ich bin noch nie so abgöttisch geliebt worden. Ja, und wenn das der Preis ist, dass ich hier sterben muss, dann zahle ich den eben … Du hast den Mann umgebracht, der mich so sehr geliebt hat. Weißt du, was das für mich heißt?«

Plötzlich reifte ein Plan in ihm. Vielleicht hatte es ja Gründe, warum er sie nicht sofort als Alien wahrgenommen hatte. Normalerweise spürte er so etwas.

Er gehörte zu den Erleuchteten, die zwischen Aliens und Menschen unterscheiden konnten. Die hier hatte nichts Alienhaftes an sich. Falls sie nicht mit Störgeräten seine Fähigkeit lahmgelegt hatten, war diese Frau keine Außerirdische.

»Okay«, sagte er. »Wenn du kein Alien bist, könnte ich dich leben lassen. Aber dann musst du weiterhin ein Alien spielen.«

»Häh? Warum?«

»Ich werde mir jetzt die Zugangsdaten zum Podcast holen, und dann besprichst du ihn. Ich werde dich gleichzeitig dabei filmen und es auf YouTube hochladen. Diesen Podcast können sie ja irgendwann löschen, aber den Film mit dir peitsche ich durch alle Medien.«

»Ein Film mit mir?«

»Ja. Du wirst nicht nur mein Manifest vorlesen, du wirst es auch bestätigen.«

»Was soll ich bestätigen?«

Während er sprach, stieß er immer wieder mit dem Schalldämpfer gegen ihre Stirn. »Dass es einen Machtkampf bei euch gegeben hat. Dass die Bösen gewonnen haben, die Nazi-Aliens. Die, die uns unterjochen und versklaven wollen. Klar gibt es auch die guten netten Menschenfreunde unter euch, von denen zum Beispiel Däniken immer spricht – aber die haben das Spiel verloren.«

»Ja«, sagte sie, »ja, ich tue alles, was du sagst. Aber bitte, lass mich am Leben!«

Er konnte ihr nicht trauen. Für einen Moment überlegte er, ihr K.-O.-Tropfen einzuflößen, doch er brauchte sie in wachem Zustand.

Er zerriss eine Decke, um sie zu fesseln und zu knebeln. Das würde nicht lange halten, aber er brauchte auch nicht viel Zeit.

Er zog seinen Gürtel aus der Hose, legte ihn wie ein Hundehalsband um ihren Hals und befestigte sie damit so am Treppengeländer, dass sie auf Zehenspitzen stehen musste, um nicht zu ersticken. Sie verlor dabei ihre Brille.

Aus der Lage würde sie sich nicht so rasch befreien können, selbst wenn es ihr gelang, die Fesseln an ihren Handgelenken auf ihrem Rücken zu lösen.

Er lief die Treppen hinunter, um in das andere Baumhaus zu kommen. Er hörte die Kotzgeräusche schon draußen. Sabrina kniete vor der Toilette und übergab sich.

Finn-Henrik wankte durchs Wohnzimmer. »Das Essen war

nicht gut. Überhaupt nicht gut. Mir ist schwindlig.« Er schlug sich selbst ins Gesicht, um wach zu bleiben, und wollte telefonisch Hilfe rufen.

Alex schlug ihm das Handy aus der Hand und donnerte dann seine rechte Faust auf Finn-Henriks Nase. Sofort schoss Blut heraus, und sie schwoll an.

»Äi, was ist, bist du verrückt?«

Alex richtete seine Pistole auf Sabrina, die noch gar nicht mitgekriegt hatte, was los war, weil sie über die Toilettenschüssel gebeugt kniete.

»Gib mir die Zugangsdaten zu eurem Podcast, oder ich knall sie ab.«

»Ja, aber was ist denn … «

»Stell mir keine dämlichen Fragen. Tu, was ich sage, oder sie ist tot.«

Sabrina drehte sich um, sah Alex an, und sofort drückte ihr Magen einen weiteren Schwall hoch.

»Ich habe euch Liquid Ecstasy ins Essen getan. Wehrt euch nicht dagegen. Ihr werdet gleich in einen ohnmachtsgleichen Schlaf fallen und mit ein bisschen Glück erinnert ihr euch später an gar nichts mehr. Aber vorher gebt ihr mir die Zugangsdaten, sonst werdet ihr beide aus eurem süßen Schlaf nicht mehr erwachen.«

Finn-Henrik zog sein Portemonnaie aus der Tasche und hielt es Alex hin. Der fasste es nicht an: »Ich will dein Geld nicht. Ich bin kein Räuber, du Idiot!«

»Da drin ist ein Zettel mit dem Zugangscode. Meinst du, ich hab mir den gemerkt?«

Alex grabschte nach dem Portemonnaie. »Herzlichen Dank, Arschgesicht.« Er konnte nicht widerstehen. Er schlug noch einmal zu. Diesmal traf er Finn-Henriks Lippen.

Finn-Henrik fiel um. Am Boden liegend rief er: »YoLo! YoLo! YoLo!«

»Der hilft dir nicht mehr«, sagte Alex. »Den habe ich ausgeknipst.«

Sekunden später verlor Finn-Henrik das Bewusstsein.

Sabrina hatte einen großen Teil des Mittels ausgebrochen, aber was sie noch im Körper hatte, reichte aus. Sie war weder in der Lage aufzustehen noch Hilfe herbeizurufen.

Alex blieb ruhig im Raum stehen und wartete, bis auch sie das Bewusstsein verlor. Er nahm ihren Laptop und sammelte alles an Handys und elektronischen Geräten ein, was er finden konnte. Dann ging er zu Gundula.

Draußen spielten zwei Pärchen Golf. Der jungen Frau gelang mit ihrem neuen Driver, den ihr Ehemann ihr zum Geburtstag geschenkt hatte, der Abschlag ihres Lebens, wie sie ihn nannte. Er selbst donnerte seinen Ball ins Rough, freute sich aber so sehr mit seiner Frau, als sei ihm selbst ein großartiger Abschlag geglückt.

Alex befreite Gundula von den Fesseln. Sie japste und rieb sich den Hals. »Ich dachte, ich geh drauf! Das kann man doch mit Menschen nicht machen! Bist du irre? Tot nutze ich dir nichts mehr.«

»Das ist doch Ironie des Schicksals, oder nicht, dass du, von der alle glauben, sie sei das Alien, am Ende überleben wirst, während ich die anderen alle ausknipse.«

»Hast du Sabrina und Finn-Henrik etwa auch umgebracht?«, kreischte Gundula.

»Pssst«, flüsterte er. »Nicht so laut. Wenn uns hier jemand hört … zum Beispiel die Golfer da unten, die dann hochkommen, um nach dem Rechten zu schauen. Denen müsste ich dann leider auch ein Bleikügelchen verpassen.«

Er suchte einen guten Ort, um das Video zu machen. Das Bild sollte nicht sofort verraten, wo sie waren. Er durfte keine Gegenstände filmen, die jemand erkennen konnte. Am besten wäre eine weiße Wand.

»Was suchst du?«, fragte sie.

»Erstens: Ich brauche einen neutralen Hintergrund. Zweitens: Zieh dir was an. Du willst doch wohl nicht nackt mein Manifest vorlesen, oder?«

Vermutlich, dachte er, würde die Aktion dadurch sogar noch mehr Zuschauer bekommen. Aber sie wären abgelenkt. Er hatte nicht vor, irgendeinen Softporno zu drehen. Hier ging es um knallharte Wissenschaft. Um Fakten. Und nicht um eine Unterhaltungsshow.

»Was soll ich denn überhaupt machen? Ich habe es nicht wirklich verstanden«, jammerte Gundula. Sie wischte sich die Tränen weg und zog sich rasch wieder an. In ihr keimte die Hoffnung auf, sie könne das alles überleben.

»Du hast für die beiden ein Alien gespielt. Warum auch immer. Und damit haben die ihre Thesen untermauert. Ich will, dass du für mich das Gleiche tust. Du wirst sagen: *Ich bin das Mädchen aus dem Podcast. Ich war dabei, als Eisenhower in unser Raumschiff kam.* Sag ihnen, dass ihr einen Friedensvertrag mit Eisenhower gemacht habt. All das, was du im Podcast behauptet hast, kannst du kurz wiederholen. Aber dann hat sich alles gedreht. Die außerirdischen Drecksäcke haben die Macht übernommen.«

Er zeigte ihr sein Manifest.

»Soll ich das vorlesen?«, fragte sie. »Ohne meine Brille kann ich das nicht sehen.«

Die Brille lag auf dem Boden. Er deutete ihr an, sie dürfe die Brille aufheben.

»Besser wäre, du würdest es auswendig lernen und dann so aufsagen. Das kommt authentischer rüber.«

»Okay«, sagte sie, »okay. Vielleicht kannst du mir den Zettel hinhalten. Ich weiß nicht, ob ich das alles so schnell behalte. Ich bin verdammt nervös, das wirst du doch verstehen?«

»Ja, einen Teleprompter wie Judith Rakers ihn in den Nachrichten hat, kann ich dir nicht bieten. Aber so ähnlich musst du es machen. Lies es ganz überzeugend vor. Du bist das erste Alien, das sich zeigt und ernsthaft an die Öffentlichkeit wendet.«

Sie fragte sich nicht, wie ihr Leben danach weitergehen würde. So weit konnte sie jetzt gar nicht denken. Es kam nur darauf an, die nächsten Minuten zu überleben.

Ich werde tun, was ich die ganze Zeit gemacht habe, dachte sie. Ein Alien spielen. Es hat mir die große Liebe gebracht, und jetzt rettet es mir vielleicht das Leben.

Eine Mitarbeiterin des Jugendamtes hatte Rupert sich irgendwie anders vorgestellt. Damenhafter. Streng, auf Sitte, Anstand und Regeln bedacht. Wahrscheinlich würde sie gendern und es schon als sexistisch empfinden, wenn er einer Frau in den Mantel half oder die Tür aufhielt. Frauen Komplimente zu machen, trauten sich die meisten Männer ja eh nicht mehr, weil entweder ihre Ehefrauen dagegen waren oder die Bitch, die das Kompliment bekam.

In Gedanken darüber versunken, was aus der Welt geworden war, stand er nun vor der *Dame vom Jugendamt*, die eher aussah wie ein Hippiemädchen, das einen Joint zu viel geraucht hatte. Er konnte ihr Alter schlecht schätzen, irgendetwas zwischen fünfundzwanzig und vierzig. Die langen roten Haare wirkten wie gebündelt, als seien sie mal kraus gewesen und ein Stümper von Friseur hätte versucht, die Natur aus der Krause zu vertreiben.

Sie hatte sich irgendwann mal die Augenbrauen abrasiert und durch schwarze Striche ersetzt. Ihre Jeans wies ein paar Löcher auf. Rupert hatte aber inzwischen gelernt, dass dies kein Zeichen von Armut und abgetragener Wäsche aus dem Secondhandshop sein musste, sondern es konnte sich dabei auch um besonders teure Designerklamotten handeln.

Toll, dachte Rupert, früher haben Designer Sachen entworfen, um sie schöner aussehen zu lassen, heute machen sie Klamotten kaputt und entwerfen Stühle, auf denen man nicht mehr sitzen kann, ohne Rückenschmerzen zu bekommen. Apropos Rückenschmerzen: Sein Iliosakralgelenk machte ihm ganz schön zu schaffen. Den Schmerz fand er dabei gar nicht so schlimm. Er hatte gelernt, damit umzugehen. Wozu produzierte schließlich die Pharmaindustrie Voltaren und Ibuprofen? Schlimmer war das Gefühl, das in in ihm aufstieg, ein alter Sack zu sein.

Zwischen Jessi und Sina Kröger, diesen beiden schönen jungen Frauen, fühlte er sich zehn Jahre älter, als er war. Es hatte Zeiten gegeben, da ging es ihm in Anwesenheit junger Frauen gleich besser. Er wurde jünger, konnte sich auf der Tanzfläche bewegen, als hätte er keine Schreibtischarbeit hinter sich, sondern ein Sportstudium.

Jessi und Sina verstanden sich auf Anhieb. Gut, beiden war klar, dass sie eine schwierige, brisante Aufgabe vor sich hatten. Sie wollten sich ganz auf das Kind und sein Wohlbefinden konzentrieren. Bevor sie aber die Ferienwohnung in Norddeich erreicht hatten, waren sich beide darüber einig, dass Männer Schweine sind.

Sina hatte gerade herausgefunden, dass ihr Freund neben ihr noch zwei andere gehabt hatte. Eine davon war ihre beste Freundin gewesen. Ihre ehemals beste, wie sie betonte.

Die beiden redeten miteinander, als wäre Rupert überhaupt nicht da. Das war Rupert von Jessi überhaupt nicht gewöhnt. Sonst bewunderte sie ihn immer sehr, zumindest glaubte er fest daran.

Jetzt, während die beiden jungen Frauen miteinander über Männer redeten, keimte in ihm zum ersten Mal der Verdacht auf, dass er Jessis Bewunderung vielleicht gar nicht so ernst nehmen durfte. War es nur ihre Art, ihn an die lange Leine zu nehmen?

Während sie in Norddeich einen Parkplatz suchten, brachte Rupert sich auf der Sachebene wieder ins Gespräch. Dieses Hippiemädchen vom Jugendamt sollte erst gar nicht auf die Idee kommen, dass sie diese Aktion hier leitete. Das war seine Aufgabe!

»Zunächst mal ist die Sicherheit der kleinen Amelie wichtig. Wir werden also nichts mit ihr unternehmen, was sie gefährden könnte.«

Das ging Jessi schon einen Schritt zu weit. Sie sagte: »Rupi, wir müssen erst mal mit der Familie sprechen, bei der sie im Moment ist. Wir sollten die Erwachsenen vorsichtig informieren, und dann ...«

»Hier ist Ostfriesland«, erwiderte Rupert. »Da sieht man freitags schon, wer samstags zu Besuch kommt. Die Leute wissen mit Sicherheit längst Bescheid. Hier funktioniert der Buschfunk noch. Man kennt sich, man spricht miteinander, man ...«

Beim Einparken meldete sich ein Alarmton, weil die vordere Stoßstange fast eine andere vor sich geküsst hätte.

»So«, sagte Rupert und zeigte auf das Gebäude, »in diesem

Ferienhaus wohnte die durchgeknallte Mörderin, die ihren Ex umgelegt hat. Nebenan hält sich ihre Tochter auf. Ihr zwei geht jetzt da rein und klärt das mit der Familie, dann bringt ihr Amelie raus, und wir sehen weiter.«

»Normalerweise«, sagte Sina und betonte dabei das Wort *normalerweise* so, dass sofort klarwurde: Dies war keineswegs eine normale Situation. »Normalerweise bringen wir Kinder, wenn Notsituationen entstehen, zu Familien, die beim Jugendamt gemeldet und dafür bekannt sind, dass sie … «

Rupert hörte ihr nicht länger zu. Er bemühte sich, ihr nicht auf den Busen zu gucken, sondern checkte stattdessen die Gegend. Er hatte seine Waffe parat und war auch bereit, sie einzusetzen. Er würde nicht lange zögern.

Vielleicht, dachte er, können wir das Ding ja klären, bevor die großen Zampanos vom BKA bei uns auftauchen.

Bei einem Serienkiller, der so viele Menschen auf dem Gewissen hatte, dass sie noch nicht einmal die genaue Zahl bestimmen konnten, war Rupert nicht bereit, sich auf irgendetwas einzulassen. Hier galt es nur, schneller zu sein, das Kind zu schützen und mit ihm den Rest der Gesellschaft. Ja, er gestand es sich selbst ein: Er hoffte sogar, dass der Typ hier auftauchen würde, um Amelie zu holen. So einen zu erledigen konnte einen Polizisten wie ihn zur Legende machen.

Die beiden Frauen gingen wie Geschwister nebeneinander auf das Gebäude zu und klingelten. Rupert baute sich breitbeinig davor auf. Beide Daumen klemmte er hinter seine Gürtelschnalle. Die Heckler & Koch steckte im Holster. Das Magazin war voll.

In seiner Undercover-Zeit hatte Rupert gelernt, dass es immer besser war, noch eine Waffe in Reserve zu haben. Die Glock, die er noch aus der Zeit besaß, gehörte ihm privat, obwohl möglicherweise ein Staatsanwalt eine andere Meinung zu diesem Sachverhalt hätte. Sie steckte in Ruperts Gürtel. Er konnte den Lauf, wenn er die Arschbacken zusammenkniff, spüren.

Mit der Glock würde er erst schießen, wenn das Magazin der Heckler & Koch leer war. Er sah sich schon vor Gericht stehen, wo die Frage geklärt werden musste, warum er den entscheidenden Schuss mit einer Waffe dubioser Herkunft abgegeben hatte. In seiner Vorstellung trat er lächelnd an den Richtertisch und sagte: »Entschuldigen Sie, Hohes Gericht, das Magazin meiner Dienstwaffe war leer. Außerdem klemmte mal wieder der Abzug. Jede Gangsterorganisation stattet ihre Leute mit besseren Waffen aus als wir unsere Polizisten. Aber aus meiner Undercover-Zeit hatte ich noch eine gut funktionierende Glock, die mir mal ein Gangsterkönig geschenkt hat. Er hielt mich für seinen Freund ... Aber das ist eine andere Geschichte ...

Natürlich hätte ich vorher ein paar Formulare ausfüllen müssen und ein paar Anträge stellen, aber die Zeit hatte ich nicht, weil der Serienkiller nicht bereit war, so lange zu warten. Schließlich ging es um mein Leben und, wenn ich das erwähnen darf, auch um das der kleinen Amelie.«

Er stand vor der Ferienwohnung und verlagerte sein Gewicht abenteuerlustig von einem Bein aufs andere. Er war so heiß drauf, dass es endlich losgehen würde. Jetzt fiel ihm noch ein Spruch zu seiner Verteidigung ein: »Wie bereits erwähnt – ein Gangsterkönig hat mir die Glock geschenkt. Das ist dann wie eine Auszeichnung. Wie ein Orden. Einem geschenkten Gaul schaut man nicht ins Maul. Gerade in diesen Kreisen nicht. Wenn ich damals nach den Papieren gefragt hätte, wäre denen sofort klargeworden, dass ich keiner von ihnen bin, sondern zur Gegenseite gehöre.«

Ja, genau so würde er es diesen Sesselpupsern erklären. Er

setzte die Sonnenbrille auf und fand, dass er jetzt aussah wie Tom Cruise in *Top Gun*.

Eine Nilgans mit langen Beinen und dunklem Augenfleck bewegte sich auf Rupert zu. Sie bildete die mutige Vorhut. Sieben oder acht andere Gänse standen keine zehn Meter entfernt und beobachteten genau, was geschah.

Rupert öffnete seine Jacke, zeigte der Nilgans seine Heckler & Koch und sagte ruhig: »Ich hab einen Ballermann. Ich bin ein echter Polizist. Und, verlass dich drauf, ich bin kein Vegetarier. So eine Gänsebrust in Knoblauch-Sahnesauce ist eine Köstlichkeit.«

Die Nilgans war klüger als ihr Ruf. Sie verstand die Bedrohung, drehte ab, watschelte zu ihrer Gruppe zurück, und gemeinsam starteten sie zu einem kurzen Flug in einen anderen Vorgarten außerhalb von Ruperts Sichtfeld.

»Mein Pastrami ist mir auch lieber«, rief er den Gänsen hinterher. In dem Moment zog sich etwas in ihm zusammen. Als hätte er von einem imaginären Gegner einen Faustschlag in die Magengrube einstecken müssen, klappte er nach vorn.

Verflucht, dachte er, ich habe Jessi und Sina allein ins Haus gehen lassen. Was, wenn der Typ längst drin ist und das Kind bereits in seiner Gewalt hat? Dann lasse ich Jessi und Sina ungeschützt in ihr Unglück laufen. Was bin ich nur für ein Idiot! Wie werde ich dastehen? Bewaffnet mit zwei Schießeisen stehe ich vor der Tür und schrecke Gänse ab …

In seiner Vorstellung wurde die Sache sehr real.

Nein, er war nicht dumm genug, jetzt einfach zu klingeln, wie die beiden Frauen es getan hatten. Er ließ sich nicht so einfach hereinlegen. Er kletterte über den ohnehin nicht hohen Zaun, aber seinem Iliosakralgelenk gefiel das überhaupt nicht. Der Schmerz schoss ihm hoch bis in die Haarspitzen.

Habe ich jetzt eine Träne im Auge? Verflucht, ich sollte keine Träne im Auge haben, wenn ich dem Mörder gegenüberstehe.

Er wischte sich das Gesicht ab.

Hinten im Garten stand ein Liegestuhl, daneben ein Beistelltischchen. Darauf eine Karaffe, ein bauchiges Rotweinglas mit Strohhalm, in dem Eiswürfel schmolzen. Er tippte auf Aperol Spritz oder Tequila Sunrise. Möglicherweise Campari Orange. Denn unten im Glas entdeckte er winzige verwässerte rötliche Reste.

Durch die großen Glasscheiben konnte er das Wohnzimmer vollständig überblicken. Dort war niemand. Er sah nur ein paar Legosteine auf dem Boden und Programmzeitschriften auf dem Sofa. Außerdem zwei Bücher, dick wie Pflastersteine. Aber er konnte einen Blick in die Küche werfen. Dort sah er einen Mann mit einem großen Messer.

Er hörte ein kleines Mädchen laut schluchzen.

Er nahm die Heckler & Koch in beide Hände. Direkt neben der großen Glasscheibe befand sich eine Terrassentür. Rupert wollte sie auftreten, doch entgegen seiner Vermutung war sie gar nicht abgesperrt. Durch seinen Tritt flog die Tür weiter auf als geplant, krachte gegen einen Heimtrainer, prallte ab und schlug vor seiner Nase wieder zu.

Rupert guckte zornig hoch zum Himmel. Das waren die demütigenden Momente, die ihn dazu brachten, daran zu glauben, dass seine Schwiegermutter einen guten Draht zu Gott hatte. Oder zum Teufel. Das war ihm noch nicht ganz klar.

Angelockt vom Lärm, kam der Mann mit dem Messer aus der Küche. Rupert richtete die Heckler & Koch auf ihn und gab klare Befehle: »Hände hoch, Arschgesicht! Lass das Messer fallen!«

Der Mann hatte entweder eine rote Weintrinkernase oder einen ziemlich frischen Sonnenbrand, das konnte Rupert im Gegenlicht so genau nicht feststellen, und für die Sonnenbrille war es hier im Raum auch zu dunkel.

Der Mann mit dem Messer öffnete den Mund, ließ die Schultern hängen und bekam kein Wort heraus.

Er ließ das Messer nicht wirklich fallen, so wie es jemand macht, der zeigen will, dass er sich ergibt. Nein, es glitt mehr aus seiner Hand, als hätte er vergessen, überhaupt ein Messer zu besitzen. Genauso gut hätte er auch versehentlich einen Löffel oder einen Bleistift fallen lassen können.

Rupert trat das Messer zur Seite. Es rutschte unter den Wohnzimmerschrank. Dann rief er: »Keine Angst, Mädels, ich bin da! Euch tut keiner mehr was!«

Bevor der Mann irgendetwas sagen konnte, klickte die silberne Acht um seine Handgelenke.

Jessi öffnete die Küchentür. Rupert sah die weinende Amelie. Neben ihr ihre leichenblasse Freundin Felicitas auf der linken Seite, rechts von ihr Sina, die Amelies Hand hielt. Auf dem Küchentisch lagen ein ausgerollter Pizzateig, Tomaten, Paprika und Pilze.

Eine völlig entsetzte Frau starrte Rupert aus weitaufgerissenen Augen an: »Was machen Sie denn da mit meinem Mann?«, kreischte sie.

»Wir … ich … äh … « Rupert fand nicht die richtigen Worte.

»Wir haben es Amelie bereits gesagt«, erklärte Jessi überflüssigerweise, weil das jeder sehen konnte. Selbst Rupert war dieser Zusammenhang sofort klar.

Er steckte die Heckler & Koch ein und wollte den braven Familienpapi von den Handschellen befreien, doch Rupert fand den Schlüssel nicht. Er hatte mal bei einem gefangenen

Taschendieb erlebt, wie der mit einem Trick, den Rupert bis heute noch nicht kapiert hatte, ihm den Schlüssel gestohlen und sich selbst befreit hatte. So etwas sollte ihm nicht noch mal passieren, darum steckte er den Schlüssel immer an eine ganz sichere Stelle. Er hatte nur vergessen, wo die gerade war.

»Musstet ihr«, tadelte Rupert die Anwesenden, um von seinem eigenen Fehler abzulenken, »dem Kind denn sofort erzählen, dass die Mama den Papa erschossen hat? Konntet ihr sie nicht erst Pizza essen lassen?«

Amelie bekam kaum Luft. Sie riss den Mund weit auf und starrte Rupert an.

Der zeigte auf die Pizza und fuhr fort: »Sieht übrigens gut aus, was ihr da fabriziert. Ich mag ja selbstgemachte Pizza. Meine Frau Beate macht oft Pizza selber. Vegan.« Er tippte sich gegen die Stirn: »Analogkäse! Als würde es auch Digitalkäse geben ... «

Jetzt kreischte die Kleine erst mal richtig los.

»So genau hatten wir es ihr noch nicht gesagt. Die Einzelheiten wollten wir ihr erst später ... «

»Verzeihung«, sagte Rupert. »Sie weiß noch gar nicht, dass ihre Mutter ihren Vater ...?«

Jessi knallte ihm ein »Nein!« wie einen Stein an den Kopf.

»O Gott. Ich bin ein Idiot«, stöhnte Rupert.

Alle Anwesenden stimmten ihm zu.

Ja, er hatte zweifellos einen großen propagandistischen Coup gelandet. Aber er war weit davon entfernt, über eine schlagkräftige Armee zu verfügen. Er musste diesen Ort verlassen.

Holger Bloem hatte sie hierhin gebracht, und der war ein unsicherer Kandidat. Journalisten konnte man nicht trauen. Über kurz oder lang würde der sie verraten.

Alex wollte ein Auto besorgen. Auf dem Parkplatz des Golfclubs standen genügend herum.

Um Gundula unter Kontrolle zu halten, nahm er sie vorsichtshalber mit.

Gleich zwei Wagen waren unverschlossen.

Der Motor ließ sich per Knopfdruck starten, der elektronische Schlüssel lag auf dem Beifahrersitz neben einer Pitchgabel, einer Sonnenbrille, einem linken weißen Handschuh und einer Packung Papiertaschentücher.

Alex fegte alles mit einer einzigen Handbewegung in den Fußraum. »Du fährst«, bestimmt er.

Gundula schob sich die Brille auf der Nase höher und nahm hinterm Steuer Platz. Der Sitz war für sie falsch eingestellt, doch darauf nahm Alex keine Rücksicht. »Wir fahren an der Range vorbei zurück zu den Baumhäusern.«

»Ich glaube, da ist Durchfahrt verboten«, sagte Gundula.

Alex lachte. »Ja, klar. Dann machen wir das natürlich nicht. Wir sind ja gesetzestreue Bürger.«

Sie verstand die Ironie seiner Worte durchaus und nahm jetzt den Weg, den sie vorher mit dem Golfcart gefahren waren. Sie kamen an einem Abschlag vorbei, wo zwei Golfbags in Trolleys ihnen den Weg verstellten.

»Mach jetzt keinen Mist! Ein falsches Wort und ...« Er musste nicht weitersprechen.

Er stieg aus dem Wagen aus.

Am Abschlag standen der Präsident des Golfclubs, Karl-Heinz Hartig, und dieser Klinikchef Dr. Ernest Simmel. Simmel hatte gerade einen Abschlag mit dem Driver vergeigt und sein

Holz-Tee dabei zerschlagen. Er bückte sich und zog die Spitze des kleinen Stifts aus dem Boden.

Er versuchte, seinen Fehlschlag zu erklären: »Ich dachte … «

Hartig lachte: »Das war der erste Fehler. Man sollte beim Golf nicht zu viel denken.«

»Verzeihung«, rief Alex, »dürfen wir hier mal durch?«

Es war Dr. Simmel und Herrn Hartig sofort unangenehm, dass sie den Weg versperrt hatten. Sie zogen ihre Trolleys zur Seite.

»Eigentlich darf man hier nicht mit dem Auto durch«, sagte Hartig.

»Ja, wir wohnen in den Baumhäusern, und ich wollte nur noch schnell Gepäck hinbringen.«

»Nehmt euch doch Golfcarts!«

»Ja, machen wir. Darf ich vielleicht ausnahmsweise … «

Hartig schaute weg. »Ich hab nichts gesehen. Aber beschweren Sie sich nicht, wenn Golfbälle aufs Auto knallen. Die können ganz schöne Beulen machen.«

»Keine Sorge, ich bin schnell wieder weg«, versprach Alex und stieg zu Gundula ins Auto.

Sie fragte ihn nicht, was er vorhatte. Sie hoffte einfach nur, alles zu überleben. Der Schock saß tief. YoLo2, der Mann, der sie so sehr verehrt und geliebt hatte, war tot. Sie wusste nicht, wie es jetzt weitergehen sollte. In ihrem Kopf hörte sie die Stimme ihrer Mutter: »Worauf hast du dich da bloß eingelassen, Kind?«

Alex erklärte ihr seinen Plan. Er wusste selbst nicht, warum er es tat. Vielleicht, um sich zu vergewissern, dass er überhaupt einen hatte. Im Moment improvisierte er für sein Gefühl viel zu viel.

»Finn-Henrik werde ich töten. Aber dich und Sabrina nehme ich mit.«

»Sind wir deine Geiseln?«

»Ich würde es Lebensversicherung nennen. Notfalls kann ich euch austauschen. Gegen ein Auto, ein Flugzeug, ein Stückchen Freiheit.«

»Gib auf«, riet sie ihm. »Du kannst hier nicht ungeschoren rauskommen. Sie werden dich kriegen.«

Er lachte. »Wir sind auf der Welt, Mädchen. Hier kommt niemand lebend raus. Und sie jagen mich schon lange. Sehr, sehr lange. Noch bin ich am Drücker. Dein Video wird sich nicht einfach so versenden, wie der ganze Quatsch, den sie sonst täglich im Internet bringen. Die Menschen werden nachdenklich werden. Und die Ersten schlagen sich auf meine Seite. Bessere Argumente als die von dir vorgetragenen hatte ich nie. Endlich ist das Manifest in der Welt! Ich hätte es schon viel früher veröffentlichen sollen.«

»Es ist«, sagte sie, »wie ein Aufruf zum Bürgerkrieg.«

»Ja«, triumphierte er. »Der Krieg der Menschheit gegen die Außerirdischen. Noch kannst du dich uns anschließen. Du bist keine von ihnen, vergiss das nicht! Du hast nur so getan, um einen kleinen Vorteil für dich rauszuholen. Für ein bisschen Liebe oder Sex, stimmt's?« Er sah sie durchdringend an, als würde es für ihn immer noch nicht feststehen.

»Ja«, bekräftigte sie. »Verdammt, so war es.«

Er hielt vor dem Baumhaus, in dem Sabrina und Finn-Henrik betäubt am Boden lagen.

»Du gehst vor«, befahl Alex. »Du trägst sie runter und legst sie auf den Rücksitz. Und ich erledige Finn-Henrik.«

Nachdem Rupert den Schlüssel gefunden und Herrn Schneider befreit hatte, stellte er sich vor. Er gab Schneider die Hand und sagte: »Man nennt mich Rupert. Du kannst ruhig Du zu mir sagen. Alle, die ich mal versehentlich verhaftet habe, dürfen mich nach alter ostfriesischer Sitte duzen.«

Herr Schneider nahm das Angebot gerne an und schlug ein: »Rolf.«

Die Frauen hatten sich inzwischen darüber verständigt, dass es besser für Amelie wäre, jetzt in dieser Familie zu bleiben, da sie die Menschen hier bereits kennengelernt hatte.

»Alles, was irgendwie vertraut ist, ist jetzt gut«, hatte Sina gesagt und sich die roten Haare dabei bedeutungsvoll aus der Stirn gekämmt.

Frau Schneider stimmte dem sofort zu. Sie hatte einen schönen Tag hinter sich mit einem spannenden Roman und drei Gläsern Aperol Spritz. Sie war aufgekratzt und nicht mehr ganz nüchtern, aber sie war bereit, zu helfen.

»Das würde doch jeder tun«, sagte sie. »Wenn ich mir vorstelle, es ginge um mein Kind ... «

Ihr Mann sah sie tadelnd an. Er verkniff sich den Satz: *Du hättest doch nicht auf mich geschossen, oder?*

Sie antwortete, obwohl er es nicht gesagt hatte: »Aber du bist ja auch ein guter Ehemann.«

Rupert half bei der Pizza mit. Zwar nicht beim Backen, aber dafür beim Essen.

Die Frauen waren nach dem Essen mit den Kindern hochgegangen. Dort, so glaubten Rupert und Jessi, seien sie in Sicherheit, während Rupert und Herr Schneider die Küche aufräumten und unten die Eingänge sicherten.

Das heißt, Rupert sicherte den Eingang, Herr Schneider räumte die Küche auf.

Zwischen Rupert und Rolf Schneider wuchs das zarte Pflänzchen einer Männerfreundschaft.

Schneider vertraute sich Rupert an und relativierte damit Ruperts Missgeschick. Er hätte mal in der Firma, in der er als Abteilungsleiter zwölf Leuten vorstand, den neuen Chef nicht erkannt und total abgekanzelt. »Er kam mir vor wie ein Idiot. Der typische Kunde, den man nicht haben will. Packt alles an, bringt alles durcheinander und kauft am Ende nichts. Ich habe ihm, nachdem ich ihn eine knappe halbe Stunde beobachtet hatte, darauf hingewiesen, dass wir auf Erbsenzähler wie ihn keinen Wert legen.«

Rupert kicherte: »Erbsenzähler wie ihn – der war gut!«

Plötzlich schämte Rolf Schneider sich. »Die Frauen kümmern sich da um die Kinder, und wir erzählen uns hier Witzchen ... «

»Nein«, korrigierte Rupert, »wir beschützen sie.«

»Wir? Ich habe doch gar keine Waffe.«

»Dafür habe ich zwei«, triumphierte Rupert und legte seine Glock auf den Tisch.

»Ich könnte jetzt einen guten Schluck gebrauchen«, beteuerte Rolf Schneider. »Du darfst wahrscheinlich während der Arbeit nichts trinken, oder?«

Rupert war eigentlich nicht abgeneigt, doch als Herr Schneider die Bourbon-Flasche holte, hob Rupert die Hände und spielte den Korrekten: »Um Himmels willen! Ich bin doch im Dienst!«

Gundula hievte die komatös schlafende Sabrina auf den Rücksitz des gestohlenen Fahrzeugs. Sie ging achtsam mit ihr um, bettete ihren Kopf auf eine Regenjacke, die hinten im Auto lag, und wischte den Speichel von ihren Lippen.

Sabrinas Kinnlade hing schlaff herab. Gundula machte sich Sorgen, sie könne an ihrer Zunge ersticken. Sie versuchte, Sabrina in eine stabile Seitenlage zu bringen, was auf dem Rücksitz gar nicht leicht war.

Bringt dieser verrückte Alienjäger jetzt wirklich Finn-Henrik um, während ich mich um Sabrina kümmere? Denkt er, dass er mich für sich gewonnen hat? Ich könnte fliehen. Sogar mit dem Auto … Will er mich testen?

Warum haue ich nicht einfach ab? Ich könnte schreiend in den Park rennen oder auf den Golfplatz. Die Golfer würden mir bestimmt helfen. Die haben Schläger und Handys … Sie könnten die Polizei rufen … ach … Warum tue ich es nicht? Will ich Finn-Henrik retten? Bin ich bereit, für ihn und Sabrina mein Leben zu riskieren?

Sie schaute zum Baumhaus hoch. Da oben auf der Terrasse stand der Mann, der sich im Moment Heiner nannte und garantiert nicht so hieß, weil alle Heiners oder Heinrichs, die sie kannte, über siebzig waren. Zwischendurch hatte er sich am Telefon mal Alex genannt. Aber es spielte überhaupt keine Rolle, wie er hieß.

Er beobachtete sie und hielt dabei die Waffe mit dem Schalldämpfer in der Hand. Sie war überzeugt davon, dass er nur auf ihren Fluchtversuch wartete und bereit war, ihr von hinten in den Rücken oder in den Kopf zu schießen.

Ja, so wie er grinste, freute er sich sogar darauf, als würde es ihm irgendeine Bestätigung geben.

Er winkte ihr, sie solle hochkommen. Erwartete er, dass sie ihm dabei zusah, wie er Finn-Henrik erschoss?

Sie atmete tief durch. Wenn ich in einigen Wochen, sollte

ich das alles hier überleben, über die Situation noch mal nach-
denke, wie möchte ich dann gehandelt haben?

Der Gedanke an eine Zukunft half ihr. Sie entschied sich,
ihren letzten Trumpf auszuspielen.

Ihre Galle spielte verrückt. Sie spürte einen stechenden
Schmerz unterhalb des Rippenbogens. Sie kannte das. Sie
nannte es *meinen Angstschmerz.*

Langsam ging sie die Stufen zum Baumhaus hoch. Gemeinsam mit Alex betrat sie das Wohnzimmer.

Alex stellte sich breitbeinig über Finn-Henrik und richtete
die Waffe auf seinen Kopf. Der bekam von all dem nichts mit.
Er lag am Boden, als sei er schon tot. Aber immerhin atmete
er noch.

»Wenn du das tust«, sagte Gundula, »wirst du mich verlieren.«

Alex sah sich lächelnd zu ihr um. »Oh, du setzt dich für ihn
ein. Wie edel! Sind das deine menschlichen Züge?«

Sie wusste, dass sie mit einer unterwürfigen Haltung aus dieser Situation nicht herauskommen konnte. Sie wurde streng:
»Vergiss nicht, dass du mich brauchst.«

»Ich dich?«, spottete er.

»O ja. Ich habe das Manifest verlesen. Im Moment werden Tausende, vielleicht Hunderttausende, mir zuhören, wie
ich deine Botschaft verbreite. Ich als Alien mache dich erst
glaubwürdig. Ich werde dein Spiel weiter für dich spielen. Ich
mache das alles. Ich lege Medienauftritte hin und unterstütze
dich bei der Verbreitung deiner Theorie. Aber nur unter einer
Bedingung!«

»Die da wäre?«

»Du lässt ihn leben. Und Sabrina ebenfalls. Wenn wir eine
Diskussion entfachen wollen, dürfen wir uns nicht schuldig

machen. Im Moment ist es ganz leicht, dich als verrückten Spinner zu verhaften oder als mordlüsternen Terroristen. Aber wenn es uns gelingt, die Menschen zu überzeugen, dann kannst du Regierungen wegfegen, Gesetze neu gestalten, Armeen aufbauen ...«

Er veränderte seine Körperhaltung. Er machte einen glücklichen Eindruck. Wirkte, als hätte sie ihn gerade geadelt. Selbst seine Stimme veränderte sich, als er jetzt zu ihr sprach: »Du meinst das ehrlich?«

»Wir spielen hier Alles oder Nichts.«

»Da hast du allerdings recht.«

»Hast du mal nachgesehen, wie viele Klicks wir bereits haben? Wie viele Leute sich den Podcast anhören oder das Youtube-Video sehen?«

»Nein«, gab er zu.

»Es wurde automatisch an alle eine Nachricht verschickt, die den letzten Podcast gehört haben. Und ich wette, die warten nur auf Neuigkeiten von uns. Darunter sind viele Medienleute.«

Sie ging zum Tisch, auf dem die Fernbedienung lag, und wollte das Fernsehen einschalten. Doch er winkte ab: »Dann hilf mir, ihn runterzuschaffen und abzuhauen. Hier können wir nicht bleiben. Wir haben den Wagen vom Parkplatz geklaut. Vielleicht spielt der Typ gerade eine Runde Golf. Vielleicht isst er drüben im *Schatthuus*. Aber der Diebstahl wird gleich bemerkt werden und dann ...«

Mehr musste er nicht sagen.

Gemeinsam schleppten sie Finn-Henrik zum Auto. »Der«, bestimmte Alex, »kommt in den Kofferraum.«

Hauptsache, er lebt noch, dachte Gundula. Aus seinem Mund zog sich ein Speichelfaden vom Kinn bis zum Hals.

Sie wusste nicht, was in den nächsten Minuten passieren

würde, doch sie war stolz auf sich, als hätte sie zum ersten Mal in ihrem Leben wirklich etwas Tolles vollbracht. Etwas, worauf sie noch als Großmutter stolz sein könnte. Falls sie jemals Großmutter werden würde.

Als Abonnenten bekamen sowohl Holger Bloem als auch Frank Weller eine Nachricht auf ihr Handy, weil Finn-Henriks und YoLos neuer Podcast hochgeladen worden war.

Weller saß über einem Bericht, den er im Auftrag von Polizeidirektorin Schwarz sowohl für die Staatsanwaltschaft als auch fürs BKA anzufertigen hatte. Jeder Schritt, den sie in den letzten Tagen unternommen hatten, sollte minutiös nachvollzogen und begründet werden.

Wellers Reaktion darauf hatte sie nicht sehr erfreut. »Mit solch dämlichen Aufgaben kann man eine ganze Polizeiinspektion lahmlegen. Bürokratie löst keine Fälle … «

Sie hatte ihn scharf zurechtgewiesen: »Wenn wir nicht dokumentieren, was wir tun, gibt es keine Qualitätskontrolle, und wir werden in dieser Sache einige Fragen zu beantworten haben. Ihre Arbeit und die Ihrer Frau, Herr Weller, wird außerhalb Ostfrieslands sehr kritisch gesehen.« Sie hatte die Hände gehoben und Verteidigungsgesten gegen Schwerthiebe gemacht, ohne angegriffen worden zu sein. »Ich weiß, ich weiß. Hier gelten Frau Klaasen und Sie als unantastbar. Aber im Rest der Republik hat man dafür kein Verständnis. Es gibt eine Welt außerhalb Ostfrieslands, Herr Weller!«

So saß er also nun da und tippte. Dabei hatte er sich mit Fragen zu beschäftigen wie: *War die Fahrt nach Bremerhaven eine Dienstreise oder privat?*

Natürlich würde das nie als Dienstreise durchgehen, also machte er eine private Tour daraus, musste aber begründen, warum sie sich als Ermittlerteam in dieser heiklen Situation zu einer »Familienfeier« zurückgezogen hatten.

Der Podcast war eine ganz schöne Abwechslung. Weller glaubte, ihn laufen lassen zu können, während er weiterhin an seinem Bericht schrieb.

Er kannte die Stimme von dem Interview. Hier sprach das angebliche Alien.

Die außerirdische Frau begann damit, dass sie ein Geständnis ablegen wollte. Ja, sie sei wirklich eine Außerirdische. Aber sie hätte das Leben auf der Erde zu schätzen gelernt und könne es nicht mehr mit ihrem Gewissen vereinbaren, die Menschen so sehr zu hintergehen und zu belügen.

»Wir haben euch eine Menge Technik auf die Welt gebracht. Ihr wärt längst noch nicht so weit. Ihr würdet euch noch über Festnetztelefone verständigen, und das wäre der höchste Grad an Kommunikationstechnik. Eure Handys, eure Mikrochips, das alles kommt von uns. Ja, betrachtet es ruhig als Segen. Es war auch als Geschenk gedacht, wie die künstliche Intelligenz, die euch helfen sollte, vorwärtszukommen.

Aber gleichzeitig nutzen wir das auch, um euch und jeden eurer Schritte zu kontrollieren. Was ihr euch früher so vorgestellt habt, dass der liebe Gott euch immer sieht und jede kleine Sünde notiert, die euch später, nach dem Tod, präsentiert wird, genauso ist es auch. Wir haben gewaltige Computeranlagen, und wir wissen alles über jeden von euch. Jeden Streit, jedes Telefongespräch, jeden Einkauf, jedes Bankgeschäft, das alles ist bei uns gespeichert. Selbst der kleinste Steuerbetrug, wenn ihr ein privates Essen als Geschäftsessen abgesetzt habt.

Doch erwartet von uns keine Gerechtigkeit. Ihr seid Sklaven.

Nichts weiter. Wenn ihr Glück habt, werdet ihr zu Versuchstieren in unseren Laboren. Auf der Suche nach dem ewigen Leben dringen unsere Wissenschaftler tief ein in eure Zellen. Nur die wenigsten, die das überleben, werden zu Servicekräften und zu Lustsklaven, denn einige von uns finden euch echt geil – solange ihr tut, was man von euch verlangt, und ihr keinen eigenen Willen habt.

Ich habe mich schuldig gemacht und an der Menschheit versündigt. Aber ich will alles wiedergutmachen.

Jetzt werde ich ein Manifest der Widerstandsgruppe *Die Erlöser* verlesen:

Schließt euch uns an!

Im Grunde wisst ihr es schon seit Jahrhunderten. Es steht in eurer Bibel. Ihr lest Himmel. Engel. Gott. Heilige Dreifaltigkeit. Das sind alte Begriffe. Ersetzt sie mal durch Weltall. Außerirdische. Astronauten. Raumschiff.

Ja, die Götter waren Astronauten, die Engel Außerirdische. Und die Heilige Dreifaltigkeit ist ein Raumschiff ... «

Während der Podcast weiterlief, versuchte Weller, seine Tochter Sabrina anzurufen. Er wollte wissen, was dort los war und wie sie die Lage einschätzte. Warum hatten sie ihm das noch nicht im *Alt Bremerhaven* erzählt?

Schon erhielt Weller eine Whatsapp-Nachricht auf seinem Handy. Aber nicht von seiner Tochter, sondern von seiner Nachbarin im Distelkamp, Rita Grendel. Sie schrieb:

Peter und ich hören gerade den Podcast von eurem Schwiegersohn. Ist das echt? Ich krieg Gänsehaut.

»Ich werde mich euch auch zeigen. Ihr habt ein Recht darauf, mich zu sehen. Deswegen lade ich auch alles bei Youtube hoch«, versprach Gundula.

Weller hörte die Schritte im Flur nicht. Frau Schwarz öffnete die Tür, lauschte nur ein paar Sekunden und blaffte ihn an: »Das darf ja wohl nicht wahr sein! Hat jetzt dieser Blödsinn endlich ein Ende? Ist diese Polizeiinspektion zu einem Team von UFO-Forschern geworden?«

Gundula spürte den Schmerz in sich. YoLo2 war tot. Alles, was sie sich aufgebaut, erarbeitet, erkämpft, ja erlogen hatte, zerplatzte gerade. Eine kurze Zeit hatte sie den Traum leben können, eine begehrenswerte Frau zu sein, im Mittelpunkt der Aufmerksamkeit zu stehen – geliebt zu werden.

Jetzt hoffte sie nur noch, die nächsten Stunden und Minuten zu überstehen. Doch gleichzeitig wuchs da auch etwas in ihr. Eine Gewissheit. Eine Kraft. Es war ihr gelungen, die ganze Bande an der Nase herumzuführen. Warum sollte sie diesen Heiner nicht genauso an die Leine legen können? YoLo2 hatte am Ende alles getan, was sie sich wünschte. Geradezu mit vorausschauendem Gehorsam hatte er versucht, ihr alles recht zu machen. Ein Blick von ihr hatte genügt, um ihn zur Räson zu bringen.

Jeder hatte irgendeinen Knopf, den man drücken musste, um ihn zu beherrschen. Sie konnte eigentlich stolz auf sich sein. Sie hatte diesen selbsternannten Alienjäger schon dazu gebracht, Finn-Henrik leben zu lassen.

Wie weit ließ dieser Heiner sich führen? War auch er froh, wenn sie das Ruder übernahm? Männer hatten so einen Punkt in sich, da wurden sie wieder zum kleinen Jungen, der es der Mama recht machen wollte. Wenn es ihr gelang, ihn in eine Position zu manövrieren, die dieses in ihm zum Klingen brachte, dann, so glaubte sie, hatte sie vielleicht eine Chance.

Er hockte, ohne sich angeschnallt zu haben, auf dem Beifahrersitz und spielte nervös mit der Pistole. Er drehte den Schalldämpfer zwischen seinen Fingern. Ein Alarmsignal piepste im Auto. Er sah sich um. Sie waren noch auf dem Gelände des Golfplatzes. Sie fuhren am Restaurant *Schatthuus* vorbei.

»Du musst dich anschnallen«, sagte sie.

Er tat es sofort und stoppte damit den nervtötenden Ton.

Gundula gefiel das. Er tat schon, was sie sagte. Diese kleine Anschnallaktion war ihr ein wichtiger Ansporn.

»Wo sollen wir jetzt hin?«, fragte sie.

Er machte einen ratlosen Eindruck, als würde er einen Vorschlag von ihr erwarten.

»Wir haben zwei Gefangene hinten im Auto. Wir brauchen ein Haus mit Garage«, sagte Gundula und klang merkwürdig sachlich. Es war schon, als würde sie die Führung übernehmen, da schrie jemand: »Hey, das ist mein Auto!«

Ein Golfer mit seinem Bag auf dem Rücken stellte sich ihnen in den Weg. Er war so aufgeregt und fuchtelte mit den Armen, dass zwei Schläger aus der Tragetasche auf den Boden fielen.

»Fahr ihn um«, forderte Alex.

Gundula tat nicht, was er sagte, sondern trat hart auf die Bremse.

Sabrina fiel vom Rücksitz in den Fußraum.

»Ich habe gesagt, fahr ihn um!«, schrie Alex.

Doch Gundula erwiderte klar und deutlich: »Nein! Das werde ich nicht tun.«

Ann Kathrin war zum Hafen gefahren, um sich mit einem Blick aufs Meer wieder ins Gleichgewicht zu bringen. Sie war wütend wie lange nicht mehr in ihrem Leben. In der schlimmsten Zeit hatte ihr Exmann Hero es mit all seinen Affären nicht geschafft, sie so sauer zu machen, wie es Staatsanwältin Meta Jessen und Polizeidirektorin Schwarz gerade gelungen war.

Gleichzeitig machte dieser Gedanke Ann Kathrin traurig, bedeutete es doch auch, dass ihr der Beruf all die Zeit wichtiger gewesen war als das Familienleben. Was war ein fremdgehender Ehemann im Vergleich zu einem geplatzten Verhör?

Mein ganzes Leben, dachte sie, ist aus den Fugen geraten, weil mir das Berufliche immer wichtiger war. Aber was heißt das schon, das Berufliche? Ich verkaufe doch hier keine Zigaretten. Ich sorge dafür, dass Verbrechen aufgeklärt werden, dass die Gesellschaft besser wird. Das nutzt uns doch allen. Ich …

Ihre Erklärungen kamen ihr selbst jämmerlich vor.

Wann hatte sie ihren Sohn zum letzten Mal gesehen? Wann sich mit ihren Freunden zum Spieleabend getroffen?

Das Verbrechen beherrscht dein Leben, dachte sie. Und so wirst du langsam misstrauisch und bist ständig in Abwehrhaltung.

Sie fuhr in den Distelkamp, um sich in die Fasssauna zu legen. Sie wollte den ganzen Mist herausschwitzen.

Sie fuhr mit ihrem Fahrrad auf der Norddeicher Straße und wurde gerade von zwei rüstigen Rentnern mit E-Bikes überholt, als der Seehund in ihrem Handy zu jaulen begann. Sie lenkte mit links weiter, zog mit rechts das Handy aus der Tasche und sah Wellers Gesicht. Sie bremste, zog ihr Fahrrad ins Gras, ließ eine ganze Gruppe aus Nordrhein-Westfalen durch, die von einem Abend bei *Meta* schwärmten, den sie noch vor sich oder schon seit Jahrzehnten hinter sich hatten, das bekam Ann Kathrin nicht so genau mit.

Sie meldete sich mit: »Ja? Frank?«

»Ich bekomme keinen Kontakt zu Sabrina und auch nicht zu Finn-Henrik.«

»Na ja, wir hatten ja in letzter Zeit wirklich viel Kontakt«, beruhigte Ann Kathrin ihn. »Mehr als in den letzten Jahren.«

»Da ist ein neuer Podcast. Der beunruhigt mich. Habe ich da was falsch verstanden oder so?«

»Du willst doch jetzt mit mir nicht die Theorien diskutieren, ob Außerirdische gelandet sind oder nicht«, beschwerte Ann Kathrin sich.

»Nein«, sagte Weller. »Bitte versteh mich nicht falsch, aber ich sitze hier über diesem dämlichen Bericht, höre den Podcast und denke, was ist da nicht in Ordnung? Ich versuche, Sabrina zu erreichen und …«

»Du hast sie früher manchmal wochenlang nicht erreicht. Ich hatte manchmal das Gefühl, sie geht nicht ran, wenn sie sieht, dass der Anruf von dir ist.«

»Ja, aber das ist jetzt nicht mehr so. Unsere Beziehung geht doch gerade in eine neue Phase …«

»Frank«, fragte sie und atmete tief durch, »was willst du?«

»Es gibt das auch auf Youtube. Guck es dir an.«

Sie versprach es und überlegte, ob sie erst nach Hause fahren und es sich dann anschauen oder jetzt hier direkt im Gras.

Sie wendete ihr Gesicht der Sonne zu und wollte bei Youtube das Stichwort *Aliensichtungen* eingeben. Sie kam nur bis *Ali*, da erschienen bereits die ersten Filme, ganz oben der mit Gundula Frisch.

Ann Kathrin suchte Schatten, um besser hinschauen zu können. Das kam ihr alles ganz komisch vor. Da stimmte wirklich etwas nicht.

Sie schickte den Youtube-Link an ihre Freundin, die Psychologin Rita Trettin: *Guck dir das mal an. Was sagst du dazu?*

Ann Kathrin beschloss, sich den Rest zu Hause anzusehen. Sie stieg aufs Fahrrad und strampelte los. Die Oberschenkel und die Waden brannten. Das tat gut.

Irgendwann, dachte sie, werde ich wieder Zeit haben, dann radeln Frank und ich nach Greetsiel, essen im *Captains Dinner*, und auf dem Rückweg bewundern wir die untergehende Sonne, liegen im Gras und knutschen wie Teenies …

Sie brauchte jetzt solche Gedanken.

Als sie im Distelkamp ankam, war Frank schon da.

»Ich habe es in der Inspektion nicht länger ausgehalten.« Er griff sich mit zwei Fingern in den Hemdkragen. Obwohl er die oberen zwei Knöpfe geöffnet hatte, zog er daran, als sei ihm der Kragen zu eng geworden. »Ich dachte, ich krieg da keine Luft mehr.«

»Und? Hast du Sabrina erreicht?«

»Nein. Aber Holger Bloem versucht dauernd, mich anzurufen. Nur kann ich jetzt gerade nicht mit der Presse sprechen, ich habe selbst zu viele Fragen«, stöhnte Weller. Er sah überlastet aus, ja ein bisschen verzweifelt. Er war wieder kurz davor, seinen Dienst zu quittieren und in Norddeich die Fischbude zu eröffnen.

Ann Kathrin deutete nach oben. »Lass uns hochgehen an den großen Computer. Da sehen wir mehr auf dem Bildschirm.«

»Was willst du denn da mehr sehen?«, fragte Weller.

Ann Kathrin antwortete nicht. Sie trank ein Glas Wasser und rannte die Treppe hoch. Weller folgte ihr.

Ann Kathrin warf den großen Computer an.

Rita Trettin meldete sich: »Ann«, sagte sie mit besorgter Stimme, »ich habe es mir angeschaut. Ich will inhaltlich überhaupt nichts dazu sagen. Aber für mich ist ganz klar, dass diese Frau das nicht freiwillig tut. Sie hat große Angst. Ihre Stimme, ihre Gestik, ihre Augen ... Sie liest einen Text ab. Das ist kein Lampenfieber, Ann. Sie hat nicht einfach Angst, etwas falsch auszusprechen oder sich zu verhaspeln. Nein! Die hat Todesangst!«

Ann Kathrin bedankte sich bei Rita und knipste das Gespräch weg. Das Youtube-Video erschien groß auf dem Bildschirm.

»Frank«, sagte Ann Kathrin, »der Mann, den wir suchen ... Alex Sigmann oder wie immer er sich im Moment nennt, hat hier die Finger im Spiel. Er benutzt Menschen wie Marionetten. Seine Indra genauso wie«, Ann tippte auf den Bildschirm, »diese Frau hier, die angeblich eine Außerirdische ist.«

»Schön«, bestätigte Weller. Er klang noch nicht ganz überzeugt. »Dann müssen wir nur noch herausfinden, wo er sich aufhält.«

Ann Kathrin beugte sich vor und versuchte, das Gesicht von Gundula größer zu ziehen. Sie stoppte das Video. »Da! Er ist es!«

»Wo? Wer? Ich sehe nur eine verängstigte Frau.«

»Die Brillengläser, Frank! Er spiegelt sich in ihren Brillengläsern.«

Tatsächlich, links oben gab es eine Spiegelung. Da war eindeutig eine Männergestalt. Frank hätte nicht mit Ann Kathrins Bestimmtheit sagen können, wer es war. Er überlegte, ob er ihre Aussage relativieren sollte, mit einem Satz wie: *Hoffentlich ist hier nicht der Wunsch der Vater des Gedankens.* Er tat es nicht.

»Ja, Ann, vielleicht ist er es, vielleicht auch nicht. Aber wir können seinen Standort nicht bestimmen.«

»Wenn er es ist, dann befinden sich Sabrina, Finn und ihre Freunde in großer Gefahr. Er ist ein wirklich gefährlicher Mann, Frank. Einer, der tötet, um seine Interessen durchzusetzen.«

»Ja, ich weiß. Aber das hilft uns nicht, seinen Standort aufzuspüren.«

»Jetzt sehe ich ihn nicht mehr«, sagte Ann Kathrin. »Aber das Viereckige da im Hintergrund, das ist ein großes Fenster.«

Weller fand die Idee, über die Brille mehr über den Ort herauszufinden, klug. So hatten sie praktisch einen Blick in die andere Richtung.

»Hinter dem Fenster ist es grün«, stellte Ann Kathrin fest.

Weller verzog den Mund. »Na ja, das hilft uns jetzt nicht wirklich weiter.«

»Und da – was ist das für ein kleines rotes Dreieck, da ganz hinten?«

»Keine Ahnung, Adlerauge.« Weller konnte beim besten Willen nicht bestätigen, was sie da sah. Da folgerte Ann Kathrin schon: »Das ist eine kleine rote Fahne an einer dünnen weißen Stange. Eine Fahne auf dem Grün beim Golf...«

Weller machte sich gerade. »Die sind in den Baumhäusern!«

Sie schalteten den Computer nicht aus. Sie rannten nach unten.

Wie ernst Weller ihre Vermutung nahm, stellte Ann Kathrin dadurch fest, dass er sie auf der Treppe überholte und dabei stolperte.

Jetzt versuchte er, sich hart durchzusetzen: »Wir nehmen jetzt nicht den Twingo«, bestimmte er. Gemeinsam stiegen sie in den Citroën Picasso. Weller gab Gas.

Sein Handy spielte *Piraten Ahoi!* Er sah aufs Display. Dort erschien ein Bild von Tarzan, der sich an einer Liane von einem Baum zum anderen schwang.

Weller stöhnte: »Das ist Holger. Der versucht schon die ganze Zeit, mich zu erreichen. Ich fahre jetzt gerne mit dir nach Lütetsburg, Ann, aber wenn da nichts ist, dann lassen wir die Sache für heute ruhen. Wir brauchen alle mal eine Pause. Wir drehen ja völlig am Rad ... «

Bettina Göschls Stimme sang jetzt: *Auch bei Sturm geh'n wir an Bord.*

Ann Kathrin nahm Weller das Handy ab und meldete sich an seiner Stelle.

»Hallo, hier ist Ann-Kathrin. Spreche ich mit dem Earl of Greystoke?«

Holger legte sofort los: »Ich habe mir das Youtube-Video angesehen.«

»Wir uns auch.«

»Da stimmt was nicht. Ich habe die Kids in Wremen abgeholt und nach Lütetsburg gefahren.«

»Nach Lütetsburg?«, schrie Weller, jetzt doch wieder überzeugt von Ann Kathrins Beobachtung.

»Ja, nach Lütetsburg. Sie wollten ihren Aufenthaltsort anonymisieren. Ich habe sie mit einem SKN-Fahrzeug hingebracht. Sie haben die Baumhäuser gemietet. Von da aus wollten sie ihre Tournee starten. Aber wenn ich mir dieses Video anschaue, dann wird mir ganz anders. Ich war mit denen zusammen im Auto. Da haben sie ganz anders geredet. Entweder haben die mich verarscht, oder sie verarschen jetzt alle Leute oder ... «

Noch nie in seinem Leben war Weller auf dieser Strecke schneller gefahren. Er überholte hupende Autos und brachte den Gegenverkehr durch seine Aktionen ganz schön durcheinander.

Eine Frau, die von Hage nach Norddeich wollte, geriet in

Panik. Sie fuhr auf den Seitenstreifen, rief die Polizei an und meldete einen Verkehrsrowdy. Die Nummer hatte sie sich leider nicht gemerkt. Das Automodell gab sie mit *normal* an.

Lichthupen und erhobene Mittelfinger begleiteten Weller und Ann Kathrin auf ihrem Weg zum Golfplatz.

Alex lehnte sich nach links. Seine Schulter berührte Gundulas. Er legte einen Arm um ihre Schultern. Seine Finger krampften sich in ihren Arm. Er wollte verhindern, dass sie einfach ausstieg. Er trat auf ihren Fuß und drückte so das Gaspedal runter. Der Wagen schoss nach vorn.

Der Golfer sprang fluchend zur Seite. Die restlichen Schläger fielen aus seinem Bag.

Gundula hatte immer noch Macht über das Lenkrad. Sie riss es herum, fuhr knapp an dem Golfer vorbei. Einige der Golfschläger zerkrachten unter dem Auto. Es hörte sich an, als würde jemand auf den Wagen einprügeln.

Gundula drehte eine Runde um den Parkplatz.

Alex fiel nicht mehr ein, als zu schimpfen: »Du verfluchtes Luder!« Sein linker Fuß drückte weiterhin heftig ihren rechten auf dem Gaspedal herunter. Bei der Geschwindigkeit war es schwierig für sie, den Wagen auf der kurzen Strecke in der Spur zu halten und die Kurven richtig zu nehmen. Sie rammte ein Golfcart. Zum Glück saß niemand drin. Das leichte Gestell flog durch die Luft und krachte auf einen silbergrauen Audi.

Gundula überlegte einen Moment, ob es sinnvoll sei, den Wagen gegen eine Mauer oder in eine Hecke zu steuern, doch dann entschied sie sich einfach für den Rückweg, hin zu den drei Baumhäusern. Sie wusste, dass es dort nicht weiterging, aber ihr fiel nichts Besseres ein. Sie hatte Angst, Menschen zu verletzen. Es war ihr sogar unangenehm, parkende Autos zu schrammen.

Alex dagegen hielt es für einen genialen Schachzug von ihr, um ihn auszutricksen.

Spätestens bei den Baumhäusern wäre die Reise zu Ende, dann müsste er zu Fuß fliehen. Vielleicht war sie ja doch ein Alien und versuchte, ihn jetzt restlos fertigzumachen.

Er drückte die Mündung seiner Waffe gegen ihre Schläfe und bellte wie ein kranker Seehund: »Dreh um und bring uns hier raus! Sofort!«

Sie tat, was er ihr befohlen hatte. Vor dem *Schatthuus* standen inzwischen mehrere Gäste in einer Gruppe zusammen. Die Golfer unter ihnen diskutierten, ob es besser sei, mit dem Driver zuzuschlagen, mit dem Putter oder dem Siebener Eisen.

Schon von der Landstraße aus, kurz bevor sie auf den Parkplatz einbogen, sahen Weller und Ann Kathrin, dass auf dem Parkplatz Ungewöhnliches los war. Ein Golfcart ragte hoch in die Luft, lag halb auf einem Auto. Vor dem *Schatthuus* standen aufgebrachte Menschen.

Weller und Ann Kathrin waren sich sofort einig. Weller stellte den Citroën Picasso quer und versperrte so die Ein- und Ausfahrt.

Ein Wagen bretterte auf sie zu. Ann Kathrin und Weller sprangen aus dem Auto und suchten dahinter Deckung. Weller zog seine Dienstwaffe.

Alex hatte den Sicherheitsgurt gelöst, als er sah, dass der Citroën ihnen den Weg versperrte. Nun piepste der Sensor wieder, um ihn darauf hinzuweisen, was er zu tun hatte. Er lehnte sich aus dem Fenster und zielte auf den Citroën.

Gundula bremste ab, um nicht in den Wagen zu krachen. Sie fuhr Alex an: »Hättest du mal besser auf mich gehört! Also doch jetzt die andere Richtung, oder?«

Kleinlaut antwortete er: »Ja.« Die Pistole an ihrem Kopf kam ihm plötzlich lächerlich vor. Er arbeitete schon an einem neuen Plan.

»Das war die Alien-Frau aus dem Video! Sie sitzt hinterm Steuer«, rief Ann Kathrin.

Weller war schon wieder im Auto. »Hinterher! Wo die ist, da ist auch meine Tochter. Die managt doch den ganzen Laden.«

Es hörte sich für Ann Kathrin fast so an, als würde nicht nur Sorge, sondern auch Stolz aus seinen Worten sprechen.

Sie rasten über den Feldweg in Richtung Baumhäuser, hinter dem Fluchtfahrzeug her. Andere Kollegen, dachte Ann Kathrin, würden jetzt auf den Wagen schießen. Vor Gericht würde es dann heißen: *Sie haben versucht, die Reifen zu treffen, um ihn zu stoppen, denn immerhin ging es nicht darum, einen Verkehrssünder aufzuhalten, sondern einen Serienkiller.*

Doch Ann Kathrin war alles lieber, als eine Waffe abzufeuern. Wie oft schon hatte sie den Satz des ehemaligen Bundeskanzlers Helmut Schmidt zitiert: *Besser hundert Stunden umsonst verhandeln, als eine Minute zu schießen.*

Weller war da ihrer Meinung. Er wollte den Typen zwar auf keinen Fall entkommen lassen, aber die Frau am Steuer konnte eine Geisel sein. Wenn er gewusst hätte, dass sich seine Tochter in dem Fahrzeug befand, wäre seine Entscheidung noch klarer ausgefallen.

»Die kommen da hinten nicht weiter. An den Baumhäusern stellen wir sie. Die müssen aus dem Auto raus und können nur durch den Park fliehen. Zu Fuß kommen die nicht weit«, prophezeite Ann Kathrin.

Natürlich hätten sie Verstärkung rufen müssen. Natürlich hätten sie ihre Kollegen informieren müssen. Aber erstens waren sie nicht mit einem Dienstwagen hier, zweitens waren sie eigentlich gar nicht im Dienst, und drittens wurde alles, was sie taten, von einem Gedanken überlagert: Was bedeutete das alles für Sabrina? War sie verstrickt in diesen Mist? Ging hier gerade ihr Leben den Bach runter? Vergeigte sie gerade ihre Zukunft?

Dass sogar ihr Leben in größter Gefahr war, ahnte Weller. Es war nicht so sehr in seinem Kopf, sondern mehr ein Körperwissen. Ein Grummeln im Magen.

Am ersten Abschlag forderte Alex: »Fahr quer über den Golfplatz.«

»Ich soll was?«

»Ja glaubst du, ich nehme Rücksicht auf den Rasen? Wir kämpfen hier um die Existenz der Welt! Um das Überleben der Menschheit schlechthin!«

Er griff ihr ins Steuer, um den Wagen nach rechts zu lenken, doch das war eigentlich gar nicht nötig. Gundula folgte seiner Anweisung.

Hinter ihnen stöhnte Sabrina, die durch das Geruckele immer wieder mit dem Kopf gegen die Fahrzeugtür schlug.

Auf dem Fairway regten sich Golfer auf, die so etwas noch nie erlebt hatten. Karl-Heinz Hartig wurde ziemlich sauer, als er das sah. Später rankten sich viele Legenden um diesen Tag. Eine besagte, Hartig habe einen Ball mit seinem Fünfer Holz abgeschossen und damit die Scheibe des Fahrzeugs zertrümmert und als der Täter ausstieg, habe er ihm mit dem Golfschläger erst die Pistole aus der Hand und dann die Beine weggehauen.

Hartig hatte nie behauptet, dass es so gewesen war. Aber Golfer lieben Geschichten und Legenden genau wie Angler. In Wirklichkeit fuhr Gundula den Wagen in einen Teich kurz vor einem Bunker bei Loch sieben.

Wildgänse flogen schnatternd hoch und kackten vor Angst.

Alex schlug mit dem Kopf hart gegen das Armaturenbrett. Vorne bliesen sich die beiden Airbags auf. Hinter einem eingeklemmt, saß ohnmächtig Alex. Gundula öffnete die Tür, zwängte sich heraus und stand bis zu den Knien im Wasser.

Schon war Weller beim Auto, riss die Tür auf und schnappte sich Alex. Er zog ihn aus dem Auto. Die Luger plumpste ins Wasser.

Alex öffnete die Augen. Weller wollte ihm Handschellen anlegen. Da sah er hinten im Auto seine Tochter.

»Sabrina!«, rief Weller. Er hatte jetzt keine Zeit mehr, eine richtige Verhaftung vorzunehmen und sich um Alex zu kümmern. Er schickte ihn einfach mit einem einzigen Schlag ins Traumland.

Alex saß im Teich, den Kopf an den Wagen gelehnt. Das Wasser reichte ihm bis zur Brust.

Ann Kathrin stand bei Gundula. Sie half ihr aufs Fairway.

»Er hat«, sagte Gundula stockend, »er hat meinen Freund erschossen. YoLo2.«

»Wo ist er?«, wollte Ann Kathrin wissen.

Gundula zeigte stumm zu den Baumhäusern.

Schon hatte Ann Kathrin ihr Handy in der Hand, um einen Notarztwagen zu rufen, doch Gundula schüttelte den Kopf:

»Er ist wirklich tot. Für ihn kommt Ihre Hilfe zu spät. Aber im Kofferraum liegt noch jemand. Finn-Henrik.«

Ann Kathrin versuchte, den Kofferraum zu öffnen. Durch den Unfall war das gar nicht so einfach. Etwas hatte sich verhakt.

Weller hielt seine Tochter auf dem Arm und trug sie auf den frisch geschnittenen Rasen. Er legte sie ins Gras und streichelte ihr Gesicht. Sie lebte, und nur das war wirklich wichtig.

Ann Kathrin und Gundula hievten Finn-Henrik aus dem Kofferraum. Er öffnete sogar kurz die Augen und grinste die beiden an. Er lallte etwas wie: »Hallo, Mädels«. Dann fiel sein Kinn wieder auf seine Brust.

Ann Kathrin wollte mit dem Handy die 112 anrufen. Außerdem brauchte sie die Spurensicherung, falls wirklich eine Leiche da oben in einem der Baumhäuser lag. Doch bevor sie wählen konnte, heulte der Seehund in ihrem Handy auf.

Die Polizeidirektorin Elisabeth Schwarz war am Apparat und schimpfte sofort los: »Wir haben hier eine Dienstbesprechung, Frau Klaasen! Hochkarätige Mitarbeiter des BKA sind angereist, um uns zu helfen. Ich habe Himmel und Hölle in Bewegung gesetzt, um die besten Leute zu bekommen. Und jetzt – wo bleiben unsere Leute?« Sie zählte auf: »Rupert. Jessi Jaminski. Sie und Ihr Mann. Ist das eine gezielte Provokation, oder was? Wollen Sie uns deutlich zeigen, dass wir Ihnen alle den Buckel runterrutschen können und Sie auf jede fachliche Hilfe verzichten?«

Ann Kathrin hatte die Angewohnheit, Menschen ausreden zu lassen. Warum sollte sie es diesmal anders machen? Sie holte tief Luft und antwortete: »Danke der Nachfrage, Frau Schwarz. Uns geht es gut. Verzeihen Sie, dass wir uns nicht gemeldet haben. Wir waren gerade damit beschäftigt, einen Serienkiller zu stellen. Vielleicht laden Sie Ihre Freunde vom

BKA heute Abend ins *Dock N° 8* ein und gehen schön mit ihnen essen oder lassen ein bisschen Kuchen von *ten Cate* zur Begrüßung kommen. Ich glaube, wir haben hier heute etwas anderes zu tun. Einer muss ja auch die Arbeit erledigen. Morgen können Sie uns dann gerne erzählen, was wir wieder alles falsch gemacht haben.«

Ann Kathrin knipste das Gespräch weg und rief nun einen Notarzt.

Gundulas linke Seite schmerzte. Sie rieb sich über die Rippen und versprach: »Ich werde auspacken. Ich werde Ihnen die ganze Wahrheit erzählen. Der Irrsinn muss ein Ende haben.«

Sabrina öffnete die Augen, sah ihren Vater an und sagte: »Mama?!«

Weller antwortete noch: »Nein, ich bin nicht deine Mutter, ich bin dein Vater.« Aber das hörte sie schon nicht mehr. Sie glitt wieder in ein tiefes, schwarzes Loch.

Weller gab ihr eine Mund-zu-Mund-Beatmung, was völlig sinnlos war, aber er hatte das Gefühl, irgendetwas tun zu müssen.

Inzwischen war Karl-Heinz Hartig bei ihnen. Mit ihm eine Gruppe Golfer. »Leute«, sagte er und hielt seinen Driver fest in der Hand, »das wird teuer.«

Ein Mann mit einem Käppi, auf dem *Norddeich* stand, fragte, ob sie die Runde jetzt zu Ende spielen könnten oder ob das Turnier hiermit abgebrochen sei.

Ein rothaariger Golfer, den sie Thomas nannten, stöhnte: »Wenn ich mal vorne liege, passiert immer irgendein Scheiß. Entweder fängt es an zu regnen oder …« Er überlegte einen Moment, sprach es dann aber aus: »Oder es fahren ein paar Bekloppte quer über den Platz.«

Alex kniete auf allen vieren im Teich und suchte nach seiner

Luger. Seine Ober- und Unterlippen bluteten. Er biss auf die Zähne.

Er war bereit, sich den Weg freizuschießen. Aber er brauchte seine Waffe.

Eine Stockente mit grünmetallisch glänzendem Kopf schwamm heran, als wollte sie ihm beim Suchen helfen.

Weller sprach seinen alten Kollegen Hartig an, ohne dabei die Beatmung seiner Tochter zu unterbrechen. Daher hatten seine Worte etwas sehr Japsendes: »Kannst du dich vielleicht um ihn kümmern?« Weller zeigte auf Alex.

»Ich bin zwar nicht mehr im Dienst«, sagte Hartig, »aber unser Spiel ist sowieso versaut.«

Karl-Heinz packte Alex, zerrte ihn aus dem Wasser, stieß ihn auf die Wiese und sagte zu ihm: »Ich gebe dir einen guten Rat: Ich würde jetzt an deiner Stelle keine Probleme machen. Die Golfer hier sind ziemlich sauer auf dich.«

»Das werdet ihr noch bereuen!«, rief Alex. »Die Aliens werden euch holen! Schließt euch mir an. Ich bin eure Rettung!«

»Ja, so siehst du auch aus«, grinste Hartig.

Weller warf ihm Handschellen zu. Hartig setzte sie nur zu gern ein.

»Mein Gott«, sagte Ann Kathrin, »was für ein Tag.«

Von Ferne war bereits aus Richtung Norden ein Notarztwagen zu hören.

Als Rupert erfuhr, dass der Albtraum beendet war, spürte er einerseits große Erleichterung. Andererseits fand er es auch ein bisschen schade, dass er den Killer nicht persönlich erlegt hatte. Ja, er war sogar ein bisschen beleidigt und nahm es dem Typen krumm. Trotzdem lief er gleich die Treppe hoch zu Elke Schneider, Sina Kröger und Jessi. Er verkündete ihnen die frohe Botschaft mit einem Siegerstrahlen im Gesicht, als hätte er alles selbst gemacht. »Damit besteht für Amelie keine Gefahr mehr!«

Elke Schneider weinte vor Glück. Sina Kröger konnte ebenfalls nicht an sich halten. Sie klatschte voller hilfloser Freude in die Hände. Beide Frauen umarmten Rupert und küssten ihn links und rechts auf die Wangen. Elke Schneiders Lippenstift hinterließ Spuren an Ruperts rechtem Ohr.

Eingeklemmt zwischen zwei begeisterten schönen Frauen ließ Rupert sich dazu hinreißen, alle zu einem Pastrami-Essen bei sich auf der Terrasse einzuladen.

»Man muss«, behauptete er, »die Feste eben feiern, wie sie fallen.«

Er wollte eigentlich eine Einladung an Frank Weller, Jörg Tapper und Peter Grendel schicken, doch versehentlich drückte er auf: *an alle.*

Selbst Marion Wolters, die als Rupert-Hasserin galt, ließ es sich nicht nehmen, dabei zu sein. Außerdem liebte sie Pastrami-Sandwiches. Zu ihrem eigenen Ärgernis fand sie nichts daran, das man hätte besser machen können. Dabei kritisierte sie Rupert doch so gern.

»Eins muss man dir lassen«, sagte sie kauend, »das kannst du!«

Er konnte noch nicht glauben, dass das alles gewesen sein sollte, und rechnete damit, dass sie ihren Satz beenden würde mit einem: *auch wenn du sonst ein Idiot bist*, aber das tat sie nicht.

Die Kinder, Amelie und Felicitas, waren nicht so leicht für Ruperts Pastrami zu begeistern. Frank Weller nutzte die Gelegenheit, um in Ruperts Küche Kaiserschmarrn für die Kinder zu zaubern. Sie durften dabei mithelfen, und besonderen Spaß hatten sie daran, die Pfannkuchen zu zerrupfen und mit Puderzucker zu bestäuben.

Finn-Henrik blieb noch zur Beobachtung in der Ubbo-Emmius-Klinik, aber Sabrina war schon wieder ziemlich fit und bestand darauf, mit ihrem Vater zu der Party zu gehen. Sie konnte nur noch nichts essen, stattdessen trank sie ostfriesisches Leitungswasser, als hätte sie einen Marsch durch die Wüste hinter sich.

Auch Sina Kröger war bei der kleinen Feier dabei. Sie stand nicht wirklich auf Pastrami-Sandwiches, dafür schmeckte ihr der Weißwein, den Ann Kathrin mitgebracht hatte, umso besser.

Rupert hatte schon ein bisschen Angst, dass die Sandwiches nicht für alle reichen würden, da kamen Jörg und Monika Tapper. Sie hatten zum Glück eine Eierlikörtorte mitgebracht und einen Käsekuchen.

»Oh, American Cheesecake«, freute Jessi sich.

Jörg Tapper lachte: »Nein Jessi, das ist ganz traditioneller ostfriesischer Käsekuchen. Den lieben die Gäste im Café.«

Rolf und Elke Schneider hatten sich inzwischen darauf verständigt, der kleinen Amelie ein Angebot zu machen. Elke fragte vorsichtig nach. Sie und ihr Mann könnten sich gut vorstellen, Amelie zu sich zu nehmen. Immerhin verstünde sie sich ja auch prächtig mit Felicitas. »Die beiden benehmen sich schon wie Schwestern«, fand Rolf Schneider.

»Das kann ich nicht entscheiden«, sagte Ann Kathrin. »Aber ich bin mir sicher, dass das Jugendamt jetzt das Beste fürs Kind suchen wird. Und da wird auch Amelies Wille eine große Rolle spielen.«

»Ja«, rief Amelie aus der Küche, »ich will!«

Inzwischen kamen immer mehr Leute. Die Sängerin Bettina Göschl und ihr Bassist Heinz Edzards, Holger Bloem, Rieke Gersema, die Pressesprecherin, Sylvia Hoppe, die ihre neue Freundin mitbrachte. Die beiden planten, zu heiraten, und überlegten, ob dies der richtige Moment war, um alle damit zu konfrontieren. Vielleicht hätten sie es getan, wenn nicht in dem Moment Wellers Handy *Piraten Ahoi!* gespielt hätte. Gut die Hälfte aller anwesenden Gäste stimmte gleich mit ein und sang: »Hisst die Flaggen, setzt die Segel«.

Weller verstand erst gar nicht, was geredet wurde, obwohl sein Handy wie immer viel zu laut geschaltet war.

»Pscht! Seid doch mal still«, rief er und ging mit dem Handy ein Stück weiter in den Garten. Er lief ein paar Schritte auf und ab und hörte zu. Dann hob er den linken Arm. Man konnte ihm ansehen, dass etwas Wichtiges geschehen war.

Die meisten schwiegen und sahen ihn erwartungsvoll an. Kam etwa ein Lob aus der Chefetage?

»Ich habe«, rief Weller, »den Drehbuchautor Wolf Eich am Telefon. Er hat in Gelsenkirchen recherchiert. Er kennt jetzt den Mörder!«

Marion Wolters stichelte: »Na, da sind wir aber alle erleichtert!«

Weller sprach ins Handy. »Die Kollegen sind gerad hier. Sie kennen den Mörder?«

Weller stellte sein Handy noch lauter. Jetzt verstanden alle, was gesprochen wurde. »Informieren Sie uns, Herr Eich. Ich glaube, das wollen alle hören.«

»Ja, ich weiß Bescheid! Es ist Reinhard Fleurus! Ich habe das investigativ recherchiert. Ich werde daraus ein Drehbuch machen und einen großen Film! Aber natürlich stelle ich Ihnen alles zur Verfügung, damit Sie ihn einkassieren können.«

Brüllendes Gelächter der ganzen Gruppe war die Antwort.

Weller versuchte noch, das Gespräch weiterzuführen, während er sich Lachtränen aus den Augen wischte. »Ja, das ist sehr großzügig von Ihnen. Wollen Sie mal hören, was die Kolleginnen und Kollegen dazu zu sagen haben?«

»Na klar.«

Weller ging näher zur Gruppe und hielt das Handy hoch in die Luft, so dass Wolf Eich die Freude und das Gelächter hören konnte.

»Ja«, sagte Weller, »sie können es kaum glauben. Wir sind Ihnen wirklich sehr dankbar. Und das wird bestimmt auch ein ganz toller Film!«

»Dürfen wir den auch gucken?«, fragte Amelie. »Und machst du uns noch mehr von dem Kaiserschmarrn? Der ist köstlich!«

Weller und Ann Kathrin sahen sich an. Es gab Augenblicke, in denen glaubten sie, zumindest für kurze Zeit, dass alles gut werden könnte. Dies war so ein Moment.

ENDE

Leseprobe

Klaus-Peter Wolf
EIN MÖRDERISCHES PAAR

DER VERDACHT

Ostfriesenkrimi

Der zweite Band der Trilogie erscheint
am 29.05.2024

Markus Baumann hatte viele Methoden ausprobiert,
Frauen rumzukriegen. Keine war so erfolgreich wie die Sommerfeldt-Masche. In letzter Zeit hatte es drei Fernsehsendungen
über den Serienkiller gegeben, eine Reportage über die Misser-
folge bei der Fahndung nach seinem Ausbruch und mögliche
Helfershelfer in Ostfriesland, eine Sondersendung von *Akten-
zeichen XY … ungelöst*, mit dem die aktuelle Fahndung nach
ihm befeuert werden sollte und dann unterhielten sie sich im
Literarischen Quartett über ihn und seine Biographie. Zum ersten Mal hatte die Sendung mehr als drei Millionen Zuschauer
und wurde in der Mediathek zigmal aufgerufen. Angeblich
drehte das ZDF einen Spielfilm nach seiner Biographie *Totenstille im Watt* und wer die Hauptrolle, also Dr. Bernhard Sommerfeldt, spielen sollte, wurde wie ein Staatsgeheimnis gehütet.

Er hatte sich viel mit Sommerfeldt beschäftigt und seitdem
er auf Sommerfeldt machte, legte er reihenweise Frauen flach.
Sie vertrauten ihm sofort, waren bereit, ihn zu verstecken, boten ihm Geld an und liebten ihn bis zur Erschöpfung.

Er selbst war ein Jäger. Er war auf keinen Frauentyp festgelegt. Für ihn war es ein Sieg, wenn sie mit ihm ins Bett stiegen und genau darum ging es.

In frühester Kindheit schon hatte er erlebt, dass er nicht um seiner selbst willen geliebt wurde, sondern höchstens für Leistungen, die er vollbrachte. Also gab er für seinen Vater den tollen Torwart, obwohl er es ziemlich bescheuert fand, sich mit dem Kopf voran auf einen Ball zu stürzen, nach dem andere traten. Vier Finger waren ihm beim Spiel gebrochen worden und einmal auch die Nase.

Für seine Mutter wollte er das musische Genie geben, doch Torwart und Klavierspielen, das passte nicht zusammen. Mit gebrochenen Fingern spielt sich Mozart schlecht.

In sich drin war er weder ein Fußballer noch ein Musiker und auch den braven Schüler spielte er nur. Er wollte geliebt werden und strampelte sich ab. Um die Liebe seiner Eltern kämpfte er schon lange nicht mehr, das war Schnee von gestern. Jetzt sammelte er Erlebnisse mit Frauen, am besten an jedem Wochenende eine andere. Und mit der Sommerfeldt-Masche war das überhaupt kein Problem.

Zu seiner Ausstattung gehörte eine helles Leinenjackett. Aus der rechten Tasche ragte immer ein Buch von Dr. Bernhard Sommerfeldt.

Baumann fand die Frauen bei Krimilesungen, bei Spaziergängen im Park und besonders viele von ihnen machten gern Urlaub an der Nordsee. Sie besuchten die Plätze, an denen Sommerfeldt sich laut seiner Bücher aufgehalten hatte. Welcher Sommerfeldt-Fan wollte nicht mal im *Café ten Cate* Baumkuchen gegessen haben? Natürlich besuchten sie den Lütetsburger Park, wollten auf Langeoog in einem Anna-See-Apartment wohnen, am liebsten mit Blick auf die Eisdiele *Venezia*.

Er wusste, wie er sie fand und er wusste, wie er sie ansprechen musste. Dazu waren keine Verrenkungen in Diskotheken notwendig, und er musste auf keiner Skipiste mit dem Skilehrer konkurrieren. Er begann ein lockeres Gespräch über Ostfriesland und über Sommerfeldt und wenn er den Glanz in ihren Augen sah, dann verriet er nach nicht allzu langer Zeit, er sei Dr. Bernhard Sommerfeldt. Natürlich nicht mehr ganz so schön wie auf den Fahndungsplakaten, denn er habe sich umoperieren lassen, sonst könne er sich ja nicht an seinen Lieblingsorten aufhalten. Er sei verpfiffen worden und brauche dringend eine sichere Wohnung für die Nacht.

Von zehn Versuchen hatte es achtmal funktioniert. Zweimal hatte er die Geschichte selbst abgebrochen, weil die Frauen ihm frei heraus sagten, ihre Männer hätten bestimmt nichts dagegen, die seien auch Sommerfeldt-Fans.

Besonders angenehm an der Sommerfeldt-Methode fand er auch, dass er danach nicht großartig Schluss machen musste und es keine schrecklichen Abschiedsszenen gab, keine *Ich hasse dich*-Schreie, sondern jede verstand doch, dass er weiterziehen musste und ihr weder eine Telefonnummer geben konnte noch eine Adresse.

Er ging mit einem Augenzwinkern und versprach, sich wieder zu melden. Das war es dann auch schon.

Er arbeitete als Verwaltungsangestellter in Meppen. So konnte er jedes Wochenende einen kurzen Trip nach Ostfriesland machen. Am Anfang buchte er sich noch ein Zimmer, gern im *Smutje*, weil dort viele Leserinnen von Dr. Sommerfeldt übernachteten, inzwischen sparte er sich das Geld. Meist brauchte er ja gar kein eigenes Zimmer, weil er die Nacht sowieso in einem anderen Bett verbrachte. Das erhöhte für ihn sogar noch den Spaß bei der Jagd und den Druck, es auch hinzukriegen. Wenn alles schiefging, konnte er immer noch nach Hause fahren und es am andern Tag nochmal versuchen.

Die neugestaltete Wasserkante in Norddeich, *das Deck,* war ein magischer Anziehungspunkt für Sommerfeldt-Fans. Dazu das Meer, die Sonne, die entspannte Stimmung, vielleicht noch ein Glas Weißwein vor dem *Haus des Gastes* – was sollte da schiefgehen?

Doch diesmal lief nicht alles so gut für ihn. Er glaubte, noch in der glücklichsten Phase seines Lebens zu sein. Er sah einer vollbusigen Fünfzigjährigen in die Augen, die sogar wörtliche Stellen aus der Sommerfeldt-Trilogie zitieren konnte. Sie tranken Weizenbier und rieben sich gegenseitig mit Sonnencreme ein, doch keine drei Meter von ihnen entfernt saß Johann Baptist Reichhart, auch *der Henker* genannt. Inzwischen hatte es sich bis zu ihm rumgesprochen, dass Sommerfeldt zum Frauenhelden mutiert war, der gern in Norddeich, Bensersiel und Greetsiel auf die Jagd ging.

Für Johann Baptist war Sommerfeldt zehn Millionen wert, denn genau so viel hatte Willi Klempmann auf seinen Kopf ausgesetzt.

Die beiden Turteltäubchen sahen nicht so aus, als ob sie sich heute noch trennen würden. Mir wird gar nichts anderes übrigbleiben, dachte Johann Baptist und spielte mit der rechten Hand in seiner Jackentasche mit der Stahlschlinge. Ich muss beide töten. Zuerst ihn – der gefährlichste Gegner muss immer sofort ausgeschaltet werden – und danach sie. Zeugen kann ich wahrlich nicht gebrauchen.

Zur gleichen Zeit heiratete der echte Dr. Bernhard Sommerfeldt unter dem Namen Ernest Simmel seine geliebte Frauke Winterberg im Alten Leuchtturm auf Wangerooge. Hauptkommissar Rupert und seine Frau Beate waren Trauzeugen.

Jörg und Monika Tapper hatten die Hochzeitstorte persönlich nach Wangerooge gebracht.

Das dreistöckige Kunstwerk wartete jetzt im Appartement Anna Düne mit Meerblick darauf, angeschnitten zu werden.

Als Klinikleiter wollte Simmel keine große Hochzeit. Er hatte Angst, alle einladen zu müssen und eine Riesenfeier mit all den Offiziellen stellten die beiden sich eher unromantisch vor. Nicht mal Freunde aus dem Lütetsburger Golfclub hatten sie eingeladen. Es sollte ein ganz intimes, kleines Fest werden.

Sommerfeldt bestand darauf, seine Braut, die natürlich in Weiß geheiratet hatte, jetzt über den Sand in die Nordsee zu tragen. Jörg machte Fotos. Viele Menschen verließen ihre Strandkörbe, um zuzusehen und Beifall zu klatschen. So eine Hochzeit bei herrlichem Wetter direkt am Strand lockte einfach immer viele Menschen an.

Der Wind blies in Fraukes Kleid und ließ sie schwanger erscheinen. Die Wellen leckten an ihren Füßen. Sie kreischte vor Freude und Sommerfeldt tauchte mit ihr gemeinsam vollständig unter. Es sah ein bisschen aus wie eine Taufe.

Im freudigen Überschwang, angestachelt von der Meerluft und dem Applaus, packte Rupert seine Beate und kreischte: »Nach so vielen Jahren Ehe machen wir das jetzt auch mal! Davon hab ich schon immer geträumt!« Er rannte mit Beate ins Wasser.

»Du bist verrückt!«, schrie sie.

»Ja«, antwortete er, »deshalb hast du mich doch geheiratet.«

Monika Tapper sah ihren Mann an, der Fotos machte, breitete die Arme aus und sagte: »Ja, nun, und was ist mit mir?«

Er gab einem Kind sein Handy und sagte: »Pass gut drauf auf, Kleiner.« Dann schnappte er seine Frau und trug sie wie eine Beute zu den anderen ins Wasser.

Als sie klatschnass, aber glücklich, wieder im Sand standen und die drei Pärchen sich beklatschen und fotografieren ließen, lud Sommerfeldt die Umherstehenden ein, mit ihnen zum *Friesenjung* zu kommen.

»Da oben«, sagte er, »habe ich eine Hochzeitstorte, die ist eh zu groß für uns. Wer möchte, bekommt ein Stück.«

»Und falls es Beschwerden gibt«, rief Jörg Tapper, »ich bin der Konditor.«

»So etwas«, sagte ein Mann zu seiner Frau, »erlebst du nur in Ostfriesland, Hilde. Ich hab's dir doch gesagt: Lass uns wieder hin. Hier fühle ich mich immer zwanzig Jahre jünger.«

Sie küsste ihren Mann auf die Wange und bestätigte: »Ich mich auch!«

Beim Anschneiden der Torte achteten Monika und Beate darauf, dass Sommerfeldt und Frauke gemeinsam den ersten Schnitt machten und als Frauke ihre Hand oben hatte, lachte Beate: »Jetzt wissen wir auch, wer in der Ehe die Hosen anhat!«

Das Brautpaar verteilte Tortenstücke an alle Anwesenden. Sommerfeldt hatte schon Sorge, selbst nichts mehr mitzubekommen, zumal Rupert bereits das dritte Stück aß. Schließlich war es ja auch eine dreistöckige Torte mit drei verschiedenen Geschmacksrichtungen.

Pfirsich-Maracuja fand Rupert ganz klasse, aber sein Favorit war Whisky-Sahne. Auf Himbeer-Sahne fuhr besonders Beate ab. Echte Früchte konkurrierten mit Marzipangebilden.

Dazu gab es Ostfriesentee und heißen Kaffee, doch wirklich warm wurde ihnen nicht davon. Zum Glück gab es unten im Anna-Düne-Gebäude eine Sauna, und die hatten sie vorsichtshalber anwerfen lassen. Die sechs zogen sich dorthin zurück.

Monika Tapper wagte nicht, es auszusprechen. Sie hatte es nur einmal ihrem Mann erzählt und sich dann entschieden, den Mund zu halten. Dieser Ernest Simmel hatte manchmal etwas von ihrem alten Stammgast Dr. Bernhard Sommerfeldt. Er sah völlig anders aus, aber er liebte die gleichen Speisen, er lachte über die gleichen Scherze, er konnte leidenschaftlich über Literatur reden und in seiner Nähe bekam jede Frau das Gefühl, etwas ganz Besonderes zu sein. Ein beschützenswertes Kulturgut, wie sie es mal genannt hatte, ja geradezu ein göttliches Wesen.

Sommerfeldt verehrte die Literatur, die Kunst und die Frauen auf eine fast schon religiöse Weise. Bei Ernest Simmel erlebte sie etwas Vergleichbares. Dazu diese Lebensgier, dieser Wille, Spaß zu haben und aus der Zeit, die einem auf Erden blieb, das Beste herauszuholen. Und die Art, wie er Torte aß, als würde er sie einatmen … Er hatte ein fast erotisches Verhältnis zu Sahne, Marzipan, als würde er mehr riechen und schmecken als andere. Auch darin glich er Sommerfeldt. Diese Hingabe an Gaumenfreuden hatte sie nicht bei vielen Menschen erlebt.

Sie grinste. Ihr Mann war so ähnlich.

Rupert aß einfach gierig, als wollte er die Energie haben, die darin enthalten war. Sommerfeldt und ihr Mann hatten sich stattdessen immer ganz dem Genuss hingegeben.

Die Marzipanröschen auf der Torte waren nicht einfach Verzierung, sondern Ernest Simmel aß sie wie eine Offenbarung, ließ die einzelnen Blätter mit geschlossenen Augen auf der Zunge zergehen.

Vielleicht, dachte Monika, ist er Sommerfeldt. Aber ich werde ihn nicht fragen. Und ich werde diesen Gedanken nicht äußern.

Sie schaute sich ihren Mann Jörg an. Hegte der etwa auch einen Verdacht? War es die feine Anspielung eines Konditors, dass er blutrot gefärbte Schokolade von der Torte tropfen ließ, als hätte er sich beim Herstellen der Torte verletzt? War das seine Art, Dr. Ernest Simmel zu sagen: *Ich weiß, wer du wirklich bist, Kumpel. Aber ich werde dich nie verraten.*

Sie hieß Birgit und leitete einen Kindergarten in Essen. Vor knapp zehn Jahren hatte sie begriffen, dass ihr Ehe ein nicht mehr zu reparierender Trümmerhaufen war und sich dafür entschieden, ihr Glück zu suchen, statt im Unglück auszuharren.

Es kam ihr vor wie eine Entscheidung auf Leben und Tod, eine Entscheidung für sich selbst. Es war etwas Verbotenes darin und sie hatte so lange gebraucht, sich zu trauen.

Seitdem war vieles angenehmer geworden. Sie aß, worauf sie Lust hatte, sah sich die Filme an, die ihr gefielen, und niemand war beleidigt, wenn sie abends im Bett las oder Hörbücher hörte. Sie machte jedes Jahr vierzehn Tage Urlaub in Norddeich und ein Tagesausflug nach Norderney war auch immer drin.

Manchmal schrieb sie Besprechungen über ihre Lieblingsbücher und veröffentlichte sie bei Lovelybooks. Einmal im Monat ging sie mit ihren Freundinnen in die Sauna. Sie genoss es, beflirtet zu werden. Endlich glaubte niemand mehr, ein Recht darauf zu haben, eifersüchtig zu werden.

Und jetzt saß sie hier auf dieser Bierbank mit Blick aufs Meer mit einem Mann, der behauptete, Dr. Bernhard Sommerfeldt zu sein, und sie hatte keinen Grund, an seiner Aussage zu zweifeln. Trotzdem wollte sie ihn einem kleinen Test unterziehen und sei es nur, um ihren Freundinnen, die das alles sicherlich nicht glauben würden, hinterher etwas erzählen zu können.

Sie schlug ihm vor, ein Selfie zu machen. Er lehnte das lächelnd ab und sie sagte: »Klar, verstehe schon. War blöd von mir.«

Sie lud ihn in ihren Strandkorb mit der Nummer 351 ein. Sie hatte extra einen gewählt, der weit von den Spielgerüsten entfernt war, denn sie fürchtete, dass sonst wieder die Erzieherin mit ihr durchgehen könnte. Auch wollte sie nicht gern von Eltern oder Kindergartenkindern, die vielleicht zufällig auch hier Urlaub machten, erkannt werden. Die Norddeichzeit war private Zeit!

Die Zartheit, mit der er ihr vor dem Strandkorb den Rücken eincremte, hatte schon fast etwas von einem Vorspiel an sich.

Wie oft hatte Johann Baptist Reichhart andere Männer beobachtet ... Er hatte versucht, von ihnen zu lernen. Er war nicht sehr erfolgreich. Meist hatte er für Sex bezahlen müssen und im Grunde war es ihm auch lieber so, um in keinerlei emotionale Abhängigkeit zu geraten. Doch genau da war er jetzt hineingerutscht.

Seine Desiree kümmerte sich gerade in Emden Twixlum um ihre *heiligen* Tomaten und hatte ihm für heute Abend selbstgemachte Pizza versprochen. Er hoffte, es bis dahin hinter sich gebracht zu haben.

Desiree wusste nicht, wovon er wirklich lebte. Vielleicht ahnte sie es. Offiziell war er Handelsvertreter. Dies hier sollte sein letzter Job werden.

Zehn Millionen für Dr. Bernhard Sommerfeldt! Er musste schnell sein.

Hinter dem Kopfgeld waren viele her.

Im Grunde hatte er den Tipp sogar von Desiree. Eine Freundin hatte ihr erzählt, sie hätte eine Nacht mit dem berühmten Serienkiller verbracht. Sie hätte schon besseren Sex gehabt, aber eben nicht mit so einem berühmten Mann.

Er hatte sie angeblich in Greetsiel angesprochen, wo sie vor der Eisdiele saß und eins seiner Bücher las.

»Bitte erschrecken Sie nicht«, hatte er angeblich gesagt, »Das Buch ist von mir. Es sind ein paar böse Jungs hinter mir her. Können Sie mir helfen, mich zu verstecken?«

Johann Baptist glaubte diese Aussage und folgerte daraus, dass Sommerfeldt tatsächlich auf der Flucht war, verängstigt, vermutlich, weil er wusste, dass zehn Millionen auf seinen Kopf ausgesetzt worden waren. Er würde also misstrauisch sein und vorsichtig. Er sprach Frauen an, um ein wenig Sicherheit zu finden, aber war nicht in der Lage, sich wirklich von Ostfriesland zu trennen. Auch das passte zu Sommerfeldt.

Wenn er sah, wie Sommerfeldt diese Birgit becircte, dann stieg seine Lust darauf, ihn umzubringen, denn dieser Sommerfeldt gehörte genau zu den Typen, die ihm immer die besten Frauen vor der Nase weggeschnappt hatten. Je weniger von den Typen herumliefen, umso besser würde es ihm gehen.

Die Leinenjacke mit dem Roman hatte er an den Strandkorb gehängt, so dass man die Hälfte des Covers *Totenstille im Watt* immer noch sehen konnte. Für ihn war es so, als würde er die

Angel schon wieder auswerfen. Johann Baptist Reichhart folgerte daraus, wie sicher Sommerfeldt sich fühlte. Im Grunde war er ein Angeber, eine leere Dose, die laut klapperte. Ohne seine Bücher, ohne seinen Ruhm, wäre er nichts.

Gleichzeitig klingelten in Johann Baptist die Warnglocken. *Unterschätz ihn nicht! Er hat sechs Morde gestanden und wahrscheinlich ein Dutzend begangen. Er ist immer wieder entwischt.*

Doch so, wie er da im Strandkorb Birgit beflirtete, machte er den Eindruck eines Mannes, der unvorsichtig und träge geworden war. Der beobachtete nicht ständig das Umfeld, um eine Gefahr schnell genug zu erkennen. Er benahm sich nicht wie einer auf der Flucht. Eher wie ein Tourist, der auf ein Abenteuer aus war.

Jeder hat seine Schwachstellen, dachte Johann Baptist. Deine sind die Frauen. Und darüber wirst du stolpern, du blöder Angeber, du.

Noch heute wirst du mich reich machen!

Er schloss einen Moment die Augen und genoss die Sonne in seinem Gesicht. Es war, als würde der Wind seine Wangen streicheln. Würde das in Zukunft sein Leben werden? Vielleicht zusammen mit Desiree? Nur noch Sonne, Meer, Freizeit und Genießen?

Er erschrak fast bei dem Gedanken und riss die Augen wieder auf. Wurde auch er müde und faul, unvorsichtig und träge? War er dabei, wie Sommerfeldt von der Legende zum selbstgefälligen Henker zu werden, der sich auf seinem Ruhm ausruhte?

Sein eigentliches Ziel, so wie sein Vorbild Reichhart dreitausend Leute hinzurichten, hatte er eh aufgegeben. Er würde nie gegen den richtigen Johann Baptist Reichhart gewinnen. Der hatte schließlich in staatlichem Auftrag handeln dürfen. Erst für die Weimarer Republik, dann für die Nazis und schließlich für die Amerikaner. Das war ein ungleicher Kampf, den konnte er nicht gewinnen. Er war Freiberufler und stolz darauf. Er handelte nicht in staatlichem Auftrag. Er hatte kein System hinter sich. Er suchte sich seine Jobs selber aus.

Er konnte gar nicht abwarten, Sommerfeldt endlich hinzurichten und befürchtete auch, es könne ihm selbst jetzt noch jemand anders zuvorkommen. Was, wenn plötzlich einer der Eis schleckenden Touristen da aus seiner Jogginghose einen Revolver zog und in den Strandkorb feuerte? Dieser Idiot von Sommerfeldt ließ doch jeden ganz nah an sich ran. Jetzt zum Beispiel.

Ein viel Gepäck schleppender Mann mit einem stattlichen Bierbauch ging direkt an dem Strandkorb vorbei, in dem die zwei sich ständig neue Spiele in Sachen Haut ausdachten. Der Mann konnte eine Pumpgun unter der Decke tragen oder ein Samurai-Schwert.

Sommerfeldt beachtete ihn nicht einmal.

Johann Baptist ging davon aus, dass auch er selbst noch nicht von Sommerfeldt bemerkt worden war, obwohl er sich die ganze Zeit in seiner Nähe aufhielt. Der hat nur Augen für Frauen, dachte er, und genau das wird ihm jetzt das Genick brechen.

Was die beiden da im Strandkorb trieben, war inzwischen nicht mehr ganz jugendfrei und mit einer größeren Öffentlichkeit nicht mehr kompatibel. Sie erkannten das selbst und gingen Hand in Hand zwischen den Strandkörben auf dem kürzesten Weg zu ihrer Ferienwohnung.

Sie waren frei, sie waren unabhängig und sie waren scharf aufeinander.

Voller Neid und Missgunst schlich Johann Baptist ihnen nach.

In der Ferienwohnung angekommen, riss sie alle Fenster und Türen auf. Die Vorhänge flatterten nach draußen. Irgendein alter Muff musste raus, bevor die neue Liebe einziehen konnte.

Er überlegte ernsthaft, ob er ihnen ein bisschen Zeit lassen sollte. War es schöner, ihn jetzt sofort zu holen oder sollte er ihm noch einen letzten Spaß gönnen, sozusagen die Henkersmahlzeit? Sie mussten eh beide sterben.

Was wird schöner, dachte er, was ist besser für mich? Wenn ich sie umbringe, während sie noch vor Sehnsucht brennen oder wenn sie schon erschöpft, vielleicht gar ein bisschen enttäuscht, nebeneinander liegen?

Auf dem Nachbargrundstück spielten Kinder. Ihre Mutter lag im Liegestuhl, löste Kreuzworträtsel und forderte die Kinder auf, nicht so laut zu sein und sich zu vertragen.

Die Mutter zog ihr Bikini-Oberteil aus und cremte sich mit einer Sonnenschutzmilch die weißen Brüste ein, um sich ein wenig oben ohne zu sonnen.

Er hätte ihr gern noch ein wenig zugesehen, wie sie sich so im Liegestuhl flegelte, als sei sie in einer Parallelwelt.

Kann ich das auch, dachte er, so entspannen und alles ausblenden?

Er hatte Angst, noch länger vor dem Haus herumzustehen. Die Gefahr, hier gesehen und später beschrieben zu werden, war einfach zu groß.

Er wollte sich keine Mühe machen, die Leichen zu entsorgen. Er würde sie einfach in der Ferienwohnung lassen. Natürlich würde die Kripo bei allen Nachbarn klingeln und fragen, ob sie etwas gesehen hätten.

Nein, er musste schnell handeln. Außerdem bestand die Gefahr, dass sie für ihre intime Zweisamkeit Fenster und Türen wieder schlossen.

Er musste seine Chance jetzt nutzen.

Er trat ein.

Er stand im Wohnzimmer herum, hörte das Flattern der Vorhänge und das Kichern der zwei in der Küche.

»Einen Wunsch habe ich«, sagte sie.

Markus Baumann war nur zu gern bereit, seiner neuen Eroberung langgehegte sexuelle Wünsche zu erfüllen. Der Gedanke machte ihn scharf.

Doch sie sagte: »Würdest du für mich deine berühmte Fischsuppe kochen? Wenn ich das meinen Freundinnen erzähle, dass Dr. Bernhard Sommerfeldt für mich seine Fischsuppe gekocht hat, dann ...« Sie verstand, dass ihm das nicht gefallen würde und entschuldigte sich sofort: »Keine Sorge, ich erzähle es natürlich meinen Freundinnen nicht. Niemand wird jemals erfahren, dass wir beide hier ... Aber deine Fischsuppe, das wäre wirklich das Größte!« Sie zitierte den Satz aus seinen Aufzeichnungen wörtlich: »*Es ist viel schwieriger, eine gute Fischsuppe zuzubereiten, als an eine neue Identität zu kommen.*«

Er hatte zwar mit ganz anderen Wünschen gerechnet, versprach aber: »Na klar, mach ich für dich meine Fischsuppe. Ich würde sie selbst gern mal wieder essen. Aber dann muss ich vorher einkaufen gehen. Das ist riskant. Ich lasse mich nicht gerne in der Öffentlichkeit blicken im Moment.«

»Aber warum, dein neues Gesicht kennt doch noch niemand, oder?«, fragte sie erschrocken. »Wir haben doch auch gerade zusammen im Strandkorb gesessen und vor dem Haus des Gastes.«

Er merkte, dass er sich verhaspelt hatte. An einer anderen

Stelle seines Körpers hatte sich so viel Blut angesammelt, dass für sein Gehirn nicht mehr genug übrigblieb. Er kannte das von sich. Kurz vorher begann er Unsinn zu reden. Er musste jetzt schnell zur Sache kommen.

»Ich gehe für uns einkaufen«, schlug sie vor. »Schreib mir einfach alles auf, was du brauchst.«

Johann Baptist Reichhart zog die Stahlschlinge aus seiner Tasche und betrat die Küche.

Baumann stand mit dem Rücken zu Johann Baptist. Noch bevor er das Gesicht seines Mörders gesehen hatte, lag die Schlinge der Garotte bereits um seinen Hals.

Er fuchtelte mit den Armen herum, bog seinen Rücken durch, versuchte, das Seil zu greifen und bekam keinen Ton heraus.

Birgit dagegen reagierte sofort. Sie schnappte sich die Teekanne vom Tisch. Ostfriesische Rose. Und sie griff ihn damit an. Noch nie in seinem Leben war Johann Baptist mit einer Teekanne attackiert worden. Die Stahlschlinge erforderte beide Hände.

Birgit traf ihn einmal an der Schläfe und mit dem zweiten Schlag zerschmetterte sie die Kanne direkt an seiner Stirn.

Ihm wurde schwarz vor Augen. Sterne flogen auf ihn zu. Er sah sich taumeln. Die Garotte baumelte von Sommerfeldts Hals herunter wie eine Krawatte, deren Knoten nach einer langen steifen Feier endlich gelöst worden war.

Er hörte die Frau kreischen: »Hau ab! Hau ab! Ich halte ihn auf!«

Jetzt traktierte sie ihn mit einem Besenstiel. Wie eine Löwenmutter ihre Jungen verteidigt, so versuchte sie, Sommerfeldt zu schützen.

Dass die Garotte in die Ecke flog, erkannte Johann Baptist

Reichhart am Geräusch. Er hatte Mühe, etwas zu sehen. Für einen Moment glaubte er, sein Gesicht sei voller Blut, doch es war nur der Rest Thiele-Tee, der über sein Auge gelaufen war.

Er versuchte, den Besenstiel zu fassen, den sie wie einen Aikido-Stab benutzte und damit nach ihm schlug und stach.

Natürlich hatte er Sommerfeldt für den stärkeren Gegner gehalten, doch mit ihr fertig zu werden, war ein viel größeres Problem.

»Lauf, Bernhard, lauf!«, rief sie und rammte Johann Baptist die Spitze des Besenstiels in die Rippen. Er jaulte vor Schmerz.

So war es schon immer gewesen: Schmerzen befreiten sein Gehirn, halfen ihm, sich zu fokussieren. Er vergrub sein Gesicht in der Armbeuge, damit trocknete er gleichzeitig seine Augen und raffte sich auf. Zweimal traf ihn der Besenstiel am Kopf, noch einmal hörte er den Ruf: »Lauf, Bernhard! Ich werde schon mit dem fertig!«

Sie versuchte, ihm jetzt in die Weichteile zu treten. Zu seinem Glück traf sie nur seinen Oberschenkel.

»Er wollte mich umbringen«, rief Markus Baumann entsetzt. Er stürmte zur Außenterrasse: »Ich rufe die Polizei!«, schrie er und tippte auf seinem Handy herum. Doch Birgit warnte ihn: »Du kannst doch nicht die Polizei rufen! Mein Gott, erinnere dich daran, wer du bist!«

Vielleicht war das der Moment, in dem ihr die ersten Zweifel kamen. Sie stürmte hinter ihm her. Auf dem Weg zur Terrasse stolperte Baumann über eine Falte im Teppich.

Sie stellte sich breitbeinig vor ihn, um ihn zu schützen.

Johann Baptist stach gnadenlos zu. Weil die Klinge so scharf war, spürte sie nicht einmal einen Schmerz. Sie sah nur, dass sich auf ihrem Shirt ein großer roter Fleck ausbreitete. Sie stürzte rückwärts über Markus Baumann. Ihre Beine lagen über seinem Bauch.

Johann Baptist kniete sich nieder, um Sommerfeldt den Hals durchzuschneiden. Er nahm sich vor, es zu genießen. Er setzte die Klinge an und sagte: »Weißt du, wieviel ich für dich kriege?«

Kalter Tee tropfte von seinem Kinn in Baumanns Gesicht.

»Ich bin's nicht!«, rief Markus Baumann. »Sie töten den Falschen! Sie wollen bestimmt den richtigen Dr. Sommerfeldt! Ich bin doch nur …«

Johann Baptist zitierte Birgit: »Lauf, Bernhard, lauf! – Sie ist bereit, für dich zu sterben. Für sie kriege ich gar nichts, aber für dich zehn Millionen. Gute Reise. Nimm's nicht persönlich. Es ist rein geschäftlich.«

Markus Baumanns Körper zitterte. Er strampelte. Er leistete nicht die geringste Gegenwehr.

Einen Moment überlegte Johann Baptist, ob er Sommerfeldt enthaupten sollte, um den Kopf tatsächlich auf einem Silbertablett zu Klempmann zu bringen. Gleichzeitig schätzte er Klempmann nicht sehr humorvoll ein.

Das viele Blut machte ohnehin schon eine große Sauerei. Er konnte so gar nicht nach draußen gehen. Er schloss alle Fenster und Türen.

Birgit versuchte, ein paar Meter in Richtung Badezimmer zu kriechen, warum auch immer. Er gab ihr mit dem Messer den Rest.

Vorsichtshalber machte er vom toten Sommerfeldt ein paar Fotos. Schließlich konnte sich jeder hinterher als Vollstrecker aufspielen und das Geld für sich beanspruchen.

Er schickte eine Nachricht an Willi Klempmann: *Ich habe mir erlaubt, Ihnen eine große Freude zu machen.*

Dann duschte er, wusch Blut aus seinen Klamotten, reinigte alles, so gut es ging, nahm sich aus der Obstschale eine Banane und aß sie auf dem Weg zurück zu seinem Motorrad.

Es ist vollbracht, dachte er. Jetzt musste er nur noch zusehen, dass niemand versuchen würde, ihn um die zehn Millionen zu betrügen oder sie ihm abzujagen. Er brauchte neue Papiere, einen neuen Namen für sich und für Desiree. Und dann ein neuer Anfang. Ein neues Glück.

Er ging beschwingt, kaufte sich bei *Riva* ein Eis und ging noch einmal zum Deich hoch, um aufs Meer zu schauen. Juist sah zum Greifen nah aus.

Er hatte das Gefühl, an einem Wendepunkt seines Lebens zu stehen. Es kam ihm so vor, als hätte er bisher gar nicht gewusst, wie man wirklich lebt und deswegen einfach andere nachgemacht. Er hatte sich als Vorbild den letzten Henker, Johann Baptist Reichhart, ausgesucht und darüber vergessen, wer er wirklich war. Jetzt, vielleicht zusammen mit Desiree, könnte alles anders werden. Vielleicht würde er sich selbst finden und entdecken. Gleichzeitig kam ihm der Gedanke kitschig vor. Er gehörte eigentlich nicht zu den Leuten, die im Leben immer einen tieferen Sinn suchten. Die meiste Zeit war ihm alles sinnlos erschienen. Zufällig.

Er bestieg sein Motorrad, als sei er bereits ein neuer Mensch. Die zehn Millionen würden ihm helfen, endlich so zu leben, wie er es sich immer gewünscht hatte: Frei und unabhängig!

Leseprobe

Klaus-Peter Wolf
OstfriesenNEBEL

Der neue Fall für
Ann Kathrin Klaasen

Der neue Roman (Band 19)
erscheint am 22.01.2025

Normalerweise war es hier oben im Flur der Polizeiinspektion ruhig. Wenn mal eine Tür geknallt wurde, waren es entweder der Durchzug oder Kommissar Rupert.

Beim letzten Mal war es hier vor ein paar Jahren laut gewesen, als ein Serienkiller versucht hatte, aus Ann Kathrin Klaasens Büro zu fliehen. Er hatte Marion Wolters in die Hand gebissen und war direkt in Jessi Jaminskis Faust gelaufen.

Jetzt tobten zwei Grundschulkinder durch den Flur und kegelten einen Stuhl gegen Ruperts Tür. Der wurde bei seinem Versuch, sich hochzuschlafen, gestört.

Er hatte davon geträumt, zum Polizeichef ernannt worden zu sein. Der Lärm hatte nicht nur ihn, sondern auch Marion Wolters aus ihrem Büro gelockt. Rupert und Marion sahen sich feindselig an.

Ein blonder Junge zerrte seinen zwei Jahre jüngeren Bruder über den Boden. Der Kleine versuchte, sich zunächst an der Tür festzuhalten, dann an Rupert.

»Na«, fragte Rupert verständnisvoll lächelnd, »spielt ihr Cowboy und Indianer?«

»Nein«, konterte der Ältere, »wir spielen Klimakleber und Polizei.«

Ein Seufzer entfuhr Rupert: »*Was* macht ihr?«

Marion Wolters giggelte: »Sie spielen Klimakleber und Polizei. Ich glaub's nicht!«

Ihr schien das zu gefallen.

Der Kleinere klammerte sich immer noch an Ruperts Bein fest. Rupert bückte sich, löste die Hand des Jungen und schlug ihm vor, sich gefälligst woanders festzukleben. Dann drehte Rupert sich kopfschüttelnd um und verschwand mit dem Satz: »Was ist nur aus dieser Welt geworden?«, in sein Büro.

Marion Wolters versuchte, beruhigend auf die Kinder einzuwirken. Mit ihrer leisen, warmen Stimme gelang ihr das sogar: »Ihr seid doch bestimmt nicht alleine hier, oder?«, fragte sie und versuchte, Blickkontakt aufzunehmen, erst zu dem Älteren, dann zu dem Jüngeren. Der Große reagierte nicht, sondern zerrte an seinem Bruder herum. Der Kleine zeigte auf Ann Kathrins Tür und rief: »Wir sind mit unserer Mama da!«

Drei Stühle waren zu einer Pyramide aufgebaut, ein anderer lag quer im Flur, nahe bei der Treppe. Marion ordnete die Stühle wieder und stellte so im Flur eine Wartezimmeratmosphäre her.

»Setzt euch hier mal brav hin«, schlug sie vor. »Ich kann euch gerne Papier bringen und Stifte, dann könnt ihr etwas malen.«

»Au ja! Ein Atomkraftwerk, und das legen wir dann still«, forderte der Kleine.

Der Große rief: »Nee, wir lassen es explodieren!« Er machte eine Bewegung, als würde er es bereits in die Luft sprengen: »Boouuuwww!«

Marion Wolters, die den Umgang mit Kindern in dem Alter nicht gewohnt war, öffnete die Tür zu Ann Kathrins Büro. Die zwei sahen sich nur kurz an. Blicke genügten oft zwischen ihnen.

Ann Kathrin hatte diesen *Bitte kümmere dich, ich schaffe es gerade nicht*- Augenaufschlag. Sie wirkte angestrengt.

Ihr gegenüber saß die Mutter der Jungs. Sie hatte lange blonde Haare bis zu den Ellbogen. Sie redete verzweifelt auf Ann Kathrin ein: »Mein Mann war immer ein zärtlicher Liebhaber. Jetzt ist er ganz anders: Fordernd. Dominant. Egoistisch.«

»Ja«, sagte Ann Kathrin, »so etwas gibt es, Frau Oberdieck. Menschen verändern sich.«

Marion Wolters mischte sich ungefragt ein: »Das kenne ich. Am Anfang sind sie immer alle charmant, liebevoll, lesen einem die Wünsche von den Augen ab und später dann ... «

Carina Oberdieck funkelte Marion Wolters an. Sie fühlte sich keineswegs von ihr bestätigt und verstanden. »So ist das aber nicht!«, behauptete sie.

Marion zuckte mit den Schultern und machte eine Geste der Ratlosigkeit.

Ann Kathrin erklärte: »Frau Oberdieck glaubt, ihr Mann sei gar nicht ihr Mann.«

Die Kinder sangen jetzt im Flur:

»Zickezacke Hühnerkacke,
unser Nachbar hat 'ne Macke,
immer, wenn wir spielen wollen,
will er gleich die Bullen holen!«

Die Mutter stöhnte: »Ich weiß, dass sie nicht einfach sind. Die Situation ist auch für die Kinder schwierig. Ich wollte sie nicht mitbringen, aber die Babysitterin hat mich im letzten Moment draufgesetzt und ich ... «

»Schon gut, ich kümmere mich«, sagte Marion und ließ Ann Kathrin mit der aufgebrachten Mutter allein.

»Mein Fabian«, behauptete Carina Oberdieck, »lebt nicht mehr. Da können Sie mir erzählen, was Sie wollen, Frau Kommissarin.«

Ann Kathrin wollte wissen: »Wann haben Sie denn zum ersten Mal Zweifel bekommen, dass Ihr Mann nicht Ihr Mann ist?«

»Wir haben eine schwierige Phase hinter uns. Ich will nicht sagen, dass alles an den Kindern lag, aber das hat es nicht gerade einfacher gemacht ... Wir haben uns auf Probe getrennt, also, wir wollten mal eine Pause einlegen.«

»Und wie lange hat die Pause gedauert?«

»Ziemlich genau ein halbes Jahr. Fabian hat sogar eine Therapie angefangen. Wir haben uns geschrieben, und je weiter wir voneinander entfernt waren, umso näher sind wir uns gekommen. Plötzlich war es fast wieder wie am Anfang. Wir haben zunächst eine Fernbeziehung geführt. Zwischen uns lagen fast immer vier-, fünfhundert Kilometer. Wir haben uns aufeinander gefreut und dann, am Wochenende ... «

»Ihr Mann hat also nie ganz viel von der Erziehung der Kinder mitbekommen?«

»Nein. Aber wir haben uns dann in Norden ein Haus gekauft. Wir wollten hier leben. Am Meer. Wo andere Urlaub machen.«

Ann Kathrin trank aus ihrem Kaffeebecher warmes Wasser. Sie hatte plötzlich das Gefühl, sich der Frau gegenüber erklären zu müssen: »Ich würde Ihnen auch gerne etwas anbieten, aber das ist kein Kaffee. Manchmal trinke ich einfach gerne heißes Wasser. Es hat so etwas Klärendes. Wollen Sie vielleicht auch?«

Carina Oberdieck nickte. Ann Kathrin erhob sich, als sei das bereits eine Anstrengung für sie. Stumm ermahnte sie sich selbst, in Zukunft mehr Sport zu treiben. Sie ging zum Wasserkocher, griff dann aber zur Thermoskanne. Daraus goss sie einen blauen Kaffeebecher voll.

Auf dem Becher stand: *Nimm dir Zeit für Meer.*

Frau Oberdieck nahm ihn gern. Sie schlug die Beine übereinander und stellte den Becher auf ihren Knien ab, wo sie ihn mit beiden Händen festhielt. Sie trank aber nichts davon.

»Wir wollten das Haus schon wieder verkaufen und uns scheiden lassen ... Aber ich hatte immer das Gefühl, unsere Ehe sei noch nicht wirklich gescheitert.«

Ann Kathrin befürchtete, die Frau könne noch ein paar Stunden weiterreden, und da das Geschrei im Flur ziemlich laut wurde, versuchte sie ganz gegen ihre Gewohnheiten, das Gespräch abzukürzen: »Sie haben sich also entschieden, wieder zusammenzuziehen?«

»Ja. Zunächst vor allen Dingen auch wegen der Kinder. So waren wir zumindest gemeinsam in einem Haus, aber in getrennten Schlafzimmern.«

»Und wann haben Sie bemerkt, dass etwas nicht stimmte?«

Carina Oberdieck sah zur Tür, als müsse sie sich vergewissern, dass ihre Kinder nicht hereingekommen waren. Sie flüsterte: »Er wollte ständig Sex ... Er hatte im Bett andere Vorlieben und überhaupt ... Fabian war im Essen ganz etepetete. Alles musste immer Bio sein, höchstens einmal in der Woche Fleisch und dann natürlich ganz ausgesuchtes vom Biobauernhof. Und plötzlich geht der mit den Jungs ins Fußballstadion und Pommes essen ...«

Ann Kathrin machte ihr ein Angebot: »Vielleicht hat Ihr Mann sich ein wenig verändert und kommt jetzt mehr aus sich heraus. Gerade, wenn Sie sagen, dass er eine Therapie begonnen hat. Dazu die Trennungszeit ... «

Frau Oberdieck ließ das nicht gelten. Sie tippte sich gegen die Stirn und verschüttete etwas von dem warmen Wasser, schien das aber gar nicht zu bemerken: »Plötzlich fährt der mit denen nach Köln zum 1. FC! Dabei war er doch Werder-Bremen-Fan. Nein! Das ist nicht mein Fabian! Ich spüre das ganz genau. Fabian ist tot!«

Ann Kathrin war ein wenig ratlos. Sie nahm noch einen Schluck Wasser, lehnte sich in ihrem schwarzen Bürosessel zurück, versuchte, ruhig zu atmen und beide Fußsohlen fest auf den Boden zu drücken. Diese Frau war fest davon überzeugt, dass ihr Mann ermordet worden war und ein Fremder sich bei ihr eingenistet hatte. War sie ein Fall für die Psychiatrie?

»Ich bin«, sagte Ann Kathrin, »von der Mordkommission.«

»Ich weiß. Deswegen bin ich ja zu Ihnen gekommen.«

»Wenn wir keine Leiche haben, dann ist es natürlich schwierig, von einem Mord zu sprechen. Sie reden von einem Mann, der sich verändert hat. Mal ehrlich, Frau Oberdieck, wenn jemand – gesetzt den Fall, es ist wirklich so – so tut, als sei er Ihr Mann, dann muss er ihm schon verdammt ähnlich sehen. Aber spätestens, wenn Sie mit ihm ins Bett gehen, werden Sie doch bemerken, ob ... «

»O nein. So einfach ist das nicht, Frau Klaasen. Das ist Fabians Zwillingsbruder.«

»Er hat einen Zwillingsbruder?«

»Ja. Eineiige Zwillinge.«

Das ließ die Geschichte in einem anderen Licht erscheinen.

Ann Kathrin machte sich Notizen. Nicht etwa, weil sie sich wirklich etwas aufschreiben wollte, sondern damit die Frau das Gefühl bekam, ernst genommen zu werden. Oft veränderte es ein Gespräch, wenn sie begann, mitzuschreiben. Dabei spielte es gar keine Rolle, ob sie es wirklich tat oder nicht.

»Und Sie glauben also, dass sein Zwillingsbruder ihn umgebracht hat und jetzt stattdessen bei Ihnen wohnt?«

»Das glaube ich nicht, das weiß ich.«

Frau Oberdieck und Ann Kathrin sprangen gleichzeitig hoch und waren bei der Tür. Selbst Rupert trat erneut in den Flur, um zu gucken, was los war. Er verschränkte die Arme vor der Brust und amüsierte sich.

Marion Wolters saß auf einem Stuhl. Ihr linkes Handgelenk war mit einer Handschelle an der Lehne eines anderen Stuhls festgemacht. Die beiden Kinder liefen johlend in Richtung Treppe.

Marion versuchte, sich zu erklären: »Ich wollte sie beschäftigen. Wir haben doch kein Spielzeug hier. Sie haben mich gefragt, ob ich eine richtige Polizistin bin, ob ich Handschellen habe und …«

»Dann hast du sie ihnen gezeigt«, feixte Rupert. »Mariönchen, Mariönchen, du musst noch viel lernen.«

Die Mutter versuchte, ihre Kinder zu beschützen: »Die meinen das nicht böse. Die sind ein bisschen wild, aber sonst eigentlich ganz in Ordnung.«

»Ja, ganz goldige Kerlchen«, lachte Rupert, der froh war, dass der Kinderwunsch, den seine Frau Beate lange gehegt hatte, niemals in Erfüllung gegangen war.

Vielleicht hat mich das davor bewahrt, zum Kindsmörder zu werden, dachte er und zuckte plötzlich zusammen, weil er nicht wusste, ob er das nur gedacht oder laut gesagt hatte.

Heutzutage wurde ja jedes Wort auf die Goldwaage gelegt, da konnte man sich leicht um Kopf und Kragen reden.

Ann Kathrin wollte Marion aus der misslichen Lage befreien und fragte sich, warum Marion es nicht selbst längst getan hatte. »Haben die Kinder etwa auch den Schlüssel?«, fragte Ann Kathrin.

Marion antwortete nicht, sondern presste ihre Lippen fest zusammen.

»Kommt sofort zurück!«, rief Carina Oberdieck hinter ihren Söhnen her.

»Früher«, behauptete Rupert, »hat man mit Taschengeldentzug gedroht, Stubenarrest oder dass es keinen Nachtisch gibt. Heute, habe ich gehört, soll es ausreichen, wenn man das WLAN-Passwort verändert, damit die Kleinen nicht mehr ins Netz kommen ... «

»Ja«, fauchte Frau Oberdieck zurück, »herzlichen Dank für die Erziehungstipps!«

»Vielleicht hilft mir mal einer?«, fragte Marion und versuchte aufzustehen.

Polizeidirektorin Elisabeth Schwarz kam die Treppe hoch. Ihr Gang hatte etwas Erhabenes an sich, und sie strahlte eine Autorität aus, die keine lauten Worte nötig hatte. Geradezu ängstlich wichen die Kinder zurück und flohen zu ihrer Mutter.

Frau Schwarz erfasste die Situation sofort. Sie musterte Marion Wolters, verzog den Mund und sprach dann schmallippig Ann Kathrin an: »Wie ich sehe, haben Sie mal wieder alles im Griff.«

Klaus-Peter Wolf
Ein mörderisches Paar
Das Versprechen

Er ist ein Mann mit Prinzipien. Und er scheut vor Mord nicht zurück. Sie ist eine Frau mit Hintergrund. Und äußerst schlagfertig. Gemeinsam spielen sie nicht nur Golf! Der Drogentod eines Schülers bringt Dr. Ernest Simmel alias Dr. Bernhard Sommerfeldt auf den Plan. Er weiß, wem er einen Besuch abstatten muss und welche Strafe der Dealer verdient hat. Sommerfeldt und Frauke, seine zukünftige Ehefrau, sind ein mörderisches Paar und das neue Dream-Team in der Spannung.

Die neue Serie von Nummer-1-Bestsellerautor Klaus-Peter Wolf ab Mai 2023!

Ostfriesenkrimi
464 Seiten, Klappenbroschur

Weitere Informationen finden Sie auf
www.fischerverlage.de

Jeder Mensch sollte ein selbstbestimmtes und würdevolles Leben bis zum letzten Augenblick führen können. Sterben ist ein Teil des Lebens.

Unser Hospiz am Meer steht. Es war ein weiter Weg von der Idee – wir hatten noch nicht einmal ein Grundstück – bis jetzt. Ich bedanke mich bei den vielen Menschen, die uns mit ihren Spenden geholfen haben. Es macht mich stolz und glücklich, dass so viele meiner Fans dabei mitgeholfen haben. Natürlich sind wir auch weiterhin auf Spenden angewiesen.

Hier unser Spendenkonto:

Förderverein Stationäres Hospiz Norden e.V.
Spendenkonto: IBAN DE 04 2835 0000 0145 4027 98
BIC BRLADE21ANO Sparkasse Aurich-Norden

Klaus-Peter Wolf
Der Weihnachtsmann-Killer
Ein Winter-Krimi aus Ostfriesland

Der erste Weihnachtskrimi von Klaus-Peter Wolf

Andere bereiteten sich auf das Weihnachtsfest vor, indem sie
Strohsterne bastelten und Plätzchen in den Ofen schoben.
Er hingegen würde die Tiefkühltruhe frei machen für eine
weitere Leiche. Für den nächsten Weihnachtsmann. In dieser Jahreszeit gab es ohnehin zu viele von ihnen. Er wollte
ihre Reihen lichten – das hatte er sich fest vorgenommen.

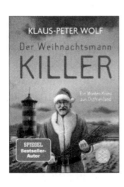

Kriminalroman
256 Seiten, gebunden

Weitere Informationen finden Sie auf
www.fischerverlage.de

DU spielst Ann Kathrin Klaasen!

Findest du das Vermächtnis des Killers?

Klaus-Peter Wolf,
Jens Schumacher,
Hauke Kock
Ostfriesenrätsel
Box / 50 Karten
15,00 €
GTIN 4014489131694

Ein Auftragskiller ist aus dem Gefängnis geflohen. Kurz zuvor hatte er der Polizei die Namen all seiner Auftraggeber versprochen – sein Todesurteil, denn nun machen jene Kriminellen, für die er einst mordete Jagd auf ihn. Als Lebensversicherung hinterlässt der Flüchtende Hinweise auf das Versteck seiner Kundenliste. Ein teuflischer Wettlauf beginnt, denn schon bald ist der Killer nicht mehr der einzige, der gejagt wird ...

Ein Krimi-Game nach Motiven der Bestseller von Klaus-Peter Wolf: mit Ann Kathrin Klaasen und vielen anderen bekannten Figuren.

Mehr Herausforderungen und Nervenkitzel unter: arsedition.de/escape-room

Klaus-Peter Wolf
Ostfriesensturm

Der 16. Fall für Ann Kathrin Klaasen und ihr Team

In einer leerstehenden Ferienwohnung auf Wangerooge
wird die Leiche eines Mannes gefunden. Die Tötungsart
lässt vermuten, dass hierfür das organisierte Verbrechen verantwortlich ist. Ann Kathrin Klaasen und ihr Team sind sofort in höchste Alarmbereitschaft versetzt. Nur kurz darauf
geschieht ein weiterer Mord in einem Tierpark. Nachdem
alle Touristen Ostfriesland verlassen mussten, durchsucht
die Polizei unter Hochdruck leer stehende Ferienwohnungen. Ein Auftragskiller in Ostfriesland? Wo versteckt er
sich?

560 Seiten, broschiert

Weitere Informationen finden Sie auf
www.fischerverlage.de

AZ 596-70003/1

Alle Ostfriesenkrimis von Klaus-Peter Wolf sind als Hörbuch erhältlich!

»Klaus-Peter Wolf lotet mit Humor, Spannung und feinem psychologischen Gespür großartig und facettenreich die Grenzen seiner Figuren aus.«
WAZ, Elisabeth Höving

»Ein Krimi mit Anspruch also, wie immer bei Klaus-Peter Wolf. Dazu viel Action und ab und an ein bisschen Komik zur Entspannung.«
Bayern 5, Erla Bartmann

»Klaus-Peter Wolf versteht es bestens die Spannung mit den Handlungen und Sprüchen seiner Charaktere zu durchbrechen, um dem Hörer eine Atempause für einen Lacher zu gönnen, bevor die Dramatik sich wieder steigert.«
Der Hörspiegel, Michael Brinkschulte

»Kennzeichnend für die Krimis von Klaus-Peter Wolf ist nicht nur die innige Verzahnung mit der norddeutschen Region und ihrem speziellen Menschenschlag, sondern auch der Umstand, dass Wolf die Hörbücher stets als Autorenlesung veröffentlicht.«
Main-Echo, Martina Jordan

2 MP3-CDs ISBN 978-3-8337-4754-0